## Sur l'auteur

ritannique né en 1948 au Zimbabwe,
exander McCall Smith vit aujourd'hui
exerce les fonctions de professeur de
a médecine et est parallèlement mem-
ernational de bioéthique à l'UNESCO.
s années au Botswana où il a contri-
ion de la première école de droit et
pénal. Il a écrit une cinquantaine
lu manuel juridique au précis de gram-
et de nombreux livres pour enfants. Il
auteur des aventures de la désormais
hotswe, première femme détective du
mpte déjà sept tomes, et d'un recueil
*a Femme qui épousa un lion. Le Club
mateurs* est le premier volume d'une
ée cette fois en Écosse, et dont le
*mis, amants, chocolat,* a paru en 2006
Terres.

Ressortissant
où il a grandi, A
à Édimbourg. Il
droit appliqué à
bre du Comité in
Il a vécu quelqu
bué à l'organisa
rédigé le Code
d'ouvrages allant
maire portugaise
est notamment l'
célèbre Mma Ra
Botswana, qui co
de contes intitulé
*des philosophes a*
nouvelle série sit
deuxième volet, *A*
aux Éditions des

ALEXANDER McCALL SMITH

# LE CLUB
# DES PHILOSOPHES
# AMATEURS

Traduit de l'anglais
par François Rosso

**10**
—
**18**

« *Domaine étranger* »
dirigé par Jean-Claude Zylberstein

ÉDITIONS DES 2 TERRES

*Du même auteur*
*aux Éditions 10/18*

Titre original :
*The Sunday Philosophy Club*

© Alexander McCall Smith, 2004.
© Éditions des Deux Terres, 2005,
pour la traduction française.
ISBN 2-264-04400-4

*Ce livre est dédié à James et Marcia Childress*

# 1

Isabel Dalhousie vit le jeune homme tomber du « paradis », le dernier étage de la salle de concert. La chute fut très brève, une fraction de seconde, à peine le temps pour elle d'apercevoir la silhouette renversée du jeune homme, les cheveux en bataille, la veste et la chemise relevées sur son torse, découvrant l'abdomen. Il heurta la rambarde du premier balcon et piqua la tête la première vers le parterre en contrebas.

Curieusement, la première chose qui vint à l'esprit d'Isabel fut ce poème d'Auden sur la chute d'Icare. L'événement avait eu lieu, écrivait Auden, alors que la foule vaquait à ses occupations quotidiennes, sans remarquer qu'un homme était en train de tomber du ciel. *Je parlais à un ami*, se remémora Isabel. *Je parlais à un ami et le garçon est tombé du ciel.*

Elle se serait rappelé cette soirée même sans cet accident. C'était avec un certain scepticisme qu'elle avait envisagé le concert de l'Orchestre symphonique de Reykjavik – dont elle n'avait jamais entendu parler –, et elle ne serait pas venue si son voisin ne l'eût pour ainsi dire forcée à accepter une place qui, sans cela, aurait été perdue. Reykjavik possédait-elle un orchestre symphonique professionnel, s'était-elle demandé, ou s'agissait-il d'une formation d'amateurs ? Amateurs ou non, si des musiciens avaient pris la peine de venir jouer à Édimbourg en ce début de printemps, ils méritaient sans conteste un public : il aurait été trop injuste qu'ils se fussent déplacés de si loin pour jouer devant une salle vide. Aussi avait-elle assisté à leur prestation, dont la première partie mêlait des œuvres des répertoires romantiques allemand et écossais : Schubert, Mahler et Hamish MacCunn.

C'était une soirée étonnamment tiède pour une fin de mois de mars, et l'atmosphère de l'Usher Hall était plutôt étouffante. Par précaution, elle portait une tenue légère, ce dont elle n'eut qu'à se féliciter tant la température au premier balcon avait bientôt grimpé en flèche. À l'entracte, elle était descendue profiter de l'air frais à l'extérieur du théâtre, évitant le bar et sa cacophonie de voix. Elle aurait pu y croiser des gens qu'elle connaissait, bien sûr : à Édimbourg, il était impossible de sortir sans en rencontrer. Mais, ce soir-là, elle n'était pas d'humeur à causer. Quand l'heure vint de remonter au premier balcon, elle hésita quelques instants, gagnée par l'envie de rentrer sans écouter la deuxième partie du concert ; cependant sa répugnance invétérée pour tout acte impliquant un manque de concentration ou – pis – de sérieux la convainquit de regagner son siège. Une fois assise, elle saisit le programme laissé sur le bras du fauteuil voisin et prit connaissance de ce qui l'attendait. Elle inspira profondément. Stockhausen !

Elle avait apporté les jumelles de théâtre qu'elle estimait si nécessaires même des modestes hauteurs du premier balcon et les dirigea vers la scène en contrebas, scrutant les visages de chacun des instrumentistes : au concert, c'était une curiosité à laquelle elle ne pouvait résister. D'ordinaire, il est mal vu d'observer les gens à la jumelle, mais cette pratique était tolérée au théâtre, et si la lunette déviait un peu vers le public, qui s'en apercevrait ? Les pupîtres des cordes alignaient des visages banals ; en revanche, un des clarinettistes avait des traits hors du commun : pommettes hautes et saillantes, grands yeux enfoncés dans leurs orbites et, au menton, une fossette aussi profonde qu'un coup de hache. Son regard s'attarda sur lui, et elle se prit à songer aux générations de hardis Islandais, et avant eux de Danois conquérants, dont les labeurs avaient abouti à des traits si typiques : hommes et femmes arrachant leur survie à la maigre terre des plateaux glaciaires, pêcheurs traquant la morue dans des eaux gris acier, leurs épouses luttant pour nourrir les enfants d'avoine et de poisson séché… Et, au terme de tant de peine, un clarinettiste.

Elle posa ses jumelles et s'appuya au dossier du fauteuil. L'orchestre était d'une virtuosité indéniable et avait joué le McCunn avec verve, mais pourquoi diable tous ces musiciens s'obstinaient-ils à vous fourguer du Stockhausen ? Peut-être pour faire montre de leur raffinement culturel. Certes, nous sommes de Reykjavik, et certes aussi, c'est une petite capitale éloignée du reste du monde, mais au moins pouvons-nous jouer Stockhausen aussi bien que n'importe qui. Elle ferma les yeux. C'était vraiment une musique à vous écorcher les oreilles, et une épreuve que des artistes de passage n'auraient pas dû infliger à leurs hôtes. Elle réfléchit un moment aux politesses et impolitesses des orchestres. Ils se devaient certainement d'éviter tout affront de nature politique : ainsi les formations allemandes s'étaient-elles longtemps abstenues de jouer Wagner à l'étranger, dans certains pays tout au moins, et lui avaient-elles préféré des compositeurs germaniques un peu plus… humbles. Cela convenait à Isabel, qui n'aimait pas Wagner.

Le Stockhausen était le dernier morceau du programme. Quand le chef d'orchestre eut regagné les coulisses et les applaudissements pris fin – un peu moins chaleureux qu'on aurait pu s'y attendre : la faute à Stockhausen ! –, elle quitta son siège et se dirigea vers les toilettes ; elle tourna un robinet et but dans le creux de ses mains (l'Usher Hall boudait la modernité d'un jet d'eau potable), puis s'aspergea le visage. Une fois rafraîchie, elle ressortit dans le couloir. Ce fut alors qu'elle aperçut son amie Jennifer au pied des quelques marches conduisant au premier balcon. Elle hésita. Il régnait encore une chaleur pénible dans le théâtre, mais elle n'avait pas vu Jennifer depuis plus d'un an et ne pouvait décemment s'en aller sans la saluer. Elle se fraya un chemin jusqu'à elle.

« J'attends David, dit Jennifer en faisant un geste vers les rangées de fauteuils. Figure-toi qu'il a perdu un verre de contact et qu'une ouvreuse a été obligée de lui prêter sa lampe de poche pour aller le récupérer sous son siège. Il en avait déjà égaré un dans le train de Glasgow, et voilà que ça recommence ! »

Elles bavardèrent un moment, tandis que dans l'escalier la foule s'acheminait vers la sortie. Jennifer, une belle femme dans la quarantaine – comme Isabel –, portait un tailleur rouge sur lequel elle avait piqué une grosse broche en or en forme de tête de renard, et Isabel ne put s'empêcher de regarder ces yeux de rubis qui semblaient fixés sur elle. « Mon Petit Frère Renard, pensa-t-elle. On dirait vraiment mon Petit Frère Renard. » Au bout de quelques minutes, Jennifer jeta un coup d'œil impatient vers la salle.

« Allons voir s'il a besoin d'aide, dit-elle, agacée. Ce serait une vraie calamité s'il en avait perdu un autre ! »

Elles gravirent une brève volée de marches et, entre deux rangées, distinguèrent le dos de David, penché derrière un fauteuil et promenant le rayon de la lampe sur le sol. Ce fut à cet instant, alors qu'elles se tenaient à cet endroit, que le jeune homme tomba du niveau supérieur, sans bruit, sans un cri non plus, agitant les bras comme s'il essayait de voler ou de repousser le sol devant lui, puis il sortit de leur champ de vision.

Elles n'eurent que le temps de se regarder, avec la même incrédulité. Un cri s'éleva en contrebas, une voix de femme, aiguë. Un homme poussa une exclamation sonore, une porte claqua.

Isabel fit un pas en avant et saisit le bras de Jennifer.

« Mon Dieu ! articula-t-elle. Mon Dieu... »

Plus loin, le mari de Jennifer se redressa vivement.

« Qu'est-ce que c'était ? lança-t-il. Qu'est-ce qui s'est passé ?

— Quelqu'un est tombé ! » répondit Jennifer.

D'un geste, elle désigna l'extrémité de l'amphithéâtre, à l'endroit où les rangées de sièges rejoignaient le mur.

« De là-haut. Un homme... »

De nouveau, elles se regardèrent. Cette fois, Isabel s'avança jusqu'au bord. La rambarde était surmontée d'un rail en cuivre, qu'elle empoigna avant de se pencher.

Au-dessous d'elle, le jeune homme gisait affalé sur un des fauteuils, les jambes tordues sur l'accoudoir du fauteuil suivant, un pied sans chaussure mais non sans chaussette, remarqua-t-elle. Elle ne voyait pas sa tête, qui pendait sous le niveau du siège ; mais elle vit son bras bizarrement tendu en l'air, comme pour saisir quelque chose, immobile. Près de lui se tenaient deux hommes en smoking : l'un se penchait pour le toucher tandis que l'autre regardait vers la porte.

« Vite ! dit le premier. Dépêchons-nous. »

Une femme cria quelque chose et un troisième homme accourut le long du bas-côté. Il se pencha à son tour et entreprit de soulever l'accidenté. La tête de celui-ci apparut, se balançant mollement comme si elle ne tenait presque plus au reste du corps. Isabel recula et tourna les yeux vers Jennifer.

« Il faut que nous descendions témoigner, dit-elle. Nous avons vu ce qui est arrivé. »

Jennifer baissa la tête.

« Nous n'avons pas vu grand-chose, objecta-t-elle. Ça s'est passé si vite… C'est terrible ! »

Isabel vit qu'elle tremblait et lui passa son bras autour des épaules.

« Oui, affreux, dit-elle. Quel choc ! »

Jennifer ferma les yeux.

« Il est tombé… comme ça, en moins d'une seconde ! Tu crois qu'il est vivant ? Tu l'as vu bouger ?

— J'ai bien peur qu'il soit grièvement blessé », répondit Isabel. Ou pis encore, elle s'en doutait.


Elles descendirent au rez-de-chaussée. Devant l'entrée du parterre, un petit attroupement s'était formé, d'où s'élevait un bourdonnement de paroles. À l'approche d'Isabel et Jennifer, une femme se tourna vers elles.

« Quelqu'un est tombé du paradis. Il est encore à l'intérieur, annonça-t-elle.

— Nous l'avons vu, dit Isabel en hochant la tête. Nous étions au-dessus.

— Vous avez tout vu ? Vous l'avez vu tomber ?

— Nous avons vu son corps passer devant nous, répondit Jennifer. Du premier balcon.

— Quelle horreur ! Assister à une chute pareille…

— Oui. »

La femme jeta à Isabel un regard empreint de cette soudaine et affectueuse intimité qu'autorise une présence commune sur le lieu d'un drame.

« Nous ferions mieux de ne pas rester ici, murmura Isabel, à son intention et à celle de Jennifer. Nous risquons de gêner. »

La femme recula.

« C'est qu'on voudrait bien faire quelque chose, dit-elle un peu piteusement.

— J'espère qu'il s'en tirera, soupira Jennifer. Une chute de si haut ! Mais il a heurté le bord du balcon. Avec un peu de chance, ça aura amorti le choc. »

Non, pensa Isabel, au contraire : il se sera blessé deux fois, en se cognant contre le rail en cuivre, puis en heurtant le sol. Elle regarda derrière elle. On s'affairait derrière la porte du théâtre, et elle aperçut contre le mur les éclairs bleus d'un gyrophare. L'ambulance.

« Laissons-les entrer, dit Jennifer en s'écartant des gens attroupés. Ce sont les secours. »

Tout le monde recula au passage des deux ambulanciers en combinaison verte qui apportaient un brancard. Ils entrèrent en trombe dans la salle. Moins d'une minute s'écoula avant qu'ils ne reparussent, portant le jeune homme étendu sur le brancard, les bras repliés sur la poitrine. Isabel, par discrétion, détourna la tête, mais elle eut le temps de voir son visage : un halo de cheveux bruns ébouriffés entourait ses traits délicats, que la chute avait épargnés. Si beau, pensa-t-elle, et tout est déjà terminé pour lui. Elle ferma les yeux. Elle se sentait comme vide, et à vif. Pauvre garçon, que quelqu'un, quelque part, devait aimer, quelqu'un dont le monde s'effondrerait ce soir, quand la cruelle nouvelle lui serait apportée. Tout cet amour sans avenir désormais, foudroyé en un instant, le temps d'une chute du haut d'un théâtre.

Elle se tourna vers Jennifer. « Je monte un moment, dit-elle à mi-voix. Avertis que je reviendrai témoigner. »

Jennifer hocha la tête et regarda autour d'elle, à la recherche d'une quelconque autorité en charge du théâtre. À présent, la confusion régnait. Une femme sanglotait, qui avait dû se trouver au parterre au moment où le jeune homme s'était écrasé, et un homme de haute taille vêtu d'un smoking la réconfortait.

Isabel s'éloigna vers un des escaliers conduisant au paradis. Elle se sentait mal à l'aise et jeta un coup d'œil derrière elle, mais il n'y avait personne. Elle gravit les dernières marches et franchit la porte en arche ouverte sur les abrupts alignements de sièges : tout était tranquille, et les globes en verre gravé des plafonniers Art nouveau ne diffusaient plus qu'une clarté affaiblie. Elle baissa les yeux vers la rambarde par-dessus laquelle le garçon était tombé. Au moment de sa chute, Jennifer et elle se trouvaient presque exactement au-dessous, de sorte qu'elle put repérer où il se tenait avant de basculer.

Elle descendit et se glissa entre la première rangée de sièges et la rambarde. Face à elle, le rail en cuivre auquel il avait dû s'appuyer, et là, abandonné sur le sol, un programme. Elle le ramassa. La couverture était un peu déchirée, observa-t-elle, mais, hormis cela, il n'avait rien de particulier. Elle le reposa où elle l'avait trouvé, puis se pencha par-dessus le rail. C'était d'ici, de l'extrémité de la rangée, qu'il avait dû assister au concert. S'il s'était trouvé plus au centre, il aurait atterri au premier balcon. Tout au fond seulement, là où l'amphithéâtre rejoignait le mur, on pouvait tomber droit sur les fauteuils du parterre, à pic.

Isabel fut prise d'un soudain vertige et ferma les yeux. Mais elle ne tarda pas à les rouvrir et à regarder de nouveau vers la fosse, une bonne quinzaine de mètres plus bas. Là, debout près des fauteuils où le garçon s'était écrasé, un homme en coupe-vent bleu marine regardait vers le haut, et leurs yeux surpris se croisèrent. Isabel recula comme si le regard de l'homme la mettait en garde.

16

S'éloignant de la rambarde, elle remonta par l'étroit passage entre les rangées de sièges. Qu'avait-elle espéré découvrir, à supposer qu'elle eût espéré quelque chose ? Elle n'en avait aucune idée, et se sentit gênée que cet homme l'eût aperçue d'en bas. Qu'avait-il pu penser d'elle ? Sans doute, qu'elle n'était qu'une vulgaire curieuse essayant d'imaginer ce que le pauvre garçon avait vu dans les dernières secondes de son existence terrestre. Mais tel n'était pas son but, tant s'en fallait.

Elle regagna la porte et le couloir, puis redescendit l'escalier en tenant soigneusement la rampe. C'était un escalier en colimaçon, aux marches de pierre, et on pouvait glisser facilement. Comme le jeune homme, pensa-t-elle. Il avait dû se pencher par-dessus le rail, peut-être pour apercevoir un ami en contrebas, puis il avait perdu l'équilibre et basculé dans le vide. Au fond, cela n'avait rien d'extraordinaire : la rambarde n'était pas bien haute.

À mi-chemin, elle s'arrêta sur une marche. Elle était seule, et pourtant elle avait entendu un bruit. Réel ou imaginaire ? Elle tendit l'oreille, mais n'eut que le silence en retour. Elle respira profondément et continua de descendre. Sans doute s'était-il attardé au paradis, y était-il resté en dernier, pour une raison ou pour une autre, tandis que la serveuse fermait le petit bar de l'étage. Tout seul, il avait regardé vers le bas, et il était tombé, sans un cri. En tombant, peut-être les avait-il vues, Jennifer et elle. Son dernier lien avec les vivants.

Elle atteignit le bas de l'escalier et aperçut l'homme en coupe-vent bleu, debout à quelques mètres, qui la regardait d'un air sévère.

Isabel s'approcha de lui.

« J'étais au premier balcon et je l'ai vu tomber », expliqua-t-elle.

L'homme la regardait toujours.

« Il faudra que vous passiez au commissariat. Nous prendrons votre déposition.

— Volontiers, mais je n'ai pas grand-chose à vous dire. J'étais avec une amie et il est tombé devant nous. Tout s'est passé très vite.

— Et peut-on savoir ce que vous faisiez là-haut ? » s'enquit-il en fronçant les sourcils.

Un peu gênée, Isabel baissa les yeux.

« Je voulais comprendre comment c'était arrivé, répondit-elle. Et je crois que j'ai compris.

— Oh, vraiment ?

— Oui. Il a dû se pencher par-dessus le rail et perdre l'équilibre. Ce n'est pas aussi surprenant qu'on pourrait croire. »

L'homme pinça les lèvres.

« Notre enquête le dira. Inutile d'échafauder des hypothèses. »

C'était un reproche, mais sans dureté car il voyait combien Isabel était bouleversée. Elle tremblait à présent. Mais cette réaction lui était familière : des gens assistaient à un accident mortel, et ils se mettaient à trembler – non pas sur le moment, mais plus tard. C'était de s'en souvenir qui les faisait trembler d'effroi, de s'apercevoir que notre vie tient à si peu de chose, et avec quelle facilité elle peut nous être enlevée. À chaque instant.

## 2

À neuf heures le lendemain matin, Grace, la gouvernante d'Isabel, entra dans la maison, ramassa le courrier dans la boîte aux lettres et se dirigea vers la cuisine. Isabel était descendue et était attablée devant un journal déplié et une tasse de café à moitié bue.

Grace posa les lettres sur la table et ôta son long manteau à chevrons d'une coupe sévère et démodée. C'était une quinquagénaire de haute stature, de six ans plus âgée qu'Isabel, qui portait ses cheveux d'un roux foncé noués en chignon derrière la tête.

« J'ai attendu le bus pendant une demi-heure, maugréa-t-elle. Je ne voyais rien venir. Rien ! »

Isabel se leva et s'approcha du percolateur plein du breuvage chaud qu'elle avait posé sur le fourneau.

« Tenez, ça vous fera du bien », dit-elle en remplissant une tasse. Puis, tandis que sa gouvernante buvait à petites gorgées, elle fit un geste en direction du journal.

« Le *Scotsman* raconte une histoire affreuse. Un accident. Je l'ai vu de mes yeux, hier soir, à l'Usher Hall. Un jeune homme est tombé du haut du paradis. »

Grace en eut le souffle coupé.

« Le pauvre ! Est-ce que ?…

— Oui, il est mort, répondit Isabel. On l'a transporté à la Royal Infirmary, mais les médecins n'ont pu que constater le décès. »

Grace regarda sa patronne par-dessus sa tasse.

« Est-ce qu'il s'est jeté de là-haut ?

— Rien ne permet de penser cela », dit Isabel en secouant la tête.

Elle s'interrompit. Elle n'avait pas songé à cette éventualité. Ce n'était pas ainsi qu'on mettait fin à ses jours : si l'on voulait en finir, on se jetait plutôt dans l'estuaire du haut du Forth Bridge, ou du Dean Bridge si pour quelque raison l'on préférait s'écraser à même la terre. Le Dean Bridge... Ruthven Todd avait écrit un poème sur cet endroit ; il notait que les hautes grilles à pointes de fer « décourageaient étrangement les suicides » – étrangement, parce que la perspective d'un peu de douleur physique devait sembler insignifiante pour qui s'apprêtait à se donner la mort. Ruthven Todd, presque ignoré malgré la haute inspiration de sa poésie... Un vers de lui, avait affirmé Isabel un jour, en valait bien cinquante de McDiarmid, ce poseur ; mais plus personne ne se rappelait Ruthven Todd.

Elle avait croisé McDiarmid une fois, au temps où elle était encore lycéenne. Alors qu'elle descendait Hanover Street avec son père, le poète était sorti du *Milnes Bar* en compagnie d'un homme de haute taille à l'allure distinguée. Ce dernier avait salué son père, qui l'avait présentée, et le monsieur distingué s'était courtoisement incliné pour lui serrer la main. McDiarmid, lui, s'était contenté de hocher la tête en souriant, et elle avait été frappée par ses yeux, qui semblaient émettre une clarté bleue et perçante. Il portait un kilt et serrait contre sa poitrine une vieille sacoche fatiguée, comme pour se protéger du froid.

Après la rencontre, son père lui avait dit :

« Tu viens de voir le meilleur poète contemporain d'Écosse, à côté du plus verbeux.

— Lequel est le meilleur et lequel le verbeux ? » avait-elle demandé.

20

À son lycée, on étudiait Robert Burns, bien sûr, le poète national, et aussi un peu d'Allan Ramsay pour les classiques, et de Robert Henryson pour la poésie ancienne ; mais rien de moderne.

« Hugh McDiarmid – ou Christopher Grieve, de son vrai nom – est le champion du verbiage. Le meilleur, c'est le grand Norman McCaig, Ruthven Todd en littérature. Seulement, il ne sera jamais reconnu à sa juste valeur, parce que de nos jours la littérature écossaise n'est que plaintes, gémissements et autres litanies d'âmes blessées ! »

Son père avait marqué une pause, puis demandé :

« Tu comprends ce que je veux dire ?

— Pas du tout », avait avoué Isabel.


« À votre avis, est-ce qu'il a sauté ? interrogea Grace de nouveau.

— On ne l'a pas vu basculer par-dessus la rambarde, répondit Isabel en repliant son journal de manière à mettre en évidence la grille de mots croisés. Jennifer et moi, nous l'avons seulement vu en train de tomber, après avoir dérapé, ou je ne sais quoi. C'est ce que j'ai déclaré aux policiers hier soir. Ils ont pris notre déposition.

— On ne glisse pas si facilement par-dessus une rambarde, marmonna Grace.

— Oh, si. Ça peut arriver. Plus souvent qu'on ne le croit. Une fois, j'ai lu l'histoire d'un jeune marié en voyage de noces, mort après avoir glissé par-dessus un parapet. Sa femme et lui étaient allés voir je ne sais plus quelles chutes d'eau en Amérique du Sud, et il a glissé. »

Grace haussa un sourcil.

« Moi, je connais l'histoire d'une femme qui est tombée du haut d'une falaise, dit-elle. À deux pas d'Édimbourg. Elle aussi était en voyage de noces.

— Vous voyez bien.

— Oui… Sauf que certains ont pensé qu'on l'avait plutôt poussée ! rétorqua Grace. Quelques semaines plus tôt, son mari avait souscrit une assurance-vie. Il a réclamé l'argent, mais la compagnie a refusé de payer.

— Cela aussi peut arriver. Des gens meurent parce qu'on les a poussés. D'autres parce qu'ils ont glissé. »

Elle se tut, imaginant le jeune couple en Amérique du Sud, éclaboussé par la cataracte, puis l'homme dégringolant dans le flot d'écume blanche, son épouse de quelques jours remontant le chemin en courant de toutes ses forces – et puis plus rien… On aime une personne, très fort, et cet amour vous rend si vulnérable ! Trois, quatre centimètres trop près du bord, et c'est votre vie entière qui peut basculer.

Isabel prit sa tasse et sortit de la cuisine : Grace préférait travailler sans être regardée, et pour sa part elle aimait faire ses mots croisés dans le petit salon, en promenant ses yeux sur le jardin. Ce rituel durait depuis plusieurs années, depuis son retour dans la grande maison : elle commençait sa journée par les mots croisés, puis elle parcourait les nouvelles en tâchant d'éviter les faits divers et autres informations scabreuses qui occupaient de plus en plus de colonnes dans toute la presse. D'où venait cette obsession pour les faiblesses et les échecs de nos prochains, pour ces vies qui sombraient dans le drame, sans parler des affaires de cœur de tel acteur, de telle rock star ? Il fallait certes avoir conscience de la faiblesse humaine, celle-ci était une réalité ; mais se complaire à la décrire semblait à Isabel relever non seulement du voyeurisme, mais de la médisance à prétention moralisante. Et pourtant, pensa-t-elle, est-ce que je ne lis pas ces bêtises, moi aussi ? Bien sûr que si. Je ne vaux donc pas mieux que les autres, puisque les scandales m'intéressent. Elle sourit mélancoliquement en remarquant un titre : UNE PAROISSE BOULEVERSÉE PAR L'INCONDUITE DE SON PASTEUR. Elle lirait l'article, comme tout le monde, bien qu'elle sût que derrière l'anecdote ne pouvaient se cacher qu'une tragédie personnelle, et la honte qui s'ensuivait inévitablement.

Elle approcha un fauteuil de la baie vitrée, pour profiter de ce matin lumineux. Les rayons du soleil pleuvaient sur les pommiers en fleur qui bordaient un côté du jardin muré. La floraison était tardive cette année, et elle se demanda si les arbres porteraient des fruits l'été venu. Certains printemps, leurs branches demeuraient nues et stériles ; puis, un an plus tard, elles se chargeaient en abondance de petites pommes rouges, qu'elle cueillait pour en faire un délicieux *chutney* dont sa mère lui avait transmis la recette.

Sa mère, sa « sainte mère américaine », était morte quand Isabel n'avait que onze ans, et les souvenirs d'elle s'estompaient petit à petit. Les mois et les années se brouillaient, et l'image du visage penché sur elle, le soir, au moment de la border, se faisait de plus en plus floue. Elle entendait encore la voix, pourtant, son écho quelque part dans sa mémoire, cette douce voix du Sud dont son père lui disait jadis qu'elle lui évoquait la mousse sur les arbres des bayous et les personnages de Tennessee Williams.

Assise dans le petit salon, sa deuxième tasse de café posée sur le plateau en verre de la table basse, les définitions de ses mots croisés la laissèrent inexplicablement à court d'idées au bout de quelques instants. À l'horizontale, le 1 était un cadeau, presque vexant : *Roi vainqueur outre-mer et vaincu dans son bain* (9 lettres). Agamemnon, bien sûr. Puis, verticalement, le 7 : *Pièce monarchique qui plaît même aux républicains* (8 lettres). Napoléon. Mais après quelques trouvailles simplettes du même genre, elle se creusa vainement la tête sur *Fit des veuves tristes au pays de la Veuve joyeuse* (3, 9 lettres) et *Chanté en l'honneur d'un feu* (6, 6 lettres), et ces deux grands blancs l'empêchèrent de continuer la grille. Elle se sentit frustrée, irritée contre elle-même. Elle trouverait les solutions, évidemment, elles lui viendraient plus tard dans la journée ; mais, pour le moment, force lui était de reconnaître sa défaite.

Bien sûr, elle savait ce qui n'allait pas. Les événements de la veille au soir l'avaient perturbée, plus, peut-être, qu'elle ne l'avait pensé. Elle s'était endormie à grand-peine, réveillée au petit matin, levée pour descendre à la cuisine et boire un verre de lait. Puis elle avait essayé de lire, sans parvenir à se concentrer, et finalement éteint la lumière ; ensuite, allongée sur son lit, éveillée, elle avait songé au jeune homme et à son beau visage calme, trop calme. Aurait-elle été moins émue s'il s'était agi d'une personne plus âgée ? Le drame eût-il été moins poignant si la tête qui pendait mollement avait été chenue, le visage ridé ?

Un tel choc, puis une nuit de sommeil intermittent… Rien d'étonnant si ces définitions faciles lui demeuraient opaques. Elle posa son journal et se leva. Elle avait envie de parler à quelqu'un, de discuter de ce qui s'était passé la veille au soir. Inutile de reprendre la conversation avec Grace, qui ne ferait que se répandre en spéculations invraisemblables et récits de malheurs que des amis lui avaient rapportés. Si les mythes fondateurs des cités avaient une origine, pensa Isabel, ils pourraient bien remonter à Grace. Aussi décida-t-elle de marcher jusqu'à Bruntsfield pour parler avec Cat, sa nièce. Dans ce quartier animé, Cat possédait une épicerie fine, et, si elle n'était pas trop occupée, elle prenait volontiers le temps de bavarder avec sa tante devant une tasse de café.

Cat était une fille sensible et sensée, et, pour peu qu'Isabel eût besoin de remettre en perspective un problème qui la préoccupait, c'était à sa nièce qu'elle s'adressait en premier. La réciproque était vraie : chaque fois que Cat avait des soucis avec un homme – ce qui semblait une constante de sa vie –, elle venait tout naturellement en discuter avec sa tante.

« Bien sûr, tu sais d'avance ce que je vais te dire, avait observé Isabel six mois plus tôt, juste avant l'apparition de Toby.

— Et toi, tu sais d'avance ce que je vais répondre !

— Oui, je suppose que oui. Et je sais également que je ferais mieux de me taire, parce que personne n'est habilité à dire à autrui ce qu'il devrait faire de sa vie. Il n'empêche que…

— Que, selon toi, je ferais mieux de retourner vers Jamie ?

— Exactement, avait confirmé Isabel, en pensant au délicieux sourire de Jamie et à sa belle voix de ténor.

— Voyons, Isabel, tu as bien compris, non ? Tu sais que je n'aime pas Jamie. Je ne suis pas amoureuse de lui, c'est tout. »

À cela il n'y avait rien à répliquer, et la rencontre s'était achevée dans le silence.


Dans le vestibule, Isabel prit son manteau et appela Grace pour l'avertir qu'elle ne rentrerait pas déjeuner. Elle n'était pas sûre que la gouvernante l'eût entendue : un aspirateur bourdonnait quelque part dans la maison. Elle appela de nouveau. Cette fois, l'aspirateur se tut et une réponse lui parvint.

« Inutile de préparer à déjeuner, dit Isabel. Je n'ai pas faim aujourd'hui. »

Quand Isabel arriva, Cat était occupée par plusieurs clients : deux hommes hésitaient sur le choix d'une bouteille de vin et comparaient à haute voix les mérites du brunello et du chianti, tandis que sa nièce faisait goûter à une dame une petite tranche du bloc de pecorino posé sur un disque de marbre. Elle capta le regard d'Isabel et sourit en la saluant à voix basse. Celle-ci désigna une des tables rondes où l'on pouvait prendre un thé ou un café : elle attendrait que les clients fussent partis.

Près de la table, plusieurs journaux et magazines étrangers étaient soigneusement empilés, et Isabel prit un exemplaire du *Corriere della Sera* daté de l'avant-veille. Elle lisait bien l'italien, comme Cat, et, sautant les pages consacrées à la politique intérieure – dont les rouages lui étaient impénétrables –, elle se plongea dans la rubrique culturelle. Un article longuet proposait de réévaluer l'œuvre d'Italo Calvino et un autre, plus bref, commentait la prochaine saison de la Scala de Milan. Ni l'un ni l'autre ne l'intéressaient : elle ne connaissait aucun des artistes qui se produiraient à la Scala, et Calvino, selon elle, n'avait nul besoin d'être réévalué. Restait un entretien avec un cinéaste albanais, fixé à Rome pour tourner des films sur son pays natal. Cette lecture s'avéra stimulante. Isabel y apprit que dans l'Albanie d'Enver Hoxha tout matériel photographique était inaccessible, hormis pour la police politique appliquée à filmer les suspects. Ce n'était qu'à l'âge de trente ans, expliquait le réalisateur, qu'il avait réussi à se procurer une caméra. « Je tremblais, ajoutait-il, tant j'avais peur de la laisser tomber. »

Isabel acheva l'article et reposa le quotidien sur la pile. Pauvre homme. Tant d'années gâchées ! Des existences innombrables avaient subi le joug de l'oppression et du déni des talents personnels. Quand bien même les victimes de dictatures savaient ou supposaient que celles-ci prendraient fin un jour, beaucoup avaient dû penser – non sans raisons – que ce jour viendrait trop tard pour elles. Avaient-elles pu se réconforter à l'idée que, peut-être, leurs enfants goûteraient à tout ce dont elles-mêmes avaient été privées ? Elle tourna les yeux vers Cat, qui, à vingt-quatre ans, n'avait pas connu le monde au temps où la moitié de sa population, peu ou prou, se trouvait privée de communication avec l'autre moitié. Elle-même n'était guère plus âgée quand le mur de Berlin était tombé, et Staline, Hitler et nombre d'autres tyrans lui apparaissaient comme des figures presque aussi lointaines que les Borgia. Mais, pour Cat, qui pouvaient être les croquemitaines ? se demanda Isabel. Existait-il des personnages capables de terrifier les garçons et les filles de sa génération ? Quelques jours plus tôt, à la radio, elle avait entendu un intervenant recommander d'enseigner aux enfants qu'il n'était pas d'individu mauvais, et que la notion de mal ne s'appliquait qu'à certains actes. Ces mots l'avaient arrêtée : elle écoutait l'émission en allant et venant dans la cuisine, et elle s'était immobilisée sur place, devant la fenêtre, regardant au-dehors le feuillage d'un arbre se balancer contre le ciel. Il n'était pas d'individu mauvais. Avait-il réellement dit cela ? Il ne manquait jamais de gens pour proférer ce genre de phrases, uniquement pour éviter de paraître « vieux jeu ». Eh bien ! tel n'était sûrement pas l'avis du cinéaste albanais, qui avait vécu environné par le mal comme un prisonnier cerné de murs.

Isabel se surprit à fixer l'étiquette d'une bouteille d'huile d'olive que Cat avait posée en évidence sur une étagère. L'illustration avait ce style rural et vieillot tant prisé des Italiens lorsqu'ils désirent vanter l'intégrité d'un produit agricole. « Cette huile ne sort pas d'une usine, proclamait l'étiquette, mais d'une authentique ferme, où des femmes en fichu comme celles que vous voyez ci-dessus pressent elles-mêmes l'huile de leurs oliviers, parmi de gros bœufs blancs au doux sourire et sous l'œil d'un brave fermier

27

moustachu qui s'appuie sur sa houe. » C'étaient là des gens dignes de respect, qui croyaient au mal, et vénéraient la Vierge Marie et toute une ribambelle de saints. Mais de telles gens n'existaient plus, évidemment, et l'huile d'olive venait probablement d'Afrique du Nord avant d'être embouteillée par des hommes d'affaires napolitains sans scrupules, fort peu soucieux d'honorer la Vierge sauf lorsque leur vieille mère était dans les parages.

« Tu cogites ! »

Avec un sourire amusé, Cat s'assit sur la chaise d'en face.

« Je le vois tout de suite, ajouta-t-elle. Quand tu es plongée dans tes pensées, tu as l'air complètement ailleurs. »

Isabel sourit à son tour.

« Je songeais à l'Italie, et au mal, et autres choses dans ce genre…

— Moi, je pensais à mes fromages ! répliqua Cat en s'essuyant les mains à un torchon. Cette bonne femme vient de goûter huit fromages italiens, avant de se décider pour cent cinquante grammes d'emmenthal.

— Elle a des goûts simples. On ne peut pas lui en vouloir.

— Mmm… Je me rends compte que je n'aime pas les relations publiques, maugréa Cat. J'ai envie d'ouvrir une épicerie-club, dont les clients devraient faire acte de candidature avant de pouvoir entrer. Et je choisirais ceux qui me plairaient. Un peu comme ton club de philosophie, tu vois ?

— Mon club de philosophie ne bourdonne pas vraiment d'une activité fébrile. Mais j'espère que nous aurons une réunion, un de ces dimanches…

— Pourtant c'est une idée formidable ! dit Cat. J'aimerais bien venir, mais le dimanche n'est pas un bon jour pour moi. Je n'arrive jamais à m'organiser. Tu sais ce que c'est, n'est-ce pas ? »

Isabel le savait. Et c'était sans doute le fléau dont les membres du club étaient affligés.

Cat la regarda avec plus d'attention.

« Quelque chose ne va pas ? Tu as l'air un peu abattue. Ça aussi, je le vois tout de suite ! »

Sans mot dire, Isabel regarda distraitement le motif de la nappe. Puis elle releva les yeux vers sa nièce.

« C'est vrai, je ne suis pas d'humeur très gaie. Il s'est passé quelque chose, hier soir. Sous mes yeux. Une chose affreuse.

— Quoi ? demanda Cat, fronçant les sourcils et posant une main sur le bras de sa tante.

— Tu as lu les journaux ce matin ? L'histoire de ce jeune homme qui s'est tué à l'Usher Hall ?

— Oui.

— J'ai assisté à la scène, dit Isabel. Je l'ai vu tomber du paradis, exactement sous mes yeux. »

Cat lui pressa l'avant-bras doucement.

— Je suis désolée pour toi, murmura-t-elle. Ça t'a fait un choc, forcément… » Elle s'interrompit un instant ; puis : « Je sais qui était ce garçon. Quelqu'un m'a parlé de lui ce matin. De cet accident. Je le connaissais vaguement. »

Isabel resta silencieuse quelques instants. En venant, elle avait seulement espéré parler de ce qu'elle avait vu avec sa nièce, mais sans imaginer que celle-ci pût connaître l'infortuné jeune homme.

« Il habitait près d'ici, poursuivit Cat. À Marchmont. Une de ces grandes maisons divisées en appartements, au-dessus du parc des Meadows, si je me rappelle bien. Et il venait ici de temps en temps. Mais je voyais plus souvent ses colocataires.

— Comment s'appelait-il ?

— Mark quelque chose. On m'a dit son nom de famille, mais je ne m'en souviens plus. Une cliente est passée ce matin, qui les connaissait bien mieux que moi et qui m'a raconté comment il était mort. Moi aussi, ça m'a fait un choc.

— Qui *les* connaissait ? Il était marié, ou ?... »

De nouveau, Isabel se tut. Beaucoup de gens ne prenaient plus la peine de se marier, elle devait y songer, même si dans bien des cas leur situation était semblable à un mariage. Mais comment posait-on la question ? « Vivait-il avec quelqu'un ? » Seulement, ce quelqu'un pouvait être n'importe qui, compagne ou compagnon tout récent ou temporaire ou conjoint depuis cinquante ans. Le mieux, peut-être, était de dire : « Y avait-il quelqu'un d'autre ? » C'était assez vague pour couvrir tous les cas de figure.

« Je ne crois pas, dit Cat en secouant la tête. Il habitait avec deux colocataires, une fille et un autre garçon. La fille est de Glasgow ou des environs. C'est elle qui vient le plus souvent. Quant au garçon, je ne sais pas grand-chose de lui. Il s'appelle Neil, je crois, mais il se peut que je confonde. »

L'employé de Cat, un jeune homme silencieux prénommé Eddie qui détournait presque toujours les yeux quand on le regardait, leur apporta deux tasses de café au lait fumantes. Isabel le remercia en souriant, mais, à son habitude, il tourna la tête et battit en retraite derrière le comptoir.

« Qu'est-ce que j'ai donc fait à Eddie ? interrogea Isabel. Il ne me regarde jamais en face. J'ai donc une figure si effrayante ? »

Cat sourit.

« Il travaille dur. Et il est honnête.

— Mais il ne regarde jamais personne !

— Il doit avoir une raison. L'autre soir, je l'ai trouvé assis dans l'arrière-boutique, les pieds sur une table et la tête entre les mains. Je ne m'en suis pas aperçue tout de suite, mais il était en larmes.

— En larmes ? Est-ce qu'il t'a dit pourquoi ? »

Cat hésita un instant.

« Oui, plus ou moins… En fait, il est resté très vague. »

Isabel attendit, mais à l'évidence Cat n'était pas disposée à lui révéler les confidences d'Eddie. Elle revint donc au sujet précédent. Comment le dénommé Mark avait-il pu tomber du paradis alors qu'un rail en cuivre était justement là pour empêcher de tels accidents ? S'agissait-il d'un suicide ? Un désespéré pouvait-il avoir l'idée de se tuer ainsi ? Ce serait une façon bien égoïste de quitter ce monde, car une personne placée en dessous risquait d'être blessée, voire de mourir aussi.

« Ce n'était pas un suicide. J'en suis sûre, conclut Isabel fermement.

— Comment peux-tu le savoir ? Tu dis toi-même que tu ne l'as pas vu basculer par-dessus la rambarde, objecta Cat.

— Il est tombé la tête en bas, dit Isabel, se remémorant la vision du jeune homme à la chemise et à la veste relevées sur son ventre, comme s'il plongeait du haut d'une falaise vers une mer imaginaire.

— Et alors ? Un corps en chute libre doit tournoyer de tous les côtés. Ça ne veut rien dire. »

Isabel secoua la tête.

« Il est tombé trop vite pour que son corps ait le temps de se retourner. Il était juste au-dessus de nous, rappelle-toi. Et les gens qui se suicident ne plongent pas la tête en bas. Ils sautent les pieds devant. »

Cat réfléchit. C'était probablement exact : parfois on voyait dans les journaux des gens sautant d'un immeuble ou d'un pont, et ils n'avaient jamais la tête en bas. Mais, d'autre part, il était si peu vraisemblable qu'on tombât du haut d'une salle de concerts par simple inadvertance… Sauf si le rail de protection était plus bas que dans son souvenir. La prochaine fois qu'elle irait à l'Usher Hall, elle vérifierait.

Elles finirent leur café et Cat rompit le silence :

« Tu dois te sentir très mal, comme moi quand j'ai vu cet accident, tu te souviens ? L'homme qui s'est fait renverser dans George Street. C'est traumatisant d'assister à une scène pareille.

— Je ne suis pas venue pour t'infliger mes jérémiades et te rendre cafardeuse à ton tour, dit Isabel. Excuse-moi.

— Tu n'as pas à t'excuser. » Cat lui prit gentiment la main. « Reste ici tant que tu veux. Tout à l'heure, nous pourrons sortir et déjeuner dans le coin. Ensuite, je peux prendre mon après-midi et nous ferons quelque chose de distrayant. Qu'est-ce que tu en dis ? »

Isabel apprécia la proposition de sa nièce, mais elle avait envie de dormir un peu cet après-midi. Et elle ne devait pas rester trop longtemps car la table où elle était assise était destinée aux clients.

« Je préférerais que tu viennes dîner ce soir, si tu peux. Je cuisinerai quelque chose en vitesse. »

Cat ouvrit la bouche pour parler mais se ravisa, et Isabel devina qu'elle comptait sortir avec le nouvel élu de son cœur.

« J'aimerais beaucoup, dit-elle enfin. Le problème, c'est que j'avais prévu de passer la soirée avec Toby. Nous avons rendez-vous au pub.

— Bien sûr, se hâta de répondre Isabel. Ce sera pour un autre jour.

— À moins que Toby ne vienne aussi ? ajouta Cat. Je suis sûre qu'il serait ravi. Je pourrais apporter une entrée… »

Isabel allait refuser, jugeant que le jeune couple préférerait une soirée en tête-à-tête, mais Cat insista et elles convinrent que Toby et elle viendraient vers huit heures. En retournant chez elle, Isabel pensa à Toby. Il était entré dans la vie de Cat quelques mois plus tôt, et, de même que pour son prédécesseur – Andrew –, elle éprouvait à son égard des sentiments mitigés. Il était difficile de mettre le doigt sur ce qui lui inspirait cette méfiance, mais elle avait la conviction que son intuition était juste.

Cet après-midi-là, elle dormit jusqu'à cinq heures et, à son réveil, elle se sentait beaucoup mieux. Grace était partie, mais lui avait laissé un mot sur la table de la cuisine. *Un homme a téléphoné, mais il n'a pas voulu dire son nom. Il a dit qu'il rappellerait. Je n'ai pas aimé le ton ni le son de sa voix.* Isabel était habituée aux messages de Grace, volontiers assortis de gloses sur la conduite ou le caractère des personnes concernées. *Ce plombier dont je me méfie a dit qu'il passerait demain. Bien sûr, il n'a pas précisé à quelle heure.* Ou : *Cette drôle de femme vous a rapporté votre livre. Pas trop tôt !*

Les commentaires de Grace la laissaient quelque peu médusée, mais au fil des ans elle avait découvert qu'en bien des occasions ses intuitions lui étaient fort utiles. Il était rare que Grace se trompât sur la vraie nature des gens, et ses opinions s'exprimaient en général de façon aussi lapidaire que dévastatrice. Le plus souvent, un mot lui suffisait : *fourbe*, disait-elle pour définir quelqu'un, ou *escroc*, ou *ivrogne*. Quand elle en pensait du bien, il arrivait que la formulation s'allongeât un peu – *d'une grande générosité* ou *vraiment gentil* –, mais de tels éloges n'étaient pas aisément gagnés. Une fois, Isabel l'avait interrogée sur les fondements d'appréciations aussi tranchantes, mais Grace avait pris un air maussade.

« Je sais tout de suite, avait-elle répondu. Il est facile de lire dans le cœur des gens. Je sais, voilà tout.

— Mais ils sont souvent beaucoup plus complexes que vous ne pensez ! Et ils ont des qualités qui n'apparaissent que lorsqu'on les connaît un peu mieux. »

Grace avait haussé les épaules.

« Il y a des gens que je n'ai aucune envie de connaître un peu mieux. »

La discussion s'était arrêtée là, Isabel avait compris qu'elle ne la ferait pas changer d'avis. Le monde selon Grace était simple : il y avait d'une part Édimbourg et ses valeurs fondatrices, et d'autre part le reste de l'humanité. Édimbourg, cela va sans dire, était par nature la ville du juste et du vrai, et tout ce qu'on pouvait espérer de ceux qui professaient d'autres conceptions de l'existence était qu'ils finiraient par revenir à la raison et à la vertu. Quand elle avait engagé Grace – peu après que la maladie de son père se fut déclarée –, Isabel avait été stupéfaite de découvrir l'existence d'une personne aussi fermement enracinée dans un univers mental et moral qu'elle croyait pour ainsi dire disparu : celui de la vieille Édimbourg, sévère mais douce, érigée sur des hiérarchies indiscutées et les convictions profondes du presbytérianisme écossais. Grace lui avait fait comprendre son erreur.

C'était de ce même univers qu'était issu le père d'Isabel, mais il avait toujours voulu s'en délivrer. Notaire, descendant d'une lignée de notaires, il aurait pu se contenter de la vie confortable et étriquée de son propre père, et de son grand-père, et de son arrière-grand-père, passant les jours à établir titres et contrats et à gérer des fonds en fidéicommis. Mais ses études l'avaient initié au droit international et lui avaient ouvert une foule d'autres possibilités. Devenu spécialiste des accords entre États, Harvard, où il avait passé son doctorat, aurait pu lui offrir une belle carrière, mais au bout du compte il n'en fut rien : après un temps d'hésitation, il se sentit l'obligation morale de revenir en Écosse, accompagné de la jeune femme qu'il avait épousée à Boston. À son retour, l'étude familiale et sa routine l'absorbèrent complètement, même s'il n'y était pas heureux. Un jour, il se laissa aller à un aveu devant sa fille : il lui confia qu'il ne voyait dans toute sa vie professionnelle qu'une sorte de peine qu'il avait été obligé de purger. Ce bilan avait épouvanté Isabel. C'était principalement pour cette raison qu'en entrant à l'université elle avait écarté tout projet de carrière juridique et choisi la discipline qui l'intéressait vraiment : la philosophie.

Ils étaient deux enfants : Isabel, l'aînée, et son frère. Isabel était allée en classe à Édimbourg, mais, à douze ans, on avait envoyé son frère en Angleterre, dans une pension réputée pour ses résultats en matière d'excellence intellectuelle et de malheur personnel. À quoi d'autre pouvait-on s'attendre ? Enfermer ensemble cinq cents garçons et les couper du reste du monde, c'était les inviter à créer une communauté où toutes les formes de cruauté et autres troubles du caractère ne demanderaient qu'à fleurir – et fleurissaient en effet. Le frère d'Isabel était devenu un personnage morose et étriqué, par réaction d'autodéfense : l'armure psychologique décrite par Wilhelm Reich, supposait-elle, qui engendrait ces hommes raides et malheureux, proférant d'une voix pincée des propos empreints d'une prudence maniaque. Après l'université, qu'il avait quittée sans diplôme, son frère avait pris un emploi dans une banque d'affaires de la City de Londres et menait depuis lors une vie convenable et calme, s'occupant de ce dont s'occupent d'ordinaire les cadres des banques d'affaires. Isabel et lui n'avaient jamais été proches, ni leurs contacts autres qu'occasionnels. Pour elle, il était presque un étranger, plutôt amical mais indifférent au fond. La seule passion qu'elle lui connût consistait à collectionner de vieux certificats, bons et actions multicolores, émis par telle compagnie de chemins de fer mexicaine, tels prospecteurs miniers de la Russie tsariste, telle caféière de Bornéo : tout un ancien monde de capitalisme bariolé. Mais que cachaient donc – avait-elle demandé un jour – ces titres imprimés avec force boucles et lettrines ? Des journées de quatorze heures sous le soleil des plantations tropicales ? Des hommes en guenilles s'échinant pour leur pitance, jusqu'au jour où quelque empoisonnement silicotique ou gazeux les rendait inaptes au labeur ? (Les injustices passées : quel beau sujet pour les philosophes ! Si elles semblaient moins révoltantes, était-ce seulement parce que le passage du temps suffisait à rendre moins vivace leur souvenir ?)

Dans le garde-manger de l'arrière-cuisine elle alla prendre les ingrédients du risotto qu'elle comptait servir à Cat et Toby. Elle avait pensé à une recette aux cèpes, dont elle conservait une provision dans un petit sac en mousseline bien fermé. Isabel prit dans sa main une poignée de champignons séchés et savoura leur curieuse odeur, âcre et salée, difficile à rapprocher d'une autre. De l'extrait de levure, peut-être ? Elle les ferait tremper pendant une heure et garderait l'eau noircie pour la cuisson du riz. Cat aimait beaucoup le risotto, et elle savait que cette préparation était sa préférée. Quant à Toby, il lui semblait le genre d'homme qui mangeait de tout indifféremment. Une fois déjà, il avait dîné chez elle, et c'était à cette occasion que ses doutes sur son compte avaient surgi – pour ne plus disparaître ensuite. Au demeurant, elle devait rester prudente, faute de quoi elle finirait par prononcer des jugements à l'emporte-pièce, comme Grace. *Infidèle*. Voilà, elle l'avait fait.

Elle retourna dans la cuisine et alluma la radio. C'était la fin des informations, et le monde, comme à l'ordinaire, était en plein chaos. Guerres et rumeurs de guerre. Un ministre était prié de donner un pronostic et s'y refusait, visiblement mal à l'aise. Il n'y avait pas de crise réelle, affirmait-il, et la situation devait être remise en perspective. Mais la crise était là, évidente, objectait un journaliste. Question de point de vue, répliquait le ministre. Pour l'essentiel, il n'y avait aucune raison d'alarmer la population...

Ce fut au milieu de ces protestations embarrassées que retentit le ding-dong de la sonnette. Isabel versa les cèpes dans un bol et alla ouvrir. À plusieurs reprises, Grace lui avait conseillé de faire percer un judas pour identifier ses visiteurs, mais elle ne s'y était jamais décidée. S'il était très tard, elle jetait parfois un coup d'œil par la fente de la boîte aux lettres, mais le plus souvent elle ouvrait en confiance. À force de se protéger derrière des barrières, jugeait-elle, on risquait de vivre dans un isolement mortifère.

L'homme debout sur le seuil lui tournait le dos et observait attentivement le jardin devant la maison. Quand la porte s'ouvrit, il fit volte-face d'un air presque coupable et salua en souriant.

« Vous êtes Isabel Dalhousie ? »

Isabel hocha la tête.

« Oui, c'est moi. »

Elle le regarda plus attentivement. L'homme avait dans les trente-cinq ans, des cheveux bruns un peu broussailleux, assez élégant dans son blazer bleu marine et son pantalon anthracite. Il portait de petites lunettes rondes et une cravate rouge, et de la poche de sa chemise dépassaient un stylo et un agenda électronique. Elle crut entendre la voix de Grace. *Sournois.*

« Je suis journaliste, dit-il en lui montrant une carte pour qu'elle y lût le nom d'un hebdomadaire. Je m'appelle Geoffrey McManus. »

Isabel hocha de nouveau la tête, poliment. Elle n'ouvrirait jamais le journal de cet homme.

« Puis-je avoir un petit entretien avec vous ? continua-t-il. J'ai su qu'hier soir vous aviez assisté à ce malheureux accident à l'Usher Hall. Pourriez-vous m'en parler ? »

Isabel hésita un instant, puis recula pour le laisser entrer. McManus avança d'un pas pressé, comme s'il craignait qu'elle ne changeât d'avis.

« Triste affaire, dit-il en la suivant dans le salon. Comment peut-on mourir aussi bêtement ? »

Isabel lui désigna un siège et prit place sur le sofa près de la cheminée. Elle observa qu'en s'asseyant il jetait des regards rapides aux murs, comme pour évaluer les tableaux. Isabel se crispa légèrement. Elle n'aimait pas étaler son aisance et se sentait gênée qu'on y fît attention. Mais peut-être n'y connaissait-il rien, songea-t-elle. La toile près de la porte, par exemple, était un Peploe, de la meilleure période du peintre. Et la petite huile au-dessus de la cheminée, un Stanley Spencer – une esquisse pour *When We Dead Awaken.*

« Jolis tableaux, dit-il d'un air enjoué. Vous aimez la peinture ? »

Elle le regarda. Le ton de sa voix était familier.

« Oui. J'aime la peinture. »

De nouveau il promena les yeux autour de la pièce.

« Une fois, j'ai interviewé Robin Philipson, dit-il. Dans son atelier.

— Ah ? Vous avez dû passer un moment très intéressant.

— Non, pas du tout, répliqua-t-il, catégorique. Pour
commencer, je n'aime pas les odeurs de peinture. Ça
me donne mal à la tête. »

McManus tripotait son stylo mécanique, faisant sortir la bille puis la rentrant.

« Puis-je vous demander ce que vous faites ? Professionnellement, je veux dire.

— Je dirige une publication, répondit Isabel. Une
revue philosophique. La *Revue d'éthique appliquée*. »

McManus haussa un sourcil.

« Nous sommes collègues alors. Même job ! »

Isabel sourit. Elle faillit répondre : « Certainement
pas », mais se retint. Du reste, il disait vrai, d'une certaine manière. Elle travaillait chez elle, sans horaire
fixe, passait souvent de longues heures immergée dans
des exposés d'universitaires, pour s'en imprégner et
– parfois – les réviser ; et pourtant, dans son cas
comme dans celui de son interlocuteur, il s'agissait au
fond de faire imprimer des mots sur du papier.

Elle revint à ce qui amenait son visiteur.

« Comment est-ce arrivé, cet accident ? demanda-
t-elle. En sait-on un peu plus ? »

Il prit un gros calepin dans sa poche et l'ouvrit.

« Non, pas grand-chose. On connaît l'identité du
jeune homme et sa profession. J'ai rencontré ses colocataires et j'essaie de joindre ses parents. Je pense que
j'irai leur parler ce soir. Ils habitent Perth. »

Isabel le regarda fixement. Ainsi, il se proposait
d'aller les trouver le soir même, alors qu'ils étaient
plongés dans le chagrin.

« Pour quoi faire ? demanda-t-elle. Pourquoi voulez-
vous parler à ces pauvres gens ? »

Les doigts de McManus se mirent à tourmenter la
spirale de son calepin.

« J'écris un papier sur cette histoire, dit-il. Il me faut tous les points de vue, les impressions de tout le monde. Même des parents.

— Mais ils doivent être effondrés ! Qu'attendez-vous qu'ils vous disent ? Qu'ils se désolent de la perte de leur fils ? »

McManus lui jeta un regard aigu.

« Il est légitime que les lecteurs s'intéressent à de tels drames, répliqua-t-il. Je vois bien que vous n'êtes pas d'accord, mais le public a le droit d'être informé. Ça vous gêne ? »

Elle avait envie de répondre oui, mais jugea vain d'engager une discussion avec un tel personnage. Tout ce qu'elle aurait à lui dire sur les indécences d'un certain journalisme ne changerait rien à l'idée qu'il se faisait de son métier : s'il éprouvait quelques scrupules à déranger des parents endeuillés, elle ne doutait pas qu'il les mettrait de côté.

« Et de moi, que voulez-vous savoir ? » demanda-t-elle en jetant un coup d'œil à sa montre. Elle ne lui offrirait rien à boire, c'était décidé.

« Eh bien, j'aimerais que vous me racontiez ce que vous avez vu. Dans le détail, s'il vous plaît.

— Je n'ai pas vu grand-chose, Mr McManus. Je l'ai vu tomber. Et, plus tard, je l'ai vu emmener sur une civière. C'est tout. »

McManus hocha la tête.

« D'accord, d'accord. Mais dites-m'en davantage. Avez-vous pu saisir l'expression qu'il avait en tombant ? Avez-vous vu son visage ? »

Isabel regarda ses mains, qu'elle avait croisées sur ses genoux. Oui, elle avait vu son visage. Et même, il lui avait semblé que lui aussi la voyait. Ses yeux étaient grands ouverts, de surprise ou d'effroi. Elle avait vu ses yeux.

« Pourquoi voulez-vous savoir si j'ai vu son visage ?

— Ça pourrait nous apprendre quelque chose, vous comprenez ? Quelque chose sur ce qu'il a ressenti à ce moment-là. »

Elle le regarda un moment, sans rien dire, luttant contre le dégoût que lui inspirait tant d'insensibilité.

« Non. Désolée, je n'ai pas vu son visage.

— Mais vous avez vu sa tête, non ? Dans quelle position était-elle ? Tournée vers vous ou de l'autre côté ? »

Isabel soupira.

« Mr McManus, cet accident s'est passé très vite, en une ou deux secondes, pas davantage. Je vous répète que je n'ai pas vu grand-chose. Un corps qui tombait du haut de la salle, et l'instant d'après tout était fini.

— Mais quelque chose a dû vous frapper en le regardant tomber, insista McManus. Vous avez forcément remarqué certains détails. Les corps humains sont faits de visages, de bras, de jambes et ainsi de suite. On voit l'ensemble, mais en même temps on voit chaque partie. »

Isabel fut tentée de le mettre poliment à la porte et décida qu'elle le ferait dans quelques minutes. Mais ses questions changèrent tout à coup :

« Et ensuite, qu'est-ce qui s'est passé ? interrogea-t-il. Qu'avez-vous fait ?

— Je suis descendue. Il y avait un petit attroupement à l'entrée du parterre. Tout le monde était sous le choc.

— Et ensuite, vous avez vu des brancardiers l'emmener ?

— Oui.

— C'est à ce moment-là que vous avez vu son visage ?

— Je suppose. Je l'ai vu sur sa civière.

— Et après, qu'est-ce que vous avez fait ? Autre chose ?

— Je suis rentrée chez moi, dit Isabel sèchement. Des policiers sont arrivés, je leur ai dit ce que j'avais vu et je suis rentrée. »

McManus joua un instant avec son stylo.

« C'est tout ?

— Oui. C'est tout. »

McManus nota quelque chose sur son calepin. Puis la questionna de nouveau :

« Et de quoi avait-il l'air, sur sa civière ? »

Isabel sentit son cœur battre à grands coups. Rien ne lui imposait d'endurer cette sinistre farce un instant de plus. Cet homme était chez elle, comme invité – d'une certaine façon –, et si elle ne souhaitait pas prolonger ce détestable entretien, elle n'avait qu'à le prier de partir. Elle respira profondément.

« Mr McManus, commença-t-elle, je ne vois pas du tout l'intérêt de se complaire dans des descriptions de ce genre. Je doute qu'elles aient la moindre importance dans le compte rendu que vous projetez de publier. Un jeune homme a fait une chute mortelle. Voilà qui devrait suffire, il me semble. Est-ce que vos lecteurs ont besoin d'en savoir plus, que vous leur racontiez quelle expression il avait en tombant ? Que peuvent-ils imaginer ? Qu'il riait aux éclats ? Qu'il avait l'air joyeux sur sa civière ? Et ses malheureux parents, que voulez-vous qu'ils répondent à vos questions ? Qu'ils déplorent ce qui est arrivé ? Quel *scoop*, vraiment ! »

McManus se mit à rire.

« Ne m'apprenez pas mon métier, Isabel.

— Miss Dalhousie, si vous voulez bien.

— Ah, oui. Miss Dalhousie. Vieille fille. » Il fit une pause, puis reprit : « C'est étonnant d'ailleurs. Parce que vous ne manquez pas de charme. Ni de sex-appeal, si vous me permettez d'être franc… »

Elle le transperça du regard et il baissa les yeux sur son calepin.

« J'ai beaucoup à faire, dit-elle en se levant. J'espère que vous m'excuserez. »

McManus ferma son calepin, mais resta assis.

« Vous venez de me gratifier d'un petit cours sur l'immoralité de la presse, dit-il. Soit, c'est votre droit. Dommage seulement qu'en matière de morale votre autorité soit un peu vacillante. »

Elle le regarda un instant, ne sachant trop comment interpréter ces derniers mots.

« Oui, vacillante. Parce que vous m'avez menti, poursuivit McManus. Vous avez prétendu que vous étiez rentrée chez vous après l'accident. Or il se trouve que mes conversations avec la police et une ou deux autres personnes m'ont appris autre chose. Vous n'êtes pas rentrée tout de suite, loin de là. Vous êtes montée au paradis, où on vous a vue vous pencher à l'endroit exact d'où ce garçon était tombé. Seulement, vous vous êtes bien gardée de me le dire ! Pourquoi avez-vous jugé bon de mentir ? C'est ce que je me demande.

— Je n'avais aucune raison de vous en parler. Cela n'avait aucun rapport avec l'accident, rétorqua Isabel, glaciale.

— Oh, vraiment ? ironisa McManus. Et si j'écrivais qu'à mon avis vous en savez beaucoup plus que vous ne voulez bien le dire, sur cette mort ? Vous ne pensez pas que ce serait une conclusion logique ? »

Isabel avança jusqu'à la porte et l'ouvrit ostensiblement.

« Rien ne m'oblige à écouter ce genre de choses dans mon propre salon. Je vous serais reconnaissante de partir. »

McManus se leva, prenant tout son temps.

« Comme vous voudrez, dit-il. Effectivement, vous êtes chez vous. Et je m'en voudrais d'abuser de votre temps. »

Elle le précéda dans le vestibule et ouvrit la porte d'entrée. McManus lui emboîta le pas, mais s'attarda un instant pour examiner un autre tableau.

« Vous avez de belles choses, décidément, commenta-t-il. Pleine aux as, pas vrai ? »

Cuisiner quand on est en colère exige une grande prudence avec les condiments. On risque de trop poivrer ou pimenter les mets et, par exemple, de gâcher un excellent risotto par pure exaspération. Isabel se sentait salie d'avoir conversé avec McManus, comme c'était immanquablement le cas chaque fois qu'elle parlait avec une personne dont le regard sur la vie était parfaitement amoral. De tels individus existaient, en nombre étonnamment élevé, et, songea-t-elle, on en rencontrait de plus en plus souvent : des gens à qui l'idée de morale était tout à fait étrangère. Ce qui l'avait surtout choquée, c'était que ce McManus eût l'intention d'aller trouver les parents du mort, dont la douleur comptait moins à ses yeux que la curiosité du public pour la souffrance d'autrui. Elle frissonna. À l'évidence, il n'y avait personne à qui l'on pût recourir, personne en position d'empêcher cette cruauté en ordonnant qu'on laissât ces gens en paix.

Debout devant le fourneau, elle goûta une cuillerée de risotto pour vérifier l'assaisonnement. Le riz s'était délicieusement parfumé de l'eau où avaient mariné les cèpes, et il était temps de glisser le plat dans le bas du four pour le garder au chaud jusqu'au moment de passer à table avec Cat et Toby. En attendant, elle avait une salade à préparer, sans oublier d'ouvrir la bouteille de vin rouge.

Quand la sonnette retentit de nouveau et qu'elle accueillit ses invités, elle se sentait plus calme. L'air s'était rafraîchi à la tombée du soir, et Cat portait un long manteau qu'Isabel lui avait offert pour son anniversaire trois ou quatre ans plus tôt ; elle l'ôta et le posa sur une chaise à haut dossier, révélant une jolie robe en satin rouge. Toby, un grand gaillard mince légèrement plus âgé que Cat, était vêtu d'un veston en tweed brun par-dessus un col roulé noir. Isabel jeta un coup d'œil dubitatif à son pantalon, en velours côtelé couleur fraise écrasée. Un vêtement tout à fait prévisible de sa part, se dit-elle. De ce point de vue, il ne l'avait jamais surprise. Il faut que je fasse un effort, se gourmanda-t-elle. Il faut que j'essaie de le trouver sympathique.

« Tu te sens mieux ? demanda Cat. Tu semblais tellement triste ce matin ! »

Isabel lui prit des mains le plateau de saumon fumé qu'elle avait apporté et ôta le papier d'aluminium qui le recouvrait.

« Oui. Beaucoup mieux. »

Elle ne mentionna pas la visite du journaliste : elle préférait tenter de l'oublier et parler d'autre chose que de l'accident. Elle alla tartiner quelques tranches de pain de seigle dans la cuisine, puis revint pour offrir du sherry à ses hôtes. Tandis qu'elle prenait la bouteille dans le bar, Toby resta debout près de la fenêtre, regardant au-dehors, les mains croisées derrière le dos. Quand elle s'approcha pour lui tendre son verre, il le leva en portant un toast en gaélique.

« *Slainte !* »

Isabel leva son verre aussi, sans enthousiasme. *Slainte*, elle en était sûre, était le seul mot de gaélique que Toby connût, et elle n'aimait pas qu'on saupoudrât la conversation de mots empruntés à d'autres langues, *absolut nicht*. Aussi murmura-t-elle à voix basse :

« *Salute.*

— *Salu* quoi ? demanda-t-il.

— *Salute*, répéta Isabel. C'est la même chose que *slainte*, mais en italien. »

Cat lui lança un bref regard. Pourvu qu'Isabel ne pousse pas trop loin la taquinerie, semblait-elle penser. Elle était bien capable de mettre Toby en colère.

« Isabel est une bonne italianiste, dit-elle.

— Quelle chance ! Moi, je suis nul en langues étrangères. Je sais un peu de français, de vieux souvenirs du lycée. Et quelques mots d'allemand, à la rigueur. Mais c'est tout. »

Toby tendit le bras pour prendre une tranche de pain et une autre de saumon.

« Il est fabuleux, ce poisson ! Je n'y résiste pas. Cat l'achète à un vieux, du côté d'Argyll, Archie je ne sais quoi. Pas vrai, Cat ?

— Archie MacKinnon, confirma Cat. Il le fume lui-même au fond de son jardin, dans un de ces fumoirs à l'ancienne comme on en voit encore quelques-uns. Il fait mariner le saumon dans du rhum et le fume au bois de chêne. C'est le rhum qui lui donne cette saveur particulière. »

Toby se servit une autre tranche, la plus grande. Cat s'empressa de saisir le plat pour le tendre à sa tante.

— Je passe le voir sur la route de Campbelltown, poursuivit-elle, reposant le plat du côté d'Isabel. Un vieux monsieur adorable. Il a plus de quatre-vingts ans, mais ça ne l'empêche pas de conduire son bateau pour pêcher. Il a deux gros chiens, Max et Morris.

— Du nom des deux garnements ? s'enquit Isabel.

— Oui.

— Quels garnements ? demanda Toby.

— Max et Morris sont les tout premiers personnages de l'histoire de la bande dessinée. Deux garçons allemands qui font toutes sortes de bêtises et qui finissent transformés en biscuits dans le four d'un boulanger. »

Elle regarda Toby. À la fin de l'histoire, Max et Morris tombaient dans le pétrin du boulanger, puis une machine les broyait avant de transformer la pâte en biscuits, qui finissaient mangés par des canards. Une idée bien germanique, pensa-t-elle. Un moment, elle imagina que la même affreuse mésaventure arrivait à Toby : il était broyé par une machine et transformé en biscuits.

« Ça te fait sourire, observa Cat.

— Ah, oui ? C'était involontaire », marmonna Isabel, non sans se demander si l'on souriait jamais volontairement.

Ils causèrent encore une demi-heure avant de se mettre à table. Toby raconta ses vacances au ski avec quelques amis, s'attardant sur ses escapades hors des pistes. Un jour, ses compagnons et lui avaient provoqué un début d'avalanche, mais s'en étaient tirés sans dommages.

« Il s'en est fallu de peu, dit-il. Vous avez déjà entendu le bruit d'une avalanche ?

— Non. Un peu comme une grosse vague ? » suggéra Isabel.

Toby secoua la tête.

« Comme le tonnerre ! Exactement comme le tonnerre, mais de plus en plus fort à chaque seconde. »

Isabel se représenta la scène : Toby, en combinaison de ski fraise écrasée, se tenait debout parmi les montagnes, en plein soleil, tandis qu'une énorme marée blanche dégringolait vers lui. Un instant, rien qu'un instant, elle eut la vision mentale d'un flot de neige qui l'engloutissait et recouvrait son corps alors que celui-ci se débattait en vain ; après quoi tout était immobile, et il ne restait plus que le bout d'un bâton de ski pour signaler l'endroit où il était enseveli. Mais non, non, c'était une vilaine pensée, tout aussi vilaine que de l'imaginer transformé en biscuits, et elle la chassa de son esprit. Mais pourquoi Cat, qui aimait tant le ski, ne l'avait-elle pas accompagné ? Peut-être parce que Toby ne l'avait pas invitée...

« Et toi, Cat ? Tu n'avais pas envie d'y aller ? »

La question pouvait s'avérer embarrassante, mais la suffisance de ce garçon l'incitait à la malice. Cat soupira.

« Si, mais... la boutique ! dit-elle. Je ne peux pas m'en aller si facilement.

— Et Eddie ? intervint Toby d'un ton un peu acide. Il me semble assez grand pour te remplacer pendant une semaine ou deux. Tu n'as pas confiance en lui ?

— Bien sûr, j'ai confiance en lui. Seulement, Eddie est un peu... fragile. »

Toby, assis à côté d'elle sur le sofa, lui lança un regard en coin, et Isabel crut y déceler l'imminence d'un sarcasme. Voilà qui était intéressant.

« Fragile ? répéta-t-il. C'est le terme que tu emploies pour ce genre de type ? »

Cat baissa les yeux sur son verre. Isabel observait Toby et perçut une certaine cruauté dans son visage, affleurant la surface sous son apparence proprette et son teint rose. Un peu trop charnu, ce visage : dans dix ans, son nez paraîtrait gros et tombant, et... Elle s'arrêta. Même si Toby lui restait antipathique, la simple charité, dont il fallait se rappeler les exigences, l'obligea doucement à se reprendre.

« Eddie est un gentil garçon, murmura Cat. Il a vécu des choses dures. Et je peux totalement compter sur lui. C'est un chic type.

— Sûrement, dit Toby. Mais un peu mauviette, non ? Un peu... Tu vois ce que je veux dire. »

Isabel les observait à la dérobée, captivée, mais elle sentit aussi qu'il était temps d'intervenir. Il lui était pénible de voir Cat dans cet embarras, même si la perspective que les écailles lui tombent des yeux n'avait rien pour lui déplaire. Que diable pouvait-elle trouver à ce Toby ? Qu'avait-il pour l'attirer, à part la virilité rude et désinvolte dont il était un parfait spécimen ? En comparaison de la sienne, la génération de Cat usait d'un langage assez peu châtié, mais qui avait le mérite d'une vigoureuse exactitude : dans ses termes, Toby devait se définir comme une *belle bête*. Mais qu'avait-on à faire d'une belle bête quand des bêtes quelconques se révélaient des hommes tellement plus séduisants ?

John Liamor, par exemple. Il pouvait parler des heures sans cesser un instant d'être intéressant. On s'asseyait à ses pieds, ou presque, et on l'écoutait. Quelle importance qu'il fût maigre et dégingandé, qu'il eût ce teint pâle, presque translucide et vaguement spectral qu'on ne rencontre que chez certains Celtes ? À ses yeux, il était très beau et tout simplement passionnant. Mais à présent c'était une autre femme, une femme qu'elle ne connaîtrait jamais, très loin, en Californie, qui profitait de John...

C'était à Cambridge qu'Isabel avait fait sa connaissance, la dernière année de son doctorat en philosophie. Cet Irlandais aux cheveux noirs était plus âgé qu'elle de quatre ou cinq ans, il avait achevé sa thèse au Trinity College de Dublin et, grâce au poste de chercheur que lui avait offert Clare College (où il occupait quelques pièces donnant sur le Fellows' Garden, de l'autre côté de la rivière), écrivait un livre sur Synge. Quand il invitait Isabel, il s'asseyait en fumant sa pipe et causait en la regardant. Ses yeux la déconcertaient, et elle se demandait si en son absence il parlait d'elle avec autant de condescendance – et d'esprit

– qu'il lui parlait d'autres personnes à chacune de ses visites.

John Liamor estimait qu'à Cambridge la plupart des gens étaient « provinciaux » : lui était originaire de Cork, qui, sans doute, était tout sauf une ville provinciale... Il méprisait les anciens élèves des onéreuses *public schools* anglaises – tous de « petits Lord Fauntleroy », affirmait-il – et raillait les ecclésiastiques qui occupaient encore maintes chaires universitaires. Le titre de « révérend », porté par nombre de professeurs dans des disciplines allant des langues anciennes aux mathématiques, devenait dans sa bouche « renversant », ce qu'Isabel et beaucoup d'autres trouvaient drôle sans bien savoir pourquoi. Et le principal de Clare College, historien de l'économie fort réputé, doublé d'un homme doux et affable qui s'était toujours montré généreux et accommodant envers son hôte irlandais, se voyait qualifié d'« obscurantiste en chef ».

John Liamor tenait salon autour de sa personne. Il y avait là des étudiants subjugués par son indéniable prestance intellectuelle, mais tout aussi fascinés par les effluves de soufre qui émanaient de ses opinions. En cette fin des années soixante-dix, les tempêtes de la décennie précédente avaient fini par retomber. En quoi pouvait-on croire désormais, et de quoi même pouvait-on se moquer ? L'ambition et l'avidité, ces grisantes idoles qu'on vénérerait quelques années plus tard, commençaient à pointer le nez, mais leur culte restait à établir. En somme, les dons d'iconoclaste d'un Irlandais aussi brillant qu'atrabilaire avaient alors tout pour séduire. Avec John Liamor, il n'était point besoin de croire en quoi que ce fût, mais seulement de savoir manier l'art du persiflage ; tel était le fondement réel de l'attirance qu'il exerçait. Il n'était pas jusqu'aux plus virulents railleurs qu'il ne raillât lui-même sans vergogne, attendu qu'il était irlandais, tandis que ses auditeurs et admirateurs, si radicaux fussent-ils, n'en demeuraient pas moins des Anglais – et donc, estimait-il, d'irrémédiables suppôts du système d'oppression généralisée.

Isabel avait eu des difficultés à trouver sa place dans ce groupe, et beaucoup de commentaires furent proférés sur cet improbable rapprochement. En particulier, les détracteurs de John Liamor – fort peu apprécié à Clare College et parmi les professeurs de philosophie de Cambridge – jugèrent leur liaison des plus étranges. Le dédain intellectuel de John leur inspirait un vif ressentiment, accru par les chausse-trappes qu'il leur tendait : John lisait les philosophes français et assaisonnait volontiers ses propos de références à Deleuze et Foucault. Et deux ou trois d'entre eux, qui ne pouvaient décidément le souffrir, avaient encore un autre grief : Liamor n'était pas anglais. « Notre ami de la verte Érin et sa chère Écossaise ! dit un jour un de ces malveillants. Quel couple intéressant, vraiment… Une jeune femme raisonnable, courtoise, réfléchie, et un provocateur à la petite semaine. À chaque instant, on s'attend à l'entendre beugler des chants patriotiques. Ce type est un concentré de colère sur deux longues jambes maigres, obsédé par nos torts supposés envers son île chérie au bon vieux temps des diligences. Vous voyez le genre. »

Elle-même s'étonnait parfois de la fascination qu'il exerçait sur elle. C'était à croire que nul lieu n'eût été à même de l'accueillir sur son sol, qu'ils étaient comme deux voyageurs forcés par le hasard à partager une cabine et résignés à ne plus se quitter. D'autres avaient une explication plus prosaïque : « C'est sexuel, jugeait une amie d'Isabel. Le sexe réunit les gens les plus dissemblables, c'est bien connu. Quoi de plus banal ? Ils n'ont même pas besoin de sympathiser. »

« Et les Pyrénées ? » demanda soudain Isabel.

Cat et Toby la regardèrent sans comprendre.

« Oui, les Pyrénées, continua-t-elle d'un ton léger. C'est très beau aussi, les Pyrénées. Enfin, je crois. Parce que je n'y suis jamais allée, figurez-vous.

— Moi si, dit Toby.

— Moi jamais. Mais j'aimerais beaucoup, dit Cat.

— Eh bien, allons-y ensemble, si tu veux. Avec Toby, bien sûr, se hâta d'ajouter Isabel. Si ça vous fait plaisir, Toby. Nous pourrions faire de l'escalade, tous les trois. Encordés, avec Toby en tête. Il nous conduirait en toute sécurité ! »

Cat se mit à rire.

« Toby glisserait et nous mourrions écrasés au fond d'un ravin… »

Elle s'interrompit et jeta un coup d'œil contrit à Isabel. Elle avait dit ces mots sans réfléchir, mais le but de cette soirée était d'aider sa tante à distraire son esprit de ce qui s'était passé à l'Usher Hall.

« Et les Andes ? poursuivit Isabel avec une gaieté appuyée. Là, au moins, j'y suis allée ! Au Pérou. Un voyage magnifique. Mais j'arrivais à peine à respirer tellement nous étions haut.

— Moi aussi, je suis allé dans les Andes, se hâta de dire Toby. Avec mon club d'alpinisme. Mais un des grimpeurs a dévissé. Il a fini deux cents mètres plus bas. »

Il y eut un silence, et Toby scruta le fond de son verre, prenant conscience de sa gaffe. Cat leva les yeux au ciel.

Une fois ses invités partis, un peu plus tôt que prévu, Isabel resta un moment dans la cuisine, regardant distraitement les assiettes empilées sur le lave-vaisselle. La soirée n'avait pas été un franc succès. Certes, la conversation avait pris un tour plus gai quand ils s'étaient assis pour dîner, mais ensuite Toby s'était lancé dans d'interminables considérations sur le vin : son père en faisait un fructueux négoce, et lui-même travaillait pour l'entreprise familiale. Isabel l'avait vu renifler le contenu de son verre, pas assez discrètement pour que son geste échappât à son attention. Non qu'il y eût quoi que ce fût à redire au cabernet-sauvignon d'Australie – plutôt coûteux – qu'elle avait servi à ses hôtes, mais les amateurs se montraient soupçonneux envers les vins du Nouveau Monde. Ils avaient beau assurer le contraire, tous dédaignaient avec un incorrigible snobisme ce qui ne venait pas de France ou, à la rigueur, d'Espagne ou d'Italie. Et sûrement Toby croyait-il Isabel trop ignare pour servir autre chose qu'un gros rouge de supermarché, même si elle s'y connaissait plutôt bien et savait que son vin ne manquait pas de qualités.

« Australien, commenta-t-il simplement. Australien du Sud.

— Et très bon », dit Cat.

Mais il l'ignora.

« Fruité. Très fruité, même », ajouta-t-il en fronçant un peu le nez.

Isabel le regarda poliment.

« Je suppose que vous êtes habitué à beaucoup mieux…

— Seigneur, vous me prenez pour un snob ? protesta Toby. Il est… Il est très bien, ce vin. Très bien. »

Il reposa son verre.

« L'autre jour au bureau, on m'a fait goûter un premier cru du Haut-Médoc, je ne vous dis que ça ! Il a fallu épousseter la bouteille pour lire l'étiquette. Un château assez peu connu, mais je vous assure, une pure merveille ! Mon paternel l'avait déniché je ne sais où.

Il s'est fané un peu vite, mais sur le moment…
l'extase ! Meilleur que certains saint-julien qui coûtent
les yeux de la tête. »

Isabel l'avait écouté avec une parfaite urbanité. Au
reste, cette prestation n'était pas pour lui déplaire, car
elle se disait que Cat ne manquerait pas de se fatiguer
de tels discours, et de Toby par la même occasion.
L'ennui s'installerait tôt ou tard – assez tôt, vraisem-
blablement –, et quand il aurait pris racine, il éclipse-
rait tout ce qu'elle appréciait chez ce garçon. Se
pouvait-il qu'elle fût vraiment amoureuse de lui ? Non,
c'était peu probable. Elle semblait trop sensible à ses
travers – quand une réflexion de lui la gênait, par
exemple, et qu'elle levait imperceptiblement les yeux
au ciel – pour qu'il pût s'agir de beaucoup plus qu'une
passade. On n'est jamais gêné par ceux qu'on aime.
Tout au plus ressent-on un malaise diffus, plus qu'une
gêne à proprement parler. On leur pardonne leurs
défauts, à moins qu'on ne les remarque même pas.
Elle avait pardonné à John Liamor, naturellement, y
compris le soir où elle l'avait surpris chez lui, à Clare
College, en compagnie d'une étudiante fort dénudée.
La fille s'était contentée de pouffer en s'enveloppant
de la chemise de John jetée au pied du divan, tandis
que lui avait regardé par la fenêtre en marmonnant :
« Mal calculé, Liamor ! ».

Tout pourrait être beaucoup plus simple, réfléchit-
elle, si l'on s'interdisait une fois pour toutes de tomber amoureux, si l'on choisissait d'être seulement
soi-même, immunisé contre les blessures d'autrui. Beaucoup de gens vivaient ainsi et en semblaient satisfaits.
Oui, mais l'étaient-ils vraiment ? Parmi ces personnes, elle se demanda combien vivaient ainsi par choix
et combien restaient seules parce que nul partenaire
qui pût leur convenir n'avait croisé leur chemin.
Accepter et se résigner étaient deux choses fort diffé-

rentes, et il y avait loin d'une solitude subie à une solitude volontaire.

Au cœur du problème, il y avait bien sûr ce mystère : pourquoi éprouve-t-on le besoin d'être amoureux ? À cela, il existait une réponse réductrice, celle de la nécessité biologique : l'amour apportait une motivation pour former un couple et le rester, engendrer et élever des enfants. Mais, comme tous les arguments de la psychologie évolutionniste, cette explication lui semblait trop simple, trop évidente : s'il ne s'agissait que de cela, pourquoi concevait-on des amours passionnées pour des idées, des choses, des lieux ? Le poète Auden avait finement abordé cette question en observant que, tout enfant, il était tombé amoureux d'une pompe à moteur – « aussi belle que toi », avait-il écrit à quelqu'un. Banal déplacement d'objet, dirait sans doute un sociobiologiste. Ne moquait-on pas la psychanalyse en remarquant – non sans quelque justesse – que si l'on tenait le tennis pour un substitut du sexe, il se pouvait aussi bien que le sexe fût un substitut du tennis ?

« Amusant, avait dit Cat lorsqu'elle lui avait rapporté cette plaisanterie. N'empêche qu'il y a sûrement beaucoup de vrai dans ce que disent les sociobiologistes. Après tout, nos émotions semblent viser à nous préserver. En tant qu'animaux, pour ainsi dire. La lutte pour se nourrir. La peur, la fuite. La haine et l'envie. Tout ça est très physique.

— Mais ne peut-on dire aussi que nos émotions contribuent à nous élever dans nos aptitudes morales ? avait rétorqué Isabel. Elles nous permettent l'empathie. Quand on aime quelqu'un, on perçoit mieux ce que cela veut dire d'être cette personne. Quand nous ressentons de la compassion – une émotion importante, non ? –, cela nous aide à comprendre la souffrance des autres. Nos émotions nous aident à grandir moralement. À développer une imagination morale.

— Peut-être. »

Mais Cat avait détourné les yeux pour regarder un bocal d'oignons confits – la conversation avait lieu dans sa boutique –, et son attention avait divagué. Les oignons confits étaient sans rapport avec l'imagination morale, mais Isabel voulait bien admettre qu'ils avaient leur importance, à leur façon silencieuse et vinaigrée.


Plus tard, Isabel sortit un moment pour goûter la fraîcheur de la nuit. À l'arrière de la maison, invisible de la route, le grand jardin entouré de murs était plongé dans l'obscurité. Le ciel était clair et plein d'étoiles, qu'on ne voyait pas d'habitude en ville, noyées par les lumières des édifices bâtis par l'homme. Elle traversa la pelouse en direction de la gloriette en bois, où un renard avait récemment élu domicile. Elle l'avait surnommé « Petit Frère Renard » et l'apercevait de temps en temps : fluide créature svelte et rousse qui trottait d'un pas sûr au sommet des murs ou traversait d'un trait la route à la nuit tombée, pour vaquer à ses mystérieuses affaires. Elle était heureuse de sa présence, et lui avait un soir laissé un poulet rôti en cadeau. Mais, au matin, le renard avait changé d'adresse : tout ce qu'elle avait retrouvé deux ou trois jours plus tard, c'étaient quelques os dans une plate-bande, rongés jusqu'à la moelle.

Que souhaitait-elle pour Cat ? La réponse était simple : son bonheur. Si banal que ce souhait pût paraître, il était sincère. Dans son cas, le bonheur serait de découvrir l'homme qui lui convenait, puisque les hommes semblaient tant compter pour elle. Isabel n'avait rien contre les hommes qui entraient dans la vie de sa nièce, du moins en principe. Sinon, la cause de ses préventions aurait été évidente : la jalousie. Mais non, il ne s'agissait pas de cela. Elle avait conscience de ce

qui était important pour Cat et espérait qu'elle trouverait ce qu'elle cherchait, ce qu'elle voulait vraiment.
Aux yeux d'Isabel, ce qu'elle voulait – mais sans le
savoir encore –, c'était Jamie. Et moi ? se demanda-
t-elle tout à coup. Qu'est-ce que je veux vraiment ?

Je veux que John Liamor franchisse la porte et me
dise : « Je te demande pardon. Que d'années nous avons
perdues ! Je te demande pardon. »

Rien de nouveau sur l'accident ne parut dans ce qu'Isabel appelait la « presse de caniveau » (et elle l'est, insistait-elle : ouvrez donc un de ces torchons), ni dans les journaux « éthiquement responsables », le *Scotsman* et le *Herald*. McManus n'avait probablement rien appris de plus, ou bien, s'il avait réuni quelques bribes de détails supplémentaires, sa rédaction avait jugé son papier trop léger pour la publication. Il y avait une limite au gonflement journalistique d'une simple tragédie, même survenue dans des circonstances peu communes. Sans doute y aurait-il une enquête, comme dans tous les cas de mort subite ou mal expliquée, et Isabel en lirait-elle un bref compte rendu quand elle s'achèverait par l'audience réglementaire devant un juge de paix. En général, ces procédures étaient rapides et définitives : elles statuaient sur des affaires d'accidents du travail ou de fusils qu'on ignorait être chargés. Il ne fallait pas longtemps pour dénouer les fils du drame, et le magistrat rendait son jugement en détaillant patiemment l'enchaînement des causes du malheur et les précautions à prendre dans l'avenir. Il arrivait qu'il prononçât un avertissement contre les imprudents éventuels, mais ses commentaires s'arrêtaient là. Ensuite, le tribunal passait au décès suivant et les proches de la victime ressortaient dans la rue, triste petite troupe pleine de regret. Dans le cas du jeune Mark, le juge, selon toute vraisemblance, conclurait à un accident. Comme celui-ci s'était produit dans un lieu public, peut-être ajouterait-il quelques remarques sur la sécurité dans les salles de spectacle et conseillerait-il de placer plus haut le rail de protection. Mais d'ici là des mois auraient passé, et Isabel espérait qu'entre-temps elle aurait fini par oublier.

Elle aurait pu en discuter de nouveau avec Grace, mais sa gouvernante avait d'autres soucis en tête. Une de ses amies traversait des moments pénibles, et Grace lui apportait son soutien moral. Il s'agissait d'inconduite masculine, expliqua-t-elle : le mari de la dame subissait les premières attaques du démon de midi, et la pauvre n'en pouvait plus de ses folies.

« Il s'est acheté toute une nouvelle garde-robe ! dit-elle en levant les yeux au ciel.

— Il a peut-être envie de changer d'apparence, voilà tout, hasarda Isabel. Ça m'est arrivé aussi. »

Mais Grace secoua la tête.

« Maintenant il s'habille comme un gamin de dix-huit ans ! Des jeans moulants, des sweaters bariolés de grosses lettres… Il se promène dans les rues avec un baladeur sur la tête et il écoute du rock. Sans compter que depuis quelque temps, eh bien, il s'est mis à sortir dans des boîtes de nuit !

— Des boîtes de nuit ? C'est mauvais signe, admit Isabel, mi-figue, mi-raisin. Quel âge a-t-il ?

— Quarante-sept, quarante-huit ans. Un âge très dangereux pour un homme. Tout le monde le dit. »

Isabel réfléchit un moment. Que pouvait-on faire en pareil cas ? Grace avait une réponse :

« Je lui ai ri au nez, dit-elle. L'autre jour, je suis allée chez eux, j'ai éclaté de rire et je lui ai dit qu'il était complètement ridicule dans son déguisement de collégien boutonneux. »

Isabel n'eut aucun mal à se représenter la scène.

« Et alors ?

— Alors il m'a priée de m'occuper de mes affaires ! répondit Grace, indignée. Il m'a dit que si j'avais passé l'âge, lui non. Je lui ai demandé : l'âge de quoi ? Il n'a rien répondu.

— Ce devait être assez pénible, compatit Isabel.

— Pauvre Maggie ! poursuivit Grace. Il sort en boîte de nuit et ne lui propose jamais de l'accompagner. Non qu'elle accepterait, remarquez. Elle reste assise chez elle, à se demander ce qu'il peut bien fabriquer. Mais je ne peux pas faire grand-chose. Tout de même, j'ai donné un livre à son mari.

— Quel genre de livre ?

— Oh, un vieux bouquin corné que j'ai trouvé chez un libraire d'occasion, sur les docks. *La Crise d'adolescence et comment en sortir*. Il n'a pas trouvé ça drôle. »

Isabel éclata de rire. Grace n'y allait pas par quatre chemins, ce qui, imaginait-elle, était une conséquence de ses jeunes années passées dans un petit pavillon du quartier pauvre de Cowgate, un foyer où l'on n'avait guère de temps pour autre chose que travailler et où chacun disait ce qu'il avait sur le cœur. Isabel avait conscience d'avoir vécu une jeunesse très éloignée de celle de Grace. Elle avait joui de tous les privilèges possibles, bénéficié de toutes les chances en matière de scolarité, alors que Grace avait dû s'accommoder de ce que lui offrait une école quelconque et surpeuplée. Il semblait parfois à Isabel que son éducation lui avait appris le doute, l'incertitude, alors que celle de Grace l'avait confortée dans les valeurs traditionnelles d'Édimbourg. Ce qui avait conduit Isabel à se poser cette question : qui, des personnes lucides et en proie au doute ou bien des gens sûrs d'eux-mêmes et de leurs convictions au point de ne jamais se remettre en question, était le plus heureux ? Elle avait conclu que rien de tout cela n'avait de rapport avec le bonheur, qui vous tombait dessus comme une brusque averse et dont l'exercice se déterminait aussi en fonction de la personnalité de chacun.

« Mon amie Maggie considère qu'on ne peut pas vivre heureuse sans homme, reprit Grace. Et c'est bien ce qui l'angoisse, quand elle voit son Bill dans ses accoutrements de gamin. S'il la plaque pour une plus jeune, il ne lui restera plus rien. Rien de rien.

— À vous de lui faire comprendre qu'on peut très bien se passer d'homme », observa Isabel.

Elle avait dit ces mots sans réfléchir, mais il lui apparut soudain que Grace pourrait mal les interpréter, comme si elle sous-entendait que sa gouvernante était une irrécupérable vieille fille à laquelle aucun homme ne pourrait s'intéresser.

« Ce que j'entendais par là, corrigea-t-elle, c'est que *les femmes* peuvent se…

— Ne vous inquiétez pas, coupa Grace. J'avais bien compris. »

Isabel lui jeta un bref coup d'œil, puis continua :

« Je suis mal placée pour parler des hommes, de toute façon. En ce domaine, on ne peut pas dire que j'aie brillamment réussi. »

Mais pourquoi ? se demanda-t-elle. Pourquoi n'avait-elle pas réussi ? Un mauvais choix, au mauvais moment, ou bien les deux ensemble ?

Grace la regarda d'un air interrogateur.

« Qu'est-ce qu'il est devenu, cet homme avec qui vous viviez ? Votre Irlandais, John je ne sais quoi… Vous ne me l'avez jamais raconté.

— Il me trompait, répondit Isabel simplement. Durant tout le temps que nous avons passé à Cambridge, il m'a trompée. Et puis, quand nous sommes partis pour les États-Unis et que j'ai commencé mon stage à l'université Cornell, il m'a tout à coup annoncé qu'il allait s'installer en Californie avec une autre femme, une jeune fille plutôt. Et voilà. Vingt-quatre heures plus tard, il était parti.

— Comme ça, du jour au lendemain ?

— Comme ça, du jour au lendemain. L'Amérique lui était montée à la tête. Il prétendait qu'il s'y sentait libéré. On m'a dit que des gens normalement très réfléchis peuvent complètement perdre le nord là-bas, uniquement parce qu'ils se sentent libres des freins qui les retenaient chez eux – peu importe lesquels. Il était ainsi. Il buvait plus, il multipliait les aventures, donnait libre cours à ses coups de tête. »

Grace assimila ces confidences. Puis demanda :

« Il est toujours là-bas, je suppose ? »

Isabel haussa les épaules.

« Je pense que oui. Mais sûrement avec quelqu'un d'autre, depuis le temps. Je ne sais pas.

— Mais vous aimeriez le savoir ? »

La réponse était oui, évidemment. En dépit de toute raison et de toutes ses convictions, elle l'absoudrait s'il revenait vers elle et lui demandait pardon – ce qu'il ne ferait jamais, bien sûr. Ainsi était-elle à l'abri de cette faiblesse, puisque plus jamais elle ne serait envoûtée par John Liamor, plus jamais elle ne courrait cet étrange et profond danger.


Elle n'était plus très loin d'oublier l'accident de l'Usher Hall quand, deux semaines plus tard, une galerie l'invita à un vernissage. Isabel achetait des tableaux, ce qui attirait vers sa boîte aux lettres un flux régulier d'invitations de marchands d'art. D'ordinaire elle évitait les vernissages, ces bousculades bruyantes et prétentieuses ; mais quand elle savait que les toiles en vente seraient âprement convoitées, elle faisait par-fois une exception – elle arrivait alors de bonne heure pour contempler les œuvres tranquillement, avant que des pastilles rouges apparussent sous les étiquettes. Elle avait pris cette habitude après une rétrospective Cowie où, arrivée en retard, elle avait découvert que les rares tableaux à vendre étaient partis dès le premier quart d'heure. Elle aimait Cowie et ses toiles qui vous hantaient : hommes et femmes enveloppés d'une quiétude désuète, pièces silencieuses où brodaient ou dessinaient des demoiselles au visage triste, chemins de campagne écossaise, étroits sentiers qui semblaient ne mener nulle part, sinon vers un silence plus profond encore, pans de tissu dans des coins d'atelier... De Cowie elle possédait deux petites huiles et en aurait volontiers acheté une troisième ; mais elle était arrivée trop tard et avait retenu la leçon.

Ce soir-là, c'étaient des œuvres d'Elizabeth Blackadder qu'exposait la galerie. D'emblée, une grande aquarelle l'avait tentée, mais elle avait voulu regarder les autres tableaux avant de se décider. Elle n'avait rien vu qui la séduisît, et quand elle rebroussa chemin, une pastille rouge avait été collée sous l'aquarelle. Un jeune homme proche de la trentaine, en strict costume rayé, se tenait devant, un verre à la main. Elle jeta un coup d'œil au tableau, plus désirable encore à présent qu'il était vendu, puis regarda son acquéreur en s'efforçant de cacher sa mauvaise humeur.

« C'est merveilleux, n'est-ce pas ? Elle me fait toujours penser à un peintre chinois, dit-il. Cette délicatesse. Ces fleurs...

– J'aime ses chats aussi, dit Isabel, plutôt maussade. Elle peint beaucoup de chats.

— Oui. Des chats dans des jardins. C'est très apaisant. Assez loin du réalisme social.

— Les chats sont réels, objecta Isabel. Pour les chats, les tableaux d'Elizabeth Blackadder doivent ressortir du réalisme social. »

De nouveau, elle regarda l'aquarelle.

« Vous venez de l'acheter ? »

Le jeune homme fit oui de la tête.

« Pour ma compagne. Un cadeau de fiançailles. »

Il avait dit ces mots avec fierté – d'être fiancé, non de son achat –, et Isabel se radoucit enfin.

« Elle sera enchantée, dit-elle. Moi aussi, je pensais l'acheter, mais je suis contente qu'il vous revienne. »

L'expression du jeune homme se teinta d'inquiétude.

« Je suis vraiment désolé. On m'a dit qu'il n'était pas vendu. Rien n'indiquait… »

Isabel le rassura d'un geste.

« Bien sûr que rien ne l'indiquait. Premier arrivé, premier servi. Vous m'avez prise de vitesse. Les vernissages, c'est la loi de la jungle !

— Il y en a d'autres, hasarda-t-il en montrant le mur derrière eux. Je suis sûr que vous trouverez tout aussi bien. Mieux, peut-être.

— Sûrement, dit Isabel avec un sourire. De toute façon, mes murs sont déjà si encombrés que j'aurais été obligée de décrocher une toile ou deux. Je n'ai aucun besoin d'un tableau de plus. »

Sa remarque le fit rire. Puis, remarquant son verre vide, il lui proposa d'aller lui en chercher un autre, ce qu'elle accepta. En revenant, il se présenta : il se nommait Paul Hogg et habitait à deux pas, dans Great King Street. Il l'avait déjà croisée à un autre vernissage, il en était sûr, mais Édimbourg était un village – n'est-ce pas ? – et l'on ne cessait d'y rencontrer des gens qu'on avait déjà vus ailleurs. N'était-ce pas l'avis d'Isabel ?

Oui, tout à fait. Évidemment, cela n'allait pas sans inconvénients. Si, par exemple, on désirait mener une double vie ? Ne serait-ce pas difficile à Édimbourg, et faudrait-il se transporter dans une ville plus grande comme Glasgow ?

De l'avis de Paul, non. Il connaissait, confia-t-il, plusieurs personnes qui menaient une vie secrète et semblaient y parvenir sans encombre.

« Mais comment êtes-vous au courant de leur vie secrète ? s'enquit Isabel. Ils vous en ont parlé ? »

Paul réfléchit quelques instants.

« Non. S'ils m'en avaient parlé, ce ne seraient plus des vies secrètes.

— Alors c'est vous qui l'avez découvert ? Ce qui tendrait à prouver que j'avais raison, non ? »

Force lui fut d'en convenir, et il rit avec elle.

« Remarquez, je n'arrive pas à imaginer ce que je ferais dans une vie secrète, si j'en avais une, ajouta-t-il. Qu'est-ce qui scandalise encore, de nos jours ? Les liaisons extra-maritales ne font plus froncer les sourcils à personne. Et les assassins publient des livres.

— C'est vrai, dit Isabel. Seulement, que valent-ils, ces livres ? Ont-ils vraiment quelque chose à nous apprendre ? Il faut être très immature, ou très sot, pour se laisser impressionner par la malfaisance. »

Elle resta silencieuse un moment. Puis :

« Il doit tout de même rester certaines choses dont les gens ont honte et qu'ils préfèrent faire en cachette.

— Prenez les adolescents, dit Paul. Je connais quelqu'un dont c'est la passion. Oh, rien d'illégal, seize ou dix-sept ans. Mais à cet âge, ce sont encore des adolescents. »

Isabel regarda l'aquarelle et ses fleurs. On était loin du monde d'Elizabeth Blackadder, tout d'un coup.

« Les adolescents, répéta-t-elle. Oui. Certaines personnes doivent les trouver... Comment dire ? Plus intéressants. Et préfèrent cacher une telle inclination. Pas Catulle, par exemple ! Il en a fait de nombreux poèmes. Et sans la moindre gêne, apparemment. Mais, dans la littérature antique, l'amour des éphèbes est un genre en soi, n'est-ce pas ?

— La personne dont je vous parle les débusque à Carlton Hill, je crois, dit Paul, à l'évidence peu soucieux de Catulle. Il s'y rend seul en voiture et en revient avec un garçon. Dans le plus grand secret, bien sûr. »

Isabel haussa un sourcil.

« Ah ? Ma foi, ce sont des choses qui existent... »

Ainsi, une vie se déroulait d'un côté d'Édimbourg dont l'autre côté ignorait à peu près tout. Bien sûr, ne disait-on pas qu'Édimbourg était bâtie sur l'hypocrisie ? Elle avait été la ville de Hume et des Lumières écossaises, certes, mais ensuite qu'était-il advenu ? Au dix-neuvième siècle avait prospéré un calvinisme étriqué et les Lumières s'en étaient allées briller ailleurs : à Paris, à Berlin, aux États-Unis même, à Harvard et autres lieux de savoir, où tout était désormais possible. Et Édimbourg était devenue synonyme de bienséance et de conformisme immuable. Mais la bienséance exigeait beaucoup d'efforts ; aussi, rien d'étonnant s'il existait des bars, des clubs, que des gens fréquentaient pour s'y conduire comme ils en avaient vraiment le désir, sans oser le faire ouvertement. C'était à Édimbourg que l'histoire de Jekyll et Hyde avait été inventée, et elle y prenait tout son sens.

« Mais ne vous méprenez pas : personnellement, je n'ai pas de vie cachée, continua Paul. Je suis même affreusement conventionnel. Gestionnaire de fonds, vous imaginez ? Pas très exaltant. Et ma fiancée travaille dans une banque d'affaires de Charlotte Square. Vous voyez, nous ne sommes pas vraiment... Comment dire ?

— Bohèmes ? suggéra Isabel en riant.

— Exactement. Nous sommes plutôt...

— Elizabeth Blackadder ? Fleurs et chats ? »

Leur conversation se poursuivit. Au bout d'un quart d'heure environ, Paul posa son verre sur l'appui d'une fenêtre.

« Si nous marchions jusqu'au *Vincent Bar* ? proposa-
t-il. J'ai rendez-vous avec Minty à neuf heures et je
n'ai pas le courage de repasser par chez moi. Nous
pourrions boire quelque chose et continuer à bavarder.
Si ça vous fait plaisir, bien sûr. Vous avez peut-être
mieux à faire. »

Isabel accepta volontiers. La galerie s'était remplie
et il commençait d'y faire chaud, sans compter le bruit
des conversations, si fort à présent que les gens
criaient pour se faire entendre. Si elle restait, elle
aurait mal à la gorge. Elle prit son manteau, salua les
galeristes, puis Paul et elle marchèrent côte à côte
jusqu'au petit bar au bout de la rue. L'endroit était
tranquille et ils choisirent une table près de la porte,
pour avoir de l'air frais.

« Je ne vais presque jamais dans les pubs, dit Paul.
Mais j'aime bien les bars comme celui-ci.

— Je ne me rappelle pas quand je suis entrée dans
un pub pour la dernière fois, dit Isabel. Dans une vie
antérieure peut-être. »

Pourtant elle se souvenait parfaitement des longues
soirées dans les pubs avec John Liamor, et c'était un
rappel pénible.

« Dans une vie antérieure, j'étais sûrement gestionnaire de fonds. Et je suppose que je le serai encore
dans mes vies futures. »

Isabel se mit à rire.

« Votre travail doit avoir ses bons moments. Vous
observez les marchés, vous guettez ce qui va se passer.
Non ?

— Oui, il y a parfois de bons moments, admit Paul. Il
faut lire beaucoup. Rester assis à un bureau, se plonger
dans la presse financière et les bilans d'entreprise. Je
suis une sorte d'espion. Ou d'agent de renseignement.

— Et vos collègues ? Vous aimez travailler avec
eux ? »

Paul ne répondit pas tout de suite. Prenant son verre, il but une longue gorgée de bière. Puis il répondit en baissant les yeux sur la table :

« Dans l'ensemble, oui. Dans l'ensemble.

— Ce qui veut dire non, observa Isabel.

— Pas exactement. C'est seulement que… Voilà, pour tout vous dire, j'ai perdu un de mes collaborateurs tout récemment. En principe, je travaille avec deux assistants, et c'était l'un des deux.

— Une autre boîte l'a débauché ? On me dit que les chasseurs de têtes sont déchaînés depuis quelques années. C'est ce qui se passe, non ? »

Paul secoua la tête.

« Il est mort, murmura-t-il. Un accident mortel. Une chute. »

Ç'aurait pu être un accident de montagne, comme il en arrivait presque chaque semaine dans les Highlands. Mais ce n'était pas cela, Isabel le savait.

« Je crois savoir qui c'était. Est-ce qu'il n'est pas tombé à…

— L'Usher Hall, confirma Paul. Oui, c'était lui. Mark Fraser. » Il s'interrompit. « Vous le connaissiez ?

— Non. Mais j'ai assisté à l'accident. J'étais au premier balcon avec une amie, et tout à coup il est tombé sous nos yeux, comme un… comme un… »

Elle s'interrompit et toucha doucement le bras de Paul, qui serrait son verre dans sa main et gardait les yeux baissés, horrifié par ses paroles.

# 6

C'était toujours la même chose lorsqu'on se trouvait environné de fumeurs. Isabel se rappelait avoir lu que les vêtements d'un non-fumeur étaient couverts d'ions négatifs, alors que la fumée du tabac regorgeait d'ions positifs : de sorte que s'il y avait de la fumée dans l'air, celle-ci, inéluctablement, était attirée par ceux-là, et les vêtements empestaient. Voilà pourquoi, lorsqu'elle souleva le chemisier qu'elle portait la veille au soir et qu'elle avait laissé sur le dossier d'une chaise, elle fut assaillie par l'odeur âcre du tabac froid. Les fumeurs et leurs méchants ions étaient nombreux au *Vincent Bar*, comme dans tous les bars, et, bien que Paul et elle fussent restés près de la porte, ils avaient laissé leur marque.

Elle secoua vigoureusement son chemisier devant la fenêtre ouverte avant de le suspendre dans l'armoire. Cela fait, elle retourna vers la fenêtre pour contempler le jardin, les beaux arbres derrière le mur, le grand sycomore et les bouleaux jumeaux, toujours prêts à se balancer dans le vent.

Paul Hogg. C'était un nom assez répandu dans les Borders, qui lui rappela aussitôt James Hogg, le berger poète, surnommé « le Pâtre d'Ettrick », du nom de sa vallée natale. C'était sûrement le plus distingué des Hogg, bien que d'autres eussent marqué leur époque, même des Hogg anglais, et qu'il fallût compter avec Quintin Hogg, un lord-chancelier (au faciès, d'ailleurs, vaguement porcin ; mais il était peu charitable de se moquer des Hogg[1]), sans oublier son fils Douglas. Et ainsi de suite. Les îles Britanniques fourmillaient de Hogg.

Ils n'étaient pas restés longtemps dans le bar. À l'évidence, Paul avait été très ému par l'évocation de Mark Fraser, et bien que la conversation eût bientôt pris un autre cours, une ombre était tombée sur la soirée. Peu avant de prendre congé, toutefois, le jeune homme était revenu brièvement sur le sujet, en quelques phrases qui avaient mis Isabel en alerte : « C'est presque impossible qu'il soit tombé tout seul. Il avait un grand sens de l'équilibre. C'était un féru d'escalade. Je l'ai accompagné à Buchaille Etive Mhor, et je l'ai vu grimper tout en haut sans une hésitation. Il savait d'instinct où poser les pieds. »

Elle l'avait interrompu. Que voulait-il dire ? S'il n'était pas tombé, avait-il sauté volontairement ? Mais Paul avait secoué la tête.

« Non, je n'y crois pas non plus. Les gens qu'on fréquente réservent souvent des surprises, mais je ne vois pas pourquoi il aurait fait ça. Le jour de sa mort, j'avais passé une grande partie de l'après-midi avec lui, et il était tout sauf déprimé. Au contraire ! Mark avait attiré notre attention sur une société dans laquelle nous avions ensuite beaucoup investi, et cette boîte venait de publier des résultats provisionnels spectaculaires. Au point que le patron lui avait fait passer un mémo pour le féliciter de sa perspicacité. Et Mark était ravi, tout souriant. Comme un chat devant un bol de crème ! Pourquoi se serait-il suicidé ? »

1. *Hog* : porc châtré, cochon en anglais (*N.d.T.*).

De nouveau Paul avait secoué la tête, puis changé de sujet, la laissant à sa perplexité. Et, ce matin, elle était toujours aussi perplexe en descendant prendre son petit déjeuner. Grace était arrivée de bonne heure et lui préparait son œuf dur. Elles commentèrent un article du *Scotsman*, critique sévère d'un ministre qui, lors de la dernière séance de questions au gouvernement, avait de toute évidence caché aux parlementaires certaines vérités embarrassantes. Grace n'en était nullement surprise, elle le tenait pour un menteur depuis le jour où elle était tombée sur sa photographie dans la presse, et voyait maintenant son intuition confirmée. Elle se tourna vers Isabel et, d'un air de défi, s'empressa de le lui faire observer, mais celle-ci se borna à hocher la tête.

« Oui, tout ça est une honte, reconnut celle-ci. Je ne me rappelle pas au juste quand l'habitude s'est installée de mentir dans la vie publique. »

Grace s'en souvenait.

« C'est Nixon qui a commencé. On n'avait jamais vu un menteur pareil ! Ensuite, c'est venu de ce côté-ci de l'Atlantique. Et voilà, tous les politiques mentent. C'est devenu la règle. »

Isabel en convenait : les gens de pouvoir avaient apparemment perdu leur boussole morale, et cette affaire n'en était qu'un exemple parmi beaucoup d'autres. Grace, bien sûr, ne mentait jamais : que le sujet fût grave ou anodin, elle était d'une honnêteté sans faille, et Isabel, implicitement, lui faisait une totale confiance. Mais Grace ne faisait pas de politique et en eût été bien incapable, car il fallait sans doute mentir dès la sélection pour la moindre candidature.

Au demeurant, tous les mensonges n'étaient pas répréhensibles, et Kant, en ce domaine comme en d'autres, s'était trompé. Parmi ses préceptes les plus absurdes, il y avait ce devoir d'absolue véracité, fût-ce envers un assassin à la recherche de sa victime. Si l'assassin frappait à votre porte et demandait : « Est-ce qu'Untel est là ? », Kant exigeait qu'on dît la vérité, fût-ce au prix de la mort d'un innocent. Quelle aberration ! Isabel se rappelait mot pour mot le passage qui l'avait choquée : *dans les déclarations qu'on ne peut éviter, la véracité est le devoir impératif de tout individu à l'égard de tout autre quels que soient les désavantages qu'elle peut entraîner pour lui ou pour autrui.* Rien d'étonnant si Benjamin Constant s'était scandalisé d'une telle assertion, même si Kant s'était défendu – de manière bien peu convaincante – en soulignant que rien n'excluait *a priori* l'arrestation de l'assassin avant que la réponse véridique ne lui permît de perpétrer son crime.

Le seul principe sensé était que le mensonge ne trouvait en général aucune justification, sauf en quelques cas exceptionnels et soigneusement définis comme tels. À côté des mensonges blâmables, il existait donc de « pieux mensonges », dictés par la bienveillance, par exemple afin d'éviter de blesser inutilement la susceptibilité d'autrui. Un ami très fier d'une acquisition nouvelle – et de mauvais goût – pouvait, s'il vous demandait votre avis, être blessé d'une réponse honnête et privé du plaisir de posséder l'objet en question. Voilà pourquoi on prenait le parti de mentir et de faire l'éloge du mensonge, certainement avec raison. Avec raison, vraiment ? Les choses étaient peut-être moins simples. Si l'on s'accoutumait à mentir en pareil cas, la frontière entre le vrai et le faux risquait de se brouiller peu à peu…

Isabel se promit d'explorer ce sujet en détail et d'écrire bientôt un papier argumenté, qu'elle intitulerait peut-être « Éloge de l'hypocrisie ». Les premiers mots lui vinrent aussitôt : « Taxer une personne d'hypocrisie revient en général à lui imputer une faiblesse morale. Mais l'hypocrisie est-elle forcément mauvaise ? Certains hypocrites méritent une plus grande considération... »

Le problème, du reste, comportait d'autres aspects. L'hypocrisie ne se limitait pas au mensonge, elle consistait aussi à préconiser telle conduite alors qu'on agissait en contradiction avec elle. Pareilles incohérences se voyaient d'ordinaire condamnées sans appel – mais, là encore, ne péchait-on pas par simplisme ? Pour un alcoolique, serait-il hypocrite de recommander la tempérance, ou pour un glouton la frugalité ? Sans doute celui qui recevait de tels conseils pouvait-il accuser le conseilleur d'hypocrisie, mais seulement si celui-ci niait boire ou manger plus que de raison. S'il se bornait à ne point révéler ses travers, peut-être demeurait-il un hypocrite, mais son hypocrisie n'était pas nécessairement dommageable. Elle ne causait de tort à personne et pouvait s'avérer bénéfique (à condition de rester ignorée). Un tel sujet serait parfait pour son club de philosophie dominical, et peut-être essaierait-elle d'en réunir les membres pour en discuter. À la perspective d'un débat sur l'hypocrisie, qui pouvait résister ? Les membres du club, c'était à craindre.

Elle s'assit devant son œuf dur avec le *Scotsman* et une autre tasse de café tout chaud, tandis que Grace allait s'occuper de la lessive. Rien d'autre ne retint son attention dans le journal – et surtout pas le compte rendu des récentes séances au Parlement d'Écosse –, et elle passa sans plus attendre aux mots croisés. 4 horizontalement : *Conquit de vastes terres, mais finit en poisson.* Tamerlan, bien sûr. Une définition usée jusqu'à la corde. Il y avait même un jeu de mots sur Tamerlan dans le dernier vers d'un poème de son cher Wystan Hugh Auden – ou « WHA », comme elle l'appelait.

Lui aussi aimait les mots croisés et se faisait livrer le *Times* à Kirchstetten pour le plaisir de plancher sur ses grilles. Dans cette bourgade autrichienne où il avait choisi de vivre, parmi son légendaire fouillis de manuscrits, de livres et de cendriers débordants, il s'échinait chaque jour sur les mots croisés du *Times*, un exemplaire fatigué de l'*Oxford English Dictionary* ouvert sur une chaise à côté de lui. Comme elle aurait aimé le rencontrer, lui parler, ne fût-ce que pour le remercier pour tout ce qu'il avait écrit (hormis ses deux derniers livres) ! Mais il était à craindre que le grand homme ne l'eût éconduite, voyant en elle une admiratrice bas-bleu comme il en avait des cohortes. 6 verticalement : *Dans leur ordre syrien, ils fulminaient, dit-on, de trop fumer*. Assassins, évidemment. (Mais c'était une coïncidence…)

Elle finit de remplir la grille sans quitter le petit salon, laissant son deuxième café refroidir. Pour une raison qu'elle n'arrivait pas à s'expliquer, elle se sentait mal à l'aise, presque nauséeuse, et elle se demanda si elle n'avait pas trop bu la veille au soir. Mais, à la réflexion, non : deux petits verres de vin à la galerie et un autre, à peine plus grand, au *Vincent Bar*. Trop peu pour expliquer ce mal au cœur et ce début de migraine. Non, son malaise n'était pas physique : elle se sentait perturbée. Elle s'était crue remise du choc éprouvé à l'Usher Hall, mais de toute évidence elle ne l'était pas vraiment ; si bien qu'il continuait d'avoir des répercussions psychosomatiques. Posant son journal, Isabel leva les yeux au plafond et se demanda si c'était ce qu'on appelait « dépression post-traumatique ». Les soldats de la Grande Guerre avaient connu ce genre d'état, à un degré bien plus intense. Mais, en ce temps-là, on parlait seulement de commotion et on les envoyait au peloton d'exécution pour abandon de poste devant l'ennemi…

Elle pensa à la journée qui l'attendait. La matinée serait laborieuse : elle avait au moins trois articles à lire avant de les envoyer sans tarder à d'autres réviseurs de la *Revue d'éthique appliquée*. Sans compter l'index à établir en vue d'un prochain numéro – tâche ennuyeuse, qu'elle n'avait que trop remise aussi. Mais il faudrait l'expédier avant la fin de la semaine pour que le directeur général l'approuve, et mieux valait donc s'y mettre au plus vite. Isabel consulta sa montre : bientôt neuf heures et demie. Trois bonnes heures de travail devraient avoir raison d'une partie de l'index, à tout le moins. Vers midi et demi ou une heure, elle pourrait déjeuner avec Cat, si elle était libre. Cette pensée la ragaillardit : quelques heures de travail assidu suivies d'un moment de détente avec sa nièce, voilà ce qu'il lui fallait pour la tirer de son abattement momentané, le remède rêvé à la dépression posttraumatique.

Cat ne serait pas libre avant une heure trente, car Eddie avait demandé à déjeuner tôt. Elles se retrouveraient au petit café-restaurant en face de l'épicerie. Cat préférait laisser les tables de sa boutique à la disposition des clients. Elle savait de surcroît qu'Eddie écoutait ses conversations dès qu'il en avait l'occasion, et cela l'agaçait.

Isabel travailla rapidement et, à sa surprise, en eut terminé avec l'index peu avant midi un quart. Elle l'imprima et le glissa dans une grande enveloppe pour le poster en marchant vers Bruntsfield. Être débarrassée de cette corvée avait grandement égayé son humeur, sans pour autant lui faire oublier sa conversation avec Paul Hogg. Ce qu'il lui avait dit continuait de la préoccuper, et elle les imaginait tous les deux, Mark et Paul, escaladant Buchaille Etive Mhor, encordés peut-être. Le soleil éclairait le visage de Mark, puis il baissait un peu la tête vers son ami… Sa photographie dans les journaux l'avait vraiment montré dans toute sa beauté, ce qui semblait rendre sa mort encore plus désolante. C'était injuste, bien sûr : de toute évidence, la mort d'un beau jeune homme n'était en rien plus triste que celle d'une personne moins gâtée par la nature. Mais, dans ce cas, pourquoi la mort d'un Rupert Brooke ou d'un Byron apparaissait-elle plus tragique que celle d'autres poètes prématurément disparus ? Peut-être parce que la beauté inspire plus de compassion, ou encore que la victoire temporaire de la Mort semble plus grande quand elle l'anéantit. Personne, raille la Mort en souriant, n'est trop beau que je ne l'emporte…

Les clients du café-restaurant n'étaient plus très nombreux quand elle arriva : seules deux tables dans le fond étaient occupées, la première par un groupe de dames d'âge mûr qui avaient posé par terre les sacs contenant leurs courses, la seconde par quatre étudiants dont l'un racontait quelque chose aux autres. En attendant Cat, Isabel s'assit et consulta le menu. Les dames mangeaient presque en silence, tant leurs plats de tagliatelles donnaient de longs fils à tordre et retordre à leurs fourchettes maladroites. Mais les étudiants, d'humeur loquace, parlaient trop fort pour qu'Isabel pût éviter d'entendre une partie de leurs propos, surtout lorsque l'un d'eux – un grand frisé en chandail rouge – éleva le ton encore davantage :

« … alors elle m'a dit que si je refusais de l'accompagner en Grèce, elle ne me louerait plus ma chambre. Et, comme vous savez, je ne trouverais nulle part un loyer aussi bas. Qu'est-ce que je pouvais faire, à votre avis ? Qu'auriez-vous décidé à ma place ? »

Le silence s'installa quelques instants. Puis la fille blonde en face de lui répondit quelque chose qu'Isabel ne distingua pas, et tous les quatre éclatèrent de rire.

78

Isabel leva les yeux, puis se replongea dans le menu. La suite lui révéla que le frisé habitait une chambre dans l'appartement de cette « elle » anonyme. « Elle », donc, avait exigé sa compagnie lors d'un récent voyage en Grèce. Et recouru à tous les arguments pour le convaincre d'accepter. Mais, à être obligé de partir contraint et forcé, objecta quelqu'un, on risque de faire un piètre compagnon de voyage !

« C'est exactement ce que je lui ai dit... » Isabel n'entendit pas la fin de la phrase. « ... que je partirais, mais à condition qu'elle me laisse tranquille. Et je ne me suis pas gêné pour lui dire que je savais très bien ce qu'elle avait derrière la tête...

— Vaniteux ! se moqua la blonde.

— Oh, non ! dit un autre jeune homme. Tu ne la connais pas, mais c'est une vraie mangeuse d'hommes. Demande à Tom. Il pourra te le confirmer ! »

Alors, était-il parti pour la Grèce, oui ou non ? En dépit des convenances, Isabel mourait d'envie de le lui demander. Ce jeune type ne valait pas mieux que sa propriétaire. D'ailleurs, tous les quatre étaient déplaisants, à échanger ragots et sarcasmes avec cette complaisance satisfaite. Des propositions érotiques dont on était l'objet, on ne devrait jamais rien dévoiler, estimait-elle. Les accepter ou les refuser, mais se taire. Ces jeunes gens, hélas, n'avaient pas la délicatesse de le comprendre.

Une fois de plus, elle baissa les yeux sur le menu, soucieuse de ne pas interrompre leur conversation. Par chance, Cat arriva à ce moment et elle posa la carte pour lui consacrer son attention.

« Excuse-moi, je suis en retard, dit Cat, hors d'haleine. Nous avons essuyé une petite crise. Des gens nous ont rapporté du saumon périmé depuis plus d'une semaine. Ils ont dit qu'ils l'avaient acheté chez nous, et c'était probablement vrai. Je ne sais pas comment c'est arrivé. Ensuite, ils ont parlé d'alerter les services d'hygiène, et tu sais ce que ça veut dire. Des histoires à n'en plus finir ! »

Isabel se montra compatissante, sachant que jamais Cat ne prendrait sciemment ce genre de risques.

« Ça s'est arrangé ?

— Oui, grâce au cadeau d'une bouteille de champagne ! Et à mes plus plates excuses. »

Cat jeta un coup d'œil au menu, mais elle n'avait jamais grand-faim à l'heure du déjeuner ; comme de coutume, elle se contenterait d'une salade des plus légères. Sans doute, supposait Isabel, parce qu'elle s'occupait de nourriture toute la journée.

Elles échangèrent quelques bribes de nouvelles. Toby était en voyage avec son père, pour rendre visite à des viticulteurs, mais il avait téléphoné la veille au soir de Bordeaux. Il serait de retour dans quelques jours et emmènerait Cat passer le week-end dans la campagne du Perthshire, où il avait des amis. Isabel écouta poliment, mais sans enthousiasme. Que diable feraient-ils de leur week-end dans le Perthshire ? La question était-elle naïve ? Il était difficile de se reporter vingt ans en arrière.

Cat la regardait attentivement.

« J'aimerais que tu lui donnes une chance, dit-elle doucement. C'est un type bien. Je t'assure.

— Je n'en doute pas, se hâta de répondre Isabel. Je n'ai rien contre Toby. »

Cat sourit.

« Tu n'es pas du tout convaincante quand tu mens, plaisanta-t-elle. Mais on voit bien qu'il ne te plaît pas. Tu ne peux pas t'empêcher de le montrer. »

Isabel se sentit prise au piège et pensa : Je fais une piètre hypocrite. À la table des étudiants, le silence s'était installé. Consciente qu'ils écoutaient leur conversation, elle les regarda et remarqua qu'un des garçons avait une petite épingle dans l'oreille. Les porteurs de piercings cherchent les ennuis, prétendait Grace. Pourquoi ? avait demandé Isabel. Est-ce qu'on n'avait pas toujours porté des boucles d'oreilles, sans aucun dommage ? Mais, selon Grace, les piercings en métal attiraient la foudre. Elle avait lu l'histoire d'un homme qui en portait un peu partout et qui était mort un jour d'orage, foudroyé en pleine rue, alors que ses voisins – sans piercings – s'en étaient sortis indemnes.

Les jeunes gens échangèrent des regards et Isabel détourna la tête.

« Ce n'est pas le lieu pour discuter de cela, Cat, murmura-t-elle.

— Peut-être. Mais ton antipathie me chagrine. Je voudrais seulement que tu fasses un effort, pour dépasser ta première réaction.

— Ma première réaction n'était pas si négative, protesta Isabel, toujours à voix basse. Il ne m'a pas inspiré de sentiments très chaleureux, c'est vrai. Parce qu'il n'est pas vraiment mon genre. Mais c'est tout.

— Pas ton genre ? Et pourquoi ? » Cat, sur la défensive, avait élevé le ton. « Qu'est-ce que tu lui reproches ? »

De nouveau Isabel jeta un coup d'œil en direction des étudiants, qui souriaient à présent. Bien fait pour elle s'ils écoutaient. Est-ce qu'elle n'avait pas fait la même chose dix minutes plus tôt ?

« Je ne lui reproche rien. Seulement, es-tu sûre qu'il soit… à ta hauteur, intellectuellement parlant ? Ça peut compter beaucoup, tu sais ? »

Cat fronça les sourcils, et Isabel se demanda si elle n'était pas allée trop loin.

« Toby n'est ni un sot ni un ignorant ! rétorqua-t-elle avec indignation. Il est diplômé de St Andrew, si tu veux bien t'en souvenir. Et il a voyagé dans une foule de pays. »

St Andrew ! Isabel faillit s'exclamer : « Tu vois ? C'est bien ce que je disais ! » Mais la prudence lui dicta de se taire. À quelques lieues au nord d'Édimbourg, la très ancienne et très chic université St Andrew était renommée pour attirer des jeunes gens de milieux aisés en quête d'un endroit agréable où passer quelques années tout en faisant la fête à la moindre occasion. Aux États-Unis, de tels établissements étaient appelés des « écoles dansantes ». En l'occurrence, c'était une réputation injuste, comme beaucoup de réputations, mais elle contenait tout de même une infime part de vérité. Toby, en tout cas, s'accordait très bien avec cette image de St Andrew. Mais il eût été cruel de le souligner ; et, de toute façon, Isabel voulait en finir avec ce sujet. Elle n'avait pas eu l'intention de s'enferrer dans une controverse sur Toby, n'estimait pas légitime de se mêler des amours de sa nièce et devait absolument réprimer toute remarque désobligeante. Faute de quoi, leurs rapports à venir risquaient de se compliquer. Du reste, Toby la quitterait bientôt pour une autre et on n'en parlerait plus. À moins – et c'était un sujet de vive inquiétude –, à moins que Toby ne s'intéressât à Cat pour son argent.

Isabel ne pensait guère à l'argent. Elle pouvait se le permettre et avait conscience que c'était un grand privilège. Son frère et elle avaient chacun hérité de leur mère la moitié de ses parts dans la Louisiana & Gulf Land Company, une vraie petite fortune, qui leur épargnait tout souci matériel. Sur ce sujet, Isabel se montrait discrète : elle dépensait assez peu pour elle-même et avec largesse pour autrui, mais ses actes de générosité demeuraient aussi secrets que possible.

Quand Cat avait atteint sa majorité, son père – le frère d'Isabel – avait transféré sur son compte assez d'argent pour acheter un appartement, et plus tard sa boutique. Sage décision, avait estimé Isabel. Mais Cat jouissait d'une aisance très inhabituelle chez les gens de son âge, dont la plupart s'évertuaient à économiser l'acompte pour un premier appartement. La vie à Édimbourg était chère, et beaucoup n'y parvenaient pas.

Toby était certes issu d'un milieu de riches négociants, mais l'argent familial était sans doute investi dans les affaires et il était peu probable que son père lui versât un gros salaire. En général, les jeunes hommes de ce genre connaissaient parfaitement l'importance de l'argent et avaient un talent pour le flairer. De sorte que Toby pouvait fort bien lorgner sur le « magot » de Cat et la manœuvrer avec assez d'adresse pour mettre le grappin dessus. Mais Isabel ne pouvait exprimer ces craintes ouvertement. Si seulement elle en trouvait la confirmation, elle serait capable de prouver à sa nièce que Toby la fréquentait par intérêt, comme dans un de ces affreux mélodrames bourgeois chers au public du dix-neuvième siècle ! Mais c'était hautement improbable.

Aussi tendit-elle le bras vers Cat, pour la rassurer et changer de sujet.

« Il est très bien, ton Toby, dit-elle. Je ferai un effort, et je suis sûre que je verrai ses bons côtés. C'est ma faute, je suis trop… trop entêtée. Excuse-moi. »

Cat sembla convaincue et Isabel lui fit le récit de sa rencontre avec Paul Hogg. Tout à l'heure, en chemin, elle avait décidé quel parti prendre.

« J'ai essayé d'oublier ce que j'ai vu, expliqua-t-elle, mais rien à faire, ça n'a pas marché. J'y pense et j'y repense sans cesse. Et, hier, la conversation avec ce Paul Hogg m'a beaucoup troublée. Quelque chose de bizarre s'est passé à l'Usher Hall ce soir-là. Je ne crois pas que c'était un accident. »

Cat la regarda, dubitative.

« J'espère que tu ne te laisseras pas entraîner dans cette affaire, dit-elle. Ça t'est déjà arrivé dans le passé : tu t'es impliquée dans des histoires qui ne te regardaient pas, et tu ferais mieux de ne pas recommencer. »

Il était vain de sermonner Isabel : elle ne changerait pas, Cat le savait bien. Rien ne l'obligeait à se pencher sur les problèmes d'inconnus, mais ils semblaient l'attirer irrésistiblement. Et chaque fois parce qu'elle s'en faisait un devoir moral. Une telle conception de la vie, qui comportait un nombre sans fin de devoirs moraux potentiels, signifiait que toute personne en proie à des ennuis pouvait sonner à la porte d'Isabel et voir son problème pris en charge au nom de l'impératif d'aider son prochain – ou de ce qu'elle entendait par là –, auquel il lui incombait d'obéir.

Maintes fois elles avaient discuté de l'incapacité d'Isabel à dire non, qui selon Cat était à la racine de tout.

« Tu ne peux pas continuer à t'occuper ainsi des affaires des autres », avait-elle protesté après que sa tante eut tenté d'apaiser la discorde entre les propriétaires d'un hôtel, une famille qui se querellait sur le devenir de l'établissement. Mais Isabel, qui se rappelait les nombreux dimanches de son enfance où on l'y emmenait déjeuner, avait considéré que ces bons souvenirs fondaient un lien entre elle et ce qu'il adviendrait du lieu, et s'était retrouvée happée dans une détestable bataille administrative.

Cat exprima les mêmes inquiétudes au sujet de l'infortuné jeune homme de l'Usher Hall. En quoi cette histoire regardait-elle Isabel ?

« Bien sûr que ça me regarde ! rétorqua celle-ci. J'ai tout vu, ou presque. Et je suis la dernière personne que ce garçon ait vue de son vivant. La toute dernière ! Tu ne crois pas que la dernière personne qu'on voit sur cette terre vous est redevable de quelque chose ?

— Franchement, je ne vois pas pourquoi », soupira Cat.

Isabel s'appuya au dossier de sa chaise.

« Ce que je veux dire, c'est que nous ne pouvons pas nous sentir des devoirs envers le monde entier, mais seulement envers les individus auxquels le sort nous confronte. Ceux qui entrent dans notre espace moral, pour ainsi dire. Parce qu'ils deviennent nos voisins. »

*Comment définir un voisin au sens éthique ?* demanderait-elle un jour aux membres de son club. Ils y réfléchiraient consciencieusement ; mais, au bout du compte, craignait Isabel, ils arriveraient à la conclusion que le seul critère acceptable était la proximité. Nos voisins au sens éthique sont les gens qui nous sont proches, géographiquement ou dans un autre sens reconnu. S'il venait de trop loin, un appel aux devoirs de l'éthique manquait de force, donc d'autorité. Seuls les appels proches avaient la force de la réalité.

« Voilà qui me semble assez raisonnable, commenta Cat. Mais dans le cas de ce garçon, il n'est pas devenu ton voisin. Il est seulement… seulement passé par là, si j'ose dire. »

Isabel n'était pas d'accord.

« Où commence le "trop loin" ? objecta-t-elle. Il a dû me voir en tombant. Et moi aussi, je l'ai vu, dans une situation de vulnérabilité extrême. Excuse-moi si je pontifie, mais il me semble que cela crée un lien entre nous. Moralement, nous ne sommes plus des étrangers.

— On croirait que tu me lis la *Revue d'éthique appliquée*, dit Cat sèchement.

— C'est parce que je *suis* la *Revue d'éthique* appliquée ! »

Toutes deux se mirent à rire, et la tension qui s'était installée se dissipa.

« Bon, puisqu'il n'y a pas moyen de te faire changer d'avis, je ferais mieux de t'aider, si je peux. As-tu besoin de quelque chose ?

— Oui. De l'adresse de ses colocataires. C'est tout.

— Tu veux leur parler ?

— Oui. »

Cat haussa les épaules.

« Je ne vois pas ce qu'ils pourront t'apprendre. Ils n'étaient pas à l'Usher Hall ! Comment veux-tu qu'ils sachent ce qui s'est passé ?

— C'est sur lui que je voudrais en savoir davantage, dit Isabel. Pour me faire une idée générale.

— D'accord. Je te la trouverai. Ce ne sera pas difficile. »


En rentrant chez elle après le déjeuner, Isabel se remémora la conversation. Cat n'avait pas tort de l'interroger sur ce qui la poussait à s'impliquer ainsi, et elle-même ferait bien de se le demander plus souvent. Mais c'était une question qu'elle ne se posait guère. Bien sûr, il était facile de comprendre pourquoi elle s'estimait – au même titre que chacun – tenue à des devoirs moraux envers autrui, mais ce n'était pas sa seule motivation. La vraie question qu'elle devrait approfondir concernait plutôt la passion qu'elle y mettait. Et si elle était honnête avec elle-même, elle répondrait peut-être que, pour l'essentiel, cette passion se fondait sur la stimulation intellectuelle qu'elle éprouvait en s'impliquant. Elle avait envie de savoir pourquoi certaines choses arrivaient. Et pourquoi certaines personnes agissaient comme elles agissaient. En somme, elle était curieuse. Le monde, les autres excitaient sa curiosité. Et qu'y avait-il de mal à cela ?

Cat l'aurait narguée : « La curiosité est un vilain défaut ! » Cat était parfois un peu sotte, songea-t-elle – mais elle regretta aussitôt cette pensée. À vrai dire, Cat était tout pour elle, ou presque : elle était l'enfant qu'elle n'avait pas eu, son gage fragile d'immortalité.

Isabel comptait passer la soirée seule. En avoir terminé avec le fastidieux index l'avait encouragée à
entreprendre une autre tâche plusieurs fois remise : la
relecture précise d'un article qu'un réviseur lui avait
renvoyé, accompagné de longs commentaires et de
multiples corrections. Ces ajouts étaient griffonnés
dans les marges et avaient besoin qu'elle les mît au
propre, ce qui ne serait pas une partie de plaisir :
l'homme écrivait en pattes de mouche minuscules et
employait des abréviations qui relevaient moins de la
correction que de l'épigraphie. Éminent ou non, c'était
la dernière fois que la revue ferait appel à lui, avait
décidé Isabel.

Au lieu de quoi, Jamie sonna à sa porte peu avant
six heures. Elle l'accueillit chaleureusement et lui proposa aussitôt de rester dîner s'il n'avait rien prévu
pour le soir. Elle savait qu'il accepterait, et c'est ce
qu'il fit après un instant d'hésitation, pour la forme et
aussi par amour-propre : Jamie avait l'âge de Cat et on
était samedi soir. Presque tous les jeunes gens devaient
avoir un projet de sortie, et il ne voulait pas qu'Isabel
le prît pour un solitaire.

« Eh bien, j'avais en tête de retrouver quelques
amis, mais puisque vous m'offrez de rester... Pourquoi pas ? »

Isabel sourit.

« Ce sera à la fortune du pot, comme d'habitude, mais je sais que ça vous est égal. »

Jamie laissa son veston et sa serviette dans le vestibule et la suivit.

« J'ai apporté quelques partitions, dit-il. J'ai pensé que vous aimeriez peut-être m'accompagner, un peu plus tard. »

Isabel acquiesça. Elle n'était pas mauvaise pianiste et n'avait en général pas de difficultés pour suivre Jamie quand il chantait de sa belle voix de ténor. Il possédait une technique solide et se produisait avec un chœur réputé : autre agrément de sa personne que Cat aurait dû prendre en considération, estimait Isabel. Elle ignorait si Toby savait chanter, mais cela lui semblait très improbable. De même, il ne devait pas savoir jouer d'un instrument (sauf peut-être de la cornemuse, ou de la batterie à la rigueur). Jamie, lui, jouait du basson. Cat avait un goût très affirmé pour la bonne musique, et elle aussi était une pianiste fort convenable. Durant la trop brève période où Jamie et elle étaient ensemble, elle l'avait accompagné avec talent et poussé bien au-delà de ses limites d'interprète. Ils formaient un duo si naturellement harmonieux ! avait pensé Isabel. Si seulement Cat s'en rendait compte et comprenait à quoi elle renonçait… Mais, en ce domaine, rien n'était objectif, et sa tante le savait, bien sûr. Deux choses faisaient durer l'amour : l'aptitude au bonheur et l'alchimie entre les personnes. Pour faire le bonheur de Cat, Jamie avait les atouts qu'il fallait, Isabel en était convaincue ; mais l'alchimie entre eux était une tout autre affaire.

Isabel tourna les yeux vers son hôte. Cat l'avait d'emblée trouvé séduisant, et il suffisait de le regarder pour en deviner les raisons. Cat aimait les hommes de haute taille, et Jamie était aussi grand que Toby, voire un peu plus. Et c'était sans conteste un fort beau garçon, avec ses pommettes hautes, ses cheveux sombres et soyeux, qu'il portait coupés très court, et sa peau naturellement hâlée. Ç'aurait pu être le visage d'un Portugais ou d'un Italien du Sud, bien qu'il n'eût d'autre ascendance qu'écossaise. Que fallait-il de plus à Cat ? Franchement ! Pouvait-elle souhaiter mieux qu'un Écossais aux airs méditerranéens, qui savait chanter et jouer du basson ?

Tout à coup, l'explication lui vint sans qu'elle l'eût cherchée, telle une vérité gênante qui surgit au mauvais moment. Jamie était trop gentil. Il s'était consacré à Cat avec tout son dévouement – au point, peut-être, de quasiment ramper devant elle –, et Cat s'en était lassée. On n'aime guère ceux qui se rendent entièrement dociles. Leurs attentions nous oppressent et ils nous mettent mal à l'aise.

Voilà ce qui s'était produit. Jamie eût-il gardé certaines distances, un rien de hauteur parfois, que l'affection de Cat s'en serait nourrie. Si elle semblait à présent comblée, c'était de ne pouvoir « posséder » Toby, qui ne lui appartiendrait jamais vraiment, comme s'il l'excluait de certains pans de sa vie (ce qui était le cas, Isabel en était sûre). On se trompait en tenant les hommes pour les seuls prédateurs : les femmes l'étaient tout autant, quoique moins ouvertement. Toby était une proie désirable à souhait. Jamie, pour n'avoir rien caché de sa complète abnégation, avait cessé de l'intéresser. Conclusion affligeante.

« Vous étiez trop bon pour elle », murmura-t-elle.

Jamie la regarda sans comprendre.

« Trop bon ?

— Oh, je pensais à voix haute, dit Isabel en souriant. Je me disais que vous étiez trop bon pour Cat. Voilà pourquoi ça n'a pas marché. Vous auriez dû vous montrer plus… plus réticent. La décevoir de temps en temps. Regarder d'autres filles. »

Jamie ne répondit pas. Ils avaient souvent discuté de Cat, et sans doute nourrissait-il encore l'espoir qu'Isabel lui servirait de pont pour retrouver le chemin de son cœur. Mais l'avis qu'elle venait d'exprimer était nouveau, et certainement inattendu. Pourquoi aurait-il dû la décevoir ?

Isabel soupira.

« Excusez-moi. Vous n'avez sûrement pas envie d'en reparler.

— Ça ne me dérange pas, répondit Jamie en levant la main. Au contraire, je suis heureux de parler d'elle.

— Oh, je sais… »

Isabel se tut quelques instants. Elle avait envie de lui confier quelque chose, dont jamais jusqu'ici elle ne lui avait parlé. Mais le moment était-il bien choisi ? Elle se décida :

« Vous l'aimez encore, n'est-ce pas ? Vous êtes toujours amoureux d'elle. »

Jamie baissa les yeux vers le tapis, gêné.

« Nous sommes pareils, vous et moi, poursuivit Isabel doucement. Moi aussi, je suis encore amoureuse – au moins un peu – d'un homme que j'ai connu il y a de nombreuses années. Et vous continuez d'aimer quelqu'un qui ne vous aime plus. Nous faisons la paire, tous les deux. À quoi bon nous obstiner ? »

Jamie resta silencieux un instant. Puis il demanda :

« Comment s'appelait-il, ce… cet homme ?

— John. John Liamor, répondit-elle.

— Et qu'est-il devenu ?

— Il m'a quittée, dit Isabel. Maintenant, il vit en Californie. Avec une autre femme.

— Ce doit être très dur pour vous, compatit Jamie.

— Oui, c'est dur. Mais c'est ma faute, n'est-ce pas ? J'aurais mieux fait de trouver quelqu'un d'autre au lieu de penser à lui sans cesse. Et vous aussi, je crois que vous le devriez. »

Elle s'entendit prononcer ce conseil sans grande conviction, mais elle savait pourtant qu'il était le bon. Pour peu que Jamie sortît avec une autre, Cat pourrait se sentir attirée par lui à nouveau quand elle aurait liquidé son Toby. Liquidé ! Quel mot sinistre, comme s'il s'agissait d'échafauder un faux accident. Une avalanche, par exemple.

« Est-ce qu'on peut provoquer une avalanche ? » demanda-t-elle.

Jamie ouvrit de grands yeux.

« Quelle drôle de question ! Oui, bien sûr qu'on peut. Si la neige est assez poudreuse, il suffit d'en faire dévaler une petite quantité, ou même de l'ébranler en la piétinant, et l'avalanche part toute seule. Quelquefois, rien qu'en parlant très fort. Les vibrations de la voix peuvent ébranler la neige. »

Isabel sourit. De nouveau elle imagina Toby au flanc d'une montagne, dans sa combinaison fraise écrasée, pérorant bruyamment sur les vins : « L'autre jour, j'ai goûté à un merveilleux chablis. Vous n'imaginez pas ! Un pur délice. Légèrement siliceux et pourtant fruité… » Un silence, puis les mots « siliceux… », « fruité… » éveillaient des échos sur les pentes blanches, juste assez pour déclencher la fatale marée neigeuse.

Elle se reprit. C'était la troisième fois qu'elle se représentait Toby périssant dans une catastrophe, et elle devait s'en empêcher. C'étaient des rêveries puériles, méchantes et immorales. Chacun a le devoir de maîtriser ses pensées, se réprimanda-t-elle. Et nous sommes responsables des états mentaux où nous nous laissons glisser : l'étude de la philosophie le lui avait appris. Une pensée incontrôlée pouvait survenir, et cela, bien sûr, n'était pas moralement répréhensible.

Mais on ne devait pas se complaire dans des songeries malveillantes. L'effet sur la personnalité ne pouvait qu'être délétère, sans oublier que le fantasme pouvait un jour devenir réalité. C'était une question de devoir envers soi-même, en termes kantiens ; et quoi qu'elle pensât de Toby, il ne méritait ni d'être enseveli sous une avalanche, ni d'être transformé en biscuits. On ne pouvait dire de personne qu'il méritait un sort pareil, même les êtres authentiquement malfaisants ou les membres de cette autre catégorie qui tentait si fort Némésis : les égoïstes absolus.

Qui étaient-ils, du reste, ces pratiquants résolus de l'*hubris* ? Elle avait en tête une petite liste de gens qu'il eût été bon, pour leur propre sauvegarde, de prévenir qu'ils narguaient Némésis trop effrontément. En haut de cette liste se trouvait un personnage bien connu à Édimbourg, un arriviste d'un culot à couper le souffle. Une avalanche, toutefois, eût peut-être balayé la haute opinion qu'il avait de lui-même, mais le châtiment aurait dépassé la mesure, car l'homme en question avait aussi ses bons côtés ; de sorte que ces pensées devaient être écartées. Elles étaient indignes d'une femme qui dirigeait la *Revue d'éthique appliquée*.

« Allons, un peu de musique avant le dîner, dit Isabel à brûle-pourpoint. Qu'avez-vous apporté ? Laissez-moi jeter un coup d'œil. »

Elle le précéda dans le salon de musique, une petite pièce à l'arrière de la maison où se trouvaient le quart-de-queue de sa mère et un joli pupitre édouardien qu'elle avait fait restaurer. Jamie tira de sa serviette un mince album de partitions et le tendit à Isabel, qui parcourut les feuillets et sourit. C'était le genre de musique qu'il privilégiait toujours : des compositions de

Burns sur ses propres poèmes, des airs d'opéras bouffes de Gilbert et Sullivan, et, comme toujours, *O mio babbino caro* de Puccini.

« Idéal pour votre voix, approuva Isabel. Vous êtes fidèle à vous-même. »

Jamie rougit.

« Je ne suis pas à l'aise avec les musiques plus modernes, reconnut-il. Vous vous rappelez ces mélodies de Britten ? Je n'y arrivais pas.

— Tout cela m'ira très bien, le rassura Isabel. C'est beaucoup plus facile à accompagner que Britten ! »

Elle feuilleta l'album et fit son choix.

« *Take a Pair of Sparkling Eyes* ?

— Parfait. »

Isabel attaqua le prélude. Jamie prit sa position de chanteur, épaules relaxées et tête un peu levée pour ne pas comprimer le larynx, et donna voix à la tendre cavatine. Isabel jouait avec détermination – la seule façon de jouer Gilbert et Sullivan, jugeait-elle – et ils achevèrent le petit air par une cadence qui n'était pas écrite, mais dont Sullivan aurait fort bien pu agrémenter sa partition. Ensuite, Burns : *John Anderson, My Jo*.

*John Anderson* : une réflexion sur le passage du temps, pensa Isabel, et l'amour qui survit cependant. « Mais béni soit ton front glacé, John Anderson, mon Jo. » Il y avait dans cette mélodie une ineffable tristesse qui lui faisait toujours retenir son souffle. C'était Burns dans sa veine la plus douce, célébrant une constance amoureuse qui, selon tous les témoignages (à commencer par le sien), n'avait guère été sa qualité première. Quel hypocrite ! Mais l'était-il vraiment ? De nouveau elle se demanda si l'on pouvait blâmer un homme de vanter des qualités qu'il ne possédait pas. Non, décidément non. Les gens qui souffraient d'*akrasia*, ou déficience de la volonté (thème chéri des philosophes, dont ils se plaisaient à débattre jusqu'à plus soif), pouvaient bien préconiser de se conduire comme eux-mêmes n'y parvenaient pas, pourvu qu'ils ne fissent pas mystère de leurs faiblesses.

*John Anderson* était en principe une mélodie pour voix féminine, mais rien n'interdisait à un homme de la chanter. Et, d'une certaine façon, elle en devenait plus touchante encore, car il pouvait s'agir de mâle amitié. Certes, les hommes n'aimaient pas aborder – et moins encore chanter – le sujet des amitiés masculines, ce qu'Isabel trouvait plutôt déroutant. Les femmes montraient tellement plus de spontanéité à déclarer leurs amitiés et à reconnaître leur importance ! Les hommes étaient bien différents : ils gardaient leurs amis à distance et répugnaient à dire les sentiments qu'ils éprouvaient entre eux. Comme ce devait être aride d'être un homme, et contraint, compassé ! Quel monde d'émotion et d'empathie la roideur virile leur faisait-elle manquer ! Un désert affectif, vraiment. Et pourtant, que de magnifiques exceptions ! Ainsi avait-on des raisons de s'émerveiller si l'on était Jamie, avec ce visage si frappant de rare beauté, si plein de sensibilité, tel un de ces jeunes hommes pensifs dans la peinture de la Renaissance florentine…

« John Anderson, dit-elle en tenant le dernier accord et laissant son écho s'estomper. Je pensais à vous et à John Anderson, votre ami. Quel qu'ait été son nom.

— Je n'ai jamais eu un tel ami », répondit Jamie.

Isabel leva les yeux et regarda par la fenêtre. La nuit commençait à tomber et les branches des arbres se dessinaient contre un ciel du soir encore pâle.

« Jamais ? Même dans votre adolescence ? Je croyais que les garçons avaient des amitiés passionnées. Comme David et Jonathan. »

Jamie haussa les épaules.

« Des amis, j'en ai eu. Mais jamais pour de longues années. Aucun que je pourrais chanter de cette façon.

— Quel dommage ! dit Isabel. Et vous ne le regrettez pas ? »

Jamie réfléchit un instant.

« Si, je suppose. J'aurais aimé avoir beaucoup d'amis.

— Mais vous le pourriez ! protesta Isabel. À votre âge, c'est si facile de se faire des amis…

— Pas pour moi, dit Jamie. Tout ce que je voudrais…

— Oui, bien sûr. »

Elle ferma le couvercle du piano et se leva.

« Allons dîner maintenant. C'est mieux. » Mais elle se ravisa. « Un dernier petit morceau, tout de même… »

Elle se rassit, se remit à jouer, et Jamie eut un grand sourire. *Soave sia il vento*, puisse le vent souffler doucement, le vent qui pousse votre navire vers le large, et puisse la mer rester paisible ! Le plus beau moment de *Così fan tutte*, la plus divine mélodie jamais composée, pensait Isabel : si plein de tendresse pudique, de cette tendresse qu'on eût souhaitée au monde entier, et à soi-même aussi… Tant pis si l'on savait que souvent la vie n'était pas ainsi, qu'elle était même parfois tout le contraire.

Quand ils achevèrent de dîner dans la cuisine, où il faisait plus chaud que dans le reste de la maison – sur la grande table de réfectoire qu'Isabel dressait pour les dîners improvisés –, Jamie prit la parole :

« Tout à l'heure, dans le salon de musique, vous m'avez dit quelque chose au sujet de cet homme, John je ne sais quoi…

— Liamor. John Liamor.

— Liamor, répéta-t-il en articulant avec soin. C'est un peu difficile à retenir. En tout cas, ce que vous m'avez dit me donne à réfléchir.

— Ravie de stimuler votre intellect ! plaisanta Isabel en prenant sa tasse de café.

— Stimulez, stimulez donc ! » répondit Jamie sur le même ton. Puis il reprit son sérieux. « Comment se fait-il qu'on tombe amoureux d'une personne qui ne va pas vous rendre heureux ? Il ne vous a pas rendue heureuse, n'est-ce pas ? »

Isabel baissa les yeux vers son set de table, orné d'une vue du Firth of Forth vu sous un angle inhabituel, du côté du Fife.

« Non. Il m'a rendue très malheureuse.

— Mais ne l'aviez-vous pas pressenti dès le début ? s'enquit Jamie. Je ne voudrais pas être indiscret, mais pour moi ces choses sont une énigme. Vous n'avez pas été capable de deviner comment cette histoire tournerait ? »

Isabel releva la tête et le fixa du regard. Elle en avait discuté avec Grace, brièvement, mais en général John n'était pas un sujet qu'elle abordait volontiers. Du reste, qu'y avait-il à en dire, sinon reconnaître qu'on aimait parfois la mauvaise personne et qu'on persistait à l'aimer dans l'espoir que les choses changeraient ?

« J'étais éblouie par John, presque subjuguée, avoua-t-elle à mi-voix. Je l'aimais follement. Il était la seule personne dont je désirais la présence, la seule dont la compagnie m'importait. Et le reste ne semblait pas compter beaucoup, parce que je savais dans quelle douleur je serais plongée si je renonçais à lui. Alors, je me suis entêtée, comme beaucoup de gens. Les amoureux s'entêtent.

— Et…

— Et un jour, alors que nous étions à Cambridge, il m'a demandé de l'accompagner en Irlande, où il était né. Il voulait passer quelques semaines avec ses parents, à Cork. J'ai accepté. Et je crois que ce fut ma grande erreur. »

Elle se tut. Jamais elle n'aurait pensé se livrer ainsi à Jamie, et ainsi lui dévoiler un pan de sa vie qu'elle préférait garder pour elle. Mais, de sa chaise, il la regardait dans l'attente de la suite, et elle continua :

« Vous ne connaissez pas l'Irlande, n'est-ce pas ? Laissez-moi vous dire que les Irlandais ont une idée très claire de ce qu'ils sont, de ce que sont les autres et de ce qui fait la différence. À Cambridge, John était un grand persifleur : il se moquait de tous les intellectuels de bonne famille qu'il y côtoyait, il les traitait d'esprits mesquins, petits-bourgeois… Mais quand nous sommes arrivés chez ses parents, à Cork, j'ai trouvé un pavillon tout ce qu'il y a de plus petit-bourgeois, avec un Sacré Cœur de Jésus pendu au mur de la cuisine. Et sa mère s'est montrée glaciale, elle a fait tout son possible pour me donner envie de déguerpir. C'était affreux. Et cela s'est terminé par une scène épouvantable lorsque je lui ai demandé si elle me détestait davantage parce que je n'étais pas catholique ou bien parce que je n'étais pas irlandaise. Ce devait être l'un ou l'autre. »

Jamie ne put s'empêcher de sourire.

« Et qu'a-t-elle répondu ? »

Isabel hésita. Puis :

« Elle m'a dit, cette horrible femme, elle m'a dit… que c'était surtout parce que j'étais une traînée. »

Elle leva les yeux vers Jamie, qui ouvrait des yeux ébahis.

« Quelle…

— Oui, c'est le mot. J'ai donc insisté auprès de John pour que nous partions. Nous sommes allés jusqu'à Kerry, où nous sommes finalement descendus dans un hôtel. Là, il m'a demandé de l'épouser. Il m'a dit que si nous étions mariés, nous obtiendrions une maison dépendant de l'université quand nous rentrerions à Cambridge. J'ai dit oui. Alors il m'a annoncé qu'il trouverait un vrai prêtre irlandais pour la cérémonie, un « renversant », comme il disait. Je lui ai fait remarquer qu'il n'était pas croyant, alors pourquoi un prêtre ? Il m'a répliqué qu'il choisirait un prêtre aussi mécréant que lui. »

Elle s'interrompit. Jamie ramassa sa serviette.

« Je suis désolé, dit-il simplement. Vraiment désolé que vous ayez vécu des choses pareilles. Je n'aurais pas dû vous poser de questions, n'est-ce pas ?

— Peu importe, répondit Isabel. Mais cela montre à quel point les grandes décisions comme le mariage sont trop souvent le résultat de circonstances assez chaotiques. Et qu'on peut se tromper sur toute la ligne. Gardez-vous de telles erreurs, Jamie. Ne gâchez pas votre vie. »

Ce fut Grace qui transmit le message à Isabel le sur-
lendemain matin, alors qu'elle s'affairait dans le jardin. L'adresse qu'elle cherchait était 48, Warrender
Park Terrace, troisième étage droite. Et le nom sur la
sonnette serait « Duffus », celui de la jeune femme qui
partageait l'appartement avec Mark Fraser et un autre
jeune homme : Henrietta Duffus, que tout le monde
appelait « Hen ». Le troisième colocataire se nommait Neil Macfarlane. C'étaient tous les renseignements que Cat avait obtenus, mais Isabel n'en avait
pas demandé plus.

Dans le regard de Grace il y avait une lueur
d'interrogation, mais Isabel décida de ne pas l'éclairer. Grace avait sur ce-qui-ne-vous-regardait-pas des
opinions très arrêtées et se montrait toujours d'une
discrétion inexpugnable. Eût-elle été informée des
intentions d'Isabel que, sans aucun doute, elle aurait
tenu son projet pour totalement malséant et ne se
serait pas privée de le dire. Isabel préféra donc garder
le silence.

Elle avait fixé sa visite pour le début de soirée : le
jour, les colocataires seraient à leur travail. En attendant, elle lut plusieurs articles arrivés au courrier du
matin. Ce premier tri était important : comme toutes
les revues, même savantes, la *Revue d'éthique appli-*

*quée* se voyait proposer des contributions absolument impubliables, au point qu'il n'était nul besoin de les envoyer à un spécialiste du sujet traité. Mais ce jour-là cinq papiers lui semblèrent dignes d'un examen attentif. Elle se plongea d'abord dans un exposé consciencieusement argumenté, « L'utilitarisme en action dans les processus législatifs », laissant pour la fin de la matinée un autre article *a priori* plus croustillant, intitulé « La parole véridique dans les relations sexuelles : un défi à Kant ». Elle le lirait après la pause-café : une critique de Kant, surtout sur un tel thème, serait certainement savoureuse.

Les heures passèrent rapidement. L'exposé sur l'utilitarisme en action s'avéra solide, mais pour ainsi dire illisible en raison du style de l'auteur. Il semblait rédigé en anglais, mais dans une variété d'anglais qu'on ne pratiquait guère que dans d'obscurs recoins du monde universitaire, où l'on tenait la lourdeur pour une vertu. On aurait dit une traduction de l'allemand : non que les verbes eussent émigré à la fin des phrases, mais l'ensemble était d'une solennité et d'un sérieux assez pesants pour barbouiller l'estomac.

Elle fut tentée d'écarter d'emblée ce papier inintelligible pour cause d'opacité grammaticale et d'écrire à son auteur – en termes simples ! – les motifs pour lesquels on ne l'avait pas retenu. Mais son nom et son université apparaissaient sur la page de titre, et elle savait qu'une telle désinvolture n'irait pas sans répercussions. Harvard !

« La parole véridique dans les relations sexuelles » révélait une plume plus agile, mais n'apportait rien d'original. On devait, soutenait l'auteur, dire la vérité à ses partenaires sexuels, mais non toute la vérité. En certaines circonstances, l'hypocrisie était nécessaire pour ne pas blesser l'autre. (À croire qu'il se faisait l'écho de ses récentes ruminations.) On s'abstiendrait donc de dire à l'amant ou à l'amante qu'il ou elle ne faisait pas bien l'amour, si tel était le cas. Oui, de toute évidence, seulement si tel était le cas, commenta Isabel *in petto*. En ce domaine plus encore qu'en d'autres l'honnêteté avait des limites aussi strictes que rapidement atteintes, et c'était bien ainsi.

Elle lut la suite de l'exposé avec un certain amusement et se dit qu'il offrirait un divertissement agréable aux abonnés de la revue, qui avaient peut-être besoin d'un peu d'encouragement. La philosophie du sexe était un champ peu exploré de l'éthique appliquée, mais elle avait ses spécialistes, qui se rassemblaient une fois l'an dans une université canadienne. Il arrivait à Isabel d'annoncer dans sa revue la tenue de tels colloques, mais elle se demandait ce qui pouvait se cacher derrière les termes neutres de leurs programmes. *Matin, 9 h 30 : sémiotique sexuelle et espace privé ; 11 heures : pause-café ; 11 h 30 : perversion et autonomie ; 13 heures : déjeuner* (pour ceux qui devaient satisfaire d'autres appétits) ; et ainsi de suite l'après-midi. Les extraits des communications étaient probablement assez pertinents, mais on avait lieu de se demander ce qui se passait après les sessions. Ces gens, supposait-elle, n'étaient en rien des prudes, et il s'agissait après tout d'éthique *appliquée*.

Isabel non plus n'était pas une prude, mais elle croyait très fort aux vertus de la discrétion en matière sexuelle. En particulier, elle doutait qu'il fût légitime de publier les détails de ses relations intimes. Le partenaire y aurait-il consenti ? Probablement non. Et, dans ces conditions, on portait tort à autrui en dévoilant à des lecteurs ce qui, dans son essence, relevait d'une entente privée entre deux individus. Deux catégories de personnes devaient s'astreindre à la confidentialité absolue : les médecins et les amants. À son médecin il fallait pouvoir tout dire avec la certitude que rien n'en serait divulgué, et la même chose valait pour les amants. Cette règle, au demeurant, n'était plus exempte de menaces : des patients, les États insistaient pour connaître les patrimoines génétiques, maladies infantiles ou penchants sexuels, et les médecins devaient se défendre. Quant aux révélations sur les amours et coucheries des autres, grassement monnayables pour peu qu'il s'agît de gens célèbres, rien ne semblait plus appétissant aux vulgaires curieux, qui formaient des légions innombrables. Pourtant tout être humain avait droit à ses secrets, estimait Isabel, et à l'assurance qu'au moins une part de sa vie resterait pour toujours intime et ignorée ; car, à défaut, c'était son identité même que ces intrusions meurtriraient. Puisse l'intimité demeurer inviolée, concluait-elle, peu soucieuse de l'air du temps.

Malheureusement, les philosophes n'étaient pas les derniers à donner dans cet exhibitionnisme. Bertrand Russell, par exemple, ne s'en était pas privé dans ses fort explicites carnets, et Alfred Ayer non plus. Pourquoi ces grands esprits croyaient-ils intéresser le public en révélant avec qui ils couchaient, comment et à quelle fréquence ? Cherchaient-ils à prouver quelque chose ? Aurait-elle résisté à Bertrand Russell ? se demanda-t-elle soudain. La réponse lui vint aussitôt : oui. Et à Alfred Ayer ? Aussi.

À six heures, elle avait lu tous les articles et rédigé les lettres à ses confrères pour ceux qui franchiraient cette première phase éliminatoire. Six heures et demie seraient une heure opportune pour sa visite au 48, Warrender Park Terrace : les occupants seraient rentrés du travail, mais il serait encore trop tôt pour qu'elle dérangeât leurs projets de soirée. Elle quitta son bureau, passa dans la cuisine pour se faire du café, puis se mit en route.

Le trajet n'était pas long : Warrender Park Terrace se trouvait juste derrière le petit parc triangulaire au bout de Bruntsfield Avenue. Elle prit son temps et s'arrêta devant quelques vitrines, puis traversa les pelouses et atteignit la rue. C'était une agréable soirée de printemps, mais un vent vif s'était levé et les nuages couraient énergiquement dans le ciel, vers la Norvège. Édimbourg baignait dans un crépuscule nordique, une lumière qui naissait autant des vastes plaines grises de la mer du Nord que des douces collines de l'intérieur. On était loin de Glasgow, dont les calmes clartés océaniques parlaient de l'Irlande toute proche, et du pays gaël dans les Highlands. La ville se dressait contre la morsure des vents froids sifflant de l'est, et ses rues pavées de gris s'insinuaient entre des murs imposants. Ville de nuits sombres et de pâles chandelles, ville de recueillement et de méditation…

Elle suivit Warrender Park Terrace, une belle rue incurvée dominant sur la droite le parc verdoyant des Meadows et, au-delà, les toits à pinacles et à flèches de l'ancien hôpital. De hautes maisons victoriennes la bordaient, à six étages de pierre polie, surmontés d'abrupts toits d'ardoises. Certains faîtes s'ornaient de tourelles à la manière des châteaux de la Loire, et aussi de ferrures, de créneaux, de chardons gravés et de gargouilles. Toutes ces fioritures devaient donner aux propriétaires d'origine le sentiment de vivre dans l'élégance, et que seule la taille distinguait leurs maisons des demeures aristocratiques. Malgré ces prétentions, c'étaient de bons appartements bourgeois, solidement bâtis, abritant désormais des cadres en début de carrière ou de petits groupes d'étudiants. Celui qui l'intéressait devait en être un exemple parmi beaucoup d'autres, loués par trois ou quatre personnes jeunes. Leur superficie était assez généreuse pour que chaque colocataire disposât d'un espace à lui, et ces arrangements se révélaient sans doute commodes en attendant des situations mieux établies. Sans compter qu'ils se prêtaient à la naissance d'amitiés durables – et aussi, pouvait-on supposer, de durables inimitiés.

Au 48 – comme dans toute la rue – une porte imposante donnait accès à un lourd escalier aux marches de pierre. D'ordinaire, ces portes étaient verrouillées et on les ouvrait de l'intérieur. Elle repéra le nom « Duffus » parmi les sonnettes, pressa le bouton et attendit. Au bout d'une minute environ, une voix dans l'interphone lui demanda ce qu'elle désirait.

Se penchant pour parler dans le petit micro, Isabel se présenta et expliqua qu'elle souhaitait parler à Miss Duffus. C'était, précisa-t-elle, en rapport avec l'accident.

Une brève pause suivit, puis un bourdonnement retentit. Isabel poussa la porte et commença de gravir l'escalier, où flottait une odeur poussiéreuse et un peu âcre, comme dans la plupart des escaliers communs. C'était une odeur de pierre humide, mêlée à de vagues odeurs de cuisine émanant des appartements. Elle lui rappela son enfance et l'escalier qu'elle montait chaque semaine pour se rendre chez son professeur de piano : Miss Moira McGibbon, se souvint-elle, s'émerveillait des grands romantiques russes, qui, disait-elle, l'« éblouissaient ». À présent encore, Isabel ne pouvait entendre Tchaïkovski ou Rachmaninov sans les trouver « éblouissants ».

Elle s'arrêta un instant sur le deuxième palier, repensant à Miss McGibbon. Elle l'aimait beaucoup dans ce temps-là ; et pourtant, malgré son jeune âge, elle avait perçu chez son professeur un fond de tristesse incurable, une impression de manque et de blessure. Un jour, en arrivant pour sa leçon, elle avait remarqué ses yeux rougis et les traces de larmes le long de son visage fardé. Elle l'avait regardée sans mot dire, jusqu'à ce que Miss McGibbon, gênée, se détournât en marmonnant : « Excuse-moi, mon petit. Je ne suis pas moi-même cet après-midi. Pas moi-même du tout. »

Isabel lui avait demandé s'il était arrivé quelque chose et Miss McGibbon avait ouvert la bouche pour dire oui. Mais elle s'était reprise, avait répondu : « Rien de grave », et elles étaient passées aux gammes et à Mozart, sans plus parler de rien. Beaucoup plus tard, au moment de partir pour Cambridge, elle avait appris par hasard que Moira McGibbon – décédée entre-temps – venait alors de perdre sa jeune amie, sa compagne, une certaine Rose Gordon, fille d'un juge de la cour d'assises qui désapprouvait les liens trop intimes unissant sa fille à un professeur de piano, et avait contraint Rose à choisir entre sa famille et son amie. Elle avait choisi sa famille.


Quand Isabel parvint au troisième étage, la porte de l'appartement était déjà entrebâillée et s'ouvrit à son approche. La jeune femme qui apparut en contre-jour devait être Henrietta Duffus, et Isabel lui sourit tout en l'observant. Elle était grande et très mince, un tronc flexible de jeune saule, et ouvrait de larges yeux de faon avec cette gentillesse rustique qu'Isabel associait toujours aux filles de la côte ouest de l'Écosse, bien que ce fût sans doute un cliché stupide. Lui rendant son sourire, Hen la salua et la pria d'entrer. Oui, c'était bien un accent de l'Ouest, mais non de Glasgow, comme le pensait Cat : plutôt celui d'une petite ville un peu fruste, comme Dumbarton, Helensburgh peut-être… « Henrietta » sonnait trop noblement pour elle, mais « Hen » lui allait bien.

« J'espère que vous ne m'en voudrez pas d'être venue sans prévenir. J'ai tenté ma chance, en pensant vous trouver, vous et…

— Neil. Neil Macfarlane. Il n'est pas rentré, je crois. Mais il ne devrait pas tarder. »

Hen referma la porte et lui en désigna une autre, plus loin dans l'entrée.

« Par ici, si vous voulez bien. Mais c'est en fouillis, comme d'habitude.

— Ne vous excusez pas. Nous vivons tous plus ou moins dans le fouillis, dit Isabel. C'est plus confortable.

— J'aimerais bien être ordonnée. J'essaie, mais je n'y arrive pas. Je crois qu'on ne devient pas ce qu'on n'a jamais été. »

Isabel sourit de nouveau, mais sans répondre. Cette jeune femme dégageait quelque chose de très physique. Une santé vigoureuse, une grande… énergie sexuelle, pour tout dire. On ne pouvait s'y tromper, c'était aussi perceptible que la musicalité, ou l'ascétisme. Elle était faite pour les chambres et les lits en désordre.

La grande pièce où Hen la fit entrer donnait au nord, du côté des arbres qui bordaient les Meadows. Les fenêtres, généreusement victoriennes, devaient l'inonder de lumière pendant le jour, et même à cette heure-ci les lampes étaient superflues. Isabel s'avança pour regarder la rue en contrebas, où un garçonnet tirait sur la laisse d'un chien peu désireux d'avancer. Il se pencha pour lui donner une tape sur l'échine, et l'animal se retourna pour se défendre. Mais le gamin lui flanqua un coup de pied dans les côtes et tira de nouveau sur la laisse.

À son tour, Hen s'approcha de la fenêtre.

« Quel sale garnement, celui-là ! Je l'ai surnommé Soapy Soutar. Il habite au rez-de-chaussée, avec sa mère et un copain à elle. Je crois que le chien les déteste tous. »

Isabel se mit à rire. L'allusion à Soapy Soutar lui avait fait plaisir : naguère, tous les enfants écossais étaient familiers d'Oor Wullie et de ses amis Soapy Soutar et Fat Boab, mais qu'en restait-il à présent ? D'où venaient les personnages qui nourrissaient leur imaginaire ? Sûrement plus des rues de Dundee, ces vieilles rues chaleureuses et mythiques que les dessins du *Sunday Post* avaient peuplées de cocasses innocents.

Elles s'éloignèrent de la fenêtre et Hen interrogea Isabel :

« Pourquoi êtes-vous venue nous voir ? Vous n'êtes pas journaliste, n'est-ce pas ?

— Oh, que non ! répondit Isabel en secouant vigoureusement la tête. En fait, j'ai été témoin de l'accident. J'ai vu ce qui est arrivé. »

Hen ouvrit de grands yeux.

« Vous étiez là ? Vous avez vu Mark tomber ?

— Oui, malheureusement. »

Hen prit une chaise derrière elle et s'y laissa choir. Elle baissa les yeux vers le sol et resta silencieuse un moment. Puis elle releva la tête.

« C'est douloureux d'y repenser, dit-elle. Sa mort ne remonte qu'à quelques semaines, et pourtant j'essaie déjà de l'oublier. Mais ce n'est pas facile.

— Bien sûr. Je vous comprends.

— La police est passée nous voir deux fois, pour nous poser des questions sur Mark. Ensuite ses parents, pour emporter ses affaires. Vous imaginez la scène.

— Je le crains.

« — Et d'autres personnes encore, pendant plusieurs jours, poursuivit Hen. Des amis à lui, des gens de son bureau. Ça n'en finissait pas ! »

Isabel prit place sur un petit divan, tout près de Hen.

« Et maintenant, c'est moi. J'ai honte de vous imposer ma présence. J'imagine ce que vous éprouvez.

— Pourquoi êtes-vous venue ? » demanda Hen à nouveau.

Sa voix était sans acrimonie, mais non sans une légère dureté qu'Isabel ne manqua pas de percevoir. C'était la lassitude, probablement, la fatigue liée à la perspective de nouvelles questions.

« Je n'avais pas de raison bien précise, expliqua-t-elle d'un ton calme. Je crois que c'est parce que j'ai assisté à l'accident et que je n'avais personne à qui en parler, personne qui le connaisse. Vous comprenez ? J'ai été témoin de ce terrible accident, de cette mort, et personne autour de moi ne savait rien de lui. De Mark. »

Elle se tut. Hen la regardait de ses grands yeux en amande. Isabel avait parlé sincèrement, mais avait-elle dit toute la vérité ? Non, mais elle ne pouvait guère avouer à une inconnue que la cause de sa présence était son insatiable curiosité à l'égard du monde et des gens, et aussi le vague soupçon que la mort de Mark Fraser n'était peut-être pas un simple accident.

Hen ferma un instant les yeux, puis hocha la tête.

« Je comprends, dit-elle. Ça ne me gêne pas. D'ailleurs, j'aimerais entendre comment c'est arrivé exactement. Je me le suis représenté assez souvent !

— Vous êtes sûre que je ne vous ennuie pas ?

— Oui. Si cela peut vous aider, c'est d'accord. »

La jeune femme tendit la main et toucha légèrement le bras d'Isabel. Ce geste de sympathie était inattendu et Isabel eut le sentiment – injuste, se reprocha-t-elle – qu'il n'était pas vraiment dans la nature de Hen.

« Je vais faire du café. Ensuite, nous pourrons parler. »

Elle sortit de la pièce et Isabel s'adossa au divan pour regarder autour d'elle. À la différence de beaucoup d'appartements en location, celui-ci était bien meublé et ne donnait aucune impression de délabrement. Les murs étaient ornés de photographies et de reproductions encadrées, mélangeant sans doute les goûts du propriétaire et ceux des occupants. Les yeux d'Isabel passèrent de l'une à l'autre : une vue des chutes de la Clyde (propriétaire) ; *A Bigger Splash*, de David Hockney, et *Les Philosophes amateurs*, de Vettriano (locataires) ; *L'Île d'Iona*, de Peploe (propriétaire). Elle sourit au Vettriano. À Édimbourg, les autorités en matière artistique le dénigraient avec virulence, mais il restait résolument populaire. Pourquoi ? Parce que ses tableaux racontaient quelque chose de la vie de ses personnages (du moins de personnages qui dansaient sur la plage en tenue de soirée), fixaient un fragment d'histoire comme ceux d'Edward Hopper. Voilà pourquoi Hopper inspirait tant de poèmes : le spectateur avait loisir d'inventer le reste de l'histoire. Que font là ces gens ? À quoi pensent-ils ? Que feront-ils ensuite ? Hockney, lui, ne laissait rien sans réponse, et l'on savait tout de suite de quoi parlaient des tableaux comme *A Bigger Splash* : de nage, de désir, de narcissisme. N'avait-il pas fait le portrait d'Auden ? Oui, elle se le rappelait. Il avait d'ailleurs bien capté le désastre géologique qu'était le visage de WHA. « Je ressemble à une carte d'Islande. » Était-il vrai qu'il eût dit cela ? Non, probablement, mais il aurait pu le dire. Un jour, elle écrirait un livre sur ces citations apocryphes mais si bien adaptées à leurs auteurs prétendus. « J'ai régné tout l'après-midi, et voilà qu'il neige. » La reine Victoria.

110

Détournant les yeux du Vettriano, elle regarda par l'encadrement de la porte. Au mur de l'entrée était accroché un grand miroir en pied, comme on en trouvait d'habitude derrière la porte des armoires. D'où elle était assise, Isabel le découvrait juste en face d'elle, et à cet instant elle vit s'y réfléchir un jeune homme fugacement, qui sortait d'une pièce, traversait l'entrée comme une flèche et disparaissait dans une autre. Il ne la vit pas, bien que sa hâte suggérât qu'il avait conscience de sa présence, et de toute évidence il voulait éviter d'être vu. Du reste, seul le miroir l'avait trahi, le temps de quelques enjambées. Il était nu comme un ver.

Au bout de quelques minutes, Hen reparut, une tasse fumante dans chaque main. Elle les plaça sur la table basse et se rassit près d'Isabel.

« Vous aviez déjà rencontré Mark ? »

Isabel, étrangement, faillit répondre oui, tant il lui semblait l'avoir connu ; mais elle secoua la tête.

« C'est la seule fois où je l'ai vu. Ce soir-là.

— Je l'aimais beaucoup, dit Hen. Un chic type, vraiment. D'ailleurs, tout le monde l'aimait bien.

— Sûrement.

— Au début, je n'étais pas très sûre de ce que je faisais, vous savez ? Cette idée de cohabiter avec deux inconnus... Mais j'ai loué ma chambre en même temps qu'eux, et nous étions dans la même situation.

— Vous vous êtes toujours bien entendus ?

— Oui, toujours. Il y a bien eu quelques petits accrochages inévitables, mais jamais rien de sérieux. Tout marchait très bien. » Elle prit sa tasse et but une gorgée. « Il me manque, ajouta-t-elle.

— Et avec Neil ? Ils étaient bons amis ?

— Oh, oui. Quelquefois, ils jouaient au golf ensemble. Mais Neil était trop fort pour Mark. Il joue comme un champion, il aurait pu passer professionnel. Mais il a préféré le droit. Il est avocat stagiaire dans un cabinet du centre-ville. Très collet monté. Comme tous les cabinets d'avocats, je suppose. Et puis nous sommes à Édimbourg ! »

À son tour, Isabel but une gorgée de café. C'était de l'instantané, mais elle le boirait quand même, par politesse.

« Qu'est-ce qui est arrivé, à votre avis ? » demanda-t-elle.

Hen haussa les épaules.

« Il est tombé. En se penchant et en perdant l'équilibre. Un accident idiot. Quoi d'autre ?

— Il n'était pas malheureux ? »

Elle avait posé cette question d'un ton prudent, comme si elle craignait une réaction agressive.

« Vous pensez à un suicide ?

— Oui.

— Sûrement pas. » Hen secoua énergiquement la tête. « Je l'aurais su, s'il avait été malheureux. J'en suis certaine. Tout allait bien. »

Isabel réfléchit. « Je l'aurais su », avait affirmé Hen. Comment l'aurait-elle su ? Parce qu'elle habitait avec lui, forcément. On sentait les changements d'humeur de ceux qui vivaient tout près.

« Donc, aucun signe d'abattement ?

— Non. Aucun. De toute façon, ce n'était pas son genre. Le suicide est une fuite, non ? Et Mark faisait toujours face. C'était… Comment dire ? Quelqu'un sur qui on savait pouvoir compter. Il avait une conscience. Vous me comprenez ? »

Tout en l'écoutant, Isabel l'observait. Le mot « conscience » ne faisait plus partie du langage courant, se dit-elle. C'était du reste assez bizarre, et au bout du compte inquiétant. Cela tenait sans doute à la disparition de la culpabilité chez la plupart des gens

– ce qui, à maints égards, n'était pas une mauvaise chose, car la culpabilité avait causé des montagnes de souffrance injustifiée. Mais elle avait tout de même un rôle moral de dissuasion nécessaire. C'était la culpabilité qui faisait sentir ce qui était mal et rendait la vie morale possible. Cette question mise à part, autre chose l'avait frappée dans les propos de Hen. Ses mots avaient reflété une conviction péremptoire et révélé sa complète ignorance de ce que pouvait être une dépression, ou même une de ces crises où l'on perd toute confiance en soi.

« Quelquefois, des gens très sûrs d'eux en apparence le sont beaucoup moins à l'intérieur… Ils peuvent souffrir beaucoup sans que cela paraisse. Et ils sont… » Elle s'interrompit. À l'évidence, Hen n'aimait pas qu'on lui parlât ainsi. « Excusez-moi. Je n'avais pas l'intention de vous faire la leçon… »

La jeune femme sourit.

« Ne vous excusez pas, vous avez probablement raison. En général. Mais pas dans son cas. Je suis sûre et certaine qu'il ne s'est pas suicidé.

— Alors je m'incline. Après tout, vous le connaissiez très bien. »

Le silence s'installa quelques instants, et Hen, visiblement pensive, but son café à petites gorgées. Isabel regardait le Vettriano, se demandant que dire ensuite. Poursuivre la conversation ne semblait guère utile : elle n'apprendrait plus grand-chose de Hen, qui lui avait sûrement dit tout ce qu'elle était prête à lui dire et dont – estimait-elle – les perceptions n'étaient de toute façon pas très fines.

La jeune femme posa sa tasse et Isabel détourna les yeux du tableau étrangement dérangeant. Le jeune homme qu'elle avait aperçu dans le miroir entrait dans la pièce, vêtu cette fois.

« Voici Neil », dit Hen.

Isabel se leva pour lui serrer la main. Sa paume était tiède et légèrement humide. Il sort de la douche, pensa-t-elle. Voilà pourquoi il était nu tout à l'heure. Peut-être n'y avait-il rien d'insolite, pour les gens de cette génération, quand ils se connaissaient bien et vivaient sous le même toit, à passer d'une pièce à l'autre sans souci de cacher leur nudité, en parfaite innocence, tels des enfants dans le jardin d'Éden.

Neil prit la chaise à bras en face du divan et Hen lui expliqua pourquoi Isabel se trouvait là.

« Je ne voulais pas être indiscrète, ajouta celle-ci. Mais j'avais besoin d'en parler. J'espère que vous n'êtes pas fâché.

— Non, répondit Neil. Si vous désirez parler de Mark, je n'y vois pas d'inconvénient. »

Isabel l'observa furtivement. Son accent était très différent de celui de Hen : du nord-est de l'Écosse, pensa-t-elle, et révélant une éducation dans des écoles choisies. Il devait avoir le même âge que Hen, ou peut-être un peu plus. Et apprécier la vie au grand air. Mais Hen avait parlé de son excellence au golf, et sans doute son teint était-il rehaussé par l'âpre vent des terrains écossais.

« Je ne vais pas vous déranger plus longtemps, dit-elle. Je vous ai rencontrés, nous avons causé, et je dois vous laisser à vos occupations.

— Tant mieux si cela vous a aidée. »

Hen échangea un bref regard avec Neil, dont la signification semblait claire. Après son départ, elle lui dirait : « Pourquoi diable est-elle venue ? À quoi tout ça pouvait-il lui servir ? » Parce qu'elle ne représentait rien pour Hen : une quadragénaire anonyme, une femme périmée, sans réalité, sans intérêt.

« Je prends votre tasse, dit-elle en se levant soudain. Il faut que j'aille mettre un plat au four. Excusez-moi une minute.

« — Je vais vous laisser », dit Isabel, mais elle resta
assise sur le divan et, quand Hen eut quitté la pièce,
regarda Neil, qui l'observait attentivement, les bras
reposant sur les accoudoirs.

« Vous pensez qu'il a pu sauter volontairement ? »
demanda-t-elle.

Son visage resta impassible, mais il se raidit un peu
et parut déconcerté, mal à l'aise.

« Volontairement ?

— Oui. S'être suicidé. »

Il ouvrit la bouche pour répondre, mais n'en fit rien
et la regarda fixement.

« Excusez ma question, dit-elle. Je vois que vous
n'y croyez pas. Et vous avez probablement raison.

— Probablement, murmura-t-il d'un ton neutre.

— Puis-je vous demander autre chose ? » Elle n'attendit pas sa réponse. « Hen m'a dit que Mark était très
apprécié. Mais croyez-vous qu'une personne ait pu le
détester ? »

Voilà, la question était posée. Elle l'observa et vit
ses yeux se baisser vers le sol ; puis il les releva, mais
sans la regarder. Avant de répondre, il les tourna vers
la porte, comme s'il attendait que Hen vînt parler à sa
place.

« Je ne crois pas. Non. Je ne crois pas. »

Isabel hocha la tête.

« Alors, il ne se passait rien… rien d'inhabituel dans
sa vie ?

— Non. Rien d'inhabituel. »

Il la regarda enfin, et elle perçut dans ses yeux une
lueur d'animosité. Sans doute se disait-il, à juste titre,
qu'elle n'avait aucun droit de fureter dans la vie de son
ami. Elle était déjà restée trop longtemps, comme Hen
le lui avait fait sentir, et il fallait qu'elle s'en aille. Elle
se leva et il suivit son exemple.

« J'aimerais dire au revoir à Hen », dit-elle en s'engageant dans le vestibule, aussitôt suivie de Neil.

Prestement, elle jeta un coup d'œil autour d'elle. Par rapport au miroir, la pièce d'où il avait surgi tout à l'heure devait être la première sur sa droite.

« Elle est dans la cuisine, n'est-ce pas ? » Et, ce disant, elle s'avança et poussa la porte.

« Là, c'est sa chambre. La cuisine est au fond », lança-t-il derrière elle.

Mais Isabel avait eu le temps de faire un pas dans la grande pièce, avec ses rideaux fermés et la lampe de chevet encore allumée. Et le lit défait.

« Oh, excusez-moi, marmonna-t-elle.

— Cette porte, là-bas », dit-il d'un ton sec.

Il la regardait à la dérobée. Avec inquiétude, pensa-t-elle, inquiétude et hostilité.

Elle ressortit, marcha jusqu'à la porte indiquée et trouva Hen, plutôt gênée qu'elle la surprît assise sur un tabouret et plongée dans un magazine. Mais Isabel la remercia chaudement, prit congé et quitta l'appartement, au son de la clé que Neil tournait derrière elle. Elle leur avait laissé sa carte au cas où ils souhaiteraient la joindre, mais ils l'avaient regardée d'un air dubitatif et elle savait qu'ils n'en feraient rien. Elle s'était sentie mal à l'aise et un peu sotte ; mais somme toute, se dit-elle, c'était ce qu'elle méritait.

Au moins, une chose était claire : Neil et Hen étaient amants. Voilà pourquoi il se trouvait dans sa chambre au moment où elle avait sonné. La jeune femme avait prétendu qu'il n'était pas encore rentré, mais elle ne pouvait guère déclarer à une visiteuse inconnue qu'il occupait son lit à cette heure. Certes, cette découverte confirmait son intuition première au sujet de Hen, mais elle ne révélait pas grand-chose sur ce qu'avait été leur cohabitation au temps où ils vivaient à trois. Il se pouvait, bien sûr, que Mark se fût senti exclu. Hen avait affirmé qu'elle ne connaissait pas les deux garçons avant qu'ils devinssent colocataires ; aussi l'intimité était-elle venue par la suite, et le fonctionnement du trio en avait certainement été modifié : d'une communauté de trois amis, ils étaient passés à un couple et un ami. Mais il était possible aussi que Hen et Neil fussent tombés dans les bras l'un de l'autre après la mort de Mark, comme pour se consoler mutuellement. Oui, peut-être ; mais cela non plus ne révélait rien de l'état d'esprit de Mark le soir du concert à l'Usher Hall. Isabel ne savait à peu près rien de lui avant sa visite au 48, Warrender Park Terrace, et n'était pas plus éclairée à présent. Un jeune homme sympathique, apprécié de tous et peu enclin à douter de lui-même. À cela, rien d'étonnant : le doute de soi était une souffrance d'adolescents et, beaucoup plus tard, de personnes vieillissantes, non de jeunes adultes. En somme, si quelque chose angoissait Mark Fraser, il avait soigneusement caché cette angoisse aux gens qui partageaient son quotidien.

Elle rentra chez elle en prenant le temps de goûter l'air du soir, tiède pour la saison. Le vent était tombé et les prémices de l'été se faisaient timidement sentir. Elle croisait des passants, qui rentraient chez eux à pied et sans hâte. La plupart allaient retrouver des conjoints, des amants, des parents. Seule sa maison attendait Isabel, grande et vide. C'était le résultat de choix qu'elle avait faits en toute conscience, et elle le savait. Mais tout procédait-il de son libre arbitre ? Elle n'avait pas choisi de tomber amoureuse avec une intensité si totale et définitive qu'aucun homme, ensuite, ne pourrait plus lui plaire. Cet amour était venu à elle, et ce qui nous arrive n'est pas toujours de notre fait. John Liamor était venu, et il lui fallait en assumer les conséquences. Elle n'en faisait pas un drame et préférait ne pas en parler (bien que l'avant-veille elle se fût ouverte à Jamie, imprudemment peut-être). Ainsi était sa vie, et elle s'efforçait de la rendre productive, car c'était à ses yeux le devoir moral de chacun – à condition de croire aux devoirs envers soi-même, et Isabel y croyait. De même, elle croyait aux vertus du questionnement : toute constatation entraînait un pourquoi. Mais un pourquoi menant à quoi ?

La semaine s'écoula sans événement marquant. Elle poursuivit son travail pour la revue, mais les épreuves du numéro suivant étaient parties chez l'imprimeur, et comme deux membres du comité de rédaction se trouvaient à l'étranger, elle ne fut guère surchargée. Elle passa beaucoup de temps à lire, aida Grace à débarrasser le grenier (tâche trop longtemps remise). Mais elle eut tout le temps de réfléchir, sans cesser de penser à sa « pierre d'achoppement », comme elle l'appelait. L'hypersensibilité dont elle avait été la proie après la soirée fatale avait certes fini par s'estomper, mais pour céder la place à un sentiment d'inachevé. Sa rencontre avec Hen et Neil la laissait sur sa faim, mais elle ne voyait pas quelle autre démarche entreprendre. Une audience publique aurait bien lieu : un juge du parquet d'Édimbourg l'avait prévenue qu'elle y serait convoquée en tant que principal témoin oculaire, mais sans lui cacher que l'affaire serait vite expédiée.

« Je ne pense pas que l'accident fasse de doute, avait-il déclaré d'un air d'ennui. Nous avons vérifié que le rail de protection est placé assez haut, et qu'on ne risque de tomber que si l'on se penche franchement par-dessus. C'est ce qui a dû se passer. Il s'est penché pour une raison ou pour une autre. Peut-être parce qu'il cherchait quelqu'un au parterre. Donc, on en restera là.

— Alors à quoi bon une enquête judiciaire ? » avait-elle répliqué.

Elle était assise en face du magistrat, dans le petit bureau chichement meublé où il l'avait priée de passer le voir. *Décès*, indiquait lugubrement la plaque sur la porte. Et, derrière celle-ci, cet homme longiligne, au visage hâve et triste. Au mur était accrochée une photographie encadrée, où deux jeunes hommes et deux jeunes filles se tenaient très raides sur des chaises devant un porche en pierre. *Université d'Édimbourg, faculté de droit*, disait l'inscription au-dessous du cliché. Un de ces jeunes gens était le juge, reconnaissable à sa silhouette trop longue et à son air empoté. Avait-il convoité une carrière plus exaltante ?

Il regarda Isabel, puis détourna les yeux. Magistrat en charge des décès pour la ville d'Édimbourg. Des morts. Chaque jour, des morts. Des gens haut placés, de petites gens. Des morts et encore des morts. Il accomplirait sa tâche pendant un an, conformément à l'usage écossais, puis redeviendrait juge d'instance dans une bourgade comme Airdrie ou Bathgate. Chaque jour, ce ne seraient que crimes et délits, violences, escroqueries minables et cruautés ordinaires, jusqu'à la retraite.

« Comment dit-on ? Classer ? Oui. Il faut classer l'affaire », marmonna-t-il.

Donc c'était tout. Une tragédie totalement imprévue était survenue sans que personne fût à blâmer. Le hasard avait voulu qu'elle en fût témoin, et elle avait fait son possible pour s'en expliquer la cause. Au bout du compte, elle demeurait sans explication et elle ne pouvait rien faire de plus, sinon accepter la situation.

Aussi s'efforça-t-elle de se concentrer sur ses lectures, qui, ironie du sort, n'étaient pas sans rapport avec ladite situation. Un ouvrage venait de sortir en librairie, qui traitait des limites de l'obligation morale : sujet peu original en soi, mais dont un groupe de philosophes offrait une relecture assez captivante, en arguant que l'éthique appliquée devrait s'interroger moins sur les actes accomplis que sur ceux dont on s'abstenait. C'était une proposition ambitieuse et sans concession, susceptible de se révéler fort inconfortable aux gens soucieux de mener une vie tranquille. Elle exigeait un tel surcroît de vigilance et de conscience des besoins d'autrui qu'Isabel se sentait dépassée par l'enjeu. En outre, un tel réexamen n'était pas fait pour aider une personne en quête d'oubli. Il impliquait que chasser un problème de son esprit risquait de s'avérer une omission coupable et délibérée.

L'ouvrage était ardu et rébarbatif de la première à la dernière de ses cinq cent soixante-dix pages, et Isabel fut tentée de le laisser tomber provisoirement, voire définitivement. Mais c'eût été justifier la sévérité de l'auteur. Le roublard ! Il m'a piégée, pensa-t-elle.

Quand elle eut enfin terminé le livre, elle eut un frisson de plaisir coupable en le rangeant au bout d'une étagère obscure, tout au sommet d'un haut rayonnage. C'était un samedi après-midi, et elle estima que sa persévérance méritait bien d'être récompensée par un petit tour dans le centre-ville, égayé par la visite d'une ou deux galeries et une halte dans un salon de thé de Dundas Street pour y savourer une pâtisserie.

Elle prit l'autobus et, tandis qu'elle arrivait en vue de l'arrêt à l'angle de Queen Street, elle eut la surprise d'apercevoir Toby qui descendait la rue. Il tenait un sac rouge marqué du logo d'un magasin, et son pantalon en velours fraise écrasée attira son regard. Isabel sourit perfidement en pensant que ce pantalon était ce qu'il avait de plus remarquable. Quand elle mit pied à terre, souriant toujours, Toby marchait vingt ou trente mètres plus loin. Il ne l'avait pas vue – à son grand soulagement, car elle ne se sentait pas d'humeur à lui parler. Mais à présent, alors qu'elle descendait la rue à son tour (à bonne distance de lui), elle se prit à se demander ce qu'il faisait par ici. Des courses, à l'évidence. Mais où allait-il ? Toby habitait Manor Place, à l'autre bout de la ville. Il ne rentrait donc pas chez lui.

Quelle futilité ! se reprocha-t-elle. Quelle futilité de s'intéresser aux faits et gestes de l'ennuyeux Toby ! Que lui importait de savoir comment il occupait son samedi après-midi ? Absolument rien. Mais cette réponse eut pour seul effet d'aviver sa curiosité. Il ne serait pas inutile d'apprendre quelque chose sur son compte : par exemple, qu'il achetait des pâtes fraîches chez Valvona & Crolla. Ou qu'il prenait plaisir à fureter chez les antiquaires (pour improbable que ce fût). Il se pourrait qu'elle l'estimât davantage si elle en savait un peu plus sur lui. Cat avait laissé entendre que sa personnalité recelait des richesses qu'elle ne soupçonnait pas, et elle devrait au moins tenter d'en découvrir quelques aspects. (S'obligeait-elle par devoir moral à combattre ses propres préventions ? Non. Les cinq cent soixante-dix pages étaient bien rangées en haut d'un rayonnage, et ce sujet n'était plus à l'ordre du jour.)

Toby marchait assez vite et, pour ne pas le perdre de vue, Isabel dut accélérer le pas. Elle le vit traverser Heriot Row et s'engager dans Dundas Street. Elle le suivait maintenant, vaguement consciente du ridicule de sa conduite, mais au bout du compte cela l'amusait. Il n'entrera pas dans une galerie, se dit-elle, et encore moins dans une librairie. Que cherchait-il, alors ? Peut-être l'agence de voyages au coin de Great King Street (pour une petite escapade aux sports d'hiver avant la fin de la saison ? Dans une station propice aux avalanches ?).

Soudain il fit halte et Isabel, plongée dans ses pensées coupables, s'aperçut qu'elle s'était rapprochée de lui. Aussitôt elle s'immobilisa. Toby regardait une vitrine, la tête penchée en avant comme pour mieux voir un objet ou déchiffrer une étiquette. Plantée sur le trottoir, Isabel regarda vers la gauche et s'aperçut qu'il ne s'agissait pas d'une boutique, mais d'une maison particulière ; et en guise de vitrine, elle vit la fenêtre d'un salon. Elle se mit à scruter l'intérieur de la pièce, craignant qu'en se retournant Toby ne la surprît en train de l'espionner.

C'était un grand salon élégant et cossu, typique de cette partie de la Ville neuve, avec ses élégantes rues du dix-huitième siècle et ses belles maisons géorgiennes. Alors qu'elle l'examinait par-delà l'étroit jardinet qui le séparait de la rue, un visage de femme apparut et l'observa en retour. L'instant d'avant, sans doute était-elle assise et cachée à sa vue ; mais elle s'était levée pour regarder par la fenêtre et voyait maintenant une passante debout sur le trottoir, qui semblait très intéressée par son salon.

Leurs regards se croisèrent et Isabel se raidit, mal à l'aise. La dame à la fenêtre avait un visage qui lui était vaguement familier, mais elle ne put se rappeler où elle l'avait déjà vue. Pendant quelques secondes, toutes deux restèrent face à face, figées par la surprise ; puis l'étonnement sur le visage de la dame fit place à de l'irritation, et Isabel fit mine de regarder sa montre. Le mieux était de feindre la distraction, comme si tout en marchant elle s'était brusquement souvenue qu'on l'attendait quelque part et arrêtée pour rassembler ses pensées, les yeux perdus dans le vide (ou un pan de vide derrière lequel se trouvait un salon). À présent, elle regardait l'heure de peur d'être en retard.

Son petit numéro semblait avoir fonctionné, car la dame se détourna et Isabel reprit sa marche, notant que

Toby s'était un peu éloigné et se tenait au bord de la chaussée : il s'apprêtait à la traverser pour s'engager dans Northumberland Street. Elle fit halte une nouvelle fois, faisant mine de regarder une vitrine (une vraie, cette fois !), tandis que Toby gagnait le trottoir d'en face.

Le moment était venu de prendre une décision. Elle pouvait arrêter cette absurde filature tout de suite, sans dévier d'un itinéraire dont elle pouvait affirmer sans mentir qu'elle l'aurait suivi de toute façon, ou bien emboîter le pas à Toby. Elle hésita un instant, puis regarda distraitement à droite et à gauche, et traversa à son tour avec nonchalance. Arrivée sur l'autre trottoir, elle ne put s'empêcher de trouver une nouvelle fois sa conduite ridicule. Elle, directrice de la *Revue d'éthique appliquée*, suivait en douce un jeune homme dans une rue d'Édimbourg en plein après-midi. Elle qui croyait si fort au respect de la vie privée, qui fustigeait la vulgarité des temps et leur passion pour le linge sale d'autrui, se comportait comme une gamine de collège. Pourquoi se laissait-elle absorber par les affaires des autres, au point d'adopter les méthodes d'un vulgaire « privé » de film noir ?

Northumberland Street était une des rues les plus étroites de la Ville neuve, tracée et bâtie à une échelle sensiblement plus petite que celles qui l'environnaient. Elle avait ses adeptes, qui appréciaient son caractère plus intime. Isabel, pour sa part, la trouvait trop sombre, privée de perspective et de cette impression de hauteur et de majesté qui faisait tout le charme de la Ville neuve. Non qu'elle eût aimé y habiter : elle préférait de beaucoup la quiétude de Merchiston et de Morningside, et l'agrément d'un jardin. Elle leva les yeux vers une maison sur sa droite, qu'elle avait fréquentée au temps où Lord John Pinkerton en était le propriétaire. John, un ancien bâtonnier qui connaissait mieux que personne l'histoire architecturale d'Édimbourg, avait recréé un intérieur géorgien impeccable dans le moindre détail. Quel homme amusant il était, avec sa drôle de voix qui, lorsqu'elle s'éclaircissait, évoquait un peu les gloussements d'un dindon ! Et quel homme généreux aussi ! Il avait admirablement appliqué la devise de sa famille, une devise toute simple : *Bienveillance avant toute chose.* Nul n'avait habité la ville si pleinement, et connu la moindre de ses pierres. Et quel courage aussi sur son lit de mort, quand la maladie l'avait prématurément frappé et qu'il entonnait avec allégresse des chants patriotiques et des cantiques en vieil écossais, oubliés de tous mais qu'il se rappelait à la perfection, comme il se rappelait tout le reste ! Son lit de mort... Elle se remémora soudain le poème que Douglas Young avait composé à la mémoire de Willie Soutar, vantant son dévouement à la cause de l'Écosse. Comme John, pour qui la cause de l'Écosse était simplement : *Bienveillance avant toute chose.*

Toby avait ralenti à présent et marchait presque d'un pas de promenade. Isabel craignait qu'il ne se retournât à un moment ou à un autre, d'autant que dans cette rue étroite il ne pouvait manquer de la remarquer. Certes, il n'y avait pas de quoi s'inquiéter outre mesure : Toby ne pouvait rien voir d'insolite à sa présence dans cette rue un samedi après-midi, puisqu'il s'y trouvait aussi. La seule différence entre eux était que, de toute évidence, Toby savait où il allait, alors qu'elle-même n'avait aucune idée de l'endroit où il l'emmènerait.

Du côté est, Northumberland Street s'achevait à gauche par un tournant, et la rue changeait de nom pour devenir Nelson Street. Au goût d'Isabel, elle prenait alors un aspect plus attrayant. Jadis elle avait connu un peintre qui habitait Nelson Street, dans un atelier au dernier étage dont les verrières s'ouvraient à la claire lumière du nord qui imprégnait tous ses tableaux. Elle avait souvent partagé des dîners avec lui et sa femme, avant leur départ pour la France. Là, il avait abandonné la peinture pour devenir vigneron ; puis il était mort subitement, et sa femme s'était remariée avec un Français, un juge qu'elle avait suivi à Lyon. Pendant deux ou trois ans, Isabel avait reçu d'elle quelques nouvelles intermittentes, puis plus rien. Le juge, avait-elle appris plus tard, avait été emprisonné à Marseille à la suite d'un scandale de corruption (une « affaire », comme on disait pudiquement en France), et la veuve du peintre s'était installée dans le Midi pour visiter son mari à la maison d'arrêt ; mais la honte l'avait retenue d'en avertir ses anciens amis. De sorte que, pour Isabel, Nelson Street évoquait des souvenirs mitigés.

Au moment de s'y engager, Toby fit passer de sa main droite à sa main gauche le sac contenant ses achats et traversa bientôt la chaussée, sous les yeux d'Isabel qui le surveillait toujours discrètement, une Isabel aux airs de rôdeuse en quête d'un mauvais coup. Sur le trottoir d'en face, il fit halte et leva les yeux vers une maison massive, apparemment divisée en nombreux appartements, puis jeta un coup d'œil à sa montre. Isabel le vit s'avancer jusqu'au pied d'un perron menant à l'entrée d'un des logements du rez-de-chaussée. Là, il attendit une dizaine de secondes, puis monta les marches et pressa le bouton de la grosse sonnette en cuivre. Isabel s'était immobilisée derrière un fourgon de livraison garé juste après le coin de la rue, qui la dissimulait opportunément. Quelques instants passèrent, puis la porte s'ouvrit et elle distingua une jeune femme, vêtue, lui parut-il, d'un jean et d'un tee-shirt. Elle surgit de la pénombre du vestibule et la lumière du jour l'éclaira un bref moment – juste assez pour qu'Isabel la vît distinctement entourer de ses bras les épaules de Toby et presser ses lèvres sur sa joue.

Naturellement, il ne la repoussa pas – au contraire : laissant tomber son sac à ses pieds, il se pencha pour la prendre dans ses bras et la serrer fort contre lui, puis la fit doucement reculer dans le vestibule. Isabel était plus raide qu'une statue. Elle ne s'était pas attendue à cela. Au vrai, elle avait suivi Toby sans s'attendre à rien de précis. Mais il ne lui était pas venu à l'esprit qu'en cédant au caprice de jouer les détectives, elle pourrait vérifier de ses propres yeux son intuition première au sujet de Toby. Infidèle.

Elle resta immobile deux ou trois minutes encore, les yeux fixés sur la porte refermée. Puis elle fit volte-face et reprit Northumberland Street, se sentant salie par ce qu'elle avait vu, mais tout autant par ce qu'elle venait de faire. Une sensation malsaine, et qui ne devait pas être très éloignée de ce dégoût d'eux-mêmes qu'éprouvent ceux qui s'éclipsent discrètement des tri-pots, maisons de passe et autres lieux clandestins. « Mortifiés, coupables », comme l'écrivait gravement WHA dans son poème sur les lendemains de jouissances viles, quand des têtes innocentes s'offraient au sommeil auprès des parjures.

« J'étais à l'arrêt du bus, en train d'attendre. En principe, il en passe un toutes les douze minutes. Toutes les douze minutes ? Laissez-moi rire ! »

Grace était indignée.

« Juste devant l'arrêt, il y avait une grande flaque d'eau. Tout à coup, voilà qu'une auto déboule, avec un jeune homme au volant. Un de ces garçons avec une casquette de base-ball à l'envers, vous voyez ? Eh bien, il a roulé droit dans la flaque et la vieille dame à côté de moi s'est retrouvée trempée des pieds à la tête. Elle dégoulinait ! Le gars au volant a très bien vu qu'il l'avait éclaboussée, mais croyez-vous qu'il se soit arrêté pour s'excuser ? Non, bien sûr. Qu'est-ce que vous croyez ?

— Oh, je ne crois rien, répondit Isabel en réchauffant ses mains à son bol de café. C'est le déclin de la politesse. Ou son absence.

— Déclin, absence, c'est du pareil au même, maugréa Grace.

— Pas tout à fait. On parle de déclin quand ce qui était vient à s'amoindrir. Et d'absence quand une chose n'est pas là et n'a peut-être jamais existé.

— Êtes-vous en train de me dire que dans le temps on ne s'excusait pas quand on éclaboussait les gens ? »

Grace avait du mal à réprimer son ire. Sa patronne, décidément, posait sur certains problèmes un regard beaucoup trop indulgent. À commencer par celui des garçons à casquette de base-ball.

« Certaines personnes s'excusaient, bien sûr, dit Isabel d'un ton conciliant. D'autres non. Il n'y a aucun moyen d'affirmer qu'on s'excusait plus autrefois qu'aujourd'hui. C'est comme ceux qui prétendent que les agents de police sont plus jeunes que par le passé. C'est faux, ils ont toujours eu le même âge, mais certains ont l'impression qu'ils sont plus jeunes. »

Il en fallait plus pour faire changer Grace d'avis.

« Eh bien ! Moi, je peux vous le dire. Les agents de police sont plus jeunes, aucun doute là-dessus, et les bonnes manières sont passées à la trappe. Il suffit de marcher dans la rue. À moins d'être aveugle, on s'en aperçoit tous les jours. Croyez-moi, les garçons ont besoin d'un père qui leur apprenne à se tenir ! »

La discussion avait lieu dans la cuisine et prenait le même tour qu'à l'accoutumée : Grace soutenait un point de vue, refusait d'en démordre, et, pour finir, Isabel concédait d'un ton évasif que la question était complexe et demandait une réflexion plus approfondie, mais que Grace avait sûrement raison jusqu'à un certain point.

Isabel se leva : il était presque neuf heures dix et ses mots croisés l'attendaient. Elle prit le *Scotsman* sur la table, laissant Grace finir de plier le linge sec, et passa dans le petit salon. Les garçons, avait-elle proclamé, avaient besoin d'un père. Pour leur apprendre à « se tenir », c'est-à-dire à faire la différence entre bonnes et mauvaises actions. C'était vrai, mais, comme tous les jugements de Grace, vrai en partie seulement. Pourquoi les mères n'auraient-elles pu assumer cette fonction ? Isabel connaissait de nombreuses femmes qui avaient élevé seules un ou plusieurs garçons et s'en étaient fort bien sorties. Une de ses amies, abandonnée par son mari six semaines après la naissance de leur fils, avait surmonté toutes les difficultés qui guettent les mères seules et magnifiquement réussi son éducation. C'était devenu un garçon très bien, comme beaucoup d'autres dans son cas. Grace aurait donc mieux fait de dire que ce qui importait pour les garçons, c'était d'avoir un parent.

Toby avait un père, et cela ne l'empêchait pas de tromper Cat. Son père lui avait-il jamais appris comment se conduire avec les femmes ? Question intéressante. Isabel ignorait si les pères abordaient ce genre de sujets avec leurs fils. Les prenaient-ils à part pour leur expliquer qu'une femme mérite le respect ? Ou était-ce une notion trop démodée ? Peut-être devrait-elle le demander à Jamie, qui, à la différence de Toby, savait sans aucun doute ce qu'était le respect des femmes.

Mais Isabel se doutait bien que le comportement des hommes dépendait de facteurs psychologiques beaucoup plus complexes. Il s'agissait moins d'éducation morale, réfléchit-elle, que de confiance en soi et de maturité sexuelle. Un homme à l'ego fragile, peu sûr de ce qu'il était, avait tendance à traiter les femmes comme un moyen de combattre son propre sentiment d'insécurité. Un homme à l'identité bien structurée, sûr de sa sexualité, s'accordait à la sensibilité et aux désirs féminins. Parce qu'il n'avait rien à prouver.

Toby ne semblait pas manquer de confiance en soi. À vrai dire, il transpirait la confiance en soi. Dans son cas, il s'agissait donc d'autre chose. Peut-être d'une absence d'imagination morale. Or il n'était pas de moralité sans compréhension des sentiments d'autrui. Tout procédait de là, car sans cela toute empathie était impossible. De telles personnes existaient, pour qui la détresse, la souffrance des autres n'avaient aucune réalité, faute d'aptitude à percevoir de tels sentiments. Ces observations n'avaient bien sûr rien de nouveau : Hume n'avait pas dit autre chose en exposant son concept de « sympathie » ; et en matière de morale, rien, selon lui, n'était plus essentiel que l'expérience sensible des émotions d'autrui. Tout à coup, une question traversa l'esprit d'Isabel : serait-il possible d'expliquer la pensée de Hume en termes de vibrations ? Les vibrations étaient une notion chère au *New Age*, et peut-être cette approche – par les vibrations, les champs d'énergie – pouvait-elle rendre Hume intelligible à des jeunes gens qui, sans cela, n'auraient jamais la moindre idée de ce dont parlait son œuvre. L'idée lui parut intéressante, mais, comme tant d'idées intéressantes, le temps lui manquait pour la mettre à l'épreuve. Il y avait trop de livres à lire et à écrire, trop de pensées à développer, et elle n'avait pas de temps à consacrer à ces matières.

Ceux qui la connaissaient peu croyaient – bien à tort – qu'Isabel avait du temps à n'en savoir que faire. Naturellement, ils comparaient leur situation à la sienne : celle d'une femme assez fortunée pour se passer de gagner sa vie, habitant seule une grande maison dont s'occupait une gouvernante à plein temps, et n'ayant d'autre contrainte que ses heures de travail hebdomadaires pour une obscure revue de philosophie aux délais sans doute peu contraignants. Comment pouvait-elle manquer de temps ? Leurs propres existences, régies par des obligations familiales et professionnelles plus pressantes les unes que les autres, leur en laissait si peu ! Du moins l'imaginaient-ils.

Bien entendu, toutes ces cogitations, quoique pertinentes au regard des questionnements moraux auxquels elle consacrait sa vie, ne résolvaient pas le dilemme qui l'occupait à présent. En se laissant aller à une curiosité déplacée, elle avait découvert sur Toby quelque chose dont Cat ne savait certainement rien. Le problème qui se posait maintenant était d'une banalité que n'aurait pas reniée le courrier du cœur d'un magazine féminin : « Le petit ami d'une jeune femme qui m'est chère la trompe avec une autre. Je le sais, mais elle l'ignore. Dois-je le lui révéler ? »

C'était peut-être une question rabâchée, mais la réponse à apporter était tout sauf évidente. Autrefois déjà, Isabel y avait été confrontée et n'était pas sûre d'avoir pris la bonne décision. Dans ce cas, il ne s'agissait pas d'infidélité mais de maladie : un confrère qu'elle appréciait beaucoup avait soudain présenté des symptômes de schizophrénie. Quoique travailler lui fût rapidement devenu impossible, il réagissait bien à son traitement. Une femme était alors entrée dans sa vie, à laquelle il avait fait une demande de mariage. Elle avait accepté ; mais, aux yeux d'Isabel, c'était surtout par désir de mettre fin à son célibat et faute d'avoir trouvé plus tôt un mari qui lui convînt. Elle ignorait que son fiancé fût malade, et Isabel s'était longuement interrogée : devait-elle l'en informer ou non ? Finalement, elle avait choisi de se taire ; mais, plus tard, la découverte de la vérité avait plongé la femme dans un grand désarroi. Elle s'en était pourtant accommodée, et le couple menait à présent une vie tranquille et protégée dans la campagne du Perthshire. Jamais elle n'avait exprimé de regrets ; mais pour peu qu'Isabel l'eût prévenue, elle aurait pris sa décision en toute connaissance de cause : peut-être aurait-elle renoncé à se marier et vécu plus heureuse toute seule. En revanche, un refus aurait privé l'homme de la stabilité qu'il avait trouvée en l'épousant.

Plus elle y pensait, plus il lui semblait que garder le silence avait été le meilleur parti. L'ennui, c'était qu'on ne pouvait guère prévoir quel tour prendraient les choses ensuite, selon qu'on intervenait ou non. Le silence pouvait donc apparaître comme la solution la plus sage, pour peu qu'on ne fût pas concerné personnellement. Sage, vraiment ? En l'occurrence, non, sûrement pas. Cat était sa nièce : n'était-ce pas son droit de la mettre en garde ? Et si elle avait découvert que Toby n'était nullement ce qu'il prétendait, mais un meurtrier en liberté conditionnelle, préméditant peut-être un nouveau crime ? En pareil cas, se taire au nom de la prudence aurait relevé de l'absurdité. Parler aurait non seulement été son droit, mais son devoir.

Assise devant sa tasse de café froid et sa grille de mots croisés à laquelle elle n'avait pas touché, Isabel se demanda comment aborder le sujet avec Cat. Une chose était sûre : elle garderait pour elle l'épisode de sa filature. En l'avouant, elle s'attirerait le reproche mérité de s'être éhontément immiscée dans les affaires du jeune couple. Force lui serait donc de commencer par un mensonge, ou tout au moins une demi-vérité : « Je flânais dans Nelson Street, et j'ai vu par hasard… »

Comment Cat réagirait-elle ? D'abord, elle serait sous le choc, comme toute personne apprenant une trahison de cette nature. Ensuite, la colère viendrait peut-être, non contre l'amante, mais contre Toby lui-même : Isabel avait lu qu'une femme se découvrant trompée incriminait presque toujours l'homme infidèle, alors qu'un homme s'en prenait à son rival. Un moment, elle imagina la scène : Toby, sans rien soupçonner, se trouvait face à face avec une Cat folle de rage ; sa forfanterie coutumière s'effondrait sous la tempête, et la honte d'être démasqué lui empourprait le visage. Et puis, quand Cat lui aurait dit tout ce qu'elle avait sur le cœur, Isabel pouvait espérer qu'elle partirait en claquant la porte, et c'en serait fini de Toby. Quelques semaines plus tard, la blessure serait encore à vif, mais pas au point d'interdire toute visite ; de sorte que Jamie pourrait passer voir Cat dans sa boutique et lui proposer de dîner avec lui. Il se montrerait compatissant, bien sûr, mais il faudrait lui recommander de garder une certaine distance, sans essayer de combler trop tôt le vide affectif causé par la rupture. Ensuite, on verrait bien. Si Cat avait un peu de plomb dans la cervelle, elle comprendrait que Jamie était incapable de perfidie, alors que Toby et ses semblables ne pouvaient que la faire souffrir.

Mais ici s'achevait le rêve. Le plus probable était que Cat rééditerait son erreur, deux fois, trois fois, il en allait toujours ainsi, et pour tout le monde. Les mauvais chevaux étaient inévitablement remplacés par d'autres mauvais chevaux. Chacun répétait ses erreurs, parce que les affinités électives obéissaient à des facteurs échappant à tout contrôle. Isabel avait assez lu Freud – et Melanie Klein, plus explicite sur ce sujet – pour savoir que les dés de l'Éros étaient jetés de très bonne heure, dès la petite enfance, et tombaient selon les forces les plus archaïques régissant notre psyché : celles de nos relations avec nos père et mère. Ainsi l'amour et le désir avaient-ils fort peu à voir avec les qualités de l'autre et l'appréciation raisonnée de celles-ci ; ils étaient plutôt le fruit des bonheurs et des tourments de la chambre d'enfant. Non que tous les bambins connussent le luxe d'une chambre d'enfant, mais il existait toutes sortes d'équivalents : les contrées de l'enfance, peut-être.

# 11

Ce fut ce soir-là vers six heures, au terme d'une journée qu'elle jugeait complètement gâchée, qu'Isabel eut la surprise de voir paraître Neil, le jeune homme qui s'était montré si laconique lors de sa décevante visite au 48, Warrender Park Terrace. Il arriva sans s'annoncer, mais Isabel regardait à ce moment par la fenêtre de son bureau et put l'observer qui montait l'allée menant au porche, puis levait les yeux en direction de l'imposante maison. Il lui sembla qu'il hésitait un peu, mais il sonna et elle alla lui ouvrir.

Il portait un costume et une cravate sévères, et Isabel remarqua ses souliers, noirs, à lacets et soigneusement cirés. Hen avait évoqué le cabinet d'avocats où il travaillait : un endroit « très collet monté », selon elle. L'apparence du jeune homme confirmait cette opinion.

« Miss Dalhousie ? demanda-t-il, tout en sachant pertinemment à qui il s'adressait. J'espère que vous vous souvenez de moi. Vous êtes passée l'autre jour…

— Bien sûr, interrompit Isabel. Vous êtes Neil, n'est-ce pas ?

— Oui. »

Elle s'écarta pour le laisser entrer, puis le précéda dans le salon. Il déclina l'offre d'une tasse de thé ou d'un sherry, mais elle s'en servit un petit verre et s'assit en face de lui.

« Hen m'a dit que vous étiez avocat.

— Avocat stagiaire, rectifia-t-il. Oui. C'est ma profession.

— Comme une personne sur deux à Édimbourg, plaisanta Isabel.

— J'ai quelquefois cette impression, c'est vrai. »

Il y eut un silence. Isabel observa que Neil gardait les mains crispées sur ses genoux et que son attitude générale était tout sauf détendue. Il était nerveux et à cran, comme lors de leur précédente rencontre. Mais peut-être Neil Macfarlane faisait-il partie de ces gens naturellement anxieux, tendus comme des arcs et soupçonneux à l'égard du monde qui les entourait.

« Je suis venu vous voir… »

Il s'interrompit.

« Oui. C'est ce que je vois », dit Isabel.

Neil tenta un rapide sourire, mais celui-ci s'effaça presque aussitôt.

« Je suis venu vous voir au sujet de… de ce dont nous parlions l'autre jour. Voyez-vous, je ne vous ai pas dit toute la vérité. Et, depuis, je me fais des reproches. »

Isabel l'observait avec attention. La crispation des muscles de son visage le vieillissait et dessinait des plis aux coins de sa bouche. Les paumes de ses mains devaient être moites, se dit-elle. Mais elle resta silencieuse et attendit qu'il poursuivît.

« Vous m'avez demandé… vous m'avez demandé s'il se passait quelque chose d'inhabituel dans la vie de Mark. Vous vous souvenez ? »

Isabel fit oui de la tête et but une petite gorgée de sherry. Sec, trop sec, avait décrété Toby lorsqu'elle lui en avait servi. Presque amer.

« Je vous ai répondu que non, reprit Neil. Mais c'était faux. Il y avait quelque chose.

— Et maintenant vous désirez m'en parler ?

— Oui. Je me suis senti coupable de vous avoir induite en erreur. Je ne sais pas pourquoi je l'ai fait. Peut-être parce que, au fond de moi, je vous en voulais d'être venue. J'avais l'impression que tout cela ne vous regardait pas. »

Et vous aviez raison, pensa Isabel, mais elle s'abstint de le dire. Neil continua :

« Voilà, il se trouve que Mark m'avait fait quelques confidences. Il avait découvert quelque chose. Et il avait peur. »

Isabel sentit son pouls s'accélérer. Ainsi elle avait vu juste : la mort de Mark n'était pas ce qu'elle paraissait. Elle avait un double fond.

Neil desserra ses mains. Maintenant qu'il avait commencé de parler, sa tension semblait retomber un peu. Mais il n'était pas calme pour autant, il s'en fallait de beaucoup.

« Vous savez sans doute que Mark travaillait pour un fonds d'investissement, dit-il. La société McDowell. Une firme qui a pris pas mal d'importance depuis quelques années. McDowell gère plusieurs gros fonds de pension et trois ou quatre fortunes privées. Une boîte réputée.

— Je sais, dit Isabel.

— Bon. Dans ce genre de métier, on voit circuler beaucoup d'argent. Ce qui exige une grande vigilance.

— J'imagine.

— Et il faut veiller tout particulièrement à ne pas enfreindre certaines règles. Sinon, on risque de commettre un délit d'initié. Vous savez ce que c'est ? »

Isabel répondit qu'elle connaissait l'expression, mais n'était pas très sûre de ce qu'elle recouvrait. Des achats d'actions suggérés par des personnes mises dans la confidence ?

« Oui, plus ou moins. En travaillant dans la finance, on peut obtenir certaines informations permettant de prédire les mouvements de capitaux. Par exemple, si l'on apprend qu'une entreprise va être rachetée, on sait que les actions ont de bonnes chances de s'apprécier. Et si on en achète avant que le rachat soit annoncé, on peut faire un gros profit. C'est simple.

— Et tentant, je suppose, remarqua Isabel.

— Bien sûr. Très tentant, reconnut Neil. Il n'y a pas si longtemps, je me suis trouvé dans une situation de ce genre. Une offre de rachat très avantageuse pour les actionnaires, dont mon cabinet supervisait les conditions. J'ai participé à la rédaction du contrat, et j'aurais très bien pu faire appel à un homme de paille pour acheter des actions à ma place. Simple comme bonjour. J'aurais gagné plusieurs milliers de livres.

— Et vous ne l'avez pas fait ?

— On risque la prison si on se fait prendre, dit Neil. La loi vous punit pour escroquerie, parce que vous trompez les personnes qui vous vendent les actions. Vous savez des choses qu'elles ignorent. Vous faussez le principe même du marché.

— Et vous pensez que Mark avait eu vent de manœuvres de ce genre ?

— Oui. Un soir, au pub, il m'en a parlé. Il s'était aperçu que des délits d'initié étaient commis chez McDowell. Il en était absolument sûr, et il disait pouvoir le prouver. Mais il m'a aussi parlé d'autre chose. »

Isabel posa son verre de sherry. Le but de ces révélations se dessinait avec évidence, et elle se sentait mal à l'aise.

« Mark craignait que les fraudeurs en question n'aient compris qu'il les avait démasqués. Depuis peu, on le traitait d'une façon bizarre, presque méfiante. Et il avait eu droit à un drôle de petit laïus. Quelqu'un l'avait pris à part pour lui parler de confidentialité, de loyauté envers la firme… Un laïus qu'il avait interprété comme une menace voilée. »

Il regarda Isabel, et elle crut percevoir une lueur dans ses yeux. Que trahissait-elle ? Avait-il besoin d'aide ? Était-ce l'expression d'une souffrance, d'une tristesse intérieure qu'il était incapable de formuler ?

« Il n'a rien dit de plus ? demanda-t-elle. Savez-vous qui lui avait donné cet avertissement ? »

Neil secoua la tête.

« Non. Il a prétendu qu'il ne pouvait m'en dire davantage. Mais j'ai bien vu qu'il avait peur. »

Isabel se leva et traversa la pièce pour fermer les rideaux. Dans le silence, l'étoffe fit un bruit léger, comme celui d'une vaguelette sur la plage. De son siège, Neil l'observait attentivement. Elle revint s'asseoir.

« Je ne sais pas ce que vous attendez de moi, dit-elle. Avez-vous pensé à en parler à la police ? »

À cette question, il sembla se crisper de nouveau.

« Je ne peux pas, dit-il. Vous comprenez, les policiers sont venus nous trouver à plusieurs reprises et je ne leur ai rien dit. Je leur ai fait les mêmes réponses qu'à vous l'autre jour. Si je changeais de version maintenant, cela reviendrait à admettre que je leur ai menti.

— Et ils pourraient le prendre assez mal, réfléchit Isabel tout haut. Ils penseraient peut-être que vous avez des choses à cacher, n'est-ce pas ? »

Neil la fixa des yeux. De nouveau, elle vit cette étrange lueur dans son regard.

« Je n'ai rien à cacher.

— Bien sûr, s'empressa de dire Isabel, mais elle savait qu'il n'en était rien, qu'il lui dissimulait quelque chose. Seulement, quand on n'a pas dit la vérité, les gens se demandent si l'on n'avait pas une bonne raison pour cela.

— Il n'y avait aucune raison, insista Neil d'une voix un peu plus aiguë. Je n'ai rien dit parce que je ne savais pas grand-chose, presque rien, et parce que je n'imaginais pas que cette histoire de délits d'initié puisse avoir un rapport avec… avec ce qui arrivé. Et puis, je n'avais aucune envie de passer des heures dans un commissariat. Je voulais surtout qu'on en finisse. Il me semblait que le plus simple était de ne rien dire.

— C'est quelquefois plus simple, admit Isabel. Mais pas toujours. »

Elle le regarda et il baissa les yeux. Elle éprouvait de la pitié pour ce garçon, un garçon ordinaire, ni très sensible ni très réfléchi, mais qui avait perdu un ami, un compagnon qu'il voyait tous les jours. Sa mort l'avait sûrement touché beaucoup plus qu'elle-même, qui avait seulement assisté à la chute fatale d'un inconnu. Il paraissait très vulnérable, et elle songea en l'observant qu'il y avait peut-être eu dans son amitié pour Mark une dimension dont elle ignorait tout. Il se pouvait même qu'ils eussent été amants. Qu'une personne pût être attirée par l'un et l'autre sexe n'était pas si rare, et avoir vu Neil surgir tout nu de la chambre de Hen n'excluait pas forcément d'autres combinaisons dans cet appartement, autrefois.

« Il vous manque, n'est-ce pas ? » dit-elle d'une voix tranquille, guettant l'effet que ses mots auraient sur lui.

Il détourna le regard, comme s'il s'intéressait aux tableaux accrochés au mur. Pendant plusieurs secondes, il resta silencieux. Puis :

« Il me manque beaucoup, oui, murmura-t-il. Énormément. Je pense à lui chaque jour. Tout le temps même. Je n'arrête pas de penser à lui. »

Il avait répondu à sa question et confirmé ses doutes.

« N'essayez pas de l'oublier, dit-elle. Certaines personnes prétendent que le mieux est d'éviter de penser à ceux qu'on a perdus, mais c'est une bêtise. On ne le peut pas. Et on ne le doit pas. »

Il acquiesça de la tête. Son regard revint sur elle un bref instant, puis se détourna de nouveau, douloureusement, pensa-t-elle.

« Je suis contente que vous soyez venu, dit-elle avec douceur. Vous avez été courageux. Ce n'est jamais facile de reconnaître qu'on n'a pas dit toute la vérité. Merci, Neil. »

Ces mots ne mettaient pas un terme à l'entretien, mais ce fut ainsi qu'il les interpréta. Il se leva et lui tendit la main, et quand Isabel la prit, elle se rendit compte que cette main tremblait.

Après son départ, elle retourna s'asseoir dans le salon, son verre de sherry vide à côté d'elle, pour méditer ce que son visiteur lui avait confié. Cette rencontre inattendue l'avait troublée à plusieurs égards. De toute évidence, Neil était beaucoup plus affecté par la disparition de Mark qu'elle ne l'avait imaginé, au point de se sentir perdu dans le flot de ses émotions. À cela Isabel ne pouvait rien, car il était clair que le jeune homme ne tenait nullement à lui dévoiler les raisons intimes d'un tel tourment. Il se remettrait, bien sûr, mais seul le temps pourrait l'y aider. Plus déconcertantes étaient ses révélations sur les délits d'initié commis chez McDowell. Sur ce point, lui semblait-il, elle ne pouvait rester les bras croisés : que la firme se livrât ou non à de telles malversations et autres actes de lucre illicite était pour elle sans conséquence directe, mais elles la concernaient tout de même dès lors qu'elles avaient un rapport avec la mort de Mark. « Un rapport avec la mort de Mark » : qu'est ce que cela voulait dire, au juste ? Qu'on l'avait assassiné ? C'était la première fois qu'elle osait se formuler en termes clairs une telle hypothèse. Mais à présent, celle-ci ne pouvait plus être éludée.

Avait-on tué Mark parce qu'il menaçait de révéler des faits préjudiciables à certaines personnes de sa société ? *A priori*, une telle idée semblait extravagante. On était en Écosse, patrie d'Adam Smith et du capitalisme vertueux, où le monde de la finance jouissait d'une réputation de rigueur et de probité qui faisait toute sa fierté. À Édimbourg, les financiers jouaient au golf, fréquentaient les lambris séculaires du New Club, et plusieurs étaient des ministres laïques de l'Église d'Écosse. Elle pensa à Paul Hogg, le prototype de ceux qui travaillaient dans ce genre d'établissements. D'une franchise sans détour ni ambiguïté, et « terriblement conventionnel », selon ses propres dires. Un jeune homme qu'on croisait aux vernissages et qui aimait Elizabeth Blackadder. De telles personnes ne se livraient pas aux pratiques qui étaient monnaie courante dans certaines banques italiennes ou russes, voire dans quelques bureaux douteux de la City de Londres. Elles n'assassinaient pas non plus les gêneurs.

Toutefois, pour peu qu'on voulût bien admettre que tout individu, même connu pour sa droiture, pouvait un jour prêter l'oreille aux sirènes de la convoitise et enfreindre les règles des institutions financières (après tout, il ne s'agissait pas de vol à proprement parler, mais de mésusage d'informations), était-il impensable qu'une telle personne, par peur d'être dénoncée, recourût à des moyens désespérés pour préserver sa réputation ? Dans d'autres milieux, moins stricts et moins rigoristes, se voir accusé de tricherie était sans doute moins infamant, parce que les tricheurs étaient nombreux et que, selon toute vraisemblance, la plupart des gens avaient un jour ou l'autre succombé à ce genre de tentations. Il existait des endroits en Europe du Sud – certains quartiers de Naples, par exemple – où tricher était la norme et obéir aux lois une espèce de déviance sociale. Mais ici, à Édimbourg, la perspective d'un procès pour fraude financière avait de quoi terroriser. Combien plus séduisante, alors, devait être la perspective de prendre toutes les mesures nécessaires pour s'éviter un tel déshonneur. Jusqu'à éliminer physiquement un jeune homme qui en savait trop ?

Son regard se tourna vers le téléphone. Elle savait qu'il lui suffisait d'un coup de fil à Jamie pour qu'il accourût aussitôt. Il le lui avait dit à plusieurs reprises : « Téléphonez-moi à n'importe quelle heure, Isabel. Je suis toujours content de venir vous voir. Je vous assure. »

Elle se leva et alla décrocher. Jamie habitait un appartement du quartier de Stockbridge, qu'il partageait avec trois autres jeunes gens. Une fois, elle lui avait rendu visite avec Cat, au temps trop bref de leur liaison, et il leur avait préparé un dîner. C'était un appartement plein de coins et de recoins, aux plafonds très hauts et au sol recouvert d'ardoise dans l'entrée et la cuisine. Les parents de Jamie le lui avaient acheté quand il était étudiant, et, en tant que maître des lieux, il s'était octroyé deux pièces : une chambre et une petite salle de musique, où il donnait des leçons. Jamie avait passé une licence de musique et gagnait sa vie comme professeur de basson. Il ne manquait pas d'élèves et complétait ses revenus en jouant dans un orchestre de chambre, et effectuait aussi des remplacements au Scottish Opera. Une existence délicieuse, pensait Isabel, où Cat aurait idéalement trouvé sa place. Mais voilà : Cat ne partageait pas cet avis, et il était à craindre que jamais elle ne le partagerait.

Quand elle téléphona, Jamie était occupé avec un élève et il lui promit de rappeler une demi-heure plus tard. En attendant, elle passa dans la cuisine pour se préparer un sandwich, car elle n'avait pas assez d'appétit pour un vrai repas. Puis elle retourna au salon pour guetter l'appel.

Oui, il était libre. Son dernier élève, un adolescent doué qu'il préparait à un examen, venait de partir après une leçon fort encourageante, et une petite marche pour se rendre chez Isabel lui ferait le plus grand bien. Il serait ravi de prendre un verre avec elle, et aussi de faire un peu de musique…

« Excusez-moi, mais pas ce soir, coupa Isabel. Je ne suis pas d'humeur à ça. J'aimerais surtout vous parler. »

Il sentit une note d'inquiétude dans sa voix et abandonna l'idée de venir à pied au profit d'un trajet plus rapide en autobus.

« Est-ce que vous allez bien ?

— Oui, répondit-elle, mais j'ai vraiment besoin de votre avis sur quelque chose qui me tracasse. Je vous expliquerai tout à l'heure. »

Les bus tant dénigrés par Grace devaient quelquefois passer à l'heure, car vingt minutes plus tard Jamie était assis dans la cuisine d'Isabel, devant un verre de bordeaux qu'elle venait de lui servir avant de lui préparer une omelette. Tout en battant les œufs, elle lui raconta sa visite à l'appartement de Warrender Park Terrace. Il l'écouta gravement, sans l'interrompre. Quand elle en vint à sa conversation avec Neil plus tôt dans la soirée, il ouvrit de grands yeux et prit un air soucieux.

« Isabel ! protesta-t-il quand elle eut fini. Vous savez déjà ce que je vais vous dire, n'est-ce pas ?

— Que je ne devrais pas me mêler de problèmes qui ne me concernent pas ?

— Exactement. » Il secoua la tête en silence. « Mais je sais par expérience que vous êtes incorrigible. Alors, mieux vaut peut-être que je ne dise rien.

— Parfait.

— Même si je n'en pense pas moins.

— Comme vous voudrez. »

144

Jamie fit une grimace.

« Alors, que pouvons-nous faire ?

— C'est justement pour cette raison que je vous ai demandé de venir, répondit-elle en remplissant son verre. J'avais besoin d'en discuter avec vous. »

L'omelette était prête, et elle la fit glisser de la poêle dans une assiette qui chauffait sur le bord du fourneau.

« J'ai ajouté des chanterelles, dit-elle en la posant devant lui. Elles sont délicieuses en omelette. »

Jamie baissa les yeux avec gratitude vers la généreuse omelette entourée de salade verte.

« C'est toujours vous qui cuisinez pour moi, observa-t-il. Jamais le contraire.

— Parce que vous êtes un homme. Les hommes n'y pensent pas », dit-elle d'un ton détaché.

Aussitôt elle regretta ces paroles – elles étaient désagréables et injustes. Parler ainsi à Toby eût peut-être été admissible, car elle doutait qu'il prît un jour la peine de cuisiner pour quiconque ; mais de telles paroles à l'adresse de Jamie étaient complètement déplacées.

« Excusez-moi. J'ai dit cela sans réfléchir, je n'en pense pas un mot. »

Jamie posa sa fourchette et son couteau, et regarda fixement l'omelette. Il pleurait.

12

« Ô, mon Dieu, Jamie, je suis désolée ! Comment ai-je pu vous dire une chose aussi méchante ? Mais je ne pensais pas… »

Jamie secoua vigoureusement la tête. Il ne sanglotait pas, mais des larmes coulaient sur son visage.

« Non, non, dit-il en s'essuyant les yeux avec son mouchoir. Ce n'est pas à cause de ce que vous avez dit, pas du tout… »

Isabel poussa un soupir de soulagement. Donc elle ne l'avait pas blessé. Mais alors, pourquoi ce gros chagrin ?

Jamie coupa un morceau de son omelette, mais repoussa son assiette.

« C'est la salade ! expliqua-t-il enfin. Elle est pleine d'oignon. Et j'ai les yeux affreusement sensibles à l'oignon. Je ne peux pas m'en approcher ! »

Isabel éclata de rire.

« Dieu soit loué ! J'ai cru que vous pleuriez vraiment, par ma faute. À cause de ces choses malveillantes et idiotes que je viens de vous dire. »

Elle tendit le bras, prit l'assiette, en fit disparaître la salade, puis la lui rendit.

« Voilà, il n'y a plus que l'omelette. Des œufs et des champignons, sans oignon. Comme la nature les a créés.

— Parfait, dit-il. Pardonnez-moi, mais c'est génétique, je crois. Ma mère avait le même problème, et un cousin à elle aussi. Nous sommes allergiques à l'oignon.

— Un instant, j'ai pensé que c'était à cause de Cat. Que vous vous rappeliez le soir où nous avions dîné toutes les deux chez vous. »

Jamie, qui souriait, prit tout à coup un air pensif.

« Oui, je m'en souviens », dit-il.

Isabel n'avait pas l'intention de parler de Cat, mais c'était trop tard à présent, et elle savait quelle question il lui poserait ensuite. Il la lui posait chaque fois qu'il la voyait.

« Que devient Cat ces temps-ci ? »

Isabel se servit un verre de vin. Après son sherry, elle ne comptait pas boire davantage, mais l'intimité de la cuisine et le parfum des chanterelles lui chatouillant les narines la firent changer d'avis. Encore l'*akrasia*, la faiblesse de la volonté. Mais ce serait si apaisant de pouvoir bavarder avec Jamie en dégustant un bon bordeaux... Elle savait qu'elle se sentirait mieux ensuite.

« Tout va comme d'habitude, répondit-elle. Sa boutique l'occupe beaucoup. Elle vit sa vie. »

Elle baissa la voix et n'alla pas plus loin. Sa réponse était d'une platitude absolue, mais que dire d'autre ? Une telle question était aussi banale que de prononcer le « Comment vas-tu ? » rituel lorsqu'on croise un ami. On n'attend qu'une réponse, l'assurance anodine que tout va bien, nuancée plus tard par une éventuelle confidence sur la situation réelle, si cette situation est différente. D'abord le stoïcisme, puis la réalité : on pouvait résumer les choses ainsi.

« Et ce type avec qui elle sort ? Toby ? s'enquit Jamie. Est-ce qu'elle vous l'amène quelquefois ?

— Je l'ai vu l'autre jour, dit Isabel distraitement, mais pas ici. »

Jamie prit son verre en fronçant les sourcils, comme s'il cherchait ses mots.

« Où ça alors ?

— En ville », répondit-elle rapidement.

Elle espérait qu'en restant évasive elle mettrait un terme à ses questions, mais son espoir fut déçu.

« Avec… avec Cat ?

— Non. Tout seul. » (Tout seul pour commencer, pensa-t-elle.)

Jamie la regarda fixement.

« Qu'est-ce qu'il faisait ?

— Vous semblez vous intéresser beaucoup à lui, dit Isabel en souriant. Mais il n'est pas vraiment intéressant, j'en ai peur. »

Avec un peu de chance, cette désinvolture le rassurerait sur le parti qu'elle défendait et la conversation pourrait partir sur d'autres rails. Mais elle eut l'effet inverse. Jamie se crut encouragé à poursuivre la discussion sur Toby :

« Alors ? Qu'est-ce qu'il faisait ?

— Il marchait dans une rue. C'est tout. Il marchait… Dans ce pantalon en velours fraise écrasée qu'il affectionne tant. »

Cette précision était inutile : un sarcasme, qu'Isabel regretta aussitôt. C'était la deuxième phrase déplaisante qu'elle prononçait ce soir, pensa-t-elle. D'abord, ce jugement gratuit sur la réticence des hommes à faire la cuisine ; et, à présent, cette remarque déplacée sur les goûts vestimentaires de Toby. Comme il était facile, tellement facile de devenir une vieille fille à la langue acérée ! Il faudrait qu'elle y prît garde. Aussi ajouta-t-elle :

« Après tout, il n'est pas si mal, ce pantalon. En tout cas, il doit plaire à Cat. Il faut bien… »

De nouveau, elle s'interrompit. Elle s'apprêtait à dire : « Il faut bien que Cat apprécie les pantalons en velours fraise écrasée », mais ç'aurait été manquer de tact, comme si elle sous-entendait que Jamie et ses pantalons n'étaient pas à la hauteur. Elle se permit un rapide coup d'œil à celui qu'il portait. Elle n'y avait jamais fait attention, notamment parce que son intérêt pour Jamie ne tenait en rien à ses pantalons, mais à son visage, et à sa voix. Au vrai, c'était toute sa personne qui la charmait. Telle était sans doute la différence entre Toby et Jamie : on ne pouvait apprécier Toby en tant que personne (à moins d'être une personne du même genre, le mauvais genre, s'entend), mais seulement pour son physique. Oui, pensa-t-elle, c'est tout ce qu'il avait. Toby n'était rien d'autre qu'un objet sexuel en pantalon fraise écrasée. Alors que Jamie… Ma foi, Jamie était tout simplement magnifique, avec ses hautes pommettes, sa peau hâlée et cette voix qui faisait fondre le cœur. Soudain, elle se demanda quel genre d'amants ils étaient l'un et l'autre. Toby devait n'être que vigueur, alors qu'elle imaginait Jamie silencieux, doux et caressant – comme une femme, au fond. Ce qui posait peut-être un problème, mais il eût été bien irréaliste de croire qu'elle pût y remédier. Pendant quelques secondes, quelques secondes tout bonnement inadmissibles, elle songea : À moins que je ne lui apprenne… Elle se rappela à l'ordre. De telles pensées étaient aussi inacceptables qu'imaginer des gens engloutis sous des avalanches. Les avalanches. Le grondement. La brusque confusion de membres couleur de fraise. Le raz de marée de neige, et aussitôt après le silence, presque surnaturel.

« Vous lui avez parlé ? » demanda Jamie.

Isabel revint sur terre.

« À qui ?

— À… à Toby », articula Jamie. À l'évidence, il avait du mal à prononcer ce nom.

Isabel secoua la tête.

« Non. Je l'ai vu, c'est tout. »

C'était une demi-vérité, bien sûr. Il y avait certes une différence entre un mensonge et une demi-vérité, mais elle était des plus minces. Isabel avait écrit un bref article sur ce sujet après la parution d'une monographie de la philosophe Sissela Bok intitulée *Mentir*. Elle avait pris parti pour une définition assez large : affirmant d'abord le devoir de répondre aux questions avec sincérité, et sans cacher aucun fait susceptible d'éclairer le sujet sous un autre jour, elle avait, après réflexion, nuancé cette position. Répondre avec franchise restait la règle, mais ne devenait un devoir que si le questionneur attendait vraiment des révélations complètes, et pour des motifs raisonnables. On ne pouvait parler de devoir s'il s'agissait d'une question posée à la légère par une personne n'ayant aucun droit à connaître toute la vérité.

« Vous rougissez, dit Jamie. Je suis sûr que vous me cachez quelque chose. »

Il suffisait donc de si peu, se dit Isabel. L'édifice du débat philosophique sur les nuances subtiles de la véracité des dires pouvait se voir entièrement miné par un banal phénomène physiologique. Aux menteurs *le rouge monte au visage*. Ainsi résumé, le problème perdait beaucoup de la noblesse qu'on pouvait lui trouver dans les pages de Sissela Bok, et pourtant c'était la réalité. Toutes les grandes questions pouvaient se réduire aux simples faits du quotidien et aux métaphores et maximes auxquelles la plupart des gens se référaient d'ordinaire. Le système économique international et les théories qui le fondaient ? *L'argent va à l'argent*. Les incertitudes de l'existence ? *Il n'est pire eau que l'eau qui dort* (une idée en laquelle elle avait cru si fort dans son enfance, quand Fersie McPherson, sa nounou, l'emmenait en promenade près de l'étang des Meadows et qu'elle prenait grand soin de ne pas s'approcher de l'eau).

« Je rougis parce que je ne vous ai pas dit toute la vérité, reconnut-elle. Et je vous prie de m'en excuser. Voyez-vous, si je ne vous ai pas dit ce que j'ai fait en voyant Toby, c'est parce que je n'en suis pas très fière, et aussi… »

Elle hésita. Il y avait une autre raison, bien sûr, mais à présent qu'elle avait commencé d'avouer, elle ne pouvait revenir en arrière : il fallait tout dire à Jamie. Sinon, il le sentirait et elle ne voulait pas qu'il crût à un manque de confiance de sa part. Avait-elle entière confiance en lui ? Oui. Évidemment. Un garçon comme Jamie, avec ces beaux cheveux et cette voix de miel, ne pouvait qu'être digne de confiance. On devait faire confiance aux Jamie ; aux Toby, sûrement pas.

« Et aussi, reprit-elle, parce que j'ai découvert quelque chose dont j'aurais préféré que vous ne sachiez rien. Non que je n'aie pas confiance en vous, bien sûr, mais parce que ni vous ni moi n'y pouvons rien. J'ai donc pensé que le mieux était de ne pas vous en parler.

— Et qu'avez-vous découvert ? interrogea Jamie. Vous devez me le dire, maintenant que vous avez commencé. »

Isabel acquiesça. Il avait raison, elle ne pouvait s'arrêter en chemin.

« Quand j'ai vu Toby, dit-elle, il marchait dans Dundas Street. J'étais dans un bus et je l'ai aperçu. Alors j'ai décidé de le suivre. Ne me demandez pas pourquoi, je doute de pouvoir vous donner une explication sensée là-dessus. On fait parfois des choses… des choses absurdes, ridicules… sans même savoir pourquoi on les fait. » Elle s'embrouillait, mais se reprit. « Donc, voilà : je suis descendue et je l'ai suivi. Il a pris Northumberland Street, puis tourné dans Nelson Street. Là, je l'ai vu traverser la rue et sonner à une porte au rez-de-chaussée. Une fille est venue lui ouvrir. Il l'a serrée dans ses bras, plutôt fougueusement. Ensuite la porte s'est refermée, et je n'ai rien vu de plus. »

Jamie la regarda sans rien dire. Puis, très lentement, il leva son verre et but une gorgée de vin. Isabel remarqua la finesse de ses mains et, dans ses yeux, le reflet fugace du verre.

« La fille était sa sœur, dit-il calmement. Il a une sœur qui habite Nelson Street. Je l'ai rencontrée une fois. C'est l'amie d'un ami. »

Isabel se figea. Elle ne s'attendait pas à cela.

« Aaah », fit-elle. Puis, de nouveau : « Aaah… »

## 13

« Oui, poursuivit Jamie, Toby a une sœur qui habite dans cette rue. Mon ami Roderick et elle travaillent pour la même agence immobilière, ils sont géomètres. Pas du genre à se promener avec des théodolites, non : ils sont experts en évaluation. » Il se mit à rire. « Et vous croyiez qu'en jouant les détectives privés vous aviez surpris Toby en train de faire des infidélités à Cat ! Ma pauvre Isabel, si seulement c'était vrai ! Mais non. Ça vous apprendra à suivre de jeunes et beaux garçons ! »

À présent, Isabel avait retrouvé assez de contenance pour se moquer d'elle-même.

« Pour tout vous dire, je me suis cachée derrière un fourgon de livraison pour l'espionner, avoua-t-elle. Dommage que vous ne m'ayez pas vue !

— Ce devait être assez grisant, votre petite aventure, remarqua Jamie en souriant. Tant pis pour le résultat. C'est comme ça.

— En tout cas, je me suis bien amusée. Et ça m'apprendra à être soupçonneuse et à toujours penser du mal des gens.

— Vous ne pensez pas toujours du mal des gens, protesta Jamie. Et vous n'êtes pas du tout soupçonneuse. Au contraire. Vos jugements sont tout ce qu'il y a de plus mesuré.

— Vous êtes très gentil, mais j'ai des tas de défauts, comme tout le monde. Des tas ! »

Jamie prit de nouveau son verre.

« Elle est plutôt sympathique, la sœur de Toby, dit-il. Je l'ai rencontrée à une soirée chez Roderick il y a quelques mois. Pas vraiment le genre de personnes que j'ai l'habitude de fréquenter, mais j'ai passé un bon moment. Et je l'ai trouvée sympa. Une belle blonde, très grande. Le genre mannequin. »

Isabel ne dit rien, mais elle ferma les yeux. Un moment, elle se remémora ce qu'elle avait vu du coin de Nelson Street, à demi cachée par le fourgon, à l'instant où Toby attendait devant la porte et où celle-ci s'ouvrait. Elle avait toujours eu une bonne mémoire visuelle et revoyait la scène avec précision, une image très nette : la porte s'ouvrait et la jeune femme apparaissait. Elle n'était pas grande, car Toby avait dû se pencher pour la prendre dans ses bras. Ni blonde. Ses cheveux étaient sombres, sans aucun doute, châtain foncé ou bruns. Pas blonds.

Elle rouvrit les yeux.

« Alors, ce n'était pas sa sœur. C'était quelqu'un d'autre », dit-elle.

À son tour, Jamie resta silencieux. Isabel imagina les sentiments contradictoires qui devaient l'assaillir : le chagrin, voire la colère que Cat se fît ainsi berner, et la satisfaction que Toby pût à présent être démasqué. Sans doute pensait-il aussi qu'il pourrait bientôt prendre sa place, comme elle l'avait pensé elle-même. Mais au moins avait-elle compris que cela ne serait pas si simple, ce dont Jamie n'avait sûrement pas conscience. L'optimisme était certainement en train de le gagner. Aussi décida-t-elle de lui dessiller les yeux.

« Il ne faut pas que vous alliez l'avertir, dit-elle. Cat serait fâchée contre vous. Même si elle vous croit – ce qui n'est pas sûr –, elle en voudra au porteur de mauvaises nouvelles. Je vous assure que vous le regretteriez.

— Mais il faut qu'elle le sache ! protesta Jamie. C'est… c'est une honte que ce type s'amuse avec une autre derrière son dos. Il faut le lui dire. C'est le moins que nous puissions faire.

— Il y a des choses qu'on doit découvrir par soi-même, tempéra Isabel. On doit parfois laisser les gens s'apercevoir de leurs erreurs.

— Eh bien, je ne suis pas d'accord, répliqua Jamie. La situation est très simple. Ce Toby est un salaud et nous le savons. À nous de la prévenir.

— Mais le problème, c'est qu'elle nous en voudrait. Vous comprenez ? Même si elle trouvait la preuve de ce que nous avançons, elle nous en voudrait quand même de l'avoir prévenue. Et je ne veux pas… Je ne veux pas qu'elle vous fasse passer à la trappe. C'est ce qu'elle fera si vous lui dites ce que nous savons. »

Jamie réfléchit. Ainsi elle désirait qu'il redevînt le compagnon de Cat. Jamais elle ne l'avait dit ouvertement, mais à présent c'était clair. Et cela confirmait ses espoirs.

« Je comprends, dit-il. Merci. » Il resta pensif encore un instant, puis reprit : « Mais pourquoi la trompe-t-il, à votre avis ? Si c'est l'autre fille qui lui plaît – la colocataire de sa sœur, je suppose –, qu'est-ce qui l'empêche de quitter Cat pour elle ?

— Vous n'en avez pas la moindre idée ? hasarda Isabel.

— Non. Quelque chose m'échappe, je suppose.

— Cat est riche, dit Isabel. Elle est propriétaire d'une boutique et de pas mal d'autres choses. Un beau patrimoine, au cas où vous ne le sauriez pas. Et si on s'intéresse à l'argent – comme c'est le cas de Toby, à mon avis –, on peut avoir envie d'en profiter. »

La stupeur de Jamie était visible.

« Il en veut à son argent ? »

Isabel hocha la tête.

« C'est probable. J'ai connu plusieurs cas similaires. Des gens qui se mariaient par intérêt, en se disant qu'ensuite ils pourraient vivre à leur guise. Ils acquièrent une sécurité matérielle et continuent à courir la prétentaine dans le dos de leur femme ou de leur mari. Ça n'a rien d'exceptionnel. Pensez à toutes ces filles qui épousent de vieux messieurs pour leur compte en banque ! Croyez-vous qu'elles vivent comme des nonnes ?

— Non, je suppose que non, admit Jamie.

— Donc vous voyez de quoi je parle. Bien sûr, c'est une explication parmi d'autres. Il se peut aussi que Cat lui plaise vraiment, mais sans qu'il soit prêt à renoncer aux autres femmes. Ça non plus, ce n'est pas rare. »

De nouveau, Isabel remplit le verre de Jamie. Le niveau de la bouteille baissait rapidement et, le vin aidant, la soirée se chargeait d'émotion. Une autre bouteille attendait dans le réfrigérateur, au cas où, et ils pourraient l'ouvrir plus tard. Du moment que je reste assez maîtresse de moi-même, pensa Isabel. Que je ne perds pas la tête au point d'avouer à Jamie qu'en vérité je suis amoureuse de lui ou peu s'en faut, et que rien ne me plairait davantage que d'embrasser son front, de passer ma main dans ses cheveux et de le serrer contre moi.

Le lendemain matin, Grace arriva de bonne heure : deux verres, une bouteille vide, se dit-elle. Dans le réfrigérateur elle trouva une autre bouteille, rebouchée mais largement entamée. Et la moitié d'une autre ! ajouta-t-elle intérieurement. Elle ouvrit le lave-vaisselle, vit l'assiette et les couverts tachés d'œuf, et comprit que le visiteur de la veille était Jamie : Isabel lui préparait toujours une omelette quand il passait à l'improviste. Grace était contente que le jeune homme fût venu la voir. Elle aimait bien Jamie, et elle savait ce qui s'était passé entre lui et Cat. Elle soupçonnait aussi ce qu'Isabel avait en tête : reformer le couple. Elle ferait mieux d'y renoncer tout de suite. Ces choses-là n'arrivaient presque jamais ; quand on ne voulait plus de quelqu'un, c'était généralement pour toujours, du moins dans son expérience à elle. Grace, pour sa part, n'avait que très rarement réhabilité dans son cœur une personne dont la fréquentation l'indisposait.

Elle prépara le café, car Isabel ne tarderait pas à descendre et appréciait de le trouver tout fumant lorsqu'elle entrait dans la cuisine. Le *Scotsman* était arrivé, et Grace l'avait ramassé sous la fente de la boîte aux lettres, où il gisait sur le sol dallé. Maintenant, il était posé sur la table, et elle jeta un coup d'œil à la première page en remplissant le percolateur. Des parlementaires réclamaient la démission d'un député de Glasgow soupçonné de trafic d'influence. (De Glasgow ? Rien d'étonnant, pensa Grace. Rien d'étonnant du tout.) Puis, sous ce gros titre, on voyait une photographie de ce bonhomme prétentieux qu'Isabel exécrait – le gros m'as-tu-vu, disait-elle. En traversant Princes Street, il s'était effondré au milieu de la chaussée et on l'avait transporté aux urgences. Intriguée, Grace se pencha pour lire la suite. On avait d'abord cru à un infarctus, mais non, il s'agissait d'autre chose ; à leur stupeur, les médecins avaient découvert une grande déchirure au flanc, mais un chirurgien réputé pour son habileté l'avait promptement recousue. Depuis, il s'était complètement remis, mais l'hôpital avait alors révélé le diagnostic : il avait éclaté de vanité.

Grace, interdite, posa le paquet de café. Sûrement pas. Impossible. Elle prit le journal pour examiner plus attentivement la première page. Ce fut alors qu'elle vit la date : 1ᵉʳ avril. Le *Scotsman* n'avait pas failli à la tradition. La petite farce était drôle, et fort bien vue.

# 14

Même s'ils avaient déjà vidé plusieurs verres de vin, ce fut d'abord avec scepticisme que Jamie accueillit la proposition d'Isabel. Mais celle-ci, à force de persuasion et de cajoleries, finit par le convaincre qu'ils devaient au moins essayer.

Essayer quoi ? Une visite à Paul Hogg, bien sûr. Ce serait la première étape vers la découverte des fraudes constatées par Mark et des noms de leurs auteurs supposés. Assis à la table de la cuisine, ayant terminé son omelette, Jamie, très attentif, l'avait écoutée lui expliquer pour quelles raisons, depuis sa conversation avec Neil, elle estimait ne pouvoir fermer les yeux sur ce qu'il lui avait appris. Elle voulait en savoir davantage, mais n'avait pas envie d'enquêter seule. Mieux valait être deux, conclut-elle, sans pour autant s'étendre sur la nature du danger – réel ou supposé – qui pourrait la menacer. Pour finir, Jamie accepta.

« Si vous insistez, maugréa-t-il. Si vous insistez, d'accord, je veux bien vous accompagner. Mais seulement parce que je ne veux pas que vous vous lanciez dans cette histoire toute seule. Non parce que j'approuve votre idée. »

Quand Isabel l'avait reconduit à la porte, ils étaient convenus qu'elle lui téléphonerait dans les prochains jours, pour discuter du meilleur moyen de se faire inviter par Paul Hogg. Au moins Isabel et lui avaient-ils déjà sympathisé, ce qui rendait possible une prise de contact. Mais sous quel prétexte ? Cela restait à établir.

À peine Jamie était-il parti qu'une pensée traversa l'esprit d'Isabel. Elle faillit courir derrière lui pour lui en parler, mais elle renonça : il n'était pas encore très tard, et à cette heure plusieurs de ses voisins promenaient leurs chiens dans les rues avoisinantes. Elle ne souhaitait pas qu'on la vît courir après un jeune homme, du moins dans la rue (encore qu'au sens métaphorique c'eût été tout aussi fâcheux). Personne n'aurait apprécié d'être surpris dans pareille situation. De même, Dorothy Parker avait affirmé qu'elle n'aurait pas aimé qu'on la surprît alors qu'on la hissait par la taille pour entrer chez quelqu'un par une fenêtre. Cette pensée la fit sourire. Qu'avait-elle de si drôle, pourtant ? C'était difficile à expliquer, mais elle l'était. Peut-être parce qu'une femme qui ne serait jamais passée par une fenêtre évoquait néanmoins cette possibilité. Mais en quoi était-ce amusant ? Il n'y avait peut-être aucune raison valable. Elle ne s'expliquait pas non plus l'humour ravageur de Domenica Legge, grande historienne de la période anglo-normande, qui, lors d'une conférence, avait glissé cette remarque : « Nous devons nous rappeler que les gens de cette époque ne se mouchaient pas tout à fait comme nous : *ils n'avaient pas de mouchoirs.* » L'assemblée avait réagi par une hilarité générale, et chaque fois qu'elle repensait à ces mots, Isabel se retenait d'éclater de rire. Et pourtant l'idée n'avait rien de drôle : ne pas avoir de mouchoirs était une affaire sérieuse. Triviale, si l'on voulait, mais sérieuse quand même. (Comment, dans ce cas, les aristocrates se mouchaient-ils ? Aux dires du Pr Legge, ils utilisaient de la paille. Quelle horreur ! Cela devait piquer affreusement. Et si les

160

nobles se servaient de paille, qu'en était-il des gens du peuple ? La réponse était évidente tout autant que pittoresque : ils se mouchaient dans leurs doigts, comme beaucoup le font encore. Une ou deux fois, elle avait vu des gens se moucher de cette façon – mais pas à Édimbourg, bien sûr.)

L'idée qui lui était venue, cependant, ne concernait ni les mouchoirs ni leurs substituts, mais Elizabeth Blackadder. Paul Hogg avait acheté l'aquarelle de Blackadder qu'elle-même convoitait. La galerie n'exposait les œuvres du peintre que pour une brève période, et ceux qui les avaient acquises avaient dû être autorisés à les emporter. Aussi toute personne désireuse de revoir le tableau ne pourrait-elle le faire qu'au domicile de Mr Hogg, dans Great King Street. Tel pouvait être son cas. Si bien qu'il lui faudrait téléphoner à Paul Hogg pour qu'il le lui permît, car elle songeait à prier Elizabeth Blackadder de lui peindre une aquarelle dans le même style. Quoi de plus vraisemblable ? En général, un artiste n'aimait guère copier ses propres œuvres, mais pouvait accepter d'en peindre une autre sur un thème similaire.

Mensonge, pensa-t-elle. Mais à ce stade seulement, car les mensonges se muaient parfois en vérités. Puisqu'elle avait songé à acheter un Blackadder, rien ne l'empêchait de passer commande au peintre. Du reste, elle le ferait au plus vite – et dans ces conditions elle pouvait rendre visite à Paul Hogg la conscience tranquille. Même Sissela Bok, l'auteur de *Mentir*, n'aurait rien trouvé à redire. Ensuite, quand elle aurait admiré l'aquarelle (que Paul, tout fier, aurait placée bien en vue), elle suggérerait avec délicatesse qu'en travaillant chez McDowell Mark Fraser avait peut être fait certaines découvertes « gênantes ». De quoi pouvait-il s'agir ? Paul en avait-il une idée ? S'il n'en avait aucune, elle pourrait employer des termes plus précis.

Et, surtout, lui faire observer qu'en mémoire de Mark – qu'il aimait sincèrement, à en juger par son émotion lorsqu'ils avaient parlé au *Vincent Bar* –, il serait peut-être bon qu'il menât une petite enquête, histoire de confirmer ou non l'inquiétante hypothèse vers laquelle portaient tous ces soupçons. Il lui faudrait faire preuve de tact, mais son approche n'était pas mauvaise. Au bout du compte, il se pouvait qu'il acceptât. Et tout au long de la visite Jamie serait à ses côtés, assis sur le sofa de Paul Hogg, pour lui donner confiance. Nous pensons, pourrait-elle dire, nous nous demandons. Ce « nous » donnerait à ses propos le poids qui leur aurait manqué si elle lui avait parlé seule à seul.

Le lendemain matin, elle téléphona à Jamie à la première heure décente : neuf heures, selon elle. Au téléphone, Isabel observait certaines règles de courtoisie élémentaire : un appel avant huit heures du matin ne pouvait se justifier que par une urgence ; entre huit et neuf c'était de l'indiscrétion ; à partir de neuf heures on pouvait téléphoner jusqu'à dix heures du soir, mais après neuf heures et demie il fallait tout de même s'excuser. Et, de nouveau, passé dix heures seuls les appels urgents étaient acceptables. En répondant au téléphone, on devait de surcroît se présenter (pour peu qu'on vous en laissât le temps), mais seulement après avoir gratifié son interlocuteur d'un bonjour ou d'un bonsoir. Force lui était de reconnaître qu'en général aucune de ces convenances n'était respectée – fût-ce par Jamie, remarqua-t-elle, qui ce matin-là l'accueillit par un simple :

« Oui ?

— Vous n'avez pas l'air de bonne humeur, dit Isabel d'un ton de reproche. Comment puis-je savoir qui est à l'appareil ? "Oui", cela ne suffit pas. Si vous n'aviez pas le temps de parler, auriez-vous répondu "non" ?

« — C'est vous, Isabel ?

— Si vous m'aviez dit votre nom, je vous aurais rendu la politesse. Et votre question n'aurait pas eu de raison d'être. »

Jamie se mit à rire.

« Est-ce que vous comptez me faire la leçon encore longtemps ? Je dois prendre le train pour Glasgow. Nous répétons *Parsifal*.

— Pauvre de vous ! compatit Isabel. Et pauvres chanteurs ! *Parsifal* est une véritable épreuve d'endurance.

— Je trouve aussi, acquiesça Jamie. Et Wagner me donne la migraine. Il n'empêche, je dois me préparer. »

Isabel lui expliqua sommairement son idée, puis attendit sa réaction.

« Si vous insistez, dit Jamie une fois de plus. Ça ne me semble pas irréalisable. Je veux bien venir avec vous, mais seulement si vous insistez vraiment. »

Il aurait pu se montrer plus accommodant, songea Isabel quand elle eut raccroché, mais l'important était qu'il eût dit oui. Maintenant, il lui fallait appeler Paul Hogg chez McDowell pour lui demander si elle pouvait passer voir le Blackadder une nouvelle fois, et à quel moment. Elle était certaine qu'il accepterait. Ils avaient réellement sympathisé et, hormis le moment où elle avait réveillé en lui de tristes souvenirs, ils avaient passé une soirée très agréable. Du reste, n'avait-il pas proposé de lui présenter sa fiancée ? Elle avait oublié son prénom, mais le terme « fiancée » suffirait pour l'instant à la désigner.

Elle téléphona à onze heures moins le quart, l'heure à laquelle, supposait-elle, les gens des bureaux prenaient leur pause-café. Elle avait vu juste.

« Je suis assis avec le *Financial Times* déplié sur mon bureau. Je suis censé le lire, mais comme j'ai la flemme, je regarde par la fenêtre en sirotant mon café.

— Mais vous vous apprêtez sûrement à prendre d'importantes décisions, dit Isabel. Je suis sûre que la première d'entre elles sera de m'autoriser ou non à revoir votre aquarelle d'Elizabeth Blackadder. J'ai décidé de lui en commander une sur le même thème, et je crois que cela m'aiderait de jeter un nouveau coup d'œil à la vôtre.

— Bien volontiers, mais tout le monde peut la voir, répondit Paul. Elle est exposée à la galerie une semaine encore. »

Un instant, Isabel fut prise au dépourvu. Bien sûr, elle aurait dû téléphoner d'abord à la galerie pour vérifier si les Blackadder étaient toujours exposés, et, dans l'affirmative, attendre que Paul eût emporté le sien.

« Mais aquarelle ou non, je serais ravi de vous voir, ajouta-t-il, comme pour la tirer d'embarras. J'ai un autre Blackadder qui vous intéressera peut-être. »

Ils convinrent qu'Isabel viendrait prendre un verre le lendemain vers sept heures. Et Paul ne voyait aucun inconvénient à ce qu'elle vînt avec un ami, un jeune homme passionné de peinture et qu'elle aimerait lui faire rencontrer. Bien sûr qu'il était d'accord. Bien sûr qu'il serait ravi.

Comme ç'avait été facile, pensa Isabel. Comme tout était facile avec les gens courtois – tel Paul Hogg. Ils maîtrisaient ces échanges de bons procédés et de bonnes manières qui rendaient la vie plus douce, ce qui était le but de la courtoisie : éviter les frictions en arrondissant les angles en société. Si chaque partie savait ce qu'elle pouvait attendre de l'autre, les conflits devenaient chose improbable. Et cette règle était valable à tous égards, des accords les plus anodins entre deux individus jusqu'aux conventions entre États. Somme toute, le droit international n'était guère autre chose qu'une courtoisie à l'échelle du monde.

Jamie était courtois. Paul Hogg également. Le mécanicien qui révisait sa voiture (rarement utilisée) dans son modeste garage au bout d'une petite rue faisait preuve d'une courtoisie parfaite. Toby, à l'inverse, était totalement dénué de courtoisie : non en surface, où il croyait – à tort – que cela comptait, mais en profondeur, dans son attitude à l'égard d'autrui. La courtoisie était affaire d'attention morale aux autres : elle exigeait qu'on les traitât avec un sérieux moral absolu, en comprenant leurs sentiments et leurs besoins. Certaines personnes – les égoïstes – n'avaient pour cela aucune inclination, et on finissait toujours par s'en rendre compte. Ces gens-là ne faisaient preuve d'aucune patience envers ceux qu'ils tenaient pour quantité négligeable : les vieux, les sans-voix, les déshérités. Une personne courtoise ne s'impatientait pas ; toujours elle les écoutait et les traitait avec respect.

De quel égarement n'avait-on pas fait preuve en écoutant les vilipendeurs de la courtoisie, tous ceux qui n'y voyaient qu'affectation bourgeoise et futilités obsolètes ! Pour les mœurs, un désastre s'était ensuivi ; car la courtoisie était le fondement de la société civilisée, la méthode pour faire passer le message de l'estime mutuelle. En conséquence, toute une génération s'était vue privée d'une pièce essentielle du puzzle moral, et à présent le résultat crevait les yeux : une société où personne ne songeait plus à aider, ni à prendre en charge la détresse d'autrui. Où langage agressif et insensibilité étaient devenus la norme.

Elle coupa court à ces réflexions : pour justes qu'elles fussent, elles lui donnaient l'impression d'être une vieille noix, aussi antique que Cicéron en train de s'écrier : *O tempora ! O mores !* Mais cette autocensure, en soi, démontrait le subtil et corrosif pouvoir du relativisme. Les discours des relativistes étaient si bien parvenus à s'introduire sous notre épiderme moral qu'on avait intégré leurs doctrines, et qu'elle-même, Isabel Dalhousie, malgré toute sa passion pour la philosophie morale et son aversion pour les positions relativistes, se sentait gênée à l'idée de nourrir certaines pensées.

Tout de même, il lui fallait cesser de ruminer et se concentrer sur des sujets d'une importance plus immédiate. Le courrier du matin, par exemple ; et, surtout, les vraies raisons de la chute qui avait coûté la vie au pauvre Mark Fraser. Mais elle savait que jamais elle ne délaisserait les questionnements plus larges : tel était son lot, et mieux valait l'accepter. Elle était réglée pour capter d'autres ondes que la plupart des gens, et le bouton de réglage était cassé.

Elle composa le numéro de Jamie, oubliant qu'à cette heure son train devait approcher de Glasgow. Elle attendit la fin de l'annonce sur son répondeur, puis laissa un message :

« Jamie, j'ai téléphoné à Paul Hogg. Il nous invite à prendre un verre chez lui demain à sept heures. Je vous propose que nous nous retrouvions au *Vincent Bar* à six heures et demie. Et aussi… merci pour tout, Jamie. Je vous suis vraiment reconnaissante de bien vouloir m'aider. Merci. »

# 15

Au *Vincent Bar*, Isabel attendait anxieusement Jamie. En début de soirée, la clientèle était presque entièrement masculine et elle se sentait assez mal à l'aise. Non, bien sûr, qu'il fût inconvenant pour une femme d'entrer seule dans un bar, et pourtant il lui semblait qu'elle n'était pas à sa place. Quand le barman lui tendit son verre de *bitter lemon* ou s'entrechoquaient des glaçons, il lui sourit amicalement et la gratifia d'un commentaire sur le beau temps. On venait de passer à l'heure d'été, et le soleil ne se couchait pas avant sept heures passées.

Isabel appréciait elle aussi que le ciel fût si clair, mais ne trouvait rien à ajouter.

« C'est le printemps, dit-elle, faute de mieux.

— Oui. Mais on ne sait jamais », répondit le barman.

Elle retourna à sa table, son verre à la main. *On ne sait jamais.* Bien sûr qu'on ne savait jamais. Tout pouvait arriver dans cette vie. En ce moment même, elle, Isabel Dalhousie, directrice de la *Revue d'éthique appliquée*, s'apprêtait à partir en quête de... d'un assassin, il n'y avait pas d'autre mot. Et dans cette tâche elle serait assistée (si réticent fût-il) par un beau bassoniste qui avait la moitié de son âge et dont elle était presque amoureuse, alors que lui était amoureux de sa nièce, laquelle n'avait d'yeux que pour un autre garçon, qui entretenait en même temps une liaison avec la colocataire de sa sœur. Non, le barman ne savait rien du tout, et si elle le lui disait, il aurait du mal à la croire.

Jamie arriva avec dix minutes de retard. Il sortait d'une répétition, s'excusa-t-il, et n'avait pensé à regarder la pendule qu'un peu avant six heures et demie.

« L'important, c'est que vous soyez là », le rassura Isabel. Elle jeta un coup d'œil à sa montre. « Il nous reste une vingtaine de minutes. Juste le temps de vous expliquer comment je compte procéder. »

Jamie l'écouta par-dessus sa chope de bière. Le projet dans son ensemble le laissait toujours sceptique, mais il dut reconnaître qu'Isabel avait bien planifié les choses. Elle aborderait le sujet avec douceur, d'autant qu'elle savait Paul encore très affecté par la mort de Mark. Elle commencerait par préciser qu'elle n'avait nullement l'intention de causer des ennuis à la société McDowell. Mais, ajouterait-elle, ils devaient à la mémoire de Mark (et à Neil, qui lui avait confié ses inquiétudes) d'essayer au moins d'en apprendre un peu plus. Elle-même, naturellement, ne croyait pas du tout que de tels soupçons fussent fondés ; mais, ensuite, ils n'auraient plus à y penser, leur mauvaise conscience aurait disparu puisqu'ils sauraient tout ce qu'il y avait à savoir.

« Bon script, commenta Jamie quand elle eut terminé. Vous prenez tout en compte.

— Je ne vois pas comment il pourrait trouver cela blessant.

— En effet, dit Jamie. Sauf si c'est lui.

— Lui ?

— Lui le fraudeur. C'est peut-être votre ami Paul qui a commis des délits d'initié. »

Isabel le regarda fixement.

« Qu'est-ce qui vous fait penser cela ?

— Eh bien, c'est possible, non ? Mark et lui devaient travailler en étroite collaboration puisque c'était son assistant. Si Mark a découvert quelque chose, il devait s'agir d'affaires qui se tramaient à côté de lui. »

Isabel réfléchit à cette hypothèse. Oui, bien sûr, c'était possible. Mais fort peu vraisemblable, à son avis. Le soir de leur première rencontre, quand ils avaient parlé de Mark, il ne faisait pas de doute que l'émotion de Paul était sincère : de toute évidence, la mort de son jeune adjoint l'avait bouleversé. Dans ces conditions, ce ne pouvait être lui qui s'en était débarrassé ; et lui-même ne craignait donc nullement d'être dénoncé.

« Vous comprenez ? » demanda-t-elle à Jamie.

Oui, bien sûr, il comprenait, mais jugea plus sage d'éviter les conclusions hâtives.

« Nous pourrions faire fausse route, dit-il. Certains meurtriers sont rongés par la culpabilité, vous savez ? Parfois, ils pleurent leurs victimes. C'est peut-être son cas.

— Non, trancha Isabel. Je n'y crois pas. Quand vous l'aurez rencontré, vous serez du même avis. C'est forcément quelqu'un d'autre.

— Peut-être, dit Jamie. Ou peut-être que non. Au moins, restons ouverts à toute éventualité. »


Paul Hogg habitait au premier étage d'une grande maison géorgienne de Great King Street. C'était une des rues les plus majestueuses de la ville neuve, et, de son côté — au sud —, les derniers étages jouissaient d'une vue sur le Firth of Forth, une bande de mer bleue au-delà du lointain faubourg de Leith ; et, plus loin, on distinguait les collines du comté de Fife. Mais les appartements du premier présentaient d'autres avantages, bien que la vue se limitât aux maisons d'en face. Dans certaines rues au moins, on les appelait « appartements-salons », car c'était au *piano nobile* que se trouvaient les salles de réception du temps où les propriétaires occupaient les demeures entières. Aussi les murs étaient-ils plus hauts et les fenêtres, qui s'élevaient du sol au plafond, formaient-elles de vastes baies vitrées par où la lumière inondait les pièces.

Ils montèrent l'escalier commun, une large volée de marches en pierre où flottait une légère odeur de chat, et trouvèrent la porte où le nom P. HOGG était gravé sur une plaque en cuivre. Isabel jeta un regard à Jamie, qui répondit par un clin d'œil. Son scepticisme s'était estompé et cédait la place à un amusement croissant. À présent, c'était à Isabel d'être en proie au doute.

Paul leur ouvrit rapidement et les débarrassa de leurs manteaux. Isabel lui présenta Jamie.

« Je vous ai déjà rencontré quelque part, dit Paul en lui serrant la main. Mais où ?

— À Édimbourg », répondit Jamie, et ils se mirent à rire.

Il les fit entrer au salon, vaste et meublé avec élégance, où ils admirèrent une impressionnante cheminée en marbre blanc. Aussitôt, Isabel remarqua plusieurs invitations posées sur le manteau, et à peine Paul Hogg fut-il sorti de la pièce pour chercher leurs verres que, sans même s'asseoir, elle s'approcha pour les lire :

« Mr et Mrs Humphrey Holmes ont le plaisir de vous convier à la réception qu'ils donneront chez eux, le jeudi 16 avril à partir de 19 heures » (Isabel était invitée aussi). Puis : « George Maxtone serait heureux d'accueillir Miss Minty Auchterlonie à la Lothian Gallery, le mercredi 18 mai à 19 h 30. » Et : « Pour Minty. De la part de Peter et Jeremy. Cocktail dans le jardin si le temps le permet (donc probablement à l'intérieur). Mardi 24 mai, 18 h 30. » Enfin : « Paul et Minty. Nous serions heureux de vous recevoir à l'occasion de notre mariage. Ceilidh, à partir de 20 heures. Prestonfield House, samedi 21 mai. Tenue de soirée ou traditionnelle des Highlands. »

Isabel sourit, mais Jamie la regardait d'un air désapprobateur, comme si elle lisait une correspondance privée. Il s'approcha d'elle et jeta un bref coup d'œil à la dernière invitation.

« Vous ne savez pas que c'est impoli de lire ce qui est adressé à d'autres ? murmura-t-il.

— Allons donc ! Pourquoi croyez-vous qu'elles soient exposées ? Pour qu'on les lise, évidemment. J'ai vu sur des cheminées des invitations vieilles de trois ans ! Pour une *garden-party* à Holyrood House, par exemple. Les visiteurs doivent savoir qu'on a des relations ! »

Elle l'entraîna plus loin, devant une grande aquarelle représentant des coquelicots dans un jardin.

« Voilà. Elizabeth Blackadder. Des coquelicots, des murs de jardin où des chats font la sieste. Le sujet peut sembler fade, mais admirez cette admirable facture ! Une merveille. »

Et elle songea tout à coup : Je n'ai pas de coquelicots dans les tableaux que je possède. On ne m'a jamais hissée par la taille pour passer par une fenêtre.

Paul Hogg revint avec deux verres pleins et trouva ses visiteurs debout devant l'aquarelle.

« Ah ! vous l'avez repérée ! s'exclama-t-il d'un ton allègre. C'est ce que je voulais vous montrer.

— Elle est superbe, commenta Isabel. Des coquelicots, encore une fois. C'est très important, les coquelicots.

— J'adore les coquelicots, dit Paul. Quel dommage que leurs pétales tombent quand on les cueille !

— Un excellent mécanisme de défense, observa Isabel en jetant un regard à Jamie. Les roses feraient bien de s'en inspirer. Leurs épines ne sont pas une protection suffisante. Et pourtant la beauté parfaite devrait demeurer inviolée. »

Jamie lui rendit son regard, murmura « Aaah… », puis se tut. Paul Hogg le considéra un instant et tourna les yeux vers Isabel. Il se demande quel genre de relations nous avons, devina-t-elle. Et il le prend pour mon jeune amant. Mais quand bien même ce serait le cas ? Il n'y aurait pas de quoi s'étonner. Ces choses-là sont fréquentes de nos jours.

Paul ressortit un instant pour aller chercher son verre, et Isabel se tourna en souriant vers Jamie, posant son index sur sa bouche d'un air de conspiratrice.

« Mais je n'ai rien dit ! protesta Jamie. Seulement "Aaah…".

— C'est bien assez, dit Isabel. Un monosyllabe éloquent. »

Jamie secoua la tête.

« Je me demande ce qui m'a pris de vous accompagner. Vous êtes à moitié folle, vous savez ?

— Merci, Jamie, dit-elle à mi-voix. Mais voici notre hôte. »

Paul était de retour, et ils levèrent leurs verres.

« J'ai acheté ce tableau aux enchères il y a environ deux ans, dit-il. C'était la première fois que ma boîte me versait une prime et j'ai voulu fêter ça.

— En achetant un Blackadder ? Quelle merveilleuse idée ! approuva Isabel. Tellement plus jolie que ces affreux déjeuners dont on parle dans la presse, ces repas entre financiers qui ont un succès à fêter, qui leur coûtent dix mille livres rien que pour les vins. J'imagine que de telles pratiques n'ont pas cours à Édimbourg.

— Sûrement pas, dit Jamie. À Londres ou à New York peut-être. Ce genre de villes. »

172

Isabel se tourna vers la cheminée. Au dessus était suspendue une grande toile dans un cadre doré, qu'elle avait aussitôt identifiée.

« Quel magnifique Peploe ! dit-elle.

— Oui, je l'aime beaucoup, répondit Paul. La côte ouest de l'île de Mull, je crois.

— Ou d'Iona ? suggéra Isabel.

— Peut-être. Quelque part là-bas », dit-il vaguement.

Isabel fit quelques pas pour observer le tableau.

« Toute cette affaire de faux il y a deux ou trois ans, ça ne vous a pas tracassé ? Vous en avez parlé à un expert ? »

Paul parut surpris.

« Des faux ?

— Oui, c'est ce qu'on m'a dit. Des Peploe, des Cadell. Assez nombreux. Le procès a causé pas mal d'inquiétudes. Un ami à moi a eu une de ces copies entre les mains : une toile ravissante, mais peinte huit jours plus tôt, à peu de chose près. De très habile facture, d'ailleurs. Les faussaires sont souvent très habiles. »

Paul haussa les épaules.

« C'est toujours un risque, je suppose. »

Isabel, cependant, examinait toujours le tableau.

« De quand date-t-il, ce Peploe ?

— D'une époque où il habitait Mull, probablement », répondit Paul avec un geste incertain.

Isabel se tourna vers lui. Sa réponse était d'une pauvreté vertigineuse, mais au moins confirmait-elle l'idée qu'elle se faisait de lui : non seulement Paul Hogg ne connaissait pas grand-chose à la peinture, mais il s'y intéressait fort peu. Sinon, comment pourrait-il posséder un Peploe de cette qualité – authentique, elle en était sûre – et ne rien savoir ou presque à son sujet ?

Il y avait au moins dix autres tableaux dans le salon, tout aussi remarquables, bien qu'aucun ne fût aussi poignant que le Peploe. Un paysage de Gillies, par exemple, et un autre, minuscule, de McTaggart. Et, au fond de la pièce, un Bellamy typique. Ou bien la personne qui les avait rassemblés connaissait très bien la peinture écossaise, ou bien elle était tombée sur une collection déjà constituée et parfaitement cohérente.

Isabel s'approcha d'une autre toile. Puisque son hôte l'avait conviée à admirer son Blackadder, il n'y avait rien d'impoli à se montrer curieuse, des peintures de son salon tout au moins.

« C'est un Cowie, n'est-ce pas ? »

Paul jeta un coup d'œil au tableau.

« Je crois, oui », répondit-il.

Pas du tout. C'était un Crosbie, comme n'importe quel amateur aurait pu le lui dire. Ces tableaux n'appartenaient pas à Paul Hogg ; par conséquent, ils étaient la propriété de Minty Auchterlonie – sa fiancée, supposait Isabel, dont seul le nom apparaissait sur deux des cartons. Et ces invitations, comme par hasard, avaient été envoyées par des marchands d'art. George Maxtone, qui dirigeait la Lothian Gallery, était l'homme à qui s'adresser si l'on voulait acheter une toile d'un peintre écossais du début du vingtième siècle. Quant à Peter Thom et Jeremy Lambert, ils possédaient une petite galerie dans un village non loin d'Édimbourg, et les collectionneurs en quête d'une œuvre en particulier recouraient souvent à leurs services : ils faisaient preuve d'un flair déconcertant pour dénicher des propriétaires de tableaux disposés à vendre pourvu que la transaction restât discrète. Les deux réceptions accueilleraient sans doute un mélange de clients et d'amis, ou de gens qui étaient les deux.

« Minty…, commença Isabel, désireuse d'en savoir plus sur la fiancée de Paul, mais elle fut aussitôt interrompue.

— C'est ma fiancée, dit-il. Elle devrait arriver d'un moment à l'autre. Elle travaille un peu tard aujourd'hui,

Ils remontèrent Dundas Street, traversèrent Queen Street et se dirigèrent vers Thistle Street, où, au dire d'Isabel, ils trouveraient le restaurant. La ville n'était pas animée et aucune voiture ne passait dans Thistle Street. Aussi marchèrent-ils sur la chaussée, leurs pas éveillant autant d'échos entre les rangées de façades. À droite, un peu plus loin, on apercevait l'entrée discrète du restaurant.

L'endroit n'était pas grand : sept ou huit tables en tout, dont une seule était occupée. Isabel reconnut le couple de dîneurs et les salua d'un signe de tête. Ils lui sourirent, puis baissèrent les yeux vers la nappe, avec discrétion, mais non sans intérêt.

« Alors ? Je vous écoute », dit Jamie lorsqu'ils prirent place.

Isabel étendit sa serviette sur ses genoux et s'empara du menu.

« C'est vous qui aviez la bonne intuition, commença-t-elle. En partie, du moins.

— Moi ?

— Oui, vous. Au *Vincent Bar*, vous m'avez dit que je ne devrais pas être étonnée si jamais Paul Hogg était notre homme. N'est-ce pas ? Et cela m'a fait réfléchir.

— Donc vous pensez que c'est lui ?

— Non, dit Isabel. Elle ! Minty Auchterlonie.

— Une vraie goule ! Avec des dents qui rayent le parquet, grommela Jamie.

— C'est assez bien dit, approuva Isabel en souriant. J'emploierais peut-être un vocabulaire moins imagé, mais je ne vous contredirai pas.

— Elle m'a déplu dès le premier instant.

— Oui. Et c'est curieux, parce que vous, vous lui avez plu, je crois. Je suis même prête à affirmer que vous lui avez… Comment dire ? Vous lui avez tapé dans l'œil. »

Jamie parut gêné et baissa la tête vers son menu.

encore que pour elle ce ne soit pas très tard. Certains soirs, elle ne rentre pas avant onze heures ou minuit.

— Ah bon ? Laissez-moi deviner, dit Isabel. Elle est… chirurgien, c'est ça ? Oui, chirurgien. Ou peut-être… pompier ? »

Paul se mit à rire.

« Sûrement pas, non. Je crois qu'elle allume plus de flammes qu'elle n'en éteint !

— Quelle belle repartie ! admira Isabel. C'est gentil à vous de dire cela de votre fiancée. Et si passionné ! J'espère que vous en diriez autant de la vôtre, Jamie. »

Paul Hogg jeta un coup d'œil en direction de Jamie, qui regardait Isabel en fronçant les sourcils. Puis, comme s'il se rappelait son devoir, sa mine fâchée fit place à un sourire.

« Ha, ha ! » fit-il.

Isabel se tourna vers Paul.

« Où travaille-t-elle, alors, pour être retenue si tard ? »

Mais en posant la question elle devina la réponse.

« Dans une société financière », répondit-il.

Dans sa voix Isabel perçut une note de résignation, presque un soupir, et conclut que la carrière de la demoiselle suscitait quelque tension. Minty Auchterlonie, dont ils feraient sous peu la connaissance, ne devait pas être du genre popote, ni femme d'intérieur rassurante. Plutôt une coriace, une dure. C'était elle qui avait l'argent, elle qui achetait tous ces coûteux tableaux. De surcroît, Isabel avait l'intuition qu'elle ne les collectionnait pas pour l'amour de l'art. Ils faisaient partie d'une stratégie.

Tous trois se tenaient devant une des hautes fenêtres, près du Cowie qui était un Crosbie. Paul regarda au-dehors et tapota doucement la vitre.

« C'est elle, dit-il d'une voix fière en leur montrant la rue. Minty. Elle arrive ! »

Isabel et Jamie regardèrent à leur tour. Juste en dessous de la fenêtre, une petite voiture de sport aux airs provocants manœuvrait pour se garer. Elle était du même vert que les voitures de course britanniques et sa calandre avait une forme particulière, mais Isabel, qui s'intéressait un peu à l'automobile, ne reconnut pas la marque. Une italienne peut-être ? Une Alfa Romeo d'un modèle peu connu, une vieille Spider ? La seule bonne voiture jamais sortie d'Italie, selon elle.

Quelques minutes plus tard, la porte du salon s'ouvrit et Minty Auchterlonie fit son entrée. Paul Hogg, remarqua Isabel, claqua légèrement des talons, tel un soldat devant un officier. Mais il était souriant, et de toute évidence enchanté qu'elle rentrât. C'était toujours un trait remarquable, pensa-t-elle : le visage des gens s'éclairait quand ils étaient vraiment heureux de voir quelqu'un. On ne pouvait s'y tromper.

Paul avait traversé la pièce pour embrasser Minty, et Isabel l'observa. Grande, assez anguleuse, elle devait approcher de la trentaine ; en approcher suffisamment pour se sentir obligée de soigner son maquillage, appliqué sans modération mais non sans adresse. Sa tenue aussi était soignée, visiblement coûteuse et étudiée dans les moindres détails. Elle embrassa négligemment Paul sur les deux joues, puis s'avança vers eux pour leur serrer la main. Son regard passa rapidement d'Isabel (dédaigneux, pensa-t-elle) à Jamie (intéressé). Isabel fut aussitôt sur ses gardes.

« Vous ne lui avez posé aucune question sur Ma[...] dit Jamie, exaspéré, lorsqu'ils refermèrent la porte[...] la grande maison et sortirent dans la rue assomb[...] Pas un mot ! Pourquoi diable sommes-nous venus ?[...]

Isabel glissa son bras sous le sien et l'entraîna vers l'angle de Dundas Street.

« Allons, restez calme, dit-elle. Il n'est que huit heures et nous avons tout le temps pour dîner. C'est moi qui vous invite. Il y a un bon restaurant italien tout près d'ici et nous pourrons parler. Je vais tout vous expliquer.

— Mais je ne comprends pas ce que nous sommes venus faire ! insista Jamie. Nous sommes restés assis dans ce salon, à causer avec Paul Hogg et son horrible fiancée, et sur quel sujet ? Du début à la fin, la peinture ! Vous et la nommée Minty, surtout. Paul est res[...] bras croisés sur sa chaise et il regardait le plafond. s'ennuyait, je l'ai bien vu.

— Elle aussi s'ennuyait, dit Isabel. Ça, c'est moi l'ai vu. »

Jamie se tut et Isabel lui serra le bras.

« Ne vous inquiétez pas, dit-elle. Je vous ex[...] rai lorsque nous dînerons. Pour l'instant, j'ai be[...] quelques minutes pour réfléchir. »

« Je n'ai pas remarqué…, commença-t-il.

— Non, bien sûr. Il faut être une femme pour remarquer ce genre de choses. Mais vous l'avez beaucoup intéressée. Ce qui ne l'a pas empêchée de nous trouver tous les deux très ennuyeux au bout d'un moment.

— Je ne sais pas, dit Jamie. En tout cas, c'est le genre de femme que je ne peux pas supporter. Vraiment pas. »

Isabel eut l'air pensif.

« Je me demande ce qui nous a fait la prendre en grippe, tous les deux.

— C'est ce qu'elle représente, suggéra Jamie. Une espèce de mélange de tout ce que nous détestons, non ? D'ambition, de brutalité, de matérialisme, de…

— Oui, coupa Isabel. Tout à fait. C'est difficile à définir, mais je crois que nous savons précisément de quoi il s'agit, vous et moi. Et ce qui est intéressant, c'est qu'elle est ainsi et pas lui. Vous êtes d'accord ? »

Jamie acquiesça.

« Je l'ai trouvé sympathique, dit-il. Pas au point d'en faire un ami intime, mais c'est un gentil garçon.

— Exactement. Irréprochable, et irréprochablement banal.

— En tout cas, pas le genre à liquider sans pitié un collègue qui serait une menace pour lui. »

Isabel secoua la tête.

« Non. Certainement pas.

— Alors qu'elle…

— Une Lady Macbeth, dit Isabel fermement. Ce devrait être le nom d'un syndrome. Ça se dit peut-être. Comme le syndrome d'Othello.

— Qu'est-ce que c'est que ça ? » interrogea Jamie.

Isabel prit un petit pain rond et le rompit au-dessus de son assiette. Pas question de le couper avec un couteau, même si Jamie le faisait. En Allemagne, autrefois, on tenait pour une mauvaise manière de couper une pomme de terre avec un couteau, et ce curieux préjugé l'avait toujours laissée perplexe. Un ami allemand qu'elle avait questionné lui avait fourni une explication étrange, qu'elle avait prise pour une plaisanterie : « La coutume remonte au dix-neuvième siècle, avait-il répondu. Peut-être parce que l'empereur avait une tête comme une pomme de terre. Donc, ç'aurait été un manque de respect. » Elle avait ri, mais en voyant plus tard un portrait de l'empereur, elle s'était dit qu'après tout c'était peut-être vrai. Sa tête ressemblait bien à une pomme de terre, tout comme Quintin Hogg, ou Lord Hailsham, avait des traits légèrement porcins. Elle imagina le lord-chancelier à son petit déjeuner, devant une assiette de bacon, posant avec regret sa fourchette et son couteau : « Vraiment, je ne peux pas... »

« Le syndrome d'Othello, c'est la jalousie pathologique, expliqua-t-elle en prenant le verre d'eau gazeuse que le serveur prévenant venait de lui verser. En général, ce sont les hommes qui en sont atteints. Ils s'imaginent que leur femme ou leur compagne les trompe. Cette idée les obsède et il n'y a pas moyen de les persuader du contraire. Parfois ils peuvent devenir violents. »

Jamie l'écoutait attentivement, et la pensée lui vint qu'il se sentait concerné par ce qu'elle était en train de lui expliquer. Était-il jaloux de Cat ? Oui, bien sûr qu'il l'était. Mais Cat avait réellement une liaison avec un autre homme, du moins de son point de vue.

« Soyez tranquille, dit-elle d'un ton rassurant. Vous n'êtes pas du genre à sombrer dans la jalousie pathologique.

— Non, évidemment », dit-il (un peu trop vite, pensa Isabel). Puis il ajouta : « Où peut-on lire quelque chose sur ce sujet ? Vous avez une suggestion ?

— Dans ma bibliothèque, j'ai un livre intitulé *Syndromes psychiatriques méconnus*, répondit Isabel. Certains sont réjouissants. Le culte de la cargaison, par exemple. Il touche des groupes de gens qui sont tous convaincus qu'on va leur apporter des provisions. Une cargaison. Ou une manne, c'est la même chose. On a relevé des cas étonnants dans les mers du Sud, où tous les habitants croyaient que s'ils attendaient assez patiemment, des avions américains viendraient leur larguer des colis de nourriture.

— Et quoi d'autre ?

— Le syndrome qui fait croire qu'on connaît le monde entier. On croit connaître les gens alors qu'on ne les a jamais vus. Un problème neurologique. Par exemple, ce couple à l'autre table. Je suis sûre de le connaître, mais c'est probablement faux. Je dois être atteinte du syndrome ! acheva-t-elle en riant.

— Paul Hogg aussi en est atteint, remarqua Jamie. Il a prétendu m'avoir déjà rencontré. C'est même la première chose qu'il ait dite.

— Mais c'est sûrement vrai. Vous faites partie de ces gens qu'on remarque tout de suite !

— Je ne crois pas. Pourquoi voulez-vous qu'on me remarque ? »

Isabel le regarda. C'était touchant qu'il n'en eût pas conscience. Et cela valait peut-être mieux, car en avoir conscience pourrait abîmer son caractère. Aussi se borna-t-elle à sourire. Cat était bien malavisée !

« Et Lady Macbeth, dans tout ça ? » demanda-t-il.

Isabel se pencha vers lui.

« Une meurtrière, murmura-t-elle. Une meurtrière rusée, manipulatrice. »

Jamie se raidit sur sa chaise. Tout à coup, c'en était fini du ton léger, badin de leur conversation. Un froid le saisit.

« Elle ? »

Isabel ne souriait plus et sa voix se fit grave.

« J'ai compris assez vite, dit-elle, que tous ces tableaux n'étaient pas à lui, mais à elle. C'est à elle que les invitations des marchands d'art étaient adressées. Paul Hogg ne sait rien sur les œuvres qu'il a chez lui. C'est elle qui achète ces trucs hors de prix !

— Et alors ? Si elle a de l'argent…

— Oh, elle en a, c'est sûr. Seulement, si on dispose de grosses sommes d'argent et qu'on n'ait pas envie qu'elles apparaissent sur des comptes bancaires, acheter des tableaux constitue un excellent investissement. Rien n'empêche de payer en liquide, et voilà : on possède un actif qui s'apprécie sans cesse et reste très facile à déplacer. À condition de savoir ce qu'on achète, et elle le sait très bien.

— Mais quel rapport avec Mark Fraser ? C'est Paul Hogg qui travaillait avec lui, pas sa Minty.

— Minty Auchterlonie est non seulement une goule dont les dents rayent le parquet, comme vous l'avez dit si judicieusement, mais une goule qui travaille dans une banque d'affaires. Alors, quand Paul Hogg rentre du bureau, elle lui demande : "Eh bien, mon petit Paul, tu as fait des choses intéressantes, aujourd'hui ?" Paul répond ceci, cela, il lui révèle certaines choses, parce qu'ils font plus ou moins le même métier. Y compris des informations assez sensibles, mais, vous savez, les confidences sur l'oreiller doivent être tout à fait franches, sinon ça ne vaut pas la peine. Et elle mémorise le moindre détail. Ensuite, elle court acheter les actions qui l'intéressent, en son nom propre ou en payant un homme de paille, et quelle belle surprise ! La voilà bien plus riche tout à coup. Tout cela sur la base d'informations confidentielles. Une fois le profit encaissé, elle l'investit dans des tableaux, parce que c'est plus discret. À moins qu'elle ne soit de mèche avec un marchand d'art. Elle lui fournit les renseignements utiles et c'est lui qui achète les actions.

Impossible d'établir un lien entre eux ! Ensuite, il la paie en tableaux après avoir pris sa commission, mais les toiles ne sont pas officiellement vendues, voilà tout. Pas de facturation, donc. Rien qui révèle une source de revenus imposable. »

Jamie en était bouche bée.

« Et vous avez échafaudé tout ça ce soir, en marchant jusqu'ici ?

— Ça n'a rien de compliqué, dit Isabel en riant. Quand j'ai eu la certitude que ce ne pouvait pas être lui et quand j'ai vu à quelle femme nous avions affaire, tout s'est emboîté. Évidemment, ce n'est qu'une hypothèse. Mais elle pourrait bien s'avérer la bonne. »

Jusqu'ici Jamie trouvait l'ensemble assez clair ; mais ce qu'il ne comprenait pas, c'était pourquoi Minty avait souhaité se débarrasser de Mark. Isabel le lui expliqua. Minty était ambitieuse, et un mariage avec Paul Hogg (qui avait certainement un bel avenir chez McDowell) présentait pour elle plusieurs avantages. Paul était un garçon gentil et accommodant, et elle devait s'estimer chanceuse de l'avoir pour fiancé. Un homme au caractère plus fort, plus autoritaire, aurait trouvé Minty trop intraitable, trop dominatrice. Voilà pourquoi Paul lui convenait si bien. Mais si l'on découvrait que Paul lui avait confié des secrets – fût-ce en toute innocence –, cela lui coûterait sa place. Lui n'aurait pas commis de délits d'initié, mais il la perdrait quand même. Et si l'on découvrait que la fraudeuse était Minty, non seulement elle perdrait sa place, elle aussi, mais c'en serait fini de sa carrière dans la finance. Son monde s'écroulerait, et si le seul moyen d'éviter ce désastre était de provoquer un tragique accident, va pour l'accident. La notion de conscience morale ne signifiait rien pour les Minty Auchterlonie, non plus que l'idée d'une vie après la mort, d'une forme ou une autre de jugement. En conséquence, leur seul rempart contre la pulsion de meurtre ne pouvait se fonder que sur le sens inné du bien et du mal ; et à cet égard, conclut Isabel, il n'était pas besoin d'être grand clerc pour comprendre que Minty Auchterlonie en était dépourvue.

« Notre chère Minty, dit-elle, souffre d'un trouble de la personnalité. La plupart des gens ne doivent pas s'en rendre compte, mais c'est pourtant la vérité.

— Le syndrome de Lady Macbeth ? suggéra Jamie.

— Peut-être, s'il existe. Je pensais plutôt à une affection plus répandue. Minty est une sociopathe, ou une psychopathe, appelez ça comme vous voudrez. Sa pathologie consiste à n'éprouver aucun scrupule lorsqu'elle doit agir pour ses intérêts. C'est aussi simple que ça.

— Au point de pousser un homme du haut de l'Usher Hall ?

— Oui, dit Isabel. Absolument. »

Jamie réfléchit un moment. L'explication d'Isabel semblait plausible et il était prêt à l'adopter, mais que pouvaient-ils faire ensuite ? Tout cela n'était qu'une hypothèse, rien de plus, et il leur faudrait sûrement une preuve s'ils voulaient aller plus loin. Or ils n'en avaient aucune. Rien de rien, sinon une théorie sur le mobile du crime.

« Et maintenant ? Qu'est-ce qu'on fait ? demanda-t-il.

— Aucune idée », répondit Isabel en souriant.

Devant son insouciance, Jamie ne put cacher son irritation :

« Nous ne pouvons pas en rester là ! Nous sommes allés trop loin. Pas question d'abandonner la partie.

— Qui vous parle d'abandonner quoi que ce soit ? répliqua Isabel d'un ton apaisant. Peu importe que je n'aie pas d'idée pour le moment. Une période d'inactivité tombera à point nommé. »

Voyant que Jamie en restait bouche bée, elle s'expliqua :

« Je crois qu'elle a compris, dit-elle. Elle sait pourquoi nous sommes venus.

— Elle vous a dit quelque chose ?

— Oui. Pendant que vous parliez avec Paul, elle m'a dit que, selon son fiancé, je m'intéressais à Mark Fraser. C'est le mot qu'elle a employé : je m'*intéressais*. Elle attendait une réponse, mais j'ai hoché la tête sans rien dire. Un peu plus tard, elle est revenue sur le sujet, pour me demander si je l'avais bien connu. De nouveau, j'ai éludé la question. Et j'ai senti qu'elle était mal à l'aise, ce qui n'a rien pour me surprendre.

— Alors, à votre avis, elle sait que nous la soupçonnons ? »

Isabel but une gorgée de vin. De la cuisine, une odeur d'ail et d'huile d'olive flottait jusqu'à eux.

« Sentez-moi ça ! dit-elle. Un délice. Si elle sait que nous savons ? Peut-être. Mais qu'elle le sache ou pas, nous n'allons pas tarder à avoir de ses nouvelles, j'en suis presque sûre. Elle voudra en savoir davantage, et c'est elle qui nous fera signe. Donnons-lui seulement quelques jours. »

Jamie ne semblait pas convaincu.

« Les psychopathes comme elle, qu'est-ce qu'ils ressentent intérieurement ? interrogea-t-il.

— De l'indifférence. » Isabel sourit, non sans amertume. « Ils sont indifférents. Prenez un chat en train de commettre une mauvaise action. Vous verrez qu'il ne ressent aucune émotion. Les chats sont des psychopathes. C'est leur état naturel.

— Mais peut-on le leur reprocher ? Est-ce qu'ils sont fautifs ?

— On ne peut pas reprocher aux chats d'être des chats, dit Isabel. Donc de se conduire en chats, en mangeant les oiseaux du jardin ou en jouant avec leurs proies. Aucun chat ne peut s'en empêcher.

— Et les gens qui se comportent de la même façon ? Est-ce qu'ils peuvent s'en empêcher ? s'enquit Jamie.

— Là est tout le problème. Sont-ils fautifs ou non ? Il existe toute une littérature passionnante sur le sujet. On peut soutenir que leurs actes sont la conséquence de leur psychopathologie. Ils les commettent parce que leur personnalité est ce qu'elle est, mais ils n'ont jamais choisi d'être atteints de ce trouble. Or comment pourrait-on les tenir pour responsables d'une condition qu'ils n'ont pas choisie ? »

Jamie regarda vers la cuisine. Il aperçut le chef qui trempait son doigt dans un bol, puis le léchait consciencieusement. Un chef psychopathe serait un vrai cauchemar.

« Voilà un beau sujet de discussion pour vos amis et vous, observa-t-il. Votre club des philosophes pourrait en débattre, non ? La responsabilité morale des personnes atteintes de psychopathie. »

Isabel eut un sourire mélancolique.

« Oui, si j'arrivais à réunir les membres, soupira-t-elle.

— Le dimanche n'est pas un jour très facile, vous savez ?

— En effet, convint Isabel. C'est aussi l'avis de Cat. »

Elle s'interrompit. Mieux valait ne pas trop parler de Cat en présence de Jamie, cela lui donnait l'air tellement triste, presque perdu. Comme à chaque fois.

# 17

Ce dont j'ai besoin, pensa Isabel, c'est de quelques jours sans intrigues. Besoin de reprendre mon travail pour la revue, de finir mes mots croisés sans m'interrompre et de marcher de temps en temps jusqu'à Bruntsfield pour bavarder avec Cat de choses insignifiantes. Ce dont je n'ai pas besoin, c'est de passer mon temps à conspirer avec Jamie dans des bars et des restaurants, ni de me frotter à des financiers retors aux goûts artistiques dispendieux.

Elle avait mal dormi la nuit précédente. Après avoir quitté le restaurant, elle avait dit au revoir à Jamie mais n'était arrivée chez elle que bien après onze heures. Une fois couchée, la lumière éteinte et le clair de lune projetant dans sa chambre l'ombre de l'arbre proche de sa fenêtre, elle était restée longtemps éveillée, songeant à l'impasse dans laquelle – craignait-elle – ils se trouvaient engagés. Même si la balle était maintenant dans le camp de Minty Auchterlonie, il lui fallait prendre des décisions difficiles. Sans parler de toute cette histoire autour de Cat et Toby. Elle aurait voulu n'avoir jamais eu la sotte idée de le suivre ! Car ce qu'elle avait découvert la plaçait devant un dilemme. Elle avait décidé de ne rien entreprendre pour le moment, mais elle savait bien qu'elle ne faisait que repousser le problème et qu'elle devrait l'affronter tôt ou tard. Elle n'aurait su dire comment elle se comporterait la prochaine fois qu'elle verrait Toby. Réussirait-elle à garder son attitude habituelle, qui, à défaut de vraie chaleur, restait au moins empreinte d'une politesse de circonstance ?

Le sommeil finit par la gagner, mais seulement par intermittence. Elle dormait profondément quand Grace arriva le lendemain matin. Si jamais elle ne la trouvait pas au rez-de-chaussée, Grace ne manquait jamais de monter prendre de ses nouvelles et de lui apporter une tasse de thé revigorante. Isabel se réveilla en l'entendant frapper à la porte.

« Mauvaise nuit ? » demanda la gouvernante en posant la tasse de thé sur sa table de chevet.

Isabel se redressa en se frottant les yeux.

« Oui. Je ne crois pas m'être endormie avant deux heures, répondit-elle.

— Des soucis ?

— Des soucis et des doutes. Sur diverses choses.

— Je connais ça, dit Grace. Ça m'arrive aussi. Tout d'un coup, je m'inquiète pour le monde. Je me demande comment il finira.

— *Non dans un éclat, mais dans une plainte*, marmonna Isabel d'un ton vague. C'est la fin d'un poème de T.S. Eliot qu'on cite à tout bout de champ. Mais c'est une phrase très bête, je trouve. Je suis sûre qu'il a regretté de l'avoir écrite.

— Quel grand nigaud ! Votre ami Mr Auden n'aurait jamais dit ça, n'est-ce pas ?

— Non, certainement, dit Isabel en se tournant dans son lit pour prendre sa tasse de thé. Encore qu'il ait écrit quelques sottises dans sa jeunesse. » Elle but une gorgée de thé, qui eut comme toujours pour effet immédiat de lui éclaircir les idées. « Et dans sa vieillesse, aussi. Mais, entre les deux, c'était presque toujours un esprit d'une grande acuité.

— Il prenait des cuites ?

— Un esprit subtil, si vous préférez. » Isabel s'assit au bord de son lit et ses pieds tâtonnèrent la descente de lit en quête de ses pantoufles. « S'il écrivait quelque chose que par la suite il trouvait erroné, ou tape-à-l'œil, il revenait dessus et le corrigeait, chaque fois qu'il le pouvait. Il y a même des poèmes qu'il a complètement reniés. *1er Septembre 1939*, par exemple. »

Elle ouvrit les rideaux. C'était un matin de printemps limpide, et le soleil annonçait les prémices de l'été.

« À l'en croire, c'était un poème malhonnête. Pourtant, je trouve qu'il contient des vers splendides. Et dans les *Lettres d'Islande*, l'un d'eux ne veut strictement rien dire, mais il est merveilleux à écouter. *Et les ports ont des noms pour la mer*. Admirable, non ? Mais ça ne veut rien dire, n'est-ce pas, Grace ?

— Non, confirma Grace. Je ne vois pas comment les ports peuvent avoir des noms pour la mer. Je ne vois pas. »

De nouveau Isabel se frotta les yeux.

« Grace, je voudrais passer une journée tranquille. Pouvez-vous m'y aider ?

— Bien sûr, dit Grace.

— Pourriez-vous répondre au téléphone ? Dites à tout le monde que je travaille, ce que je compte faire du reste. Dites que je rappellerai demain.

— À tout le monde ?

— Excepté Cat. Et Jamie. Pour eux, je veux bien prendre l'appel, même si j'espère qu'ils ne téléphoneront pas aujourd'hui. Les autres attendront. »

Grace acquiesça. Elle aimait prendre le contrôle de la maison, et s'entendre prier d'éconduire tout le monde était un ordre qu'elle appréciait particulièrement.

« Enfin, vous vous décidez ! dit-elle. Vous êtes sans cesse à la disposition des uns et des autres. Vous méritez un peu de temps pour vous. »

Isabel sourit. Grace était sa meilleure alliée. Quelques désaccords qu'elles pussent avoir, elle savait que Grace, au bout du compte, n'avait à cœur que son intérêt. C'était une loyauté fort rare en ces temps d'égocentrisme et de complaisance. Une vertu à l'ancienne mode, dont ses confrères philosophes faisaient l'éloge tout en se montrant bien incapables de la pratiquer. Et Grace, malgré sa tendance à dénigrer certaines personnes, avait beaucoup d'autres vertus. Elle croyait en un Dieu qui, le jour venu, rendrait justice à ceux qu'on avait traités injustement. Elle croyait au travail, et à l'importance de ne jamais être en retard ni prendre un jour de congé sous prétexte d'une « prétendue maladie ». Et au devoir de ne jamais ignorer un appel à l'aide – de qui que ce fût, et sans souci des conditions sociales ni de la faute qui avait peut-être causé le désarroi. Telle était la vraie générosité de l'âme, parfois cachée sous un abord un peu revêche.

« Vous êtes merveilleuse, Grace, dit Isabel. Que deviendrions-nous si vous n'étiez pas là ? »


Elle travailla toute la matinée. Le facteur avait apporté d'autres articles à lire pour la revue, et elle en nota les références dans le cahier prévu à cet effet. Elle soupçonnait que plusieurs ne passeraient pas le cap de la lecture éliminatoire, mais au premier regard l'un d'eux, intitulé « Le jeu : une analyse éthique », révéla certaines qualités. Quels problèmes éthiques soulevait le jeu ? Isabel se dit qu'on pouvait répondre très simplement, dès lors qu'on se fondait sur les critères de l'utilitarisme. Si l'on avait six enfants, comme cela semblait si souvent le cas des joueurs (une autre forme de jeu ? se demanda-t-elle), on avait le devoir de bien gérer ses ressources dans l'intérêt des enfants. Mais si l'on était riche et sans personne à sa charge, y avait-il quelque chose d'intrinsèquement immoral à placer sinon son dernier sou, du moins l'argent superflu sur une table de jeu ? Isabel réfléchit un moment. Les kantiens répondraient sans hésitation, mais c'était le problème avec la morale kantienne : elle était complètement prévisible et ne laissait aucune place à la subtilité. Comme Kant lui-même, peu ou prou. Au sens purement philosophique, être allemand devait comporter de grandes exigences, songea-t-elle. Mieux valait, et de loin, être français (c'est-à-dire irresponsable et ludique) ou grec (grave, mais avec légèreté). Quant à elle, assurément, son hérédité était enviable : d'un côté, l'Écosse avec ses philosophes du sens commun ; de l'autre, les pragmatistes américains. Une combinaison parfaite. À condition, bien sûr, d'avoir passé quelques années à Cambridge – et donc d'avoir étudié Wittgenstein et une bonne dose de philosophie du langage. Mais cela n'avait jamais fait de mal à personne, pour peu qu'on sût s'en éloigner en mûrissant. Et, autant le reconnaître, je suis une femme mûre, se dit-elle en regardant par la fenêtre le jardin aux buissons couverts de feuilles et les premières fleurs blanches du magnolia.

Pour ce matin, elle choisit un des articles les plus prometteurs. S'il en valait la peine, elle l'enverrait à des collègues lecteurs dès cet après-midi, cela lui donnerait le sentiment du travail accompli – elle en avait grand besoin. Le titre avait attiré son attention, d'abord parce que la génétique – qui fournissait l'arrière-plan au problème posé – était une question très actuelle, mais aussi parce que le problème lui-même était, une fois encore, la parole véridique. Elle se sentait environnée par les questions de véracité. Il y avait eu cet article sur la parole véridique dans les relations sexuelles, qui l'avait tant amusée et qu'un de ses consultants avait déjà commenté favorablement. Puis l'affaire Toby, qui avait placé le dilemme du dire et du non-dire au centre de sa vie de moraliste. Le monde, lui semblait-il, était bâti sur des mensonges et des demi-vérités, et une des tâches de l'éthique appliquée était d'aider à se frayer un chemin parmi tant de faux-semblants. Oui, que de mensonges, partout ! Et pourtant, le pouvoir même de la vérité n'en semblait aucunement diminué. N'était-ce pas Soljenitsyne qui, en recevant son prix Nobel, avait déclaré : « Un mot de vérité conquerra le monde » ? De la part d'un homme qui avait vécu dans un enchevêtrement orwellien de mensonges d'État, s'agissait-il d'un vœu pieux ou d'une foi justifiée dans la puissance de la vérité, qui toujours brillerait dans les ténèbres ? Il fallait que ce fût la seconde réponse ; sinon, la vie serait trop sinistre pour qu'on voulût la poursuivre. Sur ce point Camus avait raison : la question philosophique par excellence était le suicide. S'il n'y avait pas de vérité, alors rien n'avait de sens et notre vie était pareille à celle de Sisyphe. Et si la vie était sisyphienne, à quoi bon la continuer ? Mentalement, elle établit une liste d'adjectifs lugubres : « orwellien », « sisyphien », « kafkaïen ». En existait-il d'autres ? Une fois, elle était tombée sur « hemingwayen », qui pouvait s'appliquer à une vie consacrée à la pêche au gros et aux corridas ; en revanche, elle ne connaissait aucun adjectif pour décrire l'univers d'échec et de déréliction où Graham Greene avait situé ses drames moraux. « Greenesque » ? Non. Trop laid. « Greenien », peut-être. Bien sûr, « Greenwich » existait déjà.

Donc la parole véridique de nouveau, dans un article signé d'un certain Dr Chao, cette fois, un professeur de philosophie à l'université de Singapour. Son exposé s'intitulait « Les paternités douteuses », et portait en sous-titre : « Filiation et véridicité dans la génétique ». Isabel se leva de son bureau et alla s'asseoir dans le fauteuil près de la fenêtre – sa place préférée pour lire. Au même moment, le téléphone sonna au rez-de-chaussée. Au bout de trois sonneries, il se tut et elle attendit. Aucun signe de Grace. Elle se concentra donc sur « Les paternités douteuses ».

Le texte, écrit dans un style clair, commençait par un récit. Les praticiens de la génétique, expliquait le Dr Chao, se trouvaient souvent confrontés à des paternités attribuées par erreur, et ces cas leur posaient de délicats problèmes : comment révéler de telles erreurs, à supposer qu'on dût les révéler ? Suivait une histoire exemplaire.

Mr et Mrs B. avaient eu un premier enfant atteint d'une maladie génétique. Bien que les jours du bébé ne fussent pas en danger, il s'agissait d'une maladie assez grave pour qu'on envisageât, lors de futures grossesses, de faire passer des examens à Mrs B. : certains fœtus pouvaient être affectés aussi, mais tous ne le seraient pas. Le seul moyen de s'en assurer était l'échographie.

Jusque-là, tout était clair, pensa Isabel. Évidemment, l'échographie soulevait des problèmes plus larges, dont le plus inquiétant était le risque d'eugénisme, mais le Dr Chao s'abstenait de les aborder, avec raison : son sujet était « Filiation et véridicité ». Mr et Mrs B., poursuivait-il, avaient dû subir des examens génétiques pour vérifier leur statut de porteurs : pour que le bébé souffrît de cette maladie, il fallait que ses deux parents fussent porteurs du gène concerné. Mais quand le praticien avait reçu les résultats, il avait constaté que si tel était bien le cas de Mrs B., son mari n'était pas porteur du gène déficient. L'enfant était donc forcément d'un autre homme, et Mrs B. (B pour « Bovary », peut-être ? songea Isabel) avait un amant.

Une solution possible consistait à faire venir Mrs B. pour lui expliquer la situation en privé, puis de lui laisser le choix d'en parler ou non à son mari. À première vue, ce parti avait de quoi séduire : ainsi s'éviterait-on la responsabilité d'une possible rupture entre les époux. À cela il y avait toutefois une objection : si Mr B. n'était pas informé, il vivrait désormais en se croyant à tort porteur d'un gène dangereux. Était-il justifié que le généticien, avec qui il était lié professionnellement, lui révélât la vérité ? De toute évidence, il avait certains devoirs envers lui, mais dans quelles limites ?

Isabel arriva à la dernière page. Elle y trouva diverses références, notées comme il se devait, mais aucune conclusion. Le Dr Chao ne savait pas comment résoudre le problème qu'il avait soulevé. C'était assez raisonnable, estima Isabel : poser des questions auxquelles on ne pouvait (ou voulait) apporter de réponses n'avait rien que de légitime. Mais, en général, elle préférait les articles qui prenaient position.

L'idée l'effleura de demander à Grace ce qu'elle en pensait. L'heure était venue d'une pause-café, et cela lui fournissait une excuse pour faire un tour du côté de la cuisine. Elle y trouva Grace occupée à vider le lave-vaisselle.

« Je vais vous raconter une histoire un peu compliquée, annonça-t-elle. Tout ce que je vous demande, c'est de me dire comment vous réagiriez. Inutile d'exposer vos raisons, dites-moi seulement ce que vous feriez. »

Elle lui raconta l'histoire de Mr et Mrs B., tandis que Grace l'écoutait en continuant d'empiler les assiettes. Quand elle eut fini, elle laissa son travail de côté.

« J'écrirais une lettre à Mr B., dit-elle fermement. Je lui dirais de ne pas faire confiance à sa femme.

— Je vois, dit Isabel.

— Mais je ne signerais pas, ajouta Grace. Ce serait une lettre anonyme. »

Isabel ne put cacher sa surprise.

« Anonyme ? Pourquoi ?

— Je ne sais pas, répondit Grace. Vous m'avez dit que vous n'aviez pas besoin de raisons. Que je devais seulement vous dire ce que je ferais. Voilà, vous le savez maintenant. »

Isabel resta silencieuse. Elle avait l'habitude que Grace lui exprimât des opinions inattendues, mais cette curieuse préférence pour une lettre anonyme la laissait stupéfaite. Elle allait insister pour qu'elle s'expliquât, mais la gouvernante changea de sujet.

« Cat a téléphoné, dit-elle. Elle n'a pas voulu vous déranger, mais elle aimerait bien passer prendre le thé cet après-midi. J'ai dit que vous rappelleriez.

— Parfait. Je serai contente de la voir. »

La parole véridique. La paternité. Elle n'était pas plus avancée, mais tout à coup elle se décida. Il lui fallait l'avis de Grace.

« Maintenant, imaginez ceci, commença-t-elle. Vous avez découvert que Toby trompait Cat, sans que Cat soit au courant. Que feriez-vous ? »

Grace fronça les sourcils.

« Difficile à dire, répondit-elle. Je crois que je ne lui dirais rien. »

Isabel poussa un soupir. Au moins, elles étaient d'accord sur ce point.

« Tout de même, poursuivit Grace, il me semble que j'irais trouver Toby et que je lui dirais de cesser de voir Cat, sinon je le dénoncerais à l'autre fille. Comme ça, il débarrasserait le plancher. Parce que je ne voudrais pas que Cat se marie avec un type pareil. Oui, c'est ce que je ferais.

— Je vois, dit Isabel. Et vous n'auriez aucune hésitation ?

— Aucune, répondit Grace. Absolument aucune. »
Au bout d'un instant, elle ajouta : « Mais il n'y a pas
de risque que ça arrive, j'espère ? »

Isabel hésita : une fois de plus, un mensonge pouvait
tenir lieu de réponse. Cet instant d'indécision suffit.

« Ô, mon Dieu ! s'écria Grace. Pauvre Cat ! Pauvre
petite ! Il ne m'a jamais plu, ce garçon, vous savez ?
Jamais. Je ne voulais pas vous le dire, mais voilà, c'est
fait. Ces jeans couleur fraise, vous voyez ? Ceux qu'il
porte si souvent. Eh bien ! Je savais ce que ça voulait
dire, depuis le début. Vous voyez ? Je le savais ! »

## 18

Cat arriva peu avant quatre heures, après avoir laissé Eddie s'occuper de la boutique. Grace lui ouvrit la porte et la regarda bizarrement – du moins lui sembla-t-il. Mais Grace était bizarre de toute façon, elle l'avait toujours été et Cat le savait. Grace avait des théories et des convictions sur quasiment tout, et on ne savait jamais vraiment ce qui lui trottait par la tête. Comment Isabel s'accommodait de ses bavardages dans la cuisine, c'était ce dont Cat n'avait aucune idée. Peut-être, la plupart du temps, n'y faisait-elle pas attention.

Isabel s'était installée dans la gloriette pour corriger des épreuves. C'était un petit bâtiment octogonal, en bois peint de vert foncé, qui s'élevait au bout du jardin contre le haut mur de clôture. Au temps de sa maladie, son père y avait passé des journées entières : il contemplait la pelouse, réfléchissait et lisait, bien que tourner les pages lui fût devenu si difficile qu'Isabel devait s'en charger. Après sa mort, quelques années avaient passé sans qu'elle trouvât le courage d'y entrer, tant les souvenirs l'assaillaient ; mais, au fil du temps, elle s'était accoutumée à y travailler, même en hiver, car on pouvait la chauffer au moyen du poêle à bois norvégien placé dans un angle. L'intérieur était presque nu, hormis trois photographies encadrées qu'on avait accrochées au mur du fond. Son père arborant l'uniforme des Camerounais, sous le brûlant soleil de Sicile, debout devant une villa réquisitionnée. Que de courage, que de sacrifices en ces temps lointains – mais pour une cause juste, absolument juste ! Sa mère, sa « sainte mère américaine » (que Grace, une fois, avait appelée sa mère « sanitaire »), assise avec son père à la terrasse d'un café de Venise. Et elle-même, enfant, avec ses parents, lors d'un pique-nique, semblait-il. Les photographies aux bords jaunis avaient besoin d'être restaurées, mais pour le moment elle n'avait pas l'intention d'y toucher.

C'était une chaude journée de printemps, presque estivale, et elle avait ouvert la double porte vitrée. Elle vit Cat s'approcher en traversant la pelouse, un petit sac en papier brun à la main. Quelque chose de sa boutique, sans doute. Cat n'arrivait jamais les mains vides et offrait à Isabel une petite terrine de pâté truffé ou un assortiment d'olives.

« Tiens. Des souris en chocolat belge, dit-elle en posant le sachet sur la table.

— Merci, petit chat. Les chats aiment bien offrir des souris, dit Isabel en écartant le paquet d'épreuves. Ma tante – ta grand-tante – avait un chat qui en attrapait et qui venait les déposer sur son lit. C'était d'une grande délicatesse. »

Cat s'assit dans le fauteuil en rotin près d'Isabel.

« Grace m'a dit que tu t'étais recluse. Que personne n'avait le droit de te déranger, sauf moi. »

Grace avait du tact, pensa Isabel. Mieux valait ne pas mentionner Jamie trop souvent.

« Ma vie est assez compliquée ces derniers temps. J'avais besoin d'un ou deux jours de travail, histoire de laisser les choses reprendre leur cours habituel. Tu dois savoir ce que c'est.

« — Oh, oui ! répondit Cat. Les jours où on n'a qu'une envie : se recroqueviller à l'écart du reste du monde. Ça m'arrive aussi.

— Grace va nous apporter du thé et nous pourrons bavarder, dit Isabel. J'ai assez travaillé pour aujourd'hui.

— Moi aussi, je rends mon tablier. Eddie peut s'occuper de tout jusqu'à la fermeture. Je vais rentrer me changer, et ensuite… ensuite, nous sortons.

— Très bien. »

Nous. Toby, évidemment.

« Nous avons quelque chose à fêter, ajouta Cat. Au restaurant, d'abord. Ensuite, nous irons danser. »

Isabel retint sa respiration. C'était une surprise, mais une surprise qu'elle redoutait depuis un certain temps. Et voilà, on y arrivait.

« Quelque chose à fêter ? »

Cat fit oui de la tête. Quand elle répondit, elle avait détourné les yeux en direction du jardin. Le ton de sa voix était précautionneux.

« Toby et moi, nous sommes fiancés, dit-elle. Depuis hier soir. Nous ferons paraître une annonce la semaine prochaine. Je voulais que tu sois la première à le savoir. » Elle s'interrompit. Puis : « Je crois qu'il l'a dit à ses parents tout à l'heure, mais à part eux, personne n'est au courant. Sauf toi. »

Isabel se pencha vers sa nièce et lui prit la main.

« Bravo, ma chérie. Félicitations. »

Elle avait fourni un suprême effort, comme une chanteuse qui lance un contre-ut, mais en vain. Sa voix était dépourvue de couleur et d'enthousiasme. Cat la dévisagea.

« Tu es sincère ?

— Tout ce que je désire, c'est que tu sois heureuse, dit Isabel. Si c'est une décision qui doit te rendre heureuse, alors oui, bien sûr, je suis sincère. »

Cat soupesa ces mots quelques instants.

« Des félicitations de philosophe ! répliqua-t-elle. Tu n'as rien de plus personnel ? »

Elle ne lui laissa pas le temps de répondre, mais Isabel n'avait aucune réponse en tête et aurait eu grand-peine à en trouver une.

« Tu ne peux pas le supporter, n'est-ce pas ? Tu n'es pas disposée à lui donner sa chance. Même pour moi. »

Isabel baissa les yeux. Cette fois, elle ne pouvait pas mentir.

« C'est vrai, je ne le trouve toujours pas sympathique. Je le reconnais. Mais je te promets de faire tous les efforts possibles, même si c'est dur. »

Cat la prit au mot. Sa voix s'éleva, plus forte, trahissant son indignation :

« Même si c'est dur ? répéta-t-elle. Et pourquoi est-ce si dur ? Pourquoi faut-il que tu me dises une chose pareille ? »

Isabel était trop bouleversée pour contrôler ses émotions. La nouvelle était catastrophique, et elle en oublia sa résolution de ne rien révéler à sa nièce. Les mots sortirent tout seuls :

« Parce que je crois qu'il ne t'est pas fidèle ! Je l'ai vu avec quelqu'un d'autre. Voilà pourquoi ! »

Elle se tut, horrifiée par ses propres paroles. Elle n'avait pas eu l'intention de les prononcer, elle savait que ce n'était pas bien, et pourtant ces mots lui avaient échappé, comme si c'était une autre qui parlait par sa bouche. Immédiatement, elle se sentit accablée. Voilà comment on fait le mal, pensa-t-elle : sans réfléchir, tout simplement. Mal faire ne posait aucune difficulté, n'était précédé d'aucune pensée subtile ; c'était une chose fortuite, et tellement facile ! Ainsi l'avait perçu Hannah Arendt, non ? La pure banalité du mal. Seul le bien relevait de l'héroïsme.

Cat était complètement immobile. Isabel posa une main légère sur son épaule, mais elle la secoua.

« Laisse-moi comprendre, dit-elle. Tu es en train de me dire que tu as surpris Toby avec une autre femme. C'est bien ça ? »

Isabel fit oui de la tête. Elle ne pouvait plus reculer maintenant, et n'avait d'autre choix que la franchise.

« Oui. Je suis désolée. Je ne voulais pas te le dire, parce que j'estime que ce ne sont pas mes affaires et que je n'ai pas à interférer. Mais je l'ai vu, oui. Il est allé chez elle, et je les ai vus sur le seuil de son appartement. Je… je passais par là, et je les ai vus s'embrasser.

— Où était-ce ? demanda-t-elle d'une voix neutre. Où exactement les as-tu vus ?

— Dans Nelson Street. »

Cat resta un moment silencieuse. Puis elle se mit à rire et la tension la quitta.

« C'était sa sœur, Fiona ! Elle habite Nelson Street, tu ne savais pas ? Ma pauvre Isabel ! Tu n'as rien compris. Il va souvent voir Fiona. Et bien sûr qu'ils s'embrassent ! Ils s'aiment beaucoup. Et ils sont très affectueux dans la famille. »

Non, pensa Isabel. Affectueux, non. En tout cas, pas au sens que je donne à ce mot.

« Ce n'était pas sa sœur. C'était sa colocataire.

— Lizzie ?

— Je ne sais pas comment elle s'appelle. »

Cat renifla dédaigneusement.

« C'est absurde, dit-elle d'une voix ferme. Tu as mal interprété une simple bise sur la joue. Et tu n'es pas prête à admettre que tu t'es trompée. Tout serait différent si tu voulais bien le reconnaître, mais non, pas question. Tu le détestes tellement ! »

Isabel se récria :

« Je ne le déteste pas. Tu n'as pas le droit de me dire ça. »

Mais elle savait que Cat avait raison car, tout en parlant, l'image qui lui vint à l'esprit fut celle d'une avalanche, et elle se sentit honteuse. Cat se leva brusquement.

« Ce qui vient de se produire me rend très triste. Je comprends ce qui t'a poussée à me dire ce que tu m'as dit, mais je crois que tu fais preuve d'une injustice totale. J'aime Toby. Nous allons nous marier. Il n'y a rien à ajouter. »

Et sur ces mots elle sortit de la gloriette.

Isabel se leva, si vivement qu'elle éparpilla la liasse d'épreuves.

« Cat, je t'en prie ! Tu sais combien je t'aime. Tu le sais. S'il te plaît... »

Elle n'alla pas plus loin. Cat traversait la pelouse en courant et rentrait dans la maison. Grace était apparue à la porte de la cuisine, un plateau entre les mains. Elle s'écarta pour la laisser passer et le plateau tomba sur le sol.


Le reste de la journée fut tout sauf serein. Isabel passa une bonne heure à discuter de la situation avec Grace, qui fit de son mieux pour la rassurer.

« C'est comme ça qu'elle réagit sur le coup, dit-elle. Pour le moment, elle rejette en bloc ce que vous lui avez dit. Mais elle y réfléchira, et peu à peu l'idée fera son chemin. Elle se dira que peut-être, peut-être seulement n'est-elle pas si loin de la réalité. Et les écailles commenceront à lui tomber des yeux. »

Isabel était abattue, mais dut reconnaître que Grace n'avait pas tort.

« En attendant, elle n'est pas près de me pardonner.
— Probablement, répondit Grace, pragmatique. Tout de même, ça ne serait pas mal que vous lui écriviez, pour lui dire combien vous regrettez. Elle finira

par vous pardonner, mais ce sera plus facile si vous lui avez ouvert la porte. »

Isabel suivit le conseil de Grace et écrivit à Cat une courte lettre. Elle s'excusait pour la peine qu'elle lui avait causée et espérait qu'elle lui pardonnerait. Mais tout en écrivant « puisses-tu me pardonner », elle se souvint qu'elle-même, quelques semaines plus tôt, avait fait observer à Cat que certains pardons pouvaient s'avérer prématurés. Au sujet du pardon, beaucoup de sottises étaient proférées, par des gens qui n'avaient rien compris à la thèse du Pr Strawson (ou n'en avaient jamais entendu parler) sur l'importance des attitudes réactives. Le ressentiment nous était nécessaire, affirmait Peter Strawson dans *Liberté et Ressentiment*, car c'était lui qui nous rendait les mauvaises actions plus sensibles et identifiables. Sans ressentiment, notre sens du bien et du mal risquerait de s'affaiblir, parce que la différence ne nous toucherait plus assez. Mieux valait donc ne point pardonner trop vite. C'était pour cette raison, probablement, que le pape Jean-Paul II avait attendu des années avant de rendre visite à son agresseur dans sa cellule. Isabel se demanda ce que le pape avait pu dire à l'homme qui avait voulu le tuer. « Je te pardonne » ? Ou bien des paroles très différentes, des paroles qui ne pardonnaient rien du tout ? Cette pensée la fit sourire. Les papes étaient des êtres humains, après tout, et réagissaient en êtres humains. Parfois ils devaient se regarder dans la glace et se demander : Est-ce que c'est vraiment moi, dans cet habit un peu ridicule, qui m'apprête à apparaître au balcon pour saluer tous ces gens, avec leurs drapeaux, leurs espoirs et leurs larmes ?


Une hypothèse échafaudée dans un restaurant, après plusieurs verres de bon vin italien et en compagnie d'un charmant jeune homme, était une chose ; une hypothèse capable de tenir debout sous la froide lumière du jour en était une autre. Isabel avait bien conscience que ses soupçons à l'égard de Minty Auchterlonie ne reposaient que sur des conjectures. En admettant que des irrégularités eussent été commises chez McDowell, et en admettant que Mark Fraser en eût eu connaissance, rien ne permettait d'affirmer que Paul Hogg avait un lien avec elles. Sur ce point, les suppositions d'Isabel étaient certes plausibles, mais sans plus. Pour autant qu'elle sût, McDowell était une firme importante et il n'y avait aucune raison pour que la découverte de Mark concernât Paul Hogg plutôt qu'un autre membre du personnel.

Pour mieux étayer ses présomptions (ou même les rendre simplement crédibles), il lui faudrait en savoir davantage sur la société McDowell. À Édimbourg, le milieu financier (de même que le milieu juridique) ressemblait beaucoup à un village, et des potins devaient circuler. Mais les potins ne suffiraient pas. Ce qu'elle avait besoin de savoir, c'était comment on s'y prenait pour mettre au jour de possibles délits d'initié. En surveillant les transactions boursières ? Mais comment s'y retrouver pour savoir qui achetait quoi dans le flot d'opérations effectuées chaque année ? Sans oublier que les fraudeurs prenaient évidemment le plus grand soin de couvrir leurs traces, en recourant à des intermédiaires et aux facilités offertes par les paradis fiscaux. Si les poursuites étaient rares – et les condamnations plus encore –, c'était pour une bonne raison : il était difficile de prouver de tels délits. Dans ces conditions, même si Minty Auchterlonie s'était livrée à des spéculations en soutirant des confidences à son fiancé, ses transactions seraient indécelables. Minty pouvait agir en toute impunité, à moins – et c'était une réserve de taille – qu'un de ses confrères, quelqu'un comme Mark Fraser, ne fût capable de faire le lien entre ses profits et les affaires dont Paul Hogg s'occupait. Mais Mark était mort à présent. En conséquence, il ne restait plus à Isabel qu'à rendre visite à son ami Peter Stevenson, financier de son état, discret philanthrope et directeur de l'Orchestre Épouvantable.

## 19

West Grange House était une grande demeure blanche et carrée, bâtie au dix-huitième siècle sur un vaste
domaine du district de La Grange, une élégante ban-
lieue proche de Morningside et de Bruntsfield où l'on
pouvait facilement se rendre à pied de la maison d'Isabel, et plus facilement encore de la boutique de Cat. Si
loin que remontaient ses souvenirs, Peter Stevenson
avait convoité cette propriété et bondi sur l'occasion
de l'acheter quand elle avait été subitement mise en
vente.

Après une belle carrière dans la banque, Peter avait
décidé vers quarante-cinq ans d'en débuter une autre,
indépendante, de consultant pour entreprises en difficulté. Les sociétés en proie à une crise financière
recouraient à ses conseils pour tenter un rétablisse-
ment, de même qu'on faisait appel à lui pour résoudre
les conflits entre administrateurs lorsque ceux-ci sur-
venaient. À sa façon tranquille, il avait maintes fois
ramené la paix au sein d'entreprises en pleine tempête,
en persuadant les gens de s'asseoir autour d'une table
pour examiner les difficultés une par une.

« Il y a toujours une solution, répondit-il à Isabel,
qui l'interrogeait sur son travail alors qu'il l'escortait
vers son petit salon. Toujours. L'important est de mettre les difficultés à plat et de partir sur de bonnes

bases. Ensuite, il suffit de faire une liste et de se montrer raisonnable.

— Ce que les gens acceptent rarement », remarqua Isabel.

Peter sourit.

« C'est un écueil qu'on peut contourner. Beaucoup de gens peuvent se montrer raisonnables, même s'ils ne le sont pas au début.

— Certains ne le seront jamais, insista Isabel. Les gens profondément déraisonnables par nature. Et ils sont assez nombreux, morts et vifs. Idi Amin Dada ou Pol Pot, pour n'en nommer que deux. »

Peter réfléchit à ses paroles. Sauf dans les vieux films, qui parlait encore de gens morts ou vifs ? Bien des gens ne comprenaient plus le sens premier de « vif » et auraient été fort perplexes en entendant quelqu'un s'y référer. Mais c'était dans les habitudes d'Isabel de maintenir un mot en vie, tel un jardinier soignant une plante malade. Et elle faisait bien.

« Les gens follement déraisonnables ne sont guère enclins à diriger des entreprises, dit-il, même si certains dirigent des États. Les hommes politiques sont différents des hommes d'affaires. La politique attire des personnalités redoutables. »

Isabel en était d'accord.

« Absolument. Tous ces ego hypertrophiés ! C'est justement cette hypertrophie qui les pousse à entrer en politique. Ils aspirent à dominer les autres. Ils aiment le pouvoir et ses chausse-trappes. Peu font de la politique par désir de rendre le monde meilleur. Quelques-uns, je suppose, mais pas beaucoup.

— Il y a tout de même les Gandhi, les Mandela, observa Peter après un instant de réflexion. Et Jimmy Carter.

— Jimmy Carter ? »

Peter fit oui de la tête.

« Un type bien. Beaucoup trop gentil pour la politique. Je crois qu'il s'est retrouvé à la Maison-Blanche par erreur. Il était trop honnête aussi. Rappelez-vous ses confidences, d'une honnêteté embarrassante, sur ses tentations personnelles. La presse en a fait ses choux gras, mais parmi tous ceux qui l'ont pris à partie il n'y avait pas une seule personne qui n'ait des pensées similaires. Qui n'en a pas ?

— Oui. Des fantasmes. Je connais ça, dit Isabel. Et je comprenais ce que Carter voulait dire... » Elle s'interrompit car Peter la regardait d'un air surpris. Puis s'empressa de préciser : « Pas le genre de fantasmes auquel vous pensez. Il me vient des idées d'avalanches...

— Ma foi, chacun ses rêves », dit Peter en souriant et lui désignant un siège.

Confortablement assise, Isabel tourna les yeux vers la pelouse. Le jardin était plus grand que le sien, et plus ouvert. Peut-être sa maison serait-elle plus lumineuse si elle abattait un arbre ou deux, mais elle savait que jamais elle ne pourrait s'y résoudre et que ses arbres lui survivraient. À cet égard, les chênes vous rendaient plus sage : chaque fois qu'on les regardait, ils vous rappelaient qu'ils seraient encore là longtemps après votre disparition.

Elle regarda Peter. Il était un peu comme un chêne, pensa-t-elle, non pas à proprement parler (sa silhouette faisait plutôt songer à une glycine), mais par la confiance qu'il inspirait. De surcroît, il était discret et l'on pouvait lui parler en toute sécurité. Si elle lui demandait son opinion sur McDowell – ce qu'elle fit –, personne ne saurait qu'elle s'y intéressait.

Il prit quelques instants pour soupeser la question qu'elle venait de lui poser.

« Je connais plusieurs personnes chez McDowell, dit-il. Une boîte fiable, pour autant que je sache. » Il fit une pause. Puis : « Je songe à quelqu'un qui pourrait vous en parler mieux que moi. Il me semble qu'il a quitté McDowell récemment, après je ne sais quelle bisbille. Il vous renseignerait peut-être. »

Isabel s'empressa de répondre. C'était ce qu'il lui fallait : Peter connaissait tout le monde et pouvait la mettre en relation avec n'importe qui.

« C'est exactement ce que je cherche, dit-elle. Merci beaucoup.

— Mais soyez prudente, poursuivit Peter. D'abord je ne le connais que de vue, donc je ne peux pas me porter garant de son honnêteté. Et puis, n'oubliez pas qu'il a peut-être des griefs contre McDowell. On ne sait jamais. Mais si vous voulez le rencontrer, il vient de temps en temps à nos concerts. Sa sœur joue dans l'orchestre. Venez nous écouter demain soir. Il y a un pot après le concert, et je m'arrangerai pour que vous puissiez lui parler. »

Isabel se mit à rire.

« Votre orchestre ? L'Orchestre Épouvantable ?

— Lui-même, répondit Peter. Ça m'étonne que vous ne soyez jamais venue à un de nos concerts. Je suis sûr de vous avoir invitée.

— C'est exact, mais j'étais en voyage. J'ai regretté de ne pas y assister. D'après ce qu'on m'a dit, c'était…

— Épouvantable, dit Peter. Oui, nous sommes très mauvais, mais nous nous amusons. De toute façon, le public vient pour rire, le fait que nous jouions comme des crécelles n'a donc pas la moindre importance.

— Du moment que vous faites de votre mieux ?

— Tout à fait. Et notre mieux n'est pas terrible. Tant pis ! »

De nouveau Isabel regarda le jardin. Que des gens qui avaient très bien réussi dans un domaine voulussent en maîtriser un autre, sans succès, voilà qui était intéressant. Peter avait fait une brillante carrière dans la finance ; maintenant c'était un clarinettiste de troisième ordre. Sans doute la réussite passée rendait-elle l'échec moins pénible. À coup sûr ? Loin de là. Peut-être l'accoutumance aux succès avivait-elle la frustration de ne pouvoir les reproduire ailleurs. Mais Isabel savait que tel n'était pas le cas de Peter : il était content de jouer de la clarinette « en toute modestie », comme il disait.

Isabel ferma les yeux et écouta. Assis dans l'auditorium de l'école de filles St George – qui accueillait patiemment les prestations de l'Orchestre Épouvantable –, les musiciens s'attaquaient à une partition au-dessus de leurs capacités. Purcell n'avait pas voulu cela et n'aurait probablement pas reconnu son œuvre. Elle était vaguement familière à Isabel (ou, du moins, certains passages l'étaient), mais elle avait l'impression que les différentes sections de l'orchestre jouaient des morceaux différents à des moments différents. Les cordes étaient particulièrement chaotiques et sonnaient plusieurs tons trop bas, cependant que les trombones, censés jouer en six/huit comme le reste de l'orchestre, semblaient rester à quatre temps. Elle ouvrit les yeux et observa les trombonistes, qui se concentraient sur leur musique en fronçant des sourcils inquiets. S'ils avaient regardé le chef, sans doute auraient-ils respecté la mesure, mais lire les notes était une tâche bien assez ardue. Isabel échangea un sourire avec son voisin. Le public prenait du bon temps, comme toujours avec l'Orchestre Épouvantable.

Purcell s'acheva, au soulagement visible des musiciens, dont beaucoup posèrent leur instrument en prenant une profonde inspiration comme des athlètes à la fin d'une course. Il y eut quelques rires étouffés dans l'assistance, et le bruissement des pages du programme qu'on tournait. Mozart devait suivre, puis, curieusement, *Yellow Submarine*. Pas de Stockhausen, remarqua Isabel avec satisfaction ; et l'espace d'un instant elle se remémora avec tristesse le concert à l'Usher Hall. Somme toute, si elle se trouvait ici pour écouter l'Orchestre Épouvantable se frayer un laborieux chemin dans son programme, devant son public médusé mais loyal, c'était à cause de cette soirée.

À la fin du concert, des applaudissements s'élevèrent, enthousiastes, et le chef, en gilet à soutaches dorées, revint saluer plusieurs fois. Ensuite spectateurs et musiciens se retrouvèrent dans la cour, où les attendaient du vin et des sandwiches offerts par l'orchestre pour remercier le public d'être venu.

« C'est le moins que nous puissions faire, avait dit le chef dans son adresse finale. Vous avez été d'une telle patience ! »

Isabel connaissait bon nombre des musiciens et des membres de l'auditoire, et se trouva bientôt happée par un groupe d'amis qui rôdaient autour d'un plateau de sandwiches au saumon fumé.

« Je pensais qu'ils s'amélioraient, dit l'un, mais à présent je n'en suis plus si sûr. Le morceau de Mozart...

— Ah, c'était du Mozart ?

— C'est une thérapie, dit un autre. Voyez comme ils avaient l'air heureux ! Ce sont des gens qui ne pourraient jamais jouer dans un autre orchestre. C'est de la thérapie de groupe. Et c'est formidable. »

Un hautboïste qui par sa taille dominait l'assemblée se tourna vers Isabel.

« Vous pourriez vous joindre à nous, suggéra-t-il. Vous jouez de la flûte, je crois ?

— Je pourrais, oui, répondit Isabel. J'y songe. »

Mais elle pensait surtout à Johnny Sanderson, qui devait être l'homme que Peter lui amenait en la regardant à travers la foule.

« Je voulais que vous fassiez connaissance, dit Peter après avoir fait les présentations. Peut-être arriverons-nous à persuader Isabel de se joindre à l'orchestre, Johnny. Elle est bien meilleure que nous, mais une autre flûtiste ne serait pas de trop.

— Beaucoup de choses ne seraient pas de trop, dit Johnny. Des leçons de musique, pour commencer... »

Isabel se mit à rire.

« Ce n'était pas si mal. J'ai bien aimé *Yellow Submarine*.

— Leur cheval de bataille ! » dit Johnny en tendant la main vers le plateau de saumon.

Ils parlèrent quelques minutes de l'orchestre, après quoi Isabel changea de sujet. Il avait travaillé chez McDowell, au dire de Peter. En avait-il gardé un bon souvenir ? Oui. Mais au bout d'un instant de réflexion il lui jeta un regard en coin et prit une mine faussement soupçonneuse.

« C'est pour ça que vous vouliez me rencontrer ? Ou, plutôt, que Peter voulait nous présenter ? »

Isabel le regarda à son tour. Inutile de nier, se dit-elle. À l'évidence, Johnny Sanderson ne manquait pas d'astuce.

« Oui, dit-elle simplement. Je voudrais en savoir un peu plus sur McDowell.

— Il n'y a pas grand-chose à savoir. C'est une boîte classique. Des gens assez ennuyeux, pour la plupart. J'étais en bons termes avec certains, mais dans l'ensemble je les trouvais un peu... barbants. Désolé si je vous semble arrogant, mais c'est la vérité. Des esprits comptables. Des matheux.

— Paul Hogg ? »

Johnny haussa les épaules.

« Plutôt sympa. Un peu sérieux à mon goût, mais compétent. Le profil type du cadre maison. Certains nouveaux sont assez différents. Paul, c'est la finance d'Édimbourg à l'ancienne. Droiture et modération. »

Isabel lui passa le plateau de saumon et il prit un autre sandwich. Elle but une gorgée de vin, bien meilleur que ce qu'on servait d'habitude dans ce genre de circonstances. L'œuvre de Peter, pensa-t-elle.

Dans la réponse de Johnny Sanderson, une remarque avait retenu son attention. Si Paul avait le profil type de McDowell, tout de « droiture et modération », selon ses termes, qu'en était-il des nouveaux venus ?

« Alors McDowell est en train de changer ?

— Bien sûr, dit Johnny. Comme le reste du monde. Tout change. Les banques, les fonds d'investissement, les courtiers… Tout le monde. La nouvelle vague est beaucoup plus dure. On ne prend plus de gants. C'est la même chose partout, non ?

— Je suppose », dit Isabel.

Il avait raison, bien sûr. Partout les vieilles certitudes morales s'effaçaient, supplantées par l'intérêt personnel et la brutalité.

Johnny avala le dernier morceau de son sandwich et se lécha le bout des doigts.

« Paul Hogg, marmonna-t-il pensivement. Paul Hogg. Hmmm… Pour tout vous dire, je le croyais du genre petit garçon à sa maman. Mais ensuite, il est arrivé avec cette Gorgone assoiffée de sang qu'il appelle sa fiancée, Minty quelque chose. Auchtermuchty. Auchendinny.

— Auchterlonie, souffla Isabel.

— Pas une cousine à vous, j'espère. Je n'ai pas gaffé, au moins ?

— Non, dit Isabel en souriant. Votre appréciation correspond à peu près à la mienne, en un peu plus charitable.

— Nous nous comprenons, à ce que je vois. Dure comme le granit ! Elle travaille pour cette boîte de

North Charlotte Street, l'Ecosse Bank. Une vraie roulure, si vous voulez mon avis. Elle court après deux ou trois jeunes mecs qui bossent avec Paul. Je l'ai vue à l'œuvre quand il s'absentait. Et à Londres aussi. Une fois, je suis tombé sur elle dans un bar de la City. Elle devait croire que personne d'Édimbourg ne traînait dans le coin, mais j'étais là et je l'ai vue. Écroulée sur les genoux d'un type. Une étoile montante d'Aberdeen, qui s'est fait embaucher chez McDowell parce qu'il sait jongler avec les chiffres et prendre des risques payants. Un nommé Ian Cameron. Il joue au rugby dans je ne sais plus quelle équipe. Une espèce de bûcheron, mais ça ne l'empêche pas d'être malin.

— Écroulée sur ses genoux ? »

Johnny fit une mimique.

« Comme je vous le dis. Littéralement écroulée ! Un langage corporel peu platonique.

— Mais elle est fiancée avec Paul…

— Oui.

— Et Paul, est-ce qu'il est au courant ? »

Johnny secoua la tête.

« Paul est un innocent. Un innocent subjugué par une femme un peu trop ambitieuse pour lui. Ce sont des choses qui arrivent. »

Isabel but une autre gorgée de vin.

« Mais qu'est-ce qu'elle lui trouve ? Pourquoi s'encombre-t-elle de Paul ?

— Question de respectabilité, dit Johnny avec assurance. Si elle veut mener sa barque dans le monde financier d'Édimbourg, Paul est une bonne caution. Son père est un membre fondateur de Scottish Montreal et du Gullane Fund. Si l'on n'est personne et qu'on veut devenir quelqu'un, pas de meilleur choix que ce pauvre Paul. Il est parfait. Toutes les relations qu'il faut. Les dîners assommants pour bonnes œuvres huppées. Les invitations au Festival l'été, avec souper mondain après l'Opéra. Parfait !

— Et pendant ce temps-là, elle poursuit sa propre carrière ?

— Absolument. Elle aime l'argent, et pas grand-chose d'autre à mon avis. Ou plutôt si. Les hommes. Du genre grosse brute, comme Ian Cameron. »

Isabel resta silencieuse. L'infidélité n'avait apparemment rien d'inhabituel. La conduite de Toby l'avait surprise, mais à présent qu'elle savait comment se comportait Minty Auchterlonie, elle songea que, peut-être, ce qu'il faisait était des plus prévisibles. Et si c'était la constance dont on devait plutôt s'étonner, comme semblaient le penser les sociobiologistes ? À les croire, il existait chez les hommes un puissant désir de multiplier les partenaires afin d'assurer la perpétuation de leur patrimoine génétique. Mais les femmes ? Peut-être éprouvaient-elles une attirance inconsciente pour les hommes eux-mêmes inconsciemment portés à garantir au maximum leur perpétuation génétique – en sorte que Minty et Ian étaient parfaitement assortis.

Isabel se sentait troublée, mais pas assez pour oublier de poser une deuxième question de son air le plus innocent :

« Et je suppose que Minty et Ian peuvent échanger des confidences sur l'oreiller, à propos de marchés, de capitaux et ainsi de suite. Vous voyez ce que je veux dire ?

— Très douteux, dit Johnny. S'ils le faisaient, ce serait du délit d'initié et j'aurais personnellement grand plaisir à les clouer par les oreilles à la porte du New Club. »

Isabel se représenta l'image, presque aussi réjouissante que celle de Toby englouti par une avalanche. Mais elle se reprit.

« Pourtant, je pense que c'est exactement ce qui s'est passé. »

Johnny s'immobilisa, son verre à mi-chemin de ses lèvres. Il regarda fixement Isabel.

« Vous êtes sérieuse ? »

Elle hocha la tête affirmativement.

« Je ne peux pas vous dire exactement pourquoi je le pense, mais je peux vous assurer que j'ai de bonnes raisons. Pourriez-vous m'aider à le prouver ? À trouver trace des transactions, je veux dire ? »

Johnny posa son verre.

« Oui. Je pourrais. Du moins, je peux essayer. Les fraudeurs à la Bourse ont le don de me mettre en rogne. Ils sont la plaie du marché. Ils nous minent, tous autant que nous sommes – et salement. Un véritable fléau.

— Merci, dit Isabel. Je suis contente.

— Mais quoi que vous fassiez, gardez-le pour vous, ajouta Johnny. Parce que si vous vous trompez, nous aurons tous les deux de sérieux ennuis. Pas question de diffamer des gens avec ce genre de choses. Ils porteraient plainte. Et j'aurais l'air d'un imbécile. Vous comprenez ? »

Oui, elle comprenait.

20

Le soir qui suivit l'avertissement par lequel Isabel
avait accueilli la bonne nouvelle du prochain mariage,
Cat et Toby sortirent dîner plus tôt que prévu, car
aucune table du restaurant n'était libre ensuite. Un col-
loque de l'Association franco-britannique des juristes
s'était tenu à la faculté de droit, et beaucoup des participants avaient réservé pour le dîner qui suivrait.
L'endroit conviendrait bien à des conversations sur la
jurisprudence du Conseil d'État et, bien sûr, d'autres
sujets plus allègres.

Cat avait quitté la maison d'Isabel en pleurs. Grace
avait essayé de lui parler quand elle était entrée dans la
cuisine, mais elle n'avait pas voulu l'écouter. À ce
moment, l'émotion qui la dominait tout entière était
la colère. Isabel n'aurait pu dévoiler plus clairement
quels sentiments Toby lui inspirait. D'emblée, elle
l'avait traité avec distance, le considérant avec tant de
dégoût, pensait Cat, qu'il n'y aurait rien de surprenant
à ce que lui-même s'en fût rendu compte, bien qu'il
n'eût jamais rien dit de tel. Elle comprenait, bien
entendu, que leur appréciation de Toby fût différente ;
mais rien ne justifiait qu'Isabel se montrât si dédai-
gneuse. Toby n'était pas un intellectuel au sens où Isabel l'était, mais quelle importance ? Ils avaient assez
de terrains d'entente pour ne pas rester étrangers. Toby

n'avait rien d'un ignare, comme elle l'avait fait observer à sa tante en plusieurs occasions.

Et pourtant Isabel avait gardé son attitude distante, sans cesser d'établir à son détriment des comparaisons avec Jamie. Cela l'irritait au plus haut point. Les relations amoureuses ne pouvaient donner lieu à des comparaisons. Cat savait ce qu'elle attendait d'une liaison : de la gaieté, et aussi de la passion. Toby était passionné. Il la désirait avec une urgence excitante. Pas Jamie. Il parlait trop et s'efforçait toujours de la contenter. Où étaient ses envies à lui ? N'avaient-elles vraiment aucune importance ? Cela, peut-être qu'Isabel ne le comprenait pas. Comment l'aurait-elle pu ? Elle avait fait un mariage désastreux qui remontait à de longues années, et depuis lors, pour autant que Cat le sût, n'avait eu aucun amant. Elle était donc mal placée pour comprendre, et *a fortiori* pour commenter, des choses dont elle n'avait quasiment aucune idée.

Quand elle eut regagné l'épicerie, sa colère du moment s'était calmée. Elle avait même songé à rebrousser chemin pour tenter une réconciliation avec Isabel, mais si elle comptait retrouver Toby à six heures comme prévu, il lui faudrait rentrer chez elle assez vite. Les clients n'étaient pas très nombreux, et Eddie semblait bien se débrouiller. Il paraissait moins chagrin depuis quelques jours, ce qu'elle trouvait encourageant. Pour autant, Cat préférait ne pas trop se reposer sur lui : il lui faudrait encore du temps, elle le sentait. Des années, peut-être.

Elle parla quelques instants avec lui, puis reprit le chemin de son appartement. Sa conversation avec Isabel la préoccupait toujours, mais elle fit un effort résolu pour la chasser de son esprit. Ce soir, Toby et elle célébreraient leurs fiançailles en tête-à-tête, et elle ne voulait pas que cette occasion fût gâchée plus qu'elle ne l'était déjà. Isabel avait tort, voilà tout.

Toby arriva prestement. Il monta l'escalier en quelques bonds et se présenta à sa porte avec un gros bouquet d'œillets. Dans son autre main il tenait une bouteille de champagne, enveloppée dans de l'essuie-tout mais glacée. Ils se dirigèrent vers la cuisine, où Cat prépara un vase pour les fleurs tandis que Toby s'occupait d'ouvrir la bouteille. Il l'avait secouée en grimpant l'escalier, si bien que le bouchon sauta avec un grand bruit d'explosion et que la mousse coula sur les côtés. Voyant cela, il sortit une plaisanterie qui la fit rougir.

Chacun porta un toast à l'autre, après quoi ils passèrent au salon pour finir leurs coupes. Puis, peu avant l'arrivée du taxi, ils allèrent s'étreindre dans la chambre. Toby déclara qu'il aimait l'odeur de cette chambre ; ses mains relevèrent sa robe, et elle dut lutter pour rester maîtresse d'elle-même. *Jamais je n'ai ressenti quelque chose d'aussi fort*, pensa-t-elle, *jamais*.

Au dîner, ils parlèrent de choses et d'autres : les termes du faire-part dans le *Scotsman* et la réaction des parents de Toby à l'annonce de la nouvelle.

« Mon paternel a paru fichtrement soulagé, tu sais ? Il a fait un grand sourire en marmonnant : "Bon sang, pas trop tôt !", ou quelque chose dans ce genre. Ensuite, je lui ai dit que j'aurais besoin d'une augmentation et le sourire a disparu.

— Et ta mère ? demanda Cat.

— Elle n'en finissait plus de dire à quel point tu étais une chic fille, une fille bien, etc., etc., répondit Toby. Elle aussi était joliment soulagée. Je crois qu'elle a toujours eu peur que j'épouse une horrible dévergondée ! Alors qu'elle n'a jamais eu la moindre raison de se faire une idée pareille.

— Bien sûr que non », dit Cat, un peu moqueuse.

Toby lui sourit.

« Je suis heureux que tu aies dit oui. » Il lui prit la main. « Pour moi, ç'aurait été un sale coup si tu avais refusé.

— Qu'est-ce que tu aurais fait ? demanda Cat. Trouvé quelqu'un d'autre ? »

Sa question flotta dans l'air un instant. Elle l'avait posée sans y penser, mais tout soudain elle sentit quelque chose dans la main de son compagnon, comme s'il avait reçu une petite décharge électrique. Une sorte de léger frémissement. Elle le regarda, et l'espace d'une seconde ou deux vit passer une ombre ou un changement dans la clarté de ses yeux. Ce fut presque imperceptible, mais elle le vit.

Elle retira sa main et, dans un moment de trouble, chassa les miettes autour de son assiette.

« Moi ? Pourquoi diable ? » dit Toby. Il sourit de nouveau. « Non. Pas mon genre. »

Cat sentit son cœur battre la chamade dans sa poitrine. L'avertissement d'Isabel, refoulé jusque-là, venait de lui revenir.

« Je sais bien, dit-elle d'un ton léger. Je sais bien. »

Mais l'image se formait dans sa tête de Toby et de l'autre fille, la colocataire de Fiona : il était nu et debout devant la fenêtre, regardant au-dehors, comme il faisait toujours quand il sortait du lit, et la fille le regardait. Elle ferma les yeux pour chasser cette pensée, cette affreuse image, mais elle ne voulait pas s'en aller.

« Alors, qu'est-ce qu'on fait ? demanda-t-elle tout à coup.

— Qu'est-ce qu'on fait ? Quand ? »

Cat s'efforça de sourire.

« Maintenant ! On rentre à l'appartement ? Si on allait annoncer la nouvelle à quelqu'un ? J'ai envie de voir des gens.

— À condition qu'ils soient chez eux, dit Toby. Richard et Emma ? Ils ne sortent jamais. Nous pourrions apporter une bouteille de champagne... »

Cat réfléchit rapidement. La défiance, telle une crispation gagnant tous ses muscles, la poussait à agir.

« Non. Ils habitent Leith, c'est trop loin. Pourquoi pas Fiona ? C'est ta sœur, après tout. Il faut boire une coupe avec elle ! Allons, un taxi pour Nelson Street. »

Elle l'observait. Tandis qu'elle parlait, ses lèvres s'étaient entrouvertes comme s'il allait l'interrompre, mais il la laissa finir.

« Pas la peine, dit-il. Nous la verrons demain chez mes parents. Inutile d'y aller maintenant.

— Si, allons-y, insista-t-elle. Il faut aller voir Fiona ! Ça me fera vraiment plaisir. »

Il ne protesta pas davantage, mais elle voyait qu'il était mal à l'aise. Dans le taxi il garda le silence, regardant par la fenêtre tandis que la voiture contournait le Mound avant de s'engager dans George Street. Elle ne dit rien non plus, sauf pour prier le chauffeur de faire halte devant la boutique d'un caviste encore ouvert. Toby descendit en silence, acheta une bouteille de champagne, puis remonta dans le taxi. Il dit quelque chose à propos de l'homme qui lui avait vendu la bouteille, puis une ou deux phrases anodines sur leur visite chez ses parents, prévue pour le lendemain. Cat hocha la tête, mais sans écouter ce qu'il disait.

Devant la maison de Nelson Street le chauffeur s'arrêta et Toby paya, tandis que Cat attendait sur le perron. Il y avait de la lumière dans l'appartement : Fiona était chez elle. Elle sonna, tout en l'observant à la dérobée. Il tripotait le papier de soie entourant la bouteille de champagne.

« Tu vas le déchirer, dit-elle.

— Quoi ?

— Le papier. Tu vas le déchirer. »

La porte s'ouvrit. Ce n'était pas Fiona, mais une autre jeune femme. Elle regarda Cat d'un air étonné, puis aperçut Toby.

« Est-ce que Fiona…, commença Cat.

— Elle est sortie », dit la jeune femme.

Elle s'avança vers Toby, qui eut un bref mouvement de recul ; mais elle tendit la main et le saisit par le poignet.

« Tu veux me présenter ton amie ? dit-elle. Toby ! Qui…

— Je suis Cat. Sa fiancée. »

## 21

Isabel avait posté sa lettre d'excuses à Cat le jour du concert de l'Orchestre Épouvantable, et Cat lui avait répondu deux jours plus tard. Elle avait écrit son mot sur une carte illustrée d'un fameux tableau de Raeburn : le portrait du révérend Robert Walker patinant sur la glace du Loch Duddingston, une œuvre aussi intense et reconnaissable, à sa façon purement écossaise, que *La Naissance de Vénus*. La grande peinture, trouvait-elle, avait sur ses admirateurs un effet apaisant : on faisait halte et on la contemplait avec une émotion respectueuse. C'était exactement ce que Damien Hirst ou Andy Warhol ne pouvaient produire : cette émotion si particulière. Ils vous arrêtaient, vous surprenaient peut-être, mais ne provoquaient rien de tel. Inspirer le respect était une autre affaire.

Elle retourna l'ecclésiastique sur le dos et lut le message de Cat : « Bien sûr que tu es pardonnée. Tu l'es toujours. D'autant plus que les événements m'ont prouvé que tu avais raison. Voilà, je pensais que ce serait difficile à écrire, et d'ailleurs je ne me trompais pas. Mon stylo s'est presque arrêté. Quoi qu'il en soit, passe donc prendre un café pour que je te fasse goûter un nouveau fromage que je viens de recevoir. Il vient du Portugal et il sent les olives. Cat. »

Isabel se réjouit que sa nièce fût une si bonne nature, même si un des aspects de cette nature était son manque de discernement quand il s'agissait des hommes. Beaucoup de jeunes femmes n'auraient pas pardonné si facilement une indiscrétion comme la sienne ; et moins encore, bien sûr, auraient reconnu que sur un sujet aussi délicat leur tante avait vu juste. C'était une heureuse nouvelle, et Isabel était impatiente d'apprendre comment Toby avait été démasqué. Peut-être Cat l'avait-elle suivi, tout comme elle, et tiré ses conclusions de la preuve la plus convaincante qui fût : celle qu'on voyait de ses propres yeux.

Elle marcha jusqu'à Bruntsfield, savourant la tiédeur toute neuve de l'air d'avril. Un chantier encombrait Merchiston Crescent, où des maçons coinçaient une maison sur un petit terrain entre deux autres, et des sacs de ciment gisaient sur le trottoir boueux. Quelques pas plus loin, elle aperçut des mouettes tournoyant au-dessus des toits, qui cherchaient un endroit où nicher. Le voisinage tenait pour nuisibles ces grands oiseaux criards, prompts à plonger sur quiconque s'approchait de leurs nids ; mais nous, les humains, bâtissions aussi, répandant du ciment, des pierres et des détritus, et nous montrions tout aussi jaloux de notre territoire. L'année suivante, la *Revue d'éthique appliquée* devait consacrer un numéro à l'éthique de l'environnement, et Isabel avait sollicité des articles sur le sujet. Peut-être un des rédacteurs devrait-il écrire un papier sur l'éthique des détritus. Non qu'il y eût grand-chose à en dire : les détritus étaient sans conteste une mauvaise chose, et personne n'aurait l'idée d'en faire l'éloge. Pourtant, qu'y avait-il de moralement blâmable à jeter des détritus ? Le problème était-il purement esthétique et tenait-il au simple fait que la pollution superficielle causait une impression de laideur ? Ou bien cette perception esthétique était-elle liée à celle du mal-être ressenti par autrui en présence de détritus ? Si tel était le cas, peut-être devrait-on considérer comme un devoir d'offrir une apparence agréable aux autres, afin de leur éviter un mal-être équivalent. Ce qui impliquait quelques conséquences intéressantes.

Une de ces conséquences se présenta à Isabel une cinquantaine de mètres plus loin, devant le bureau de poste, d'où surgit un jeune homme d'environ vingt-cinq ans – l'âge de Jamie, plus ou moins – qui arborait plusieurs pointes en métal fichées dans sa lèvre infé-rieure et son menton. Les pointes se dressaient avec arrogance, comme autant de minuscules phallus aigui-sés – ce qui, par association, fit penser à Isabel à l'inconfort qu'on devait ressentir en embrassant un homme ainsi hérissé. Passe encore lorsqu'il s'agissait d'une barbe (bien que certaines femmes se plaignissent avec véhémence de la réaction de leur peau au contact d'un visage barbu), mais combien plus désagréable devait être la sensation de ces pointes métalliques contre les lèvres et les joues. Froides, peut-être ; acé-rées, sûrement. Mais qui voudrait embrasser un garçon à l'aspect si peu avenant ? Isabel se posa la question, et la réponse lui vint tout aussitôt : bon nombre de jeu-nes filles, sans doute, le voudraient et probablement le faisaient. Des filles qui portaient des anneaux dans le nez et le nombril, et des colliers à clous. Somme toute, pointes et anneaux n'étaient-ils pas complémentaires ? Les unes s'inséraient dans les autres, et cet oiseau n'avait qu'à chercher des oiselles au plumage idoine.

En traversant la rue pour rejoindre l'épicerie de Cat, elle vit que le jeune homme barbelé la traversait lui aussi, d'un pas si pressé qu'il buta contre le bord du trottoir. Il trébucha et tomba, un genou à terre. Isabel se hâta dans sa direction et lui tendit la main pour l'aider. Il se releva et jeta un coup d'œil à son pantalon en jean délavé, qui s'était déchiré. Puis il regarda Isabel et lui sourit.

« Merci », dit-il.

Sa voix était douce, avec un soupçon d'accent irlandais.

« C'est si facile de trébucher, remarqua-t-elle. Tout va bien ?

— Je crois, oui. J'ai déchiré mon jean, c'est tout. Mais on achète des jeans déchirés exprès. Moi, j'en ai un gratuitement ! »

Isabel sourit et, tout à coup, les mots sortirent de sa bouche sans qu'elle le voulût ni s'y attendît :

« Pourquoi avez-vous ces pointes sur le visage ? »

Il ne sembla pas fâché.

« Mes piercings ? » Il en toucha un, qui jaillissait de sa lèvre. « Ce sont mes bijoux, en quelque sorte.

— Vos bijoux ? répéta Isabel en le regardant fixement et en remarquant un petit anneau doré dans son arcade sourcilière.

— Oui, dit le jeune homme. Vous en portez, non ? Moi aussi. J'aime ça. Et ça montre que je m'en fiche.

— Vous vous fichez de quoi ?

— De l'opinion des gens. Ça montre que j'ai mon propre style. Ce qu'on voit, c'est moi. Je ne suis l'otage d'aucun uniforme. »

Isabel lui sourit. Elle aimait bien son ton direct, et son accent de Belfast aussi, avec ses cadences bien marquées.

« Les uniformes sont une mauvaise invention. » Elle se tut, observant le soleil qui faisait briller une des pointes et jetait sur sa lèvre supérieure un minuscule reflet dansant. « À moins que dans votre rejet farouche des uniformes vous n'ayez fini par en adopter un autre. C'est une possibilité, non ? »

Le jeune homme inclina la tête en arrière.

« D'accord, dit-il en riant. Je suis comme tous les gens qui ont des piercings. Et alors ? »

Isabel le regarda. C'était une étrange conversation, et elle aurait aimé la prolonger. Mais elle se rappela qu'elle était venue pour voir Cat et ne pouvait passer la matinée sur ce trottoir, à parler de piercings avec ce garçon. Ils se dirent donc au revoir, et elle marcha jusqu'à la boutique, où Eddie, debout devant une étagère, empilait des boîtes de sardines portugaises. Il jeta un coup d'œil dans sa direction, puis regarda intensément ses sardines.

Elle trouva Cat dans son bureau, qui finissait de parler au téléphone. Elle raccrocha et la regarda – avec une expression dénuée de ressentiment, observa Isabel, soulagée. La carte reflétait bien les sentiments de sa nièce. Tant mieux.

« Tu as reçu mon mot ?

— Oui. Et encore une fois, je suis vraiment désolée de t'avoir fait de la peine. Ce que tu m'écris n'est pas une nouvelle réjouissante. »

Tout en parlant, elle eut conscience de son hypocrisie et termina sa phrase en bredouillant. Mais Cat se mit à sourire.

« Peut-être que non. Ou peut-être que oui. Mais n'en parlons pas pour le moment, si tu veux bien. »

Elles s'assirent pour boire un café, puis Isabel rentra chez elle. Du travail l'attendait – outre la carte, une nouvelle moisson d'articles était arrivée au courrier –, mais elle s'aperçut qu'elle ne pouvait se concentrer. Elle se demandait quand elle aurait des nouvelles de Johnny Sanderson, à supposer qu'il songeât à l'appeler.


Oui, il téléphona comme promis, quelques jours après le concert de l'Orchestre Épouvantable. Et proposa

qu'elle vînt le retrouver au siège de la Société des amateurs de whisky, à Leith, le vendredi suivant à six heures. Une dégustation était prévue et elle pourrait en
profiter si le cœur lui en disait, ou plutôt le gosier. Il
avait des renseignements pour elle, qu'il lui donnerait
sur place. Ils auraient tout loisir de parler.

Isabel ne connaissait pas grand-chose au whisky et
en buvait rarement. Mais elle savait que ce genre
d'événement ressemblait beaucoup à une dégustation
de vins, quoique le langage fût différent. Les « nez »
du whisky, comme ils s'appelaient, fuyaient le vocabulaire œnologique, qu'ils tenaient pour prétentieux. Là
où les passionnés du vin usaient d'adjectifs ésotéri-
ques, les passionnés du whisky parlaient le langage de
tous les jours et décelaient des saveurs d'« algue moi-
sie », voire d'« essence diesel ». À juste titre, estimait
Isabel. Ainsi les malts des îles – dont elle pouvait à
peine avaler une gorgée, malgré l'enthousiasme de son
père autrefois – lui faisaient penser à du désinfectant,
ainsi qu'à l'odeur de la piscine de l'école ; et, quant à
leur goût, « essence diesel » lui semblait une parfaite
analogie. Pour autant, elle se garderait d'exprimer de
telles opinions au siège de la Société des amateurs de
whisky – ou même de les avouer à Johnny Sanderson :
certains prétendaient qu'il avait du scotch dans les
veines, en raison d'une hérédité qui comptait quatre
générations de distillateurs des Highlands et dont le
premier représentant, soulignait-il avec fierté, était un
humble fermier qui cachait un alambic clandestin
derrière sa bergerie. Mais, bien sûr, les producteurs
d'alcool étaient connus pour fonder des dynasties. Tel
avait été le cas d'un homme politique que le grand-
père d'Isabel avait un temps fréquenté avant-guerre.
Son grand-père, un homme de principes, ne s'était pas
laissé duper longtemps et avait repoussé une offre
avantageuse du politicien pour sa société. Par la suite,

il s'était borné à hausser les épaules chaque fois qu'on mentionnait son nom : commentaire assez éloquent et qui en disait plus que les mots eux-mêmes.

Isabel trouvait amusant que les références verbales fussent accompagnées de mimiques. Ainsi observait-elle, intriguée, des catholiques dévots qui se signaient dès qu'on mentionnait la Bienheureuse Vierge Marie – ou la « BVM », comme disaient certains (et le sigle lui plaisait, qui rendait Marie si rassurante par sa modernité et sa compétence, comme une DRH ou une SICAV, voire une BMW). En Sicile, elle avait vu des gens cracher de côté en entendant citer le nom de leurs ennemis, de même qu'en Grèce quand on mentionnait la Turquie ou simplement un Turc. Elle se rappelait l'oncle grec d'une amie, que sa famille protégeait de toute allusion à la Turquie de crainte qu'il n'eût une attaque. Ou encore le propriétaire d'un hôtel dans le Dodécanèse, qui refusait d'admettre que, de sa terrasse, on distinguait au loin la côte turque : il niait qu'on pût voir une terre et ne la voyait pas. Il était donc possible d'annihiler la Turquie du moment qu'on le désirait. De telles attitudes, bien sûr, étaient à proscrire ; Isabel le savait, qui jamais de sa vie n'avait craché en entendant un nom, ni même levé les yeux au ciel – sauf une ou deux fois, peut-être, en entendant celui d'une figure du monde des arts imbue d'elle-même. Mais c'était pleinement justifié, jugeait-elle, à la différence de l'aversion des Grecs pour les Turcs (et, probablement, des Turcs pour les Grecs).

Johnny Sanderson était déjà là quand elle arriva, et il l'emmena vers un fauteuil tranquille dans un coin de la salle.

« Une question pour commencer, dit-il. Est-ce que vous aimez le whisky ? Si vous détestez ça, j'irai vous chercher un verre de vin.

— J'aime bien certains whiskies, répondit-elle. Certains seulement.

— Par exemple ?

— Les speysides. Les whiskies doux. Ceux qui ne brûlent pas. »

Johnny hocha la tête.

« Je vous comprends, dit-il. Que diriez-vous d'un Macallan ? C'est un excellent speyside de quinze ans d'âge, qui ne peut agresser personne. »

Tandis que Johnny s'éloignait vers le bar, Isabel s'adossa à son fauteuil. Ce temple du whisky lui plaisait, où l'air circulait sous de hauts plafonds. Et les gens aussi, avec leurs visages francs et ouverts : des gens qui croyaient à la camaraderie, à la bonne humeur ; et peu enclins, sans doute, à blâmer leur prochain, comme tant de personnes éprises de vertu qui passaient leur temps à censurer les mœurs. Tolérants, comme le sont souvent les gourmets, ils posaient sur le monde un regard compréhensif et débonnaire. Les mélancoliques, les anxieux étaient les obsédés de la diète.

Un article lui était arrivé, dont l'auteur estimait que la minceur était un devoir. Son titre – « L'embonpoint : un problème éthique » – l'avait intriguée ; mais l'argumentation était pauvre, aussi prévisible que démoralisante. Trop de gens souffraient de la faim pour qu'on s'autorisât à être gros. Et tant que tout le monde n'aurait pas son content de calories, l'excès de poids demeurerait immoral. De sorte que les gros outrepassaient leurs droits, en fonction du principe de « juste répartition ».

Isabel avait lu ces pages avec une irritation croissante ; mais ensuite, quand elle les avait mises de côté pour aller manger une tranche de gâteau dans la cuisine, elle s'était arrêtée en regardant son assiette, hésitante, puis pensive. L'auteur de « L'embonpoint : un

problème éthique » était peut-être une femme senten-
cieuse, mais elle avait raison : le droit de manger à sa
faim était un droit moral, d'un genre particulier. On ne
pouvait ni l'ignorer ni s'en détourner, même si ceux
qui le revendiquaient au nom des nécessiteux semblaient des rabat-joie. Ce ton réprobateur était peut-
être le grand défaut de l'article et ce qui l'avait agacée :
une condescendance moralisatrice, qui lui donnait
l'impression qu'on l'accusait d'avidité et d'égoïsme. Il
n'en contenait pas moins une vérité fondamentale : on
ne pouvait hausser les épaules en entendant les plaintes de gens affamés. Aussi fallait-il mettre en cause la
surconsommation qui privait les autres de nourriture.
Sur cette réflexion, Isabel avait regardé son gâteau ;
puis elle l'avait remis dans sa boîte en fer, et la boîte
dans le placard.

Johnny leva son verre.

« Celui-ci est délicieux, dit-il. Quinze années de
tranquillité dans son fût. Il y a quinze ans, j'avais,
laissez-moi réfléchir, trente ans. Nous venions d'avoir
notre premier enfant. Je me croyais très malin et
j'étais sûr de gagner un million de livres avant mes
quarante ans.

— Vous avez réussi ?

— Non. Je n'ai jamais gagné un million, mais j'ai
atteint mon quarantième anniversaire, et d'une certaine
façon c'est un plus grand privilège.

— Tout à fait, dit Isabel. Certains donneraient un
million pour une seule année. Alors, quarante, n'en
parlons pas. »

Johnny scruta son verre.

« La cupidité, dit-il. La cupidité prend beaucoup
de formes. Couvertes ou toutes nues. Mais c'est toujours la même chose au fond. Notre chère Minty, par
exemple…

— Vous avez découvert quelque chose ? »

Johnny regarda par-dessus son épaule. Un groupe s'était formé autour d'une table au fond de la salle, où étaient disposées des rangées de verres et des cruches d'eau en cristal de roche.

« Charlie va commencer, dit-il. Il hume l'air. »

Isabel jeta un coup d'œil vers le « nez », un homme solidement bâti qui arborait un confortable costume en tweed et une grosse moustache. Il se versait un verre de whisky et l'élevait à la lumière.

« Je le connais, dit-elle.

— Tout le monde le connaît. Charlie Maclean. Il flaire une odeur de whisky à cinquante mètres. »

Isabel baissa les yeux vers son modeste malt, puis en but une petite gorgée.

« Dites-moi ce que vous avez appris sur Minty. »

Johnny secoua la tête.

« Rien. Tout ce que j'ai dit, c'est qu'elle était cupide, et elle l'est sans aucun doute. Mais j'ai trouvé plus intéressant. J'ai trouvé ce que trafiquait son jeune ami, Ian Cameron. Je le savais déjà en partie, bien sûr, mais j'ai appris pas mal d'autres choses par des amis mécontents de McDowell. »

Isabel ne dit rien, attendant qu'il poursuivît. À l'autre bout de la pièce, Charlie Maclean soulignait une qualité de son whisky pour son auditoire attentif, et deux ou trois personnes approuvaient de la tête.

« Mais d'abord un peu d'histoire, reprit Johnny. Les boîtes comme McDowell ne sont pas très anciennes. Si je ne me trompe, elle a fêté son vingtième anniversaire récemment. Et elle n'a pas commencé avec un capital énorme. Au départ, il y a deux associés avec cinquante mille livres, guère plus. Mais pour eux, cinquante mille livres doivent être de la petite monnaie maintenant. »

Tout en l'écoutant, Isabel l'observait. Il regardait son whisky et faisait tourner doucement le verre dans sa main pour faire monter le liquide en minces vagues concentriques, exactement comme Charlie Maclean devant son public à l'autre bout de la salle.

« La société s'est agrandie rapidement, continua Johnny. En prenant la gestion de fonds de pension et en les plaçant dans des valeurs sûres. Évidemment, le marché se portait bien et les perspectives étaient excellentes. À la fin des années quatre-vingt, le chiffre d'affaires dépassait les deux milliards. Et même si les honoraires étaient tombés un peu au-dessous d'un demi pour cent, vous imaginez ce que ça donnait en termes de bénéfices.

« Quand je suis entré chez McDowell, nous avons engagé plusieurs collaborateurs brillants. Nous guettions ce qui se passait en Asie et dans les pays émergents, et nous investissions et désinvestissions en gagnant beaucoup d'argent, mais, bien sûr, nous nous sommes brûlé les doigts avec l'internet, comme tout le monde ou presque. Pour la première fois, nous avons eu une frayeur. Et c'est à ce moment-là que l'ambiance a changé, je m'en souviens. Je revois encore Gordon McDowell à un conseil d'administration. On aurait dit qu'il avait vu un fantôme. Blanc comme un linge !

« Ça ne nous a pas coulés, il a seulement fallu que nous soyons plus alertes. Et puis nous avons dû travailler un peu plus dur pour garder nos clients, qui s'inquiétaient beaucoup pour leurs capitaux et se demandaient s'ils ne feraient pas mieux de les placer à Londres. Après tout, s'ils avaient choisi Édimbourg, c'était pour la solidité, la fiabilité. Mais si Édimbourg se mettait à vaciller, autant s'en remettre aux risque-tout de la City.

« C'est vers cette époque que nous avons cherché de nouvelles recrues. Nous avons embauché le nommé Cameron et quelques autres dans son genre. Il s'est mis à l'affût des nouvelles émissions, parce qu'il n'y avait guère que là qu'on pouvait faire des bénéfices décents. Mais, comme d'habitude, les souscripteurs étaient les grosses boîtes de Londres et de New York, alors qu'Édimbourg n'avait pas vraiment voix au chapitre. Il y avait de quoi râler quand on voyait les actions gagner deux ou trois cents pour cent en quelques mois. Et ceux qui en profitaient, c'étaient les gens qui faisaient copain-copain avec les sociétés émettrices à Londres.

« Cameron en a pourtant déniché, de ces actions. Il s'est aussi chargé de quelques autres opérations, en retirant tout doucement des fonds de sociétés qu'il jugeait plus mal embarquées. Il est très adroit pour ce genre de choses, notre ami Cameron ! Pas mal d'actions ont été vendues, en toute discrétion, un mois environ avant une prise de bénéfice. Rien de très visible, mais cela avait bien lieu. Je n'en ai rien su avant de parler aux amis qui ont travaillé avec lui, dans un autre service. Mais ils m'ont signalé deux grosses ventes qui avaient été effectuées dans les six derniers mois, toutes les deux avant qu'on annonce une prise de bénéfice. »

Isabel avait écouté avec la plus grande attention. C'était la chair dont le squelette de sa théorie avait besoin.

« Et y aurait-il une preuve concrète de connivence frauduleuse dans ces deux cas ? Un fait sur lequel on puisse mettre le doigt ?

— Voilà toute la question, répondit Johnny en souriant. Mais vous n'aimerez pas la réponse, j'en ai peur. Le fait le plus intéressant, c'est que les deux ventes concernaient des actions dans des sociétés que conseillait la banque de Minty Auchterlonie. Donc il se peut très bien qu'elle lui ait communiqué des informations confidentielles. Seulement, il se peut tout aussi bien que non ! Et, à mon avis, il n'existe aucun moyen de prouver quoi que ce soit. Je crois que pour chacune des ventes il y a un compte rendu de la réunion au cours de laquelle Cameron a suggéré qu'on vende les actions. Mais dans les deux cas, il a donné des raisons très pertinentes.

— N'empêche que la vraie raison pourrait être ce que Minty lui a dit ?

— Oui.

— Et il n'y a pas moyen de prouver que de l'argent a changé de mains entre Cameron et Minty ? »

Johnny parut surpris.

« Je ne pense pas que de l'argent ait nécessairement changé de mains, à moins qu'il n'ait partagé sa prime avec elle. Non, le plus vraisemblable, c'est qu'ils aient fait ça pour plusieurs motifs à la fois. Elle avait une liaison avec lui et elle voulait le garder. C'est tout à fait possible. Les gens font des faveurs à leurs amants parce qu'ils sont leurs amants. Une vieille rengaine.

— Ou alors ? souffla Isabel.

— Ou alors, Minty avait de réelles inquiétudes que le service de Paul Hogg n'entre en ligne de mire et elle voulait aider à le promouvoir, parce que Paul fait partie de son plan d'ensemble pour pénétrer le cœur de l'*establishment* financier d'Édimbourg. En tant que future Mrs Paul Hogg, ce n'est pas dans son intérêt de lier son destin à celui d'un homme mis au placard. »

Isabel réfléchit.

« Donc ce que vous êtes en train de me dire, c'est que des délits d'initié ont peut-être été commis, mais qu'on ne pourra jamais le prouver. C'est bien ça ? »

Johnny fit oui de la tête.

« Je suis désolé, mais nous en sommes là. Vous pourriez essayer de regarder de plus près la situation financière de Minty pour voir si elle a bénéficié d'aubaines inexpliquées, mais je ne vois pas comment vous y parviendrez. Sa banque, ce doit être Adam & Company. Ils sont très discrets et vous n'arriverez jamais à faire causer un membre du personnel. Ils sont tous très stricts. Dans ces conditions, qu'allez-vous faire ?

— Laisser tout tomber ? »

Johnny soupira.

« Je ne vois pas d'autre solution. Ça ne m'enchante pas, mais je doute que nous puissions aller plus loin. »

Isabel approcha son verre de ses lèvres et but une autre gorgée de son whisky. Initialement, elle comptait ne rien dire à Johnny de ce qu'elle soupçonnait vraiment, mais elle lui était reconnaissante de ses recherches et eut envie de se confier à une autre personne que Jamie. Si Johnny trouvait que sa théorie sur l'accident de l'Usher Hall était tirée par les cheveux, alors peut-être ferait-elle mieux d'abandonner, en effet. Elle posa son verre sur la table.

« Puis-je vous faire une confidence ?

— Tout ce que vous voudrez, dit Johnny avec un geste insouciant. Je sais faire preuve de discrétion.

— Il y a quelque temps, commença Isabel, un jeune homme a fait une chute mortelle de l'amphithéâtre de l'Usher Hall. Vous l'avez probablement lu dans les journaux. »

Johnny réfléchit un moment avant de répondre :

« Oui, je crois m'en souvenir. Horrible histoire.

— Oui. Ça m'a beaucoup secouée. Il se trouve que j'étais présente ce soir-là, ce qui, en soi, n'a pas d'importance. Plus intéressant : ce garçon travaillait chez McDowell. Il a dû y entrer après votre départ, mais il travaillait sous les ordres de Paul Hogg. »

Johnny avait porté son verre à ses lèvres et regardait Isabel par-dessus le bord.

« Je vois. »

Ça ne l'intéresse pas, pensa Isabel.

« Ensuite, je me suis mêlée de cette affaire, poursuivit-elle. Parce que le hasard a voulu que j'apprenne de quelqu'un qui le connaissait bien qu'il avait découvert des choses très gênantes pour une personne de la firme. »

Elle s'interrompit. Johnny regardait ailleurs, dans la direction de Charlie Maclean.

« C'est pourquoi on l'a poussé dans le vide, conclut-elle d'une voix calme. Poussé. »

Il tourna de nouveau la tête vers elle. Elle n'aurait pu définir son expression : il était intéressé maintenant, mais, lui sembla-t-il, son intérêt se teintait d'incrédulité.

« C'est très improbable, marmonna-t-il au bout d'un instant. Personne ne ferait une chose pareille. Personne. »

Isabel sourit.

« Moi, je crois que certains seraient capables de le faire, répliqua-t-elle. Et voilà pourquoi je voulais en savoir plus sur Minty et les délits d'initié. Tout pourrait s'imbriquer. »

Johnny secoua la tête.

« Non. À mon avis, vous feriez mieux de laisser tomber. Cette idée ne vous mènera nulle part, croyez-moi.

— J'y réfléchirai. En tout cas, je vous remercie infiniment. »

Johnny accueillit ses remerciements en baissant les yeux. Puis :

« Si vous avez besoin de me joindre, voici mon numéro de portable. Appelez-moi quand vous voulez. Je ne me couche jamais avant minuit. »

Il lui tendit une carte avec un numéro griffonné, qu'Isabel glissa dans son sac.

« Allons écouter ce que raconte Charlie, proposa-t-il en se levant.

— De la paille mouillée, proclamait Charlie Maclean de l'autre côté de la salle en reniflant son verre. Sentez-moi ça, tout le monde. Et sur mes tablettes, ça veut dire une distillerie des Borders. De la paille mouillée. »

## 22

Johnny avait raison, estimait Isabel. Bien évidemment. Et le lendemain matin elle avait pris une décision en conséquence. C'en était fini de son enquête. Jamais elle ne pourrait prouver que Minty Auchterlonie avait commis des délits d'initié ; et quand bien même elle y parviendrait, encore faudrait-il établir un lien entre ses fraudes et la mort de Mark. Johnny connaissait ce milieu beaucoup mieux qu'elle, et sa théorie l'avait laissé incrédule. Il lui fallait s'y résigner et ne plus s'occuper de toute cette histoire.

Elle avait abouti à cette conclusion dans la nuit qui avait suivi la dégustation de whisky, alors que, ne parvenant pas à fermer l'œil, elle contemplait les ombres au plafond. Au bout de quelques minutes, elle avait pris sa décision. Le sommeil était revenu peu après, et au matin – un matin splendide, à mi-chemin entre le printemps et l'été – elle eut un sentiment d'extraordinaire délivrance, comme au terme d'un examen, quand on pose plume et crayon et qu'il n'y a plus rien à ajouter. Maintenant son temps lui appartenait : elle pouvait se consacrer à la revue et à la pile de livres qui l'invitait dans son bureau ; elle pouvait s'offrir des cafés matinaux chez Jenners, observer les dames chic d'Édimbourg en train de se raconter des potins. Il lui eût été si facile de se laisser happer par ce monde-là, mais elle l'avait évité par un acte délibéré d'autodétermination. Dieu merci ! Et pourtant, était-elle plus heureuse que ces femmes, avec leurs maris « fiables » et leurs enfants déjà tout prêts à devenir semblables à leurs parents et à perpétuer ce monde imperturbable de la haute bourgeoisie d'Édimbourg ? Probablement non. Elles étaient heureuses à leur façon (pas de condescendance ! s'intima-t-elle), comme elle l'était à la sienne. De même que Grace, à sa façon à elle, et Jamie, et Minty Auchterlonie… Elle s'arrêta : L'état d'esprit de Minty Auchterlonie ne me concerne en rien, voilà qui est dit, pensa-t-elle. Non, elle n'irait pas chez Jenners ce matin ; elle marcherait plutôt jusqu'à Bruntsfield, pour acheter à la crémerie Mellis un fromage agréablement odorant, puis prendrait un café avec Cat. Et, ce soir, il y avait une conférence au Musée royal d'Écosse à laquelle elle pourrait assister. Elle avait déjà écouté le Pr Butler, de l'université de Pau, un conférencier toujours divertissant, qui parlerait de Beckett, comme d'habitude. Cela faisait assez d'agréments pour la journée.

Mais d'abord, les mots croisés. Descendue au rez-de-chaussée, elle ramassa les journaux sur le paillasson de l'entrée et jeta un coup d'œil aux gros titres. NOUVELLES INQUIÉTUDES POUR LES STOCKS DE MORUE, lut-elle en première page du *Scotsman* ; et, au-dessous, une photographie de bateaux de pêche désœuvrés dans le port de Peterhead. Un nouveau coup pour l'Écosse et pour un mode de vie qui avait produit une si vigoureuse culture. Les pêcheurs avaient composé leurs chansons ; mais quelle culture laisserait derrière elle une génération d'informaticiens ? Elle répondit elle-même à sa question : plus de choses qu'on ne pouvait imaginer. Une culture électronique, de récits par *e-mails* et d'images créées par ordinateur, mais une culture tout de même.

Elle s'absorba dans les mots croisés et reconnut aussitôt plusieurs définitions. *Vide les baignoires et remplit les lavabos* (8 lettres) ne lui demanda qu'un instant de réflexion : entracte. Une vieille lune pour les amateurs, et Isabel s'en irrita, qui aimait les définitions nouvelles, même médiocres. Ensuite, pour que les « Yankees » (3 vertical) rejoignissent les « phanariotes » (9 vertical), il fallait trouver *Un mot ancien, mais l'écrivain ne peut guère s'en passer* (11 horizontal, 11 lettres). Pensive, Isabel regarda son stylographe, ce qui lui donna la solution. Puis elle tomba sur *Pour unir les bœufs d'Hésiode, et les termes aujourd'hui* (6 lettres). Ce ne pouvait être que *zeugma* – un joug en grec ancien, et une figure de style –, mais le mot ne lui était pas familier et il l'obligea à se plonger dans les *Usages de l'anglais moderne*, de James Pinson, qui confirma ce qu'elle supposait. Elle appréciait Pinson (chasseur de mots à plumes, pensa-t-elle), pour ses jugements clairs et sans ambages. Le zeugma, expliquait-il, était une figure à éviter, parce que peu correcte, à la différence de la syllepse, avec laquelle on le confondait habituellement. Ainsi, *Miss Bolo rentra chez elle en grand émoi et en chaise à porteurs* était une syllepse, car un seul mot demandait qu'on le comprît en deux sens différents. À la différence de *Voyez Pan avec ses troupeaux, Pomone avec des fruits pour couronne* – un zeugma –, qui exigeait l'ajout des mots « pour couronne » afin que la phrase prît son sens.

Quand Grace apparut, Isabel avait fini son petit déjeuner et jeté un coup d'œil au courrier du matin. Grace était en retard, si bien qu'elle arriva en toute hâte et en taxi : une arrivée sylleptique, songea Isabel. Sa gouvernante ne transigeait pas avec la ponctualité et détestait être en retard, fût-ce de quelques minutes. Cela expliquait le taxi et l'empressement qu'elle manifestait à présent.

« C'est à cause des piles de mon réveil, s'excusa-t-elle en entrant dans la cuisine. On ne pense jamais à les changer, et puis un matin, voilà, elles sont à plat. »

Isabel avait préparé le café et lui en servit une tasse, tandis que Grace rajustait sa coiffure devant le petit miroir qu'elle avait accroché à la porte du garde-manger.

« Je suis allée à ma réunion hier soir, dit la gouvernante en buvant une gorgée de café. Il y avait plus de monde que d'habitude. Et un très bon médium, une femme d'Inverness vraiment remarquable. Elle allait droit au cœur des choses. C'était troublant. »

Le premier mercredi de chaque mois, Grace se rendait à une séance de spiritisme du côté de Queensferry Place. Une ou deux fois, elle avait invité Isabel à l'accompagner ; mais celle-ci, qui craignait de ne pouvoir se retenir de rire, avait décliné son offre et Grace n'avait pas insisté. Isabel n'appréciait pas les médiums : la plupart, selon elle, étaient des charlatans, et beaucoup des gens qui se rendaient à ces réunions semblaient avoir perdu un proche (quoique tel ne fût pas le cas de Grace) et vouloir désespérément lui parler au-delà de la mort. Et au lieu de les aider à vivre avec ce deuil, les médiums les encourageaient à croire qu'on pouvait entrer en contact avec les défunts. C'était de la cruauté, et de la manipulation.

« Cette femme d'Inverness s'appelle Annie McAllum, continua Grace. Il suffit de la regarder pour voir que c'est un médium. Elle a ce teint gaélique, vous voyez ? La peau translucide sous des cheveux noirs. Et les yeux verts, aussi. On le devine tout de suite, qu'elle a le don. Tout de suite.

— Mais je croyais que tout le monde pouvait être médium, objecta Isabel. Qu'il n'y avait pas besoin d'avoir cet air spectral des Highlanders.

— Oh, je sais ! Une fois, nous avons eu une femme de Birmingham. Même d'Angleterre, et d'une ville pareille ! N'importe qui peut recevoir le don. »

Isabel réprima un sourire.

« Et qu'avait-elle à vous dire, cette Annie McAllum ?

— C'est presque l'été », observa Grace en regardant par la fenêtre.

Isabel la fixa des yeux avec stupeur.

« C'est ça qu'elle vous a dit ? Ah ! Je suis impressionnée. Il faut avoir le don pour le deviner. »

Grace rit de bon cœur.

« Non, non ! Je regardais le magnolia. C'est moi qui ai dit que c'était presque l'été. Mais elle nous a dit beaucoup de choses.

— Par exemple ?

— Eh bien, il y a une dame qui vient aux réunions, Lady Strathmartin. Elle a dans les soixante-quinze ans, et apparemment elle vient depuis de longues années, bien avant que j'entre dans le groupe. Voyez-vous, elle a perdu son mari, un juge, il y a déjà longtemps. Et elle aime bien entrer en contact avec lui dans l'au-delà. »

Isabel ne dit rien et Grace poursuivit :

« Elle habite au nord d'Ainslie Place, et le consul d'Italie, une dame, habite l'appartement du dessous. Elles font beaucoup de choses ensemble, mais elle n'avait jamais amené Mme le Consul à une de nos réunions. Mais, hier soir, elle est venue. Elle était assise dans notre cercle, et voilà qu'Annie McAllum s'est tournée vers elle en disant : "Je vois Rome. Oui, je vois Rome." J'en ai eu le souffle coupé. C'était incroyable ! Et puis elle a dit : "Oui, je crois que vous êtes en contact avec Rome." »

Il y eut un silence : Grace regardait Isabel d'un air d'expectative, et Isabel la fixait des yeux sans mot dire. Enfin elle parla, d'un ton prudent :

« Ma foi, ce n'est peut-être pas si surprenant. Après tout, c'est le consul d'Italie, et il est assez normal de s'attendre que le consul d'Italie soit en contact avec Rome, non ? »

Grace secoua la tête, non pour nier que les consuls d'Italie fussent en contact avec Rome, mais comme si elle devait expliquer quelque chose de très simple à une personne qui n'avait tout bonnement rien compris.

« Mais elle ne pouvait pas le savoir, que c'était le consul d'Italie ! Comment voulez-vous que cette femme venue d'Inverness sache qu'elle avait affaire au consul d'Italie ? Comment voulez-vous qu'elle devine ?

— Que portait-elle ?

— Une longue toge blanche, répondit Grace. En fait, c'était un drap blanc, transformé en robe.

— Le consul d'Italie ? En longue toge blanche ?

— Non, expliqua Grace du même ton patient. Les médiums portent souvent ce genre de tenues. Ça les aide pour le contact. Non, le consul d'Italie portait une robe très chic, si je me souviens bien. Une robe très chic et d'élégantes chaussures italiennes.

— Vous voyez bien.

— Je ne vois pas ce que ça change », dit Grace.


Si elle avait eu le don, Grace aurait pu lui dire : « Attendez-vous à un coup de fil d'un jeune homme qui habite Great King Street », car ce fut ce qui se produisit ce matin-là vers onze heures. Isabel était dans son bureau, ayant reporté à midi sa promenade jusqu'à Bruntsfield, et plongée dans un article sur l'éthique de la mémoire, qu'elle abandonna à contrecœur pour prendre l'appel. Elle n'avait pas prévu que Paul Hogg lui téléphonerait, ni qu'il l'inviterait à prendre un verre en début de soirée. Une petite réunion tout à fait improvisée, souligna-t-il.

« Minty aimerait beaucoup que vous soyez des nôtres. Avec votre jeune ami. Elle espère que vous pourrez venir. »

Isabel réfléchit rapidement. Minty Auchterlonie ne l'intéressait plus : elle avait pris la décision de ne plus s'occuper de toute cette affaire, les délits d'initié et la mort de Mark, et n'était pas sûre de devoir maintenant accepter une invitation qui, semblait-il, relancerait sa fréquentation des gens dont elle était précisément résolue à ne plus se soucier. Et pourtant il y avait quelque chose de terriblement fascinant dans la perspective de voir de nouveau Minty de près, comme on observe un spécimen. Une horrible femme, sans aucun doute, mais les créatures horribles exerçaient une étrange séduction, comme les serpents au venin mortel. On aimait les regarder, les fixer droit dans les yeux. Elle accepta donc, en ajoutant qu'elle ne pouvait garantir que Jamie serait libre, mais qu'elle lui poserait la question. Paul Hogg parut content et ils se mirent d'accord sur l'heure. Seules deux ou trois autres personnes seraient présentes, précisa-t-il, et la « petite réunion » ne durerait pas si longtemps qu'elle ne pût ensuite se rendre au musée pour la conférence du Pr Butler.

Elle retourna à l'article sur l'éthique de la mémoire, renonçant à sa marche jusqu'à Bruntsfield. L'auteur se demandait jusqu'à quel point l'oubli de faits personnels concernant les autres représentait un manquement coupable à la volonté de se souvenir. « Il est de notre devoir, écrivait-il, de nous efforcer de nous rappeler ce qui est important pour autrui. C'est la moindre des choses. Ainsi, dans une relation d'amitié ou d'interdépendance, le moins qu'on puisse faire est de se rappeler le nom de l'autre personne. Il peut arriver qu'on l'oublie, et l'oubli peut être indépendant de notre volonté, se définir comme une faiblesse et non une faute ; mais si d'emblée on n'a pas fait l'effort de le mémoriser, alors on est coupable de ne point accorder à l'autre quelque chose qui est son dû, la reconnaissance d'un aspect important de son identité. » Sans conteste, il disait vrai. Notre nom nous importe, il exprime notre essence. Nous tenons à le protéger et éprouvons du mécontentement si quelqu'un nous appelle autrement : à un James, il peut déplaire d'être appelé « Jim », et une Margaret n'apprécie pas forcément qu'on lui donne du « Maggie ». Les nommer ainsi malgré eux revient à leur porter tort dans ce qu'ils ont de plus intime : cela revient à effectuer un changement unilatéral dans ce qu'ils sont profondément.

Pour illustrer cette pensée, Isabel se demanda : Quel est le nom de l'auteur de l'article ? Elle se rendit compte qu'elle n'aurait su le dire et ne s'en était pas souciée en retirant le manuscrit de son enveloppe. Lui avait-elle manqué de respect ? Aurait-il espéré qu'elle gardât son nom à l'esprit en lisant son travail ? Oui, probablement.

Elle y réfléchit quelques minutes, puis elle se leva. Elle ne parvenait pas à se concentrer et devait sans conteste à l'auteur une attention sans mélange. Au lieu de quoi, elle pensait à ce qui l'attendait : une réunion autour d'un verre dans l'appartement de Paul Hogg, fomentée de toute évidence par Minty Auchterlonie. Minty se trahissait : cela, au moins, était clair ; ce qui l'était moins, c'était ce qu'il convenait de faire à présent. Son instinct lui soufflait de s'en tenir à sa décision et de garder ses distances. Il faut que j'oublie tout cela, se dit-elle ; que j'accomplisse un acte d'oubli délibéré (à supposer que ce soit possible), l'acte d'un sujet moral assez mature pour reconnaître les limites du devoir envers autrui… Mais comment Minty Auchterlonie serait-elle habillée ? se demanda-t-elle. Elle se prit à rire d'elle-même. Je suis peut-être une philosophe, mais je suis aussi une femme ; et les femmes se préoccupent de ce que portent les autres femmes : même les hommes savent cela ! Les femmes n'avaient aucune raison d'en avoir honte : c'étaient les hommes qui n'y voyaient pas clair, un peu comme s'ils ne remarquaient pas le plumage d'un oiseau, ou la forme des nuages, ou la rousseur du renard le long du mur, qui filait à cet instant devant la fenêtre d'Isabel. Petit Frère Renard.

23

Elle retrouva Jamie à l'angle de Great King Street, après l'avoir vu monter la pente aux pavés glissants de Howe Street.

« Je suis contente que vous ayez pu venir, dit-elle. Je ne suis pas sûre que j'aurais pu faire face à ces gens toute seule. »

Jamie haussa un sourcil.

« C'est un peu comme si nous entrions dans la cage du lion, non ?

— De la lionne, corrigea Isabel. Un peu, oui. Mais sans rechercher quoi que ce soit, je pense. J'ai décidé que je ne m'engagerais pas plus avant.

— Vous laissez tomber ? demanda Jamie, l'air surpris.

— Oui. Hier soir, j'ai eu une longue conversation avec un certain Johnny Sanderson. Il a travaillé chez McDowell et il connaît bien ce milieu. Selon lui, nous ne pourrons jamais rien prouver. Quant au possible rôle de Minty dans la mort de Mark, il s'est montré plus que sceptique. J'y ai mûrement réfléchi. On pourrait dire qu'il m'a ramenée sur terre.

— Vous ne cesserez jamais de me stupéfier, dit Jamie. Mais, honnêtement, je suis plutôt soulagé. J'ai toujours été contre cette manie qui est la vôtre de vous

248

mêler des problèmes des autres. À la bonne heure !
Vous devenez plus raisonnable ! »

Isabel lui tapota le poignet.

« Je pourrais vous surprendre encore ! De toute
façon, si j'ai accepté cette invitation, c'est seulement
parce que j'ai cédé à une attirance coupable. Cette
femme est un peu comme un serpent. Et j'ai envie de
l'observer de près encore une fois. »

Jamie fit la grimace.

« Elle me met très mal à l'aise, avoua-t-il. C'est
vous qui l'avez qualifiée de psychopathe. Et je prendrai garde qu'elle ne vous pousse pas par la fenêtre.

— Vous savez bien que vous lui plaisez, objecta
Isabel.

— Je préfère ne pas le savoir. D'ailleurs, je me
demande ce qui vous a mis ça dans la tête.

— Il suffit de regarder les gens », répondit Isabel au
moment où ils atteignaient la porte. Elle tendit le bras
vers la sonnette marquée P. HOGG. « La plupart se tra-
hissent toutes les dix secondes. Observez les mouvements des yeux. Ils vous révéleront tout ce que vous
avez besoin de savoir. »

En montant l'escalier, Jamie resta silencieux, et il
avait toujours l'air pensif quand Paul Hogg ouvrit la
porte de l'appartement. Isabel se demandait si elle
avait bien fait de dire à Jamie ce qu'elle venait de lui
dire : en général – et à l'encontre des idées reçues –,
les hommes n'appréciaient guère qu'une femme les
trouvât séduisants, à moins que la séduction fût réciproque. Sinon, ils s'en agaçaient vite : le savoir était
un fardeau qui les mettait mal à l'aise. Voilà pourquoi ils fuyaient les femmes qui leur couraient après,
de même que Jamie se tiendrait loin de Minty à présent
qu'il savait lui plaire. Non qu'Isabel le regrettât. Quelle
image effroyable, pensa-t-elle soudain, qu'un Jamie
embobeliné par Minty Auchterlonie, qui l'ajouterait à sa

liste de conquêtes ! Cette perspective était tellement atroce qu'Isabel ne pouvait supporter d'y songer un seul instant. Pourquoi ? Parce que j'ai pour lui des sentiments protecteurs, reconnut-elle, et que je ne peux souffrir qu'il appartienne à une autre. Même à Cat ? Désirait-elle vraiment que leur couple se reformât, ou était-ce uniquement parce qu'elle savait la chose impossible qu'elle pouvait se bercer d'une telle idée ?

Elle n'eut pas le temps de répondre à ces questions. Paul Hogg les accueillit chaleureusement et les précéda au salon, le grand salon avec son Crosbie attribué à un autre et son vibrant Peploe. Deux invités étaient déjà là et, au moment des présentations, Isabel se souvint qu'elle les avait rencontrés dans le passé : un homme de loi qui manifestait des ambitions politiques et une chroniqueuse dans un journal, dont elle lisait les papiers de temps en temps. Elle les trouvait ennuyeux : leur thème sempiternel – les détails ordinaires de la vie des journalistes – lui semblait d'un intérêt très relatif, et elle se demanda si la conversation de la dame serait de la même farine. Elle la regarda, qui lui souriait d'un air affable, et se sentit aussitôt mieux disposée ; elle se dit qu'elle devrait peut-être faire un effort. Le juriste souriait lui aussi et serra vigoureusement la main de Jamie. La journaliste l'observa, puis son regard revint brièvement sur Isabel et celle-ci, captant ce rapide mouvement des yeux, sut immédiatement ce que cette femme pensait : Jamie et elle formaient un couple « au sens propre », de sorte qu'elle révisait déjà son opinion sur elle. Isabel avait vu juste : la femme baissait les yeux pour examiner sa silhouette. C'était tellement flagrant ! Mais agréable aussi, pour curieux que cela parût, qu'une autre la crût pourvue d'un amant beaucoup plus jeune, surtout un beau garçon comme Jamie. La chroniqueuse, aucun doute là-dessus, en avait conçu une jalousie immédiate, car son compagnon à elle passait ses soirées à la bibliothèque du palais de justice, rentrait épuisé, était tout sauf divertissant et parlait sans arrêt de politique – comme faisaient immanquablement tous les politiciens. Voici donc ce qu'elle se disait : « Cette bonne femme a un jeune amant sexy – voyez-moi cette merveille ! – et, pour être vraiment honnête, c'est exactement ce dont j'ai envie, moi aussi... » Mais, se demanda Isabel, était-il légitime de laisser les gens se faire une idée fausse sur un fait significatif, ou fallait-il les détromper ? Par moments, le statut de directrice de la *Revue d'éthique appliquée* se révélait pesant : il était si difficile de ne pas se sentir de service, comme l'aurait certainement observé le professeur... le professeur...

Ce fut alors que Minty fit son entrée. Elle arrivait de la cuisine et apportait un plateau d'argent chargé de canapés. Elle le posa sur la table, s'avança vers l'homme de loi et l'embrassa sur les deux joues. « Rob, j'ai voté pour toi deux fois depuis la dernière réunion ! Deux fois ! » Puis ce fut au tour de la journaliste : « Kirsty, comme c'est gentil d'avoir répondu à une invitation si tardive ! » Enfin, Isabel : « Isabel ! » Ce fut tout. Mais une lueur nouvelle apparut dans son regard, infime mais perceptible. « Et vous êtes Jamie, n'est-ce pas ? » Le langage corporel changea : elle se tint tout près de Jamie pour le saluer, et Isabel vit avec satisfaction que Jamie reculait légèrement, comme un aimant devant une attraction négative.

Paul, cependant, préparait des cocktails à l'autre bout de la pièce. Il revint avec des verres, et chacun se tourna vers les autres. La conversation s'engagea, fluide – d'une fluidité inattendue, pensa Isabel. Paul interrogea Rob sur une campagne électorale en cours, et Rob répondit par le récit cocasse d'une bataille pour une circonscription. Les deux protagonistes étaient bien connus : un mégalomane invétéré et un coureur de jupons notoire, qui s'affrontaient pour des broutilles. Puis Minty cita le nom d'un autre politicien, et Rob renifla dédaigneusement.

Un peu plus tard, alors que Jamie bavardait avec Kirsty – Isabel comprit qu'il s'agissait de changements au sein de l'orchestre du Scottish Opera –, elle se retrouva près de Minty, et celle-ci la prit doucement par le bras pour l'emmener vers la cheminée. Les invitations exposées sur le manteau étaient plus nombreuses que la dernière fois, remarqua-t-elle, mais elle ne pouvait les examiner en détail (sauf une, imprimée en gros caractères, sans doute pour que les invités pussent la lire facilement).

« Je suis très contente que vous ayez pu venir », dit Minty à mi-voix.

De toute évidence, ce dont elle comptait l'entretenir ne devait pas être entendu des autres. Aussi Isabel répondit-elle d'une voix également confidentielle :

« J'ai eu l'impression que vous souhaitiez me parler. »

Le regard de Minty se détourna légèrement.

« Une petite chose m'intrigue, oui. J'ai cru comprendre que vous vous intéressiez à McDowell. Et je me suis laissé dire que vous aviez eu une conversation avec Johnny Sanderson. »

Isabel ne s'attendait pas à cela. On avait donc signalé à Minty son conciliabule avec Johnny le soir de la dégustation de whisky ?

« Oui, je l'ai rencontré. Je le connais vaguement.

— Et il est allé trouver certaines personnes chez McDowell. Il y a longtemps travaillé, bien sûr.

— Je le sais. »

Minty but une gorgée de vin.

« Alors permettez-moi de vous poser une question : qu'est-ce qui vous intéresse au sujet de cette firme ? D'abord vous avez posé des questions à Paul, maintenant vous en parlez avec Johnny Sanderson et je ne sais qui encore, et cela me conduit à me demander la raison de cet intérêt soudain. Vous n'êtes pas dans la finance, il me semble ? Qu'est-ce qui vous intéresse dans nos affaires ?

— *Vos* affaires ? Je ne savais pas que vous travailliez pour McDowell. »

Minty révéla ses dents en un sourire indulgent.

« Les affaires de Paul sont étroitement liées aux miennes. Après tout, je suis sa fiancée. »

Isabel réfléchit quelques secondes. À l'autre bout de la pièce Jamie s'était tourné vers elle et ils échangèrent un regard. Elle ne savait comment réagir. Mais elle ne pouvait guère nier son « intérêt », alors pourquoi ne pas dire la vérité ?

« Je me suis intéressée à McDowell, en effet. Un temps. Mais plus maintenant. » Elle marqua une pause. Minty l'observait et écoutait avec une attention intense. « Je ne me sens plus concernée. Mais je l'étais. Voyez-vous, j'ai vu un jeune homme faire une chute fatale il y a quelque temps. J'étais la dernière personne qu'il ait vue sur cette terre, et il m'a semblé que je devais comprendre ce qui s'était vraiment passé. Comme vous le savez, il travaillait chez McDowell. Il était au courant de faits plutôt gênants survenus au sein de la firme, et je me suis demandé s'il existait un lien. C'est tout. »

Isabel guetta l'effet de ses mots sur Minty. Si c'était une meurtrière, ils valaient une accusation directe. Mais Minty ne blêmit pas et resta parfaitement immobile. Elle ne trahit ni choc ni panique, et quand elle parla, ce fut d'une voix tout à fait calme :

« Donc vous avez pensé que ce jeune homme pourrait avoir été éliminé ? C'est bien ça ? »

Isabel fit oui de la tête.

« C'était une possibilité que j'ai cru devoir explorer. Mais à présent que je l'ai fait, je me rends compte

qu'il n'existe aucune preuve pour étayer cette hypothèse.

— Et qui aurait pu faire cela, si je puis me permettre ? »

Isabel sentait son cœur battre à tout rompre. Elle
avait envie de répondre : « Vous ! » Ç'aurait été un
moment tout simple, un moment délicieux ; au lieu de
quoi, elle dit seulement :

« Une personne qui craignait d'être dénoncée, évidemment. »

Minty posa son verre et se massa légèrement la
tempe, comme pour s'aider à réfléchir.

« À n'en pas douter, vous êtes douée d'une imagination fertile. Une telle idée me laisse pour le moins sceptique, dit-elle. Et, quoi qu'il en soit, vous devriez avoir
la sagesse de ne pas écouter ce que raconte Johnny
Sanderson. Vous savez que McDowell lui a demandé
sa démission ?

— Je savais qu'il était parti. J'ignorais dans quelles
circonstances. »

Minty s'anima tout à coup :

« Eh bien, peut-être auriez-vous dû vous rensei-
gner. Il ne s'entendait pas avec le reste du personnel
parce qu'il était incapable de s'adapter aux nouveau-
tés. Les choses avaient changé. Mais ce n'était pas la
seule raison. On le soupçonnait de délits d'initié, ce
qui, au cas où vous ne le sauriez pas, consiste à se
servir d'informations confidentielles pour jouer avec
le marché. Comment croyez-vous qu'il finance son
train de vie ? »

Isabel ne dit rien. Elle ignorait tout du train de vie
de Johnny Sanderson.

« Il possède une grande propriété dans le Perthshire,
continua Minty, ainsi qu'un hôtel particulier dans Heriot
Row. Et une villa au Portugal, et j'en passe. Sans compter de gros capitaux placés un peu partout.

— On ne sait jamais d'où les gens tiennent leur argent, objecta Isabel. Il y a les héritages, pour commencer. Il a pu hériter d'une fortune.

— Le père de Johnny Sanderson était un alcoolique invétéré. Son affaire a été placée deux fois sous administration judiciaire. Je doute qu'il ait eu la moindre fortune à lui léguer. »

Minty reprit son verre.

« Ne croyez rien de ce qu'il vous dit, conclut-elle. Il déteste McDowell et tout ce qui touche à McDowell. Suivez mon conseil et restez à distance de lui. »

Le regard qu'elle darda sur Isabel à cet instant était un avertissement, qu'elle n'eut aucune peine à interpréter : elle la mettait en garde contre tout nouveau contact avec Johnny Sanderson. Là-dessus, elle se détourna de son invitée et s'en retourna au côté de Paul. Isabel s'attarda un moment près de la cheminée, regardant le tableau accroché à sa droite. Il était temps de prendre congé, comme le lui avait clairement signifié son hôtesse. En outre, l'heure était venue de monter jusqu'au Musée royal pour la conférence sur Beckett.

## 24

La conférence avait attiré un public nombreux et le Pr Butler était en forme. Beckett survécut à son analyse, au grand soulagement d'Isabel, et ensuite, à la réception, elle eut l'occasion de causer avec plusieurs vieilles connaissances également présentes. Les deux événements – la survie de Beckett et la rencontre de vieux amis – contribuèrent à égayer son humeur. L'entretien avec Minty avait été un moment désagréable, mais elle était pleinement consciente que les choses auraient pu se passer plus mal. Elle ne s'était pas attendue à ce que Minty lançât un assaut contre Johnny Sanderson – et pour cause : comment aurait-elle pu deviner que la jeune femme d'affaires avait eu vent de leur rencontre ? Peut-être avait-elle eu tort de s'en étonner : à Édimbourg, il était difficile de faire quoi que ce fût sans que la rumeur s'en répandît. Ainsi de la liaison de Minty elle-même avec Ian Cameron. Sans doute ne soupçonnait-elle pas que d'autres étaient au courant.

Isabel se demanda quelles conclusions Minty tirerait de leur rencontre. Sans doute serait-elle rassurée qu'Isabel ne fût plus un danger pour elle. Même à supposer qu'elle eût causé la mort de Mark (ce que son air impavide quand Isabel en avait parlé semblait exclure désormais), elle conclurait que sa visiteuse n'avait rien découvert. Aussi était-il peu probable qu'elle eût d'autres nouvelles de Minty Auchterlonie ou de l'infortuné Paul Hogg. Curieusement, ils lui manqueraient : par eux, elle avait tissé des liens avec un monde jusqu'alors inconnu.

Elle ne quitta la réception qu'avec les derniers invités. Entre-temps, elle avait eu une brève conversation avec le Pr Butler : « Ma chère, comme je suis content que vous ayez goûté mon bavardage ! Un de ces jours, j'aurai certainement d'autres choses à dire sur le sujet, mais je m'en voudrais beaucoup de vous infliger ça. » Elle appréciait son urbanité, qualité de plus en plus rare dans le monde universitaire contemporain, où d'étroits spécialistes, dénués de culture générale, avaient évincé les érudits courtois. Il existait de nombreux philosophes, pensa-t-elle, qui ne s'adressaient qu'à leurs pareils, tant leur échappaient les subtilités de discours à portée plus universelle, et tant leur expérience du monde au sens large était réduite. Pas tous, bien sûr. Elle avait en tête une liste d'exceptions, mais cette liste semblait se rétrécir d'année en année.

Quand elle prit sa place dans la petite file à l'arrêt de l'autobus de George IV Bridge, il était un peu plus de dix heures. Des taxis roulaient alentour, leur signal jaune allumé, mais elle avait opté pour le bus : il la laisserait à Bruntsfield, presque en face de la boutique de Cat, et les dix minutes de marche jusqu'à chez elle – par Merchiston Crescent, puis sa rue – lui feraient le plus grand bien.

Le bus arriva et, en consultant l'horaire affiché, elle vit qu'il était d'une ponctualité parfaite. Demain, elle le dirait à Grace. Ou peut-être que non, car elle risquait de déclencher une diatribe contre la régie des transports. C'est facile d'être à l'heure à dix heures du soir, quand il n'y a plus personne dans les rues ! Ce qui compte, c'est d'avoir des bus ponctuels pendant la journée, quand on en a vraiment besoin.

Elle monta, acheta son ticket et alla prendre place à l'arrière. Les autres passagers étaient peu nombreux : un homme en pardessus, la tête baissée sur la poitrine ; deux amoureux dans les bras l'un de l'autre, indifférents au monde environnant ; et un adolescent portant un foulard noir autour du cou, façon Zorro. Isabel sourit. Un microcosme de la condition humaine, songea-t-elle. La solitude et son désarroi ; l'amour et son égocentrisme à deux ; sans oublier l'adolescence, qui était un monde en soi.

Le garçon descendit au même arrêt qu'Isabel, mais partit dans la direction opposée. Elle traversa et se mit en route. Hormis quelques rares automobiles et un cycliste avec une lampe clignotante dans le dos, elle cheminait seule le long des rues désertes.

Elle atteignit l'entrée de sa tranquille avenue bordée d'arbres embellis de jeunes feuilles. Un chat courut devant elle et sauta sur le mur d'un jardin, puis disparut. Dans la maison à l'angle de la rue, une lumière s'alluma et une porte claqua. Elle continua de marcher le long du trottoir en direction de sa maison, dépassant le grand portail en bois de la première bâtisse et les pelouses soigneusement tondues des voisines. Sous l'arbre au coin de sa propriété, elle s'arrêta. Un peu plus loin, à quelques dizaines de mètres, deux voitures étaient garées. Elle reconnut la première, celle du fils d'un couple de voisins. L'autre, une Jaguar élancée, avait ses veilleuses allumées. Elle s'approcha et jeta un coup d'œil à l'intérieur, puis à la maison devant laquelle on l'avait garée. Elle était plongée dans l'obscurité : le propriétaire de la Jaguar ne s'y trouvait sûrement pas. Ma foi, il n'y avait pas moyen de le prévenir. La batterie tiendrait peut-être quelques heures, mais ensuite il aurait besoin d'aide pour démarrer.

Elle rebroussa chemin. Devant son portail elle s'arrêta, sans trop savoir pourquoi. Un moment, elle scruta les ombres sous les feuillages et perçut un mouvement. C'était le chat tigré de la maison d'à côté, qui aimait venir se tapir sous ses arbres. Elle aurait aimé l'avertir que Petit Frère Renard rôdait dans les parages et pourrait bien dévorer un chat s'il se sentait en appétit. Mais elle n'avait pas les mots qu'il fallait et le pria intérieurement de faire attention à lui.

Elle ouvrit le portail et avança dans l'allée menant à sa porte, dans l'ombre – l'épicéa et un petit bouquet de bouleaux cachaient le réverbère qui éclairait la rue. Et ce fut alors qu'elle sentit la peur s'abattre sur ses épaules : une peur irrationnelle, mais glacée. Ce soir-là, avait-elle parlé à une femme qui, avec froideur et minutie, avait machiné un assassinat ? Et cette femme avait-elle prononcé un avertissement à son encontre ?

Elle fouilla dans sa poche à la recherche de la clé de la maison et, avant de la glisser dans la serrure, appuya doucement sur le battant. Il ne bougea pas d'un millimètre, ce qui signifiait que la serrure de sûreté était bien fermée. Elle tourna la clé et entendit les pênes glisser à l'intérieur. Puis, ouvrant avec précaution, elle fit un pas dans le vestibule et tâtonna pour trouver l'interrupteur.

Isabel possédait une alarme, mais ne la branchait que rarement, sauf quand elle s'absentait pour la nuit. L'eût-elle branchée ce soir-là qu'elle se fût sentie plus en sécurité ; faute de quoi, elle ne pouvait savoir si l'on était ou non entré chez elle. Mais personne n'était entré, évidemment ; c'était une idée ridicule. Une conversation franche avec Minty Auchterlonie ne signifiait pas que celle-ci fût maintenant aux aguets. Elle fit un effort pour écarter cette pensée, comme il convenait de faire de toutes les peurs. Pour une femme qui vivait seule, il importait de ne pas être craintive, car tous les bruits nocturnes de la maison – tous les grincements et soupirs dont bruissait une demeure victorienne –

risquaient de vous mettre en alerte. Mais la peur s'était
emparée d'elle et elle ne pouvait la réprimer. Ce fut
cette peur qui la fit entrer dans la cuisine et allumer
toutes les lampes, puis traverser de pièce en pièce tout
le rez-de-chaussée et allumer partout. Il n'y avait rien
à voir, naturellement, et au moment de monter l'escalier elle s'apprêtait à éteindre toutes ces lumières. Mais
elle entra dans son bureau pour vérifier son répondeur
et vit le petit signal rouge lui cligner de l'œil. Des
messages. Elle hésita un instant, puis appuya sur le
bouton d'écoute. Il n'y en avait qu'un :

« Isabel, ici Minty Auchterlonie. Serait-il possible
que nous nous voyions prochainement pour parler de
nouveau ? J'espère que vous ne m'avez pas jugée trop
impolie ce soir. Appelez-moi et nous trouverons un
moment pour un café ou un déjeuner. Merci d'avance.
Voici mon numéro de portable… »

Surprise mais rassurée, Isabel nota le numéro sur un
papier qu'elle glissa dans sa poche. Puis elle ressortit
du bureau en éteignant derrière elle. Elle n'était plus
effrayée ; encore un peu mal à l'aise, peut-être, et intriguée que Minty voulût lui parler une nouvelle fois.

Elle monta dans sa chambre, une pièce spacieuse
qui donnait sur la rue, pourvue d'une fenêtre en saillie
garnie d'une banquette à l'intérieur. Elle avait laissé
les rideaux tirés, et la pièce était plongée dans une
obscurité totale. Elle alluma sa lampe de chevet, une
petite lampe pour lire qui déversait une minuscule flaque de clarté dans la vaste pièce ombreuse. Inutile
d'allumer le lustre : elle comptait seulement s'étendre
sur son lit et lire un quart d'heure, avant de se coucher
pour de bon. Son esprit était en pleine activité, et il
était trop tôt pour le sommeil.

Elle fit glisser ses chaussures de ses pieds, prit le
livre posé sur sa table de nuit et s'allongea. L'ouvrage
était un récit de voyage en Équateur, qui relatait avec

humour les mille et un périls et autres péripéties auxquels l'auteur avait dû faire face. Son histoire l'amusait beaucoup, et pourtant sa pensée revenait sans cesse à son entretien avec Johnny Sanderson. Il s'était montré si serviable, si rassurant ! Il l'avait même encouragée à lui téléphoner à n'importe quelle heure. *Je ne me couche jamais avant minuit.* De toute évidence, c'était pour mieux la dissuader d'entreprendre des investigations supplémentaires que Minty avait laissé entendre que l'auteur des fraudes était en réalité Johnny. Et, de toute évidence aussi, c'était une idée extravagante, dont mieux valait ne rien lui dire. À moins que... Si Johnny était au courant, verrait-il l'affaire d'un autre œil ? Il se pourrait qu'il changeât d'opinion s'il apprenait que Minty se donnait tant de mal pour la décourager. Et, à la réflexion, rien ne l'empêchait d'appeler Johnny tout de suite, pour en discuter avec lui ; sinon, elle resterait étendue sur son lit à ruminer tout cela sans trouver le sommeil.

Isabel tendit le bras et saisit le téléphone sur sa table de nuit. La carte de Johnny dépassait de son carnet d'adresses. Elle la prit et la regarda à la faible lumière de sa lampe de chevet. Puis elle décrocha et composa le numéro.

Quelques secondes passèrent. Puis un son lui vrilla les tympans : une sonnerie aiguë, bien distincte, qui retentissait juste derrière la porte de sa chambre.

## 25

Sur son lit, le combiné à la main, Isabel était pétrifiée. La petite lampe de chevet brillait seule dans la chambre obscure, et les ombres, les placards, les rideaux, sa coiffeuse étaient invisibles. Quand elle se sentit de nouveau capable de bouger, il lui était possible de s'élancer vers l'interrupteur ; au lieu de quoi elle sauta de son lit, faillit trébucher, laissa tomber le téléphone derrière elle et en deux ou trois bonds atteignit la porte. Puis, se tenant à l'épaisse rampe en bois pour assurer son équilibre, elle se jeta presque dans l'escalier. Elle aurait pu tomber, mais parvint à garder l'équilibre et courut sans glisser dans le couloir pour saisir la poignée de la porte vitrée qui la séparait du vestibule. Elle n'était pas fermée et elle la fit tourner sur ses gonds pour la claquer avec violence, brisant le panneau en vitrail qui l'ornait. Au son du verre brisé s'écrasant sur le sol, elle laissa échapper un cri. Ce fut alors qu'une main se posa sur son bras.

« Isabel ? »

Elle fit volte-face. Une lampe était restée allumée dans la cuisine, qui éclairait le couloir et lui permit de distinguer la personne debout à côté d'elle. Johnny Sanderson.

« Isabel, je vous ai fait peur ? Excusez-moi. »

Isabel le regarda fixement. Sa main serrait son bras très fort et lui faisait presque mal.

« Qu'est-ce que vous faites ici ? »

Sa voix s'enroua et, par réflexe, elle s'éclaircit la gorge.

« Calmez-vous, dit Johnny. Je suis vraiment désolé si je vous ai causé une frayeur. J'étais venu vous voir et j'ai trouvé la porte ouverte. Ça m'a un peu inquiété, parce que la maison était dans le noir. Alors je suis entré pour vérifier que tout allait bien. Ensuite, je suis ressorti dans le jardin pour jeter un coup d'œil aux alentours. J'ai pensé que vous aviez peut-être été cambriolée. »

Isabel réfléchit à toute vitesse. Ce que disait Johnny pouvait être la vérité. Si l'on trouvait une maison avec la porte ouverte, et sans aucun signe du propriétaire, il n'était pas impossible qu'on décidât d'entrer pour vérifier que tout était normal. Seulement, que faisait son téléphone portable au premier étage ?

« Et votre téléphone ? dit Isabel en tendant la main vers l'interrupteur pour allumer la lumière. J'ai fait votre numéro et il s'est mis à sonner. »

Johnny la regarda d'un air étrange.

« Mais il est dans ma poche ! Regardez. » Il glissa la main dans la poche de sa veste, puis s'immobilisa. « Ou, du moins, il y était. »

Isabel inspira profondément.

« Vous avez dû le laisser tomber.

— On dirait bien », dit Johnny. Il sourit. « Vous avez dû avoir une peur bleue !

— C'est le moins qu'on puisse dire.

— Bien sûr, oui. Je vous comprends. Encore une fois, je suis désolé. »

Isabel se dégagea de l'emprise de sa main, et il ne la retint pas. Elle baissa les yeux vers le vitrail brisé. Il représentait le port de Kirkcudbright, mais la coque du bateau de pêche était en miettes à présent. Tandis qu'elle regardait les débris de verre, une pensée lui vint tout à coup, qui réduisit à rien toutes ses suppositions. Minty avait raison ! Ce n'était pas Minty, la personne que Jamie et elle auraient dû soupçonner. C'était Johnny. Par une coïncidence, ils s'étaient adressés directement à l'homme qui était derrière ce que Mark avait découvert.

Ce fut une prise de conscience foudroyante. Elle n'avait nul besoin de remettre en question une telle évidence, debout dans le couloir en face de Johnny Sanderson. Le bien était le mal, la lumière était les ténèbres ; c'était aussi simple que cela. Une route suivie de bonne foi se révélait une route qui ne menait nulle part ; elle s'arrêtait brusquement, sans aucun signe avant-coureur, à un panneau dépourvu d'ambiguïté, qui annonçait : Voie sans issue. Et tout à coup l'esprit humain, projeté loin de ses certitudes, avait le choix entre refuser la réalité ou changer de chemin. Minty était peut-être ambitieuse et dure, retorse et débauchée (le tout enveloppé dans un joli paquet-cadeau), mais elle ne serait pas allée jusqu'à pousser un jeune homme du haut d'une salle de concerts. Johnny Sanderson, lui, était un membre sympathique et cultivé de la bonne société d'Édimbourg, mais il était avide, aussi, et l'argent pouvait suborner n'importe qui. Ensuite, pour peu que son monde fût menacé par quelque dénonciation, il lui était tellement facile d'abolir cette menace…

Elle regarda Johnny.

« Pourquoi étiez-vous venu me voir ?

— Il y avait quelque chose dont je voulais vous parler.

— Quoi ? »

Johnny sourit de nouveau.

« Je doute que le moment soit propice à la conversation. Après… après tout ce tapage ! »

264

Isabel le fusilla du regard, stupéfaite de tant d'effron-
terie.

« Un tapage dont vous êtes la cause », répliqua-t-elle.

Johnny soupira, comme devant une objection pédante.

« Je voulais seulement reparler de ce dont nous
avons discuté l'autre soir. C'est tout. »

Isabel ne répondit rien, et au bout de quelques
secondes il reprit :

« Mais ce sera pour un autre jour. Je suis sincèrement désolé de vous avoir effrayée. » Il se tourna et
jeta un coup d'œil vers l'escalier. « Vous permettez
que je récupère mon téléphone ? Il est dans votre
chambre, m'avez-vous dit. Je peux ? »


Quand Johnny fut reparti, Isabel alla chercher un
balai et une pelle dans la cuisine. Elle ramassa avec
soin les plus gros débris de verre et les emballa dans
du papier journal ; puis elle balaya les petits fragments
avec la pelle et emporta le tout. Enfin, elle s'assit
devant le téléphone de la cuisine et composa le numéro
de Jamie. Un moment s'écoula avant qu'il répondît, et
Isabel devina qu'elle l'avait réveillé.

« Excusez-moi, dit-elle. Il fallait que je vous parle. »

La voix de Jamie était alourdie de sommeil :

« Ça n'a pas d'importance.

— Pourriez-vous venir ? Venir maintenant ?

— Tout de suite ?

— Oui. Je vous expliquerai. Je vous en prie, Jamie.
Et puis pourriez-vous rester dormir cette nuit ? Juste
pour une nuit. »

Il semblait complètement réveillé à présent.

« Je serai chez vous dans une demi-heure. Ça ira ? »

265

Isabel entendit le taxi arriver et alla l'accueillir sur le seuil. Il portait un anorak et tenait un petit sac en cuir dans sa main.

« Vous êtes un ange. Vraiment. »

Il secoua la tête d'un air d'incrédulité.

« J'ai du mal à imaginer de quoi vous voulez me parler. Mais enfin, les amis sont là pour ça. »

Isabel l'emmena dans la cuisine, où elle avait préparé du thé. Elle s'assit et lui en servit une tasse.

« Vous n'allez pas croire cette histoire, commença-t-elle. J'ai eu une soirée mouvementée. »

Elle lui raconta ce qui s'était passé et ses yeux s'agrandirent à mesure qu'il l'écoutait. Mais elle sut que pas un instant il ne mettait ses propos en doute.

« Ce qu'il dit ne tient pas debout ! s'exclama-t-il. Personne n'entrerait inspecter une maison simplement parce que la porte est ouverte… à supposer qu'elle le fût vraiment.

— Ce dont je doute, précisa Isabel.

— Alors que diable était-il venu faire ? Qu'est-ce qu'il avait dans la tête ? Vous assassiner ? »

Isabel haussa les épaules.

« À mon avis, il s'interroge sur mes intentions. Si c'est l'homme que nous aurions dû soupçonner depuis le début, il peut craindre que je n'aie des preuves en ma possession. Des documents qui le lient aux délits d'initié.

— Vous croyez ?

— Ça me paraît vraisemblable. À moins qu'il n'ait eu un projet plus radical, ce qui paraîtrait pour le moins précipité.

— Donc, que faisons-nous maintenant ? »

Isabel baissa les yeux vers le sol.

« Aucune idée. Du moins pour le moment. Je crois que je ferais mieux d'aller me coucher. Nous en parlerons demain. » Elle marqua une pause. « Vous êtes sûr que ça ne vous ennuie pas de rester ? Je n'ai pas le courage de dormir seule dans la maison cette nuit.

— Bien sûr que non, ça ne m'ennuie pas, dit Jamie. Je n'accepterais jamais de vous laisser seule. Après toutes ces frayeurs !

— Grace garde une des chambres d'amis toute prête, à l'arrière de la maison. Une pièce très calme. »

Elle le précéda au premier étage et lui montra la chambre. Puis elle lui souhaita bonne nuit et le laissa debout sur le seuil. Il sourit et lui envoya un baiser.

« Je ne bougerai pas, dit-il. Si ce Sanderson fait la moindre tentative pour troubler votre sommeil, vous n'aurez qu'à crier.

— Je doute que nous le revoyions cette nuit », répondit Isabel.

Elle se sentait maintenant plus en sûreté, mais la pensée la taraudait encore qu'à moins de trouver un plan d'action, le problème posé par Johnny Sanderson resterait sans réponse. Pour cette nuit, Jamie était là ; mais il n'y serait plus la nuit suivante, ni celle d'après.

## 26

Le lendemain matin Grace eut la surprise de trouver Jamie dans la maison, mais elle fit comme si de rien n'était. Quand elle entra, il était seul dans la cuisine et, pendant quelques instants, sembla trop pris au dépourvu pour être capable de parler. Grace avait ramassé le courrier dans le vestibule et ce fut elle qui rompit le silence :

« Encore quatre articles ce matin. D'éthique appliquée. On n'est pas en manque d'éthique appliquée ! »

Jamie hocha la tête et regarda la pile d'enveloppes.

« Vous avez remarqué la porte ?

— Oui.

— Quelqu'un s'est introduit dans la maison. »

Grace se figea.

« C'est ce que je pensais. Ah, cette alarme ! Ça fait des années, des années que je lui dis de s'en servir. Mais non. Elle n'écoute jamais rien ! » Elle reprit son souffle. « En fait, je ne pensais rien du tout. Je ne savais pas quoi penser. J'ai cru qu'hier soir vous aviez peut-être fait la bringue, tous les deux… »

Jamie sourit.

« Non. Je suis venu quand elle m'a appelé. Et je suis resté pour la nuit. Mais dans une des chambres d'amis ! »

Grace écouta gravement Jamie lui raconter les événements de la nuit précédente. Au moment où il achevait son récit, Isabel entra dans la cuisine et tous trois prirent place autour de la table, pour discuter de la situation.

« Tout ça est allé trop loin, affirma Jamie. Maintenant vous perdez pied et vous allez devoir remettre cette affaire dans d'autres mains. »

Isabel sembla perplexe.

« Dans les mains de qui ?

— De la police.

— Mais que pouvons-nous lui remettre, au juste ? objecta Isabel. Nous n'avons aucune preuve de quoi que ce soit. Seulement le soupçon que Johnny Sanderson est mêlé à des malversations financières et que ces malversations sont peut-être en rapport avec la mort de Mark Fraser.

— Ce que je n'arrive pas à comprendre, dit Jamie, c'est que McDowell a dû le soupçonner aussi. Vous m'avez dit hier que, selon Minty Auchterlonie, c'est justement pour cette raison qu'il a été remercié. Et si chez McDowell on est déjà au courant, qu'est-ce que ça peut lui faire que vous découvriez quelque chose ? »

Isabel réfléchit. Il devait y avoir une raison.

« Il est fort possible que McDowell ait préféré étouffer cette histoire. Ce qui, évidemment, aurait fait l'affaire de Johnny. Et s'il s'en est tiré à si bon compte, ça ne lui plairait sûrement pas qu'une personne extérieure à la firme – c'est-à-dire vous et moi – en sache assez pour divulguer les faits sur la place publique. Ce ne serait pas la première fois que la bonne société d'Édimbourg resserre les rangs !

— Seulement, il y a son intrusion cette nuit, dit Jamie. Ça, au moins, c'est un fait concret. »

Isabel secoua la tête.

« Son intrusion ne prouve rien. Il a une version et il s'y tiendra. Le plus probable est que les policiers s'en contenteront. Ils n'auront pas envie de mettre le nez dans un différend d'ordre privé.

— Mais nous pouvons insister sur le lien entre sa visite et ce que nous savons des fraudes chez McDowell, argua Jamie. Nous pouvons leur répéter ce que Neil vous a dit. Leur parler des tableaux, aussi. C'est assez pour éveiller des soupçons raisonnables. »

Isabel restait sceptique.

« Je ne crois pas. La police n'a pas le droit d'exiger des gens qu'ils lui expliquent d'où ils tiennent leur argent. Ce n'est pas comme ça qu'elle procède.

— Et Neil ? insista Jamie. Tout ce qu'il vous a dit sur Mark et sur sa peur d'éventuelles représailles ?

— Neil a déjà refusé d'aller trouver la police. Il nierait probablement m'avoir parlé. S'il revenait sur ses déclarations au sujet de Mark, on pourrait l'accuser d'avoir induit les autorités en erreur. À mon avis, il ne dira rien. »

Jamie se tourna vers Grace, en se demandant si elle le soutiendrait.

« Qu'en pensez-vous ? Vous êtes d'accord avec moi ?

— Non. Pas du tout », répondit Grace sans détour.

Il regarda Isabel, qui haussait un sourcil. Une idée se formait dans sa tête.

« Lançons la voleuse sur les traces du voleur, dit-elle. Comme vous dites, nous perdons pied. Nous ne pouvons rien prouver sur ces fraudes financières. Encore moins sur les liens entre ces fraudes et la mort de Mark. On dirait bien que ce n'est pas le problème, d'ailleurs, et qu'il n'existe peut-être aucun lien de ce genre. Ce qu'il faudrait maintenant, c'est faire comprendre à Johnny Sanderson que cette histoire ne nous intéresse plus. Ça devrait le dissuader de revenir me chercher noise.

— Vous croyez vraiment qu'il pourrait... qu'il pourrait s'en prendre à vous ? s'enquit Jamie.

— Il m'a fait une vraie frayeur hier soir. Et je me dis que ce n'est pas impossible, reconnut Isabel. Mais je viens de penser à une solution : que Minty lui dise qu'elle est parfaitement au courant de sa visite la nuit dernière. Si elle lui annonce qu'elle sait qu'il me surveille, je doute qu'il se risque à de nouvelles tentatives de ce genre. Si les choses tournaient mal, il aurait au moins une ennemie jurée qui le dénoncerait immédiatement. »

Jamie n'était pas convaincu.

« Alors il faudrait en parler à Minty ?

— Oui. Mais moi, franchement, j'aurais du mal ! Est-ce que vous pourriez... »

Grace se leva soudain.

« Non. C'est moi qui m'en chargerai, trancha-t-elle. Dites-moi où je peux trouver cette Minty et j'irai lui dire deux mots. Ensuite, pour que les choses soient claires, j'irai aussi dire deux mots au nommé Sanderson. Je lui ferai comprendre qu'il n'a pas intérêt à remettre les pieds dans cette maison. »

Isabel jeta un regard vers Jamie, qui approuva de la tête.

« Grace peut montrer beaucoup d'autorité », dit-il. Et d'ajouter en toute hâte : « Au meilleur sens du terme, bien sûr.

— Bien sûr », opina Isabel en souriant.

Elle resta silencieuse quelques instants, puis poursuivit.

« Vous savez, je ne suis pas fière de moi. Quel terrible manque de courage moral ! J'ai fait quelques pas dans un monde extrêmement déplaisant, et voilà, je m'enfuis en courant, uniquement parce que j'ai peur. Une vraie poule mouillée !

— Que pourriez-vous faire de plus ? répliqua Jamie avec humeur. Vous êtes intervenue dans la limite de vos possibilités. Il n'y a rien d'autre que vous puissiez faire. Maintenant il est parfaitement légitime que vous preniez soin de vous. Soyez raisonnable, pour une fois !

— J'abandonne toute cette affaire, répondit Isabel d'une voix sans timbre. Je l'abandonne parce qu'un individu m'a fait très peur. C'est exactement ce qu'ils voulaient. »

L'agacement de Jamie était palpable à présent.

« Eh bien, d'accord ! riposta-t-il. Dites-nous donc ce que vous pouvez faire de plus. Dites-nous comment agir désormais. Vous ne le pouvez pas ! Je me trompe ? Vous ne le pouvez pas, pour la simple raison qu'il n'y a plus rien que vous puissiez faire.

— Exactement, renchérit Grace. C'est Jamie qui a raison. Vous, vous dites des bêtises. Vous n'êtes pas lâche, ni moralement ni autrement. Vous êtes le contraire de la lâcheté. Le contraire !

— Je suis d'accord, dit Jamie. Vous êtes courageuse, Isabel. Et c'est pour ça qu'on vous aime. Vous êtes courageuse et bonne, même si vous semblez l'ignorer. »


Isabel passa dans son bureau pour s'occuper du courrier, laissant Jamie et Grace conférer dans la cuisine. Au bout de quelques minutes, Jamie regarda sa montre.

« J'ai un élève à onze heures, dit-il. Mais je peux revenir ce soir. »

Grace estima que ce serait plus sûr et accepta au nom d'Isabel.

« Seulement pour quelques jours, dit-elle. Si ça ne vous ennuie pas…

— Aucun problème, répondit Jamie. Je ne la laisserai pas toute seule dans cette situation. »

Alors qu'il partait, Grace le rattrapa dans l'allée et le prit par le bras. Elle jeta un regard par-dessus son épaule, vers la maison, et baissa la voix pour lui parler :

« Vous êtes formidable, vous savez ? Vraiment formidable. Beaucoup de jeunes gens ne se donneraient pas tant de peine. Vous, si.

— Ça ne me gêne pas. Je vous assure, répondit Jamie, gêné.

— Oui, bon, peut-être. Mais il y a autre chose que je voulais vous dire. Cat a envoyé promener ce type au pantalon fraise écrasée. Elle l'a écrit à Isabel. »

Jamie ne dit rien, mais cligna des yeux deux ou trois fois. Grace lui serra le bras plus fort.

« Isabel l'a prévenue, murmura-t-elle. Elle lui a dit que ce Toby allait retrouver une autre fille.

— Elle lui a dit ça ?

— Oui, et Cat était dans tous ses états. Elle est partie en courant et elle pleurait toutes les larmes de son corps. J'ai essayé de lui parler, mais elle n'a pas voulu m'écouter. »

Jamie se mit à rire, mais se reprit au bout d'un instant.

« Excusez-moi. Ce n'est pas le chagrin de Cat qui m'amuse. Mais je suis si content qu'elle sache enfin à quel genre de type elle avait affaire ! Je... »

Grace approuva de la tête.

« Si elle avait un peu de jugeote, elle serait à vous.

— Merci. J'en serais très heureux, mais je doute qu'elle le veuille. »

Grace le regarda droit dans les yeux.

« Puis-je vous dire quelque chose de vraiment personnel ? Vous ne m'en voudrez pas ?

— Bien sûr que non. Allez-y. »

La nouvelle annoncée par Grace l'avait aussitôt réjoui et il était prêt à tout entendre.

« Vos pantalons, chuchota Grace. Ils sont toujours d'un terne ! Vous avez un corps superbe… Pardon d'être aussi franche, ce n'est pas dans mes habitudes de parler ainsi à un homme. Mais c'est la vérité. Et votre visage est à tomber par terre. Seulement, il faudrait… il faudrait vous arranger pour être un peu plus sexy. Cat est de ces filles… Comment dire ? Ces choses-là l'intéressent, voilà. »

Jamie la regarda avec deux yeux ronds. Personne, jamais, ne lui avait parlé de la sorte. Grace, à l'évidence, n'était animée que de bonnes intentions, mais que reprochait-elle à ses pantalons, au juste ? Il baissa les yeux vers ses jambes, puis la regarda.

Elle secouait la tête, non de désapprobation, mais de tristesse, pour les occasions manquées, les promesses non tenues.

Jamie revint peu avant sept heures ce soir-là, rapportant avec lui son petit sac en cuir. Les vitriers étaient passés dans l'après-midi et avaient remplacé le vitrail par un grand panneau de verre blanc. Quand il arriva, Isabel était dans son bureau et le pria d'attendre quelques minutes qu'elle eût fini d'écrire une lettre. Elle semblait de bonne humeur en lui ouvrant la porte, mais au moment de lui dire les dernières nouvelles son expression était plus sombre.

« J'ai reçu deux coups de fil de Minty, déclara-t-elle. Voulez-vous savoir ce qu'elle m'a dit ?

— Bien sûr. Je n'ai pensé qu'à ça toute la journée.

— Minty était furieuse en apprenant par Grace ce qui s'est passé la nuit dernière. Elle m'a téléphoné pour m'annoncer que Paul et elle iraient trouver Johnny séance tenante, pour lui dire leur façon de penser. Ce qu'ils ont fait, apparemment, parce qu'elle m'a rappelée plus tard dans la journée pour m'assurer que je n'avais plus rien à craindre de lui, qu'elle l'avait très clairement mis en garde. Je crois qu'elle sait d'autres choses sur son compte dont elle s'est servie comme menace, et il a cédé. Donc, j'en ai fini avec lui.

— Et Mark Fraser ? A-t-il été question de sa mort ?

— Non. Pas un mot, répondit Isabel. Mais si vous voulez mon avis, je persiste à croire que Mark a très bien pu être poussé du haut du paradis par Johnny Sanderson, ou par quelqu'un qu'il avait payé pour ça. Mais cela, nous ne pourrons jamais le prouver, et j'imagine qu'il le sait. Donc, l'incident est clos. Toutes les traces sont nettoyées. Le milieu financier a caché son linge sale au fond d'un placard et jeté la clé. La mort d'un jeune homme a été escamotée de la même façon. Et les affaires continuent comme si de rien n'était. »

Jamie baissa les yeux vers le tapis.

« Nous ne sommes pas des enquêteurs très brillants, pas vrai ?

— Non, dit Isabel en souriant. Nous sommes deux amateurs plutôt piteux. Un bassoniste et une philosophe ! »

Elle se tut quelques secondes. Puis :

« Au milieu de cette déroute morale, je crois que nous avons quand même une raison de nous réjouir. »

Jamie la regarda avec curiosité.

« Laquelle ?

— Cela mérite bien un petit verre de sherry, dit Isabel en se levant. Sabler le champagne en pareille occasion serait indécent. »

Elle se dirigea vers le bar et y prit deux verres.

« Qu'est-ce que nous célébrons au juste ? demanda Jamie.

— Cat n'est plus fiancée, annonça Isabel. Pendant une très brève période elle a couru un gros risque, celui de devenir la femme de Toby. Mais elle est passée cet après-midi et nous avons pleuré comme deux Madeleine dans les bras l'une de l'autre. Toby appartient au passé. »

Isabel sentait qu'elle avait eu raison : il eût été malséant de fêter au champagne la fin d'une liaison. Mais on pouvait sortir pour dîner au restaurant, pourquoi pas ? Il le lui proposa et elle accepta.

## 27

Isabel n'aimait pas laisser une tâche inachevée. Si elle s'était mêlée de la mort de Mark Fraser et de tout ce qui l'entourait, c'était par conviction qu'elle en avait le devoir moral, que cela lui plût ou non. Ce devoir était maintenant accompli, à tous égards sauf un. Elle décida de rendre visite à Neil, pour lui révéler l'issue de son enquête. C'était Neil qui, le premier, lui avait demandé d'agir, et à présent elle lui devait une explication sur la tournure qu'avait prise l'affaire. Savoir qu'on n'avait pu prouver l'existence d'un lien entre les soupçons de Mark et sa chute mortelle pourrait le réconforter, s'il se tourmentait de n'avoir rien fait lui-même.

Mais elle avait une autre raison de vouloir s'entretenir avec Neil. Depuis leur toute première rencontre, lors de cette visite embarrassée où elle l'avait vu courir tout nu dans l'entrée de l'appartement, ce garçon n'avait cessé de l'intriguer. Les circonstances de leur conversation n'avaient, bien sûr, pas été faciles : elle l'avait dérangé alors qu'il était couché avec Hen, ce qui était pour le moins gênant. Mais cela n'expliquait pas tout. Ce soir-là, il s'était montré sur la défensive, et ses réponses aux questions d'Isabel avaient été plus que réticentes. Elle ne pouvait naturellement s'attendre à un accueil chaleureux, tant il était prévisible – et parfaitement légitime – qu'il fût mal disposé envers toute personne venue le questionner sur son ami disparu. Pourtant, elle pressentait qu'il y avait autre chose.

Isabel décida d'aller le voir le lendemain. Elle essaya de l'en prévenir par téléphone, mais le numéro de l'appartement ne répondit pas et il n'était pas disponible à son travail. Aussi se hasarda-t-elle à une autre visite à l'improviste.

En montant l'escalier, elle réfléchit à tout ce qui s'était passé depuis sa précédente visite. Quelques semaines seulement s'étaient écoulées, mais entretemps il lui semblait avoir subi un véritable essorage émotionnel, aussi complet que salutaire. Et maintenant elle se retrouvait dans cette même maison, exactement à son point de départ. Elle appuya sur la sonnette et, comme la dernière fois, ce fut Hen qui lui ouvrit. Son accueil fut plus chaleureux, et elle lui offrit aussitôt un verre de muscat, qu'Isabel accepta.

« En réalité, c'est Neil que je suis venue voir, dit-elle. Je voulais lui parler encore une fois. J'espère qu'il n'y verra pas d'inconvénient.

— Je suis sûre que non, répondit Hen. Il n'est pas rentré, mais il ne devrait pas tarder. »

Isabel se remémora leur première conversation : Hen lui avait dit la même chose, un pur mensonge, et plus tard elle avait vu Neil courir nu dans l'entrée. Elle eut envie de sourire, mais se retint.

« Je m'apprête à partir, annonça Hen d'un ton de conversation détendue. Je déménage. J'ai trouvé un job à Londres et je l'ai saisi au vol. Nouveaux défis. Nouvelles occasions. Vous voyez ce que je veux dire.

— Bien sûr, répondit Isabel. Vous devez être impatiente.

— Mais je regretterai cette maison. Et je suis sûre que je reviendrai en Écosse, un jour ou l'autre. On y revient toujours.

— Comme moi, dit Isabel. J'ai passé quelques années à Cambridge, puis aux États-Unis, mais j'ai fini par revenir. Maintenant, je pense que c'est définitif.

— Donnez-moi d'abord quelques années ! dit Hen. Ensuite, on verra bien. »

Isabel se demanda ce que Neil comptait faire. Resterait-il à Édimbourg ou l'emmènerait-elle avec elle ? Pour une obscure raison, elle penchait pour la seconde solution. Elle posa la question.

« Neil reste ici, répondit Hen. Il a son travail.

— Et l'appartement ? Il compte le garder ?

— Je crois. »

Hen marqua une pause.

« En fait, il est un peu sens dessus dessous à l'idée que je m'en aille, mais il s'y fera. La mort de Mark a été très dure pour lui. Dure pour tout le monde. Mais Neil l'a vraiment très mal encaissée.

— Ils étaient proches ? »

Hen hocha la tête.

« Oui, ils s'entendaient bien. La plupart du temps, au moins. Je crois vous l'avoir déjà dit.

— Bien sûr. Bien sûr, je m'en souviens. »

Hen tendit le bras vers la bouteille de muscat pour servir Isabel une nouvelle fois.

« Vous savez, je me surprends encore très souvent à penser à cette soirée. Le soir où Mark est tombé. Je ne peux pas m'en empêcher. Ça me prend à n'importe quelle heure du jour. Je pense à lui, assis en haut de la salle et vivant sa dernière heure. La dernière heure de son existence. Je l'imagine en train d'écouter McCunn. Je connais bien McCunn, ma mère en jouait chez nous. Je l'imagine assis tout là-haut, en train d'écouter.

« — Ça m'attriste pour vous, dit Isabel. Je comprends combien ce doit être dur. »

McCunn. *Land of the Mountain and the Flood*. Une pièce tellement romantique… Puis une pensée lui vint tout à coup, et pendant une seconde son cœur s'arrêta.

« Vous savez ce qu'on a joué ce soir-là ? »

Sa voix s'était réduite à un murmure et Hen la regarda d'un air surpris.

« Oui. J'ai oublié le reste, mais pas McCunn.

— Pas McCunn ?

— Sur le programme, dit Hen en fixant Isabel avec une expression de plus en plus étonnée. Je l'ai vu sur le programme. Qu'y a-t-il de bizarre à cela ?

— Mais d'où le teniez-vous, ce programme ? Quelqu'un vous l'a donné ? »

Hen continua de l'observer comme si elle posait des questions absurdes.

« Il me semble que je suis tombée dessus ici, dans l'appartement. D'ailleurs je peux sûrement le retrouver. Vous voulez le voir ? »

Isabel fit oui de la tête, et Hen alla fourgonner dans une pile de papiers posée sur une étagère.

« Le voilà. C'est bien le programme du concert. Regardez : McCunn et les autres morceaux. »

Isabel le prit d'une main tremblante.

« À qui appartient-il, ce programme ? s'enquit-elle.

— Je ne sais pas. À Neil, peut-être. Tout ce qui est ici est à lui ou à moi. Ou… à Mark.

— Ce doit être celui de Neil, dit Isabel à voix basse. Mark n'est pas revenu du concert, n'est-ce pas ?

— Je ne vois pas en quoi il est important, ce programme », marmonna Hen.

Elle semblait vaguement irritée à présent, et Isabel saisit cette occasion pour prendre congé.

« Je vais descendre pour attendre Neil, dit-elle. Je ne veux pas vous retenir plus longtemps.

— Je m'apprêtais à prendre un bain.

— Alors prenez-le, se hâta de dire Isabel. Est-ce que Neil rentre à pied ?

— Oui, répondit Hen en se levant. En traversant le terrain de golf, là-bas.

— Je vais aller à sa rencontre, dit Isabel. La soirée est superbe et ça me fera du bien de marcher. »

Elle sortit, s'efforçant de rester calme et de maîtriser sa respiration. Soapy Soutar, le gamin du rez-de-chaussée, tirait sur la laisse de son chien pour l'entraîner vers quelques touffes d'herbe au bord de la chaussée. Au moment de le dépasser, elle s'arrêta pour lui dire un mot :

« Il a l'air gentil, ton chien ! »

Soapy Soutar leva les yeux vers elle.

« Y m'aime pas. Et y bouffe tout l'temps.

— Les chiens ont toujours faim, dit Isabel. Ils sont ainsi.

— Ouais, mais çui-là, il a un trou à la place du ventre, qu'elle dit, ma mère. Y bouffe, et y veut pas qu'on l'promène.

— Mais je suis sûre qu'il t'aime bien.

— Non. Y m'aime pas. »

Là-dessus la conversation s'acheva tout naturellement, et Isabel tourna les yeux vers le terrain de golf. Deux personnes le traversaient par le sentier en diagonale, à une certaine distance l'une de l'autre, et l'une d'elles, haute silhouette enveloppée d'un mince imperméable kaki, ressemblait assez à Neil. Elle s'avança à sa rencontre.

C'était bien Neil. Pendant quelques instants il parut ne pas la reconnaître, mais bientôt elle le vit sourire et il la salua poliment.

« Je suis passée vous voir, et Hen m'a dit que vous rentreriez par ce chemin. Je suis venue à votre rencontre. La soirée est si belle !

— Oui, un temps magnifique, n'est-ce pas ? »

Il la regarda, attendant qu'elle dît autre chose. Il se sentait mal à l'aise, pensa-t-elle, mais, après tout, il y avait de quoi. Elle prit une profonde respiration.

« Pourquoi êtes-vous venu chez moi ? demanda-t-elle. Pourquoi teniez-vous à me parler des inquiétudes de Mark ? »

Il répondit très vite, attendant à peine qu'elle eût fini sa question :

« Parce que je ne vous avais pas dit toute la vérité.

— Et vous ne me l'avez toujours pas dite. »

Il la regarda fixement, et elle vit les jointures de ses doigts blanchir autour de la poignée de sa serviette.

« Vous ne m'avez pas dit que vous étiez au concert de l'Usher Hall. Vous y étiez, n'est-ce pas ? »

Elle le regardait bien en face et observa la succession de ses émotions. D'abord il y eut de la colère, mais elle disparut rapidement pour faire place à la peur.

« Je sais que vous y étiez, dit-elle. Et maintenant j'en ai la preuve. »

Ce n'était qu'une demi-vérité, mais elle pensa que cela suffirait, compte tenu de ce qu'elle attendait de cette rencontre. Il ouvrit la bouche pour parler :

« Je…

— Est-ce vous qui avez causé sa mort, Neil ? Est-ce vous ? Vous êtes restés tout seuls à l'amphithéâtre après que tout le monde était descendu… C'est bien ça, n'est-ce pas ? »

Il ne put soutenir son regard plus longtemps.

« Oui, j'étais là. C'est vrai.

— Et qu'est-ce qui s'est passé ?

— Nous nous sommes disputés, dit Neil. C'est moi qui ai commencé. J'étais jaloux, vous comprenez ? À cause de lui et de Hen. Ça m'était devenu insupportable. Nous nous sommes disputés et je l'ai poussé, de côté, pour lui montrer que j'étais en colère. Je n'avais aucune intention de lui faire mal. Une simple bourrade, presque rien. C'est tout ce que j'ai fait. Mais il a basculé.

— Est-ce que cette fois vous me dites la vérité, Neil ? »

À l'instant où il levait la tête, Isabel plongea ses yeux dans les siens, et elle eut la réponse. Ce qu'elle ignorait encore, c'étaient les raisons de sa jalousie. Mais était-ce important ? Il lui sembla que non : l'amour et la jalousie peuvent jaillir de mille sources diverses, mais leur force et leur intensité sont toujours les mêmes, d'où qu'ils viennent.

« Oui, c'est la vérité, dit-il lentement. Mais je ne pouvais la dire à personne, vous comprenez ? On m'aurait accusé de l'avoir poussé par-dessus la rambarde, et je n'avais aucun témoin pour affirmer le contraire. On m'aurait traîné en justice. Si vous bousculez quelqu'un et que cette personne en meurt, et que cela vienne à se savoir, vous êtes passible d'une condamnation pour meurtre, même si vous n'aviez aucune intention de tuer cette personne, même si ce n'était qu'une bousculade. C'était un accident, seulement un accident. Jamais je n'aurais voulu, jamais... »

Il s'interrompit. Puis :

« Et ensuite j'avais trop peur pour en parler à qui que ce soit. J'avais peur, voilà. J'imaginais ce que serait le reste de ma vie si personne ne me croyait.

— Moi, je vous crois », dit Isabel.

Un homme arrivait sur le sentier et fit quelques pas dans l'herbe pour les éviter. Sans doute se demandait-il (ou, du moins, Isabel le supposa) ce qu'ils faisaient là, debout au milieu du terrain de golf, absorbés dans une conversation si sérieuse sous le ciel assombri. Ils décidaient d'une vie, pensa-t-elle. Ils permettaient aux morts de reposer en paix – et au temps de commencer son œuvre pour le pardon.

Au fil de leurs études, songea Isabel, les philosophes se trouvaient aux prises avec des problèmes de ce genre. Le pardon était un sujet qu'ils affectionnaient, de même que le châtiment. Certes, on avait besoin de châtier, non pour se sentir mieux ensuite – car ce mieux-être se révélait une simple illusion –, mais pour que l'équilibre moral fût maintenu : le châtiment désignait le mal et nourrissait le sentiment de justice. Mais dans un monde juste on n'aurait puni que ceux qui voulaient faire le mal, qui agissaient par malveillance délibérée. Ce jeune homme – qu'elle comprenait bien maintenant – n'avait jamais voulu mal faire. Jamais il n'avait eu l'intention de faire du mal à Mark. C'était même tout le contraire, et il n'y avait aucune raison, aucune justification concevable, de le tenir pour responsable des terribles conséquences de son geste, qui n'avait jamais été qu'un banal mouvement d'irritation. Si le droit pénal écossais en jugeait autrement, alors le droit pénal écossais était moralement indéfendable, et il n'était pas besoin d'épiloguer davantage.

Neil nageait en pleine confusion. Mais, au bout du compte, tout cela n'avait été qu'une affaire de sexe, de désirs incertains et d'immaturité. Si on le punissait maintenant, pour quelque chose qu'il n'avait jamais souhaité, à quoi cela pourrait-il servir ? Une autre vie serait gâchée, et le monde n'en serait pas plus juste.

« Oui, je vous crois », répéta Isabel.

Elle se tut. La décision était très simple, au fond, et elle n'avait pas besoin de connaître la philosophie morale pour la prendre.

« Et cela met un terme à toute cette affaire. C'était un accident. Vous le regrettez sincèrement. Je crois que nous pouvons en rester là. »

Elle le regarda et vit qu'il était en larmes. Elle tendit le bras pour prendre sa main, et elle la garda dans la sienne jusqu'à ce qu'à nouveau il se sentît capable d'avancer sur le chemin.

Si vous avez aimé
**Le Club
des philosophes amateurs**
suivez les aventures
d'Isabel Dalhousie dans
**Amis, amants, chocolat**
*(aux Éditions des Deux Terres)*

1

L'homme au pardessus de tweed marron croisé et orné de trois petits boutons recouverts de cuir au bas des manches, descendait lentement la rue qui forme l'épine dorsale d'Édimbourg.

Il suivait des yeux les mouettes venues de la côte, qui plongeaient en piqué sur les pavés pour ramasser les débris de poisson jetés par quelque main négligente. En cet instant, seuls leurs cris désolés déchiraient le silence de la matinée d'octobre ; il y avait peu de circulation. La ville était étrangement calme et les passants rares. Sur le trottoir d'en face, un garçonnet sale et ébouriffé tirait un chien au bout d'une ficelle qui lui servait de laisse. Le petit terrier écossais ne voulait pas se laisser faire et regarda l'homme un instant, comme pour supplier qu'on cesse de le tirer et de le traîner de force. Il doit bien y avoir un saint patron pour les chiens comme celui-là, se dit l'homme, le saint patron des chiens prisonniers.

Il arriva au carrefour de St Mary's Street. Au coin à droite se trouvait Le Bout du Monde, un pub fréquenté par des musiciens et des chanteurs ; à gauche, Jeffrey Street traçait une courbe avant de s'enfoncer sous la grande arche de North Bridge. Entre deux bâtiments, il voyait au loin, sur le toit de l'hôtel Balmoral, la croix blanche sur fond bleu du drapeau écossais, les diagonales familières du drapeau britannique, flottant fièrement en haut de leur mât, agités par un vent du nord soufflant de Fife, comme les étendards à la proue d'un navire luttant contre le vent.

Voilà une belle métaphore pour l'Écosse que ce petit vaisseau tourné vers la mer, malmené par les éléments, se dit-il.

Après avoir traversé, il continua à descendre l'avenue. Il dépassa une poissonnerie dont l'enseigne représentait un poisson doré et laissa sur sa droite une de ces nombreuses petites ruelles pavées qui dévalent la pente, sous les immeubles modestes.

Il était arrivé à son but : l'église de Canongate, édifice à la façade imposante, un peu en retrait de High Street. Au faîte de l'église, les armoiries – ramure de cerf dorée sur croix également dorée – brillaient sur fond de ciel bleu.

Il ouvrit la grille et leva les yeux. Devant ce genre de façade, on aurait presque pu se croire en Hollande. Mais il y avait trop de touches écossaises caractéristiques, le vent, le ciel, la pierre grise. Il y avait surtout ce qu'il était venu chercher, la tombe sur laquelle il se rendait chaque année en ce jour anniversaire de la mort du poète, à l'âge de vingt-quatre ans.

Il traversa la pelouse en direction de la pierre tombale, dont la forme imitait la façade de l'église. Même après deux siècles, l'inscription était encore très nette. Robert Burns lui-même avait payé ce monument avec ses propres deniers en hommage à son frère en poésie, et composé les lignes qui y étaient gravées : *Que cette modeste tombe guide les pas de la blanche Écosse et qu'elle noie son chagrin dans les cendres de son poète !*

Il s'arrêta. Il y avait bien d'autres tombeaux à voir en ce lieu, par exemple celui d'Adam Smith, plus majestueux et plus décoré, qui avait consacré sa vie à l'étude des lois du marché et à l'économie, et engendré une science toute neuve.

Mais c'était cette pierre devant laquelle il se trouvait qui le touchait jusqu'aux larmes.

Il sortit de la poche de son pardessus un petit carnet noir ancien modèle, en moleskine. Il l'ouvrit sur les mots qu'il avait lui-même recopiés à partir d'une anthologie des poèmes de Robert Garioch. Il se mit à réciter à voix basse, bien qu'il n'y eût personne autour de lui, sinon les morts.

*Le cimetière de Canongate en cette fin d'année*
*Est vieux et gris, les petits rosiers sont dénudés.*
*Cinq mouettes se détachent, blanches, sur les nues*
*grises.*
*Pourquoi sont-elles là ? Il n'y a rien pour elles ;*
*Pourquoi sommes-nous là nous-mêmes ?*

Oui, se dit-il. Et moi, pourquoi suis-je là ? Parce que j'admire cet homme, ce Robert Ferguson qui écrivit tant de belles choses durant les quelques années qu'il lui fut donné de vivre, et parce qu'il faut bien célébrer son souvenir et venir se recueillir tous les ans en ce même jour, dussé-je être le seul.

D'ailleurs, il accomplissait ce devoir pour la dernière fois. C'était l'ultime visite. Si leurs pronostics étaient justes, et à moins d'un improbable miracle, c'en serait fini des pèlerinages.

De nouveau, il jeta les yeux sur son carnet et commença à lire à voix haute les vers écossais ciselés, que le vent entraînait au loin :

*Aujourd'hui, un lourd chagrin pèse sur mon cœur.*
*N'ayez garde de le mépriser ;*
*Car ici même Robert Burns s'agenouilla pour*
*embrasser la terre.*

Il recula d'un pas. Personne ne pouvait voir les larmes qui lui montaient aux yeux, mais il les essuya cependant, par respect humain.

*Un lourd chagrin.* Ô combien ! Puis il fit un signe de tête vers la pierre tombale et se retourna. À ce moment précis, il vit une femme accourir vers lui sur le chemin. Il poussa un cri quand le talon de sa chaussure se prit entre deux dalles, manquant la faire trébucher.

Mais elle retrouva son équilibre et continua à avancer vers lui, en faisant de grands gestes.

— Ian ! Ian !

Elle était hors d'haleine. Il devina tout de suite la nouvelle qu'elle venait annoncer et la regarda d'un air grave.

— Ça y est, dit-elle.

Alors elle lui sourit et se pencha pour le serrer dans ses bras.

— Quand ? demanda-t-il, en fourrant le carnet dans sa poche.

— Tout de suite. Maintenant. Pas une minute à perdre. Ils viennent te chercher ici directement.

Ils rebroussèrent chemin et s'éloignèrent de la pierre tombale. On lui avait enjoint de ne pas courir, et de toute façon il s'essoufflait tout de suite. Mais sur terrain plat, il marchait assez vite ; bientôt ils arrivèrent à la grille de l'église, où le taxi noir les attendait.

— Quoi qu'il arrive, lui dit-il en s'engouffrant dans le taxi, jure-moi de revenir ici. C'est la seule chose que je ne rate jamais. Chaque année, le jour anniversaire.

— L'année prochaine, tu viendras toi-même, répondit-elle, prenant sa main dans les siennes.


De l'autre côté d'Édimbourg, quelques mois plus tard, Cat, charmante jeune femme d'une vingtaine d'années, s'apprêtait à sonner à la porte d'entrée d'Isabel Dalhousie. Elle examinait les pierres du mur, remarquant qu'elles se décoloraient sérieusement par endroits. Au-dessus du fronton triangulaire de la chambre de sa tante, la pierre commençait à s'effriter ; il y avait des manques, comme une cicatrice qui commence à tomber, révélant la peau toute neuve.

Ce lent déclin avait son charme : comme toute chose, une maison a le droit de vieillir dignement, sans artifice. Dans des limites raisonnables, bien sûr.

Dans l'ensemble d'ailleurs, la maison était en bon état : grande, mais néanmoins discrète, chaleureuse et renommée pour son hospitalité. Tous ceux qui frappaient à cette porte, quel que fût leur dessein, seraient reçus courtoisement. Si c'était l'heure de l'apéritif, au printemps et en été, on leur offrirait un verre de vin blanc sec, en automne et en hiver du vin rouge.

Ils seraient écoutés avec la même politesse, car c'était un impératif moral pour Isabel que d'accorder à tous la même attention. Elle avait des principes profondément égalitaires, sans toutefois aller jusqu'à l'excès inverse de ses contemporains qui se refusaient parfois à juger. Pour Isabel, la distinction entre le bien et le mal existait réellement. Elle n'aimait ni le relativisme moral ni la tolérance universelle. Pour elle, du moment qu'il y avait matière à porter un jugement, cela devenait une obligation.

Isabel avait fait des études de philosophie et travaillait à mi-temps en tant que rédactrice en chef de la *Revue d'Éthique Appliquée,* fonction mal rétribuée mais peu exigeante en temps.

C'était d'ailleurs Isabel elle-même qui avait suggéré que l'augmentation des coûts de production soit compensée par une réduction de son salaire. La rémunération était pour elle secondaire : les actions de la société

Louisiana and Gulf Land que lui avait léguées sa mère, une Américaine qu'elle appelait « ma sainte femme de mère », suffisaient plus que largement à ses besoins. Isabel était en fait une femme aisée, bien qu'elle n'aimât pas ce terme, surtout appliqué à elle. Elle était indifférente à l'aisance matérielle, mais s'occupait de très près, et avec beaucoup de générosité, de ses « modestes bonnes œuvres », comme elle disait avec une simplicité caractéristique.

— Mais qu'est-ce que tu appelles tes « bonnes œuvres » au juste ? lui avait un jour demandé Cat.

— Eh bien, ce sont des œuvres de charité, si on veut, avait répondu Isabel, l'air embarrassé. Des aumônes, si tu préfères. J'aime bien ce mot « aumônes ». Mais je n'aime pas en parler.

Cat resta interdite. Sa tante avait de drôles d'idées. Lorsqu'on se montre charitable, pourquoi s'en cacher ?

— Il vaut mieux rester discret, avait ajouté Isabel.

Bien qu'en toute occasion elle préférât la franchise, elle estimait inconvenant de parler de ses bonnes œuvres. Attirer l'attention sur ses charités revenait immanquablement à exprimer une certaine autosatisfaction. Voilà pourquoi elle réprouvait ces listes de généreux donateurs qui figurent sur les programmes d'opéra.

Sans la certitude que leur philanthropie allait devenir publique, une fois le programme imprimé, ces gens auraient-ils ouvert aussi grande leur bourse ? Pour beaucoup d'entre eux, Isabel était bien certaine que non. Certes, si flatter la vanité humaine était la seule façon d'encourager les arts, alors le jeu en valait sans doute la chandelle. Mais on ne trouvait jamais le nom d'Isabel sur ce genre de listes, et ce n'était pas passé inaperçu dans le Tout-Édimbourg.

— Elle est avare, chuchotaient certains. Elle ne donne jamais rien.

Ils se trompaient bien sûr, comme souvent ceux qui ont tendance à voir le mal partout. En l'espace d'une année, et sans qu'il en soit fait mention dans quelque programme ou liste de généreux donateurs que ce soit, Isabel avait fait don de huit mille livres au Scottish Opera : trois mille livres consacrées à la nouvelle production de *Hansel et Gretel* et cinq mille livres destinées à s'attirer les services d'un très bon ténor italien pour *Cavalleria Rusticana*. Cette dernière œuvre avait été transposée dans l'Italie des années trente, avec des costumes peu seyants et l'inévitable chœur de fascistes en chemise brune. À la réception qui avait suivi la première, Isabel avait félicité le chef de chœur.

— Vos fascistes ont très bien chanté.

— Ils adorent être déguisés en fascistes. Je pense que c'est lié à la frustration du choriste.

Cette remarque avait jeté un froid ; certains fascistes l'avaient entendue. Le chef de chœur avait néanmoins poursuivi, le regard plongé dans son verre de vin.

— Oh, de façon très indirecte, sans doute. Et encore, ce n'est pas si sûr.


— L'argent, c'est là que le bât blesse, déclara Cat. L'argent.

— C'est l'éternel problème, acquiesça Isabel, en tendant à Cat un verre de vin.

— Oui. Évidemment, si j'étais prête à offrir assez d'argent, je trouverais bien quelqu'un capable de me remplacer. Mais je n'ai pas les moyens. C'est un commerce et je ne peux pas me permettre de perdre de l'argent.

Isabel hochait la tête. Elle comprenait la situation : Cat était propriétaire d'un magasin d'épicerie fine qui faisait aussi salon de thé et qui marchait très bien, non loin de là, à Bruntsfield, mais Isabel savait que, entre rentabilité et faillite, la marge est étroite. Cat employait déjà un assistant à temps plein, Eddie, un jeune homme qui semblait toujours au bord des larmes, hanté par quelque traumatisme dont Cat ne pouvait, ou ne voulait pas, parler. Elle pouvait à la rigueur laisser le magasin à Eddie pour de courtes périodes, mais toute une semaine, c'était apparemment trop long.

— Il panique, expliqua Cat. Quand il se sent dépassé, il panique.

Cat raconta à Isabel qu'elle était invitée à un mariage en Italie et avait l'intention de s'y rendre avec un groupe d'amis. Ils comptaient assister à la cérémonie à Messine, puis remonter vers le nord et passer une semaine dans une maison qu'ils avaient louée en Ombrie. C'était la bonne saison pour ce genre de séjour ; le temps serait idéal.

— Il faut que j'y aille, dit Cat, je ne peux pas rater ça.

Isabel sourit. Cat ne demandait jamais un service de façon directe, mais on pouvait lire dans ses pensées comme dans un livre ouvert.

— Mais moi, je pourrais peut-être… commença-t-elle. Je pourrais prendre ta place ? La dernière fois, j'avais trouvé ça plutôt amusant et, si tu te souviens bien, j'avais augmenté le chiffre d'affaires, les recettes avaient grimpé.

— Tu avais dû charger un peu la note, répondit Cat, amusée.

— Ce n'est pas pour ça que je t'en ai parlé. Je ne veux pas te forcer la main, poursuivit-elle après être restée silencieuse un moment.

— Non, bien sûr.

— Mais ce serait fantastique, enchaîna Cat rapidement. Tu sais comment fonctionne le magasin. En plus Eddie t'aime bien.

Isabel fut surprise d'entendre qu'Eddie avait une opinion sur elle. Il ne lui adressait pratiquement jamais la parole et pas le moindre sourire. Pourtant, l'idée qu'il l'aimait bien la mit dans de bonnes dispositions à son égard. Peut-être se confierait-il à elle, comme il s'était confié à Cat, et elle pourrait alors faire quelque chose, lui conseiller un spécialiste. Il y avait des gens susceptibles de l'aider. Si nécessaire, elle était prête à payer elle-même.

Elles se mirent alors à faire des plans. Cat devait partir dans dix jours. Si Isabel pouvait venir travailler au magasin une journée avant de prendre ses fonctions, cela leur permettrait de passer en revue les stocks et le carnet de commandes. Il faudrait s'occuper des livraisons de vin et de salamis prévues pendant l'absence de Cat. Sans oublier l'impérieuse nécessité de garder les surfaces de travail toujours impeccables : tout un protocole très strict de réglementations tatillonnes auxquelles il fallait se plier. Eddie était parfaitement au courant, mais il fallait néanmoins le surveiller, car il avait une curieuse propension à ranger les olives dans les récipients prévus pour la salade de chou.

— Ce sera autrement plus difficile que ton travail de rédactrice en chef de la *Revue d'éthique appliquée*, ajouta Cat en souriant. Beaucoup plus difficile.

Isabel pensa, sans le dire, que c'était bien possible. Le travail du rédacteur en chef d'une revue spécialisée est, dans une large mesure, répétitif : accuser réception des comptes-rendus de lecture, écrire à ceux qui relisent les manuscrits, discuter des dates de publication avec les responsables de l'édition et l'imprimeur, toutes tâches en somme très routinières. Mais lire les articles et traiter avec les auteurs, c'était une autre paire de manches. Il fallait faire preuve d'intuition et de tact. Elle en avait fait l'expérience : les auteurs d'articles non retenus en concevaient presque toujours de la rancœur. Plus l'article était mauvais ou extravagant, et c'était là monnaie courante, plus l'auteur rejeté se montrait agressif. Elle avait précisément sur son bureau en ce moment ce genre d'auteur, ou du moins son œuvre, intitulée *Le Bien-Fondé du vice*, titre qui lui rappelait un autre article sur lequel elle avait récemment fait un compte-rendu, *Éloge du Péché*. Du moins ce dernier fournissait-il une recherche solide sur les limites du moralisme, concluant d'ailleurs par l'apologie de la vertu, dont *Le Bien-Fondé du vice* faisait justement peu de cas. Au contraire, l'auteur décrivait les avantages présumés du vice pour la construction de la personnalité, à condition que le vice en question correspondît au désir réel de l'individu. Cela pouvait à la rigueur se discuter, pensait Isabel, pour les vices acceptables, comme la boisson ou la gourmandise, mais comment diable trouver des aspects positifs à ceux sur lesquels l'auteur insistait ? Pour elle, c'était impossible : qui oserait se faire le défenseur de cette pratique ou cette autre encore ?

Elle passa rapidement en revue les vices explorés par l'auteur, mais dut s'arrêter. Même en les affublant de leurs noms latins, tout son être regimbait. Des gens s'adonnent-ils vraiment à ces activités ? Oui, sans doute, se dit-elle, mais ils seraient bien surpris qu'un philosophe prenne leur parti. Et pourtant c'était précisément ce qu'un professeur de philosophie australien était en train de faire. En tout cas, elle avait une responsabilité à l'égard de ses lecteurs ; elle ne pouvait pas défendre l'indéfendable. Elle allait lui renvoyer son article, accompagné d'un petit mot, quelque chose comme : « Cher Professeur Curtis, je suis désolée de ne pouvoir publier votre papier. Le sujet est trop provocant pour les lecteurs et c'est moi qui serais tenue pour responsable de vos écrits, n'en doutez pas. Sincères salutations, Isabel Dalhousie. »

Chassant toute idée de vice de son esprit, Isabel revint à Cat.

— Ce sera peut-être difficile, dit-elle. Mais je crois que je peux m'en sortir.

— Tu as le droit de refuser, dit Cat.

— Je sais. Mais je ne veux pas refuser. Tu iras à ce mariage.

— Je te revaudrai ça un jour ou l'autre, dit Cat en souriant. Je prendrai ta place pendant quelques semaines et tu partiras en vacances.

— Tu ne pourrais pas me remplacer, de même que je ne pourrais pas te remplacer. On n'en sait jamais assez sur les autres pour pouvoir prendre leur place. On croit savoir, mais on n'est jamais sûr.

— Tu as compris ce que je voulais dire. Je viendrai vivre ici et je ferai ta correspondance, par exemple, pendant que tu seras en vacances.

Isabel hocha la tête.

— D'accord, j'y penserai. Mais je n'ai pas besoin de compensation. Je crois que je vais bien m'amuser.

— J'en suis sûre, répondit Cat. Les clients te plairont, certains du moins.

Cat resta dîner. Elles prirent un repas léger dans la véranda, pour profiter des derniers rayons du soleil couchant. On était au mois de juin et le solstice d'été approchait ; il ne fait jamais très sombre à Édimbourg, même à minuit. L'été avait été long à s'installer, mais maintenant les jours rallongeaient, et le temps devenait plus estival.

— Ce temps me rend paresseuse, avoua Isabel. Cela me fera le plus grand bien de travailler dans ton magasin, il faut que je me secoue un peu.

— Et moi cela me fera le plus grand bien de me détendre un peu en Italie, répondit Cat. Même si la noce promet d'être plutôt animée.

298

Isabel demanda qui se mariait. Parmi les amis de Cat, rares étaient ceux qu'elle avait eu l'occasion de rencontrer, et elle avait tendance à les confondre. Il y avait tant de Kirsty et de Craig qu'ils étaient devenus pour elle interchangeables.

— C'est Kirsty qui se marie. Tu l'as rencontrée une ou deux fois chez moi, je crois.

— Ah, Kirsty, répondit Isabel.

— Elle a fait la connaissance d'un Italien l'année dernière lorsqu'elle enseignait l'anglais à Catane. Il s'appelle Salvatore. Ils ont eu le coup de foudre, c'est aussi simple que ça.

Isabel resta un moment silencieuse. Bien des années auparavant, à Cambridge, elle était tout simplement tombée amoureuse de John Liamor. Elle était allée jusqu'à l'épouser, avait un temps toléré ses infidélités. Un jour, elle en avait eu assez. Mais ces jeunes Kirsty étaient beaucoup trop réfléchies pour se tromper dans leur choix.

— Il fait quoi ? demanda Isabel.

Elle n'aurait pas été surprise que Cat ne le sache pas.

En effet, la jeune femme semblait ignorer ou du moins s'intéresser fort peu aux activités professionnelles de ses amis, ce qui ne laissait pas d'intriguer Isabel, pour qui il s'agissait là d'éléments fondamentaux sans lesquels on ne pouvait prétendre connaître les gens.

— Kirsty ne sait pas au juste, répondit Cat en souriant. Je sais que ça va t'étonner, mais chaque fois qu'elle pose la question à Salvatore, il reste évasif. Apparemment, il travaillait dans l'affaire de son père, mais elle n'a pas pu arriver à savoir ce dont il s'agit exactement.

Isabel la regarda fixement. Elle devinait aisément la nature des affaires du père de Salvatore.

— Et ça ne la gêne pas ? demanda Isabel prudemment. Elle est quand même prête à l'épouser ?

— Pourquoi pas ? Ce n'est pas parce qu'on ne connaît pas précisément les activités professionnelles de quelqu'un qu'on doit se priver de l'épouser !

— Mais si l'activité en question est du racket, par exemple ? Qu'est-ce qui se passe alors ?

— Du racket ? répliqua Cat en éclatant de rire. Mais c'est ridicule, voyons ! Pourquoi ferait-il du racket ?

Pour Isabel, c'était plutôt la naïveté de Cat qui était ridicule.

— Cat, dit-elle calmement. C'est l'Italie. Dans le sud de l'Italie, si on ne veut pas révéler son activité professionnelle, cela veut dire une seule chose : qu'on travaille pour le crime organisé, la Mafia. C'est comme ça. Et sa forme la plus commune, c'est le racket.

Cat regardait sa tante, étonnée.

— Mais non voyons ! Tu as trop d'imagination.

— C'est Kirsty qui n'en a pas assez, riposta Isabel. Je ne peux pas comprendre qu'on puisse épouser quelqu'un qui ait ce genre de secret. Je ne me vois pas épouser un gangster.

— Salvatore n'est pas un gangster. Il est très sympathique. Je l'ai rencontré plusieurs fois et je l'aime bien.

Isabel baissa les yeux. Cette déclaration suffisait à souligner à quel point Cat manquait de jugement en matière d'hommes. Cette petite Kirsty, avec son beau mafieux de mari, allait revenir sur terre un peu brutalement. Lui voudrait une femme soumise, ne posant pas de questions, sachant ne pas voir ce qu'il trafiquait avec ses copains. L'Écossaise qu'elle était ne pourrait pas se plier à ce genre de vie ; l'égalité des droits et le respect mutuel qu'elle espérait, elle ne les trouverait pas dans son ménage. Il y avait là les germes d'une

tragédie et Cat semblait ne pas s'en apercevoir, pas plus qu'elle n'avait été capable de percer à jour Toby, son ex-fiancé, ce jeune homme au teint de porcelaine, qui avait un penchant pour les pantalons en velours côtelé couleur fraise écrasée. Et si Cat ramenait de la péninsule un fiancé italien ? Voilà qui promettait.

Traduit de l'anglais par Martine Sk[
Titre original : *Friends, Lovers, Ch[*
Editeur original : Little, Brown, L[
© Alexander McCall Smith, 2005
Pour la traduction française :
© Editions des Deux Terres, oc[

*Impression réalisée sur Presse Offset par*

**BRODARD & TAUPIN**

GROUPE CPI

La Flèche (Sarthe), 36717
N° d'édition : 3876
Dépôt légal : octobre 2006

*Imprimé en France*

ego, 130c -
enfance, 134 -
gène, 194h -
pape, 203c -
gourmets, 230c -
culture, 240b -

# Marry Me?

## REBECCA WINTERS
## BARBARA WALLACE
## SHIRLEY JUMP

First Published in Great Britain 2016
By Mills & Boon, an imprint of HarperCollins*Publishers*
1 London Bridge Street, London, SE1 9GF

WILL YOU MARRY ME? © 2016 Harlequin Books S. A.

*A Marriage Made In Italy*, *The Courage To Say Yes* and *The Matchmaker's Happy Ending* were first published in Great Britain by Harlequin (UK) Limited

*A Marriage Made In Italy* © 2013 Rebecca Winters
*The Courage To Say Yes* © 2013 Barbara Wallace
*The Matchmaker's Happy Ending* © 2013 Shirley Kawa-Jump, LLC

ISBN: 978-0-263-92078-9

05-0816

Our policy is to use papers that are natural, renewable and recyclable products and made from wood grown in sustainable forests. The logging and manufacturing processes conform to the legal environmental regulations of the country of origin.

Printed and bound in Spain
by CPI, Barcelona

# A MARRIAGE MADE
# IN ITALY

## BY
## REBECCA WINTERS

**Rebecca Winters**, whose family of four children has now swelled to include five beautiful grandchildren, lives in Salt Lake City, Utah, in the land of the Rocky Mountains. With canyons and high alpine meadows full of wildflowers, she never runs out of places to explore. They, plus her favourite vacation spots in Europe, often end up as backgrounds for her romance novels, because writing is her passion, along with her family and church.

Rebecca loves to hear from readers. If you wish to e-mail her, please visit her website: www.cleanromances.com.

# CHAPTER ONE

BELLE PETERSON LEFT the cell phone store she managed, and took a bus to the law office of Mr. Earl Harmon in downtown Newburgh, New York. The secretary showed her into the conference room. She discovered her thirty-year-old, divorced sibling, Cliff, had already arrived and was sitting at the oval table with a mulish look on his face, daring her to speak to him. She hadn't seen him since their parents' funeral six months ago.

On the outside he was blond and quite good-looking, but his facade hid a troubled soul. He'd been angry enough after his wife had left him, but the deaths of their parents in a fatal car crash meant he was now on his own. Today Belle felt Cliff's antipathy more strongly than usual and chose a seat around the other side of the table without saying a word.

Now twenty-four and single, she had been adopted fourteen years ago. The children at the Newburgh Church Orphanage had liked her, as had the sisters. But out in the real world, Belle felt she was unlovable, and worked hard at her job to gain the respect of her peers. Her greatest pain was never to know the mother who'd given birth to her. To have no identity was an agony she'd had to live with every day of her life.

The sisters who ran the orphanage had told Belle that Mrs. Peterson had been able to have only one child. She'd finally prevailed on her husband to adopt the brunette girl, Belle, who had no last name. This was Belle's chance to have a mother, but no bonding ever took place. From the day she'd been taken home, Cliff had been cruel to her, making her life close to unbearable at times.

"Good morning."

Belle was so deep in thought over the past, she didn't realize Mr. Harmon had come into the room. She shook his hand.

"I'm glad you two could arrange to meet here at the same time. I have some bad news and some good. Let's start with the bad first."

The familiar scowl on Cliff's face spoke volumes.

"As you know, there was no insurance, therefore the home you grew up in was sold to pay off the multitude of debts. The good news is you've each been given fifteen hundred dollars from the auction of the furnishings. I have checks for you." He passed them out.

Cliff shot to his feet. *"That's it?"* Belle heard panic beneath his anger. She knew he'd been waiting to come into some money, if only to make up delinquent alimony payments. She hadn't expected anything herself and rejoiced to receive this check, which she clutched in her hand before putting it in her purse.

"I'm sorry, Mr. Peterson, but everything went to pay off your father's debts and cover the burial costs. Please accept my sincere sympathy at the passing of your parents. I wish both of you the very best."

"Thank you, Mr. Harmon," Belle said, when Cliff continued to remain silent.

"If you ever need my help, feel free to call." The attorney smiled at her and left the room. The second he was gone, an explosion of venom escaped Cliff's lips. He shot her a furious glance.

"It's all *your* fault. If Mom hadn't nagged Dad for a daughter, there would have been more money and we wouldn't be in this mess. Why don't you go back to Italy where you belong?"

Her heart suddenly pounded with dizzying intensity. "What did you say?"

"You heard me. Dad never wanted you."

"You think I didn't know that?" She moved closer to her brother, holding her breath. "Are you saying I came from Italian parents?" All along she'd thought the sisters at the orphanage might have named her for the fairy-tale character, or else she came from French roots.

Her whole life she'd been praying to find out her true lineage, and she'd gone to the orphanage many times seeking information. But every time she did, she'd been told they couldn't help her. Nadine, her adoptive mother, had never revealed the truth to her, but Belle had heard Cliff's slip and refused to let it go.

He averted his eyes and wheeled around to leave, but she raced ahead of him and blocked the door. At twenty-four, Belle was no longer frightened of him. Before they left this office and parted ways forever, she had to ask the question that had been inscribed on her mind and heart from the time she knew she was an orphan. "What else do you know about my background?"

Cliff flashed her a mocking smile. "Now that Dad's no longer alive, how much money are you willing to pay me for the information?"

She could hardly swallow before she opened her

purse and pulled out the check. In a trembling voice she said, "I'd give you *this* to learn anything that could help me know my roots." While he watched, she drew out a pen and endorsed it over to him.

For the first time since she'd known him, his eyes held a puzzled look rather than an angry one. "You'd give up that much money just to know about someone who didn't even want you?"

"Yes," she whispered, fighting tears. "It's not important if they didn't want me. I just need to know who I am and where I came from. If you know anything, I beg you to tell me." Taking a leap of faith, she handed him the check.

He took it from her and studied it for a moment. "You always were pathetic," he muttered.

"So you don't know anything and were just teasing me with your cruelty? That doesn't really surprise me. Go on. Keep it. I never thought we'd get that much money from the auction, anyway. You're one of the lucky people who grew up knowing your parents. Too bad they're gone and you're all alone now. Knowing how it feels, I wouldn't wish that on anyone, not even you."

Belle opened the door, and had started to leave when she heard him say, "The old man said your last name was the same as the redheaded smart-mouth he hated in high school."

Her heart thundered. She spun around. "Who was that?"

"Frankie Donatello."

*"Donatello?"*

"Yeah. One day I heard Mom and Dad arguing about you. That's when it came out. He said he wished they'd never adopted that Italian girl's brat. After he left for work, I told Mom she ought to send you back to where you came from, because you weren't wanted. She said that would be impossible because it was someplace in Italy."

*What?* "Where in Italy?" Belle demanded.

"I don't know. It sounded something like Remenee."

"How did he find out? The sisters told me it was a closed adoption."

"How the hell do *I* know?"

It didn't matter, because joy lit up Belle's insides. Her leap of faith had paid off! Without conscious thought she reached out and hugged him so hard she almost knocked him over. "Thank you! I know you hate me, but I love you for this and forgive every mean thing you ever said or did to me. Goodbye, Cliff."

She rushed out of the law office to the bus stop and rode back to work. After nodding to the sales reps, she disappeared into the back room and looked for a map of Italy on the computer. She was trembling so violently she could hardly work the keyboard.

As she scrolled down the list of cities and towns that popped up, the name Rimini appeared, most closely matching "Remenee." The blood pounded in her ears when she looked it up and discovered it was a town of a hundred forty thousand along the Adriatic. It was in the province of Rimini.

Quickly, she scanned the month's schedule of vacations for the employees. They all had one week off in summer and one in winter. Belle was on summer break from college, where she went to night school. Her vacation would be coming up the third week of June, ten days away.

Without hesitation she booked a flight from New York City to Rimini, Italy, and made arrangements for a rental car. She chose the cheapest flight, with two stopovers, and made a reservation at a pension that charged only twenty-eight dollars a day. No phone, no TV. The coed bathroom was down the hall. Sounded like the orphanage. That was fine with her. A bed was all she needed.

Since she'd been saving her money, and roomed with two other girls, she'd managed to put away a modest nest egg. All these years she'd been guarding it for something important, never dreaming the money would ever help her to find her mother.

"Belle?"

She lifted her head and smiled politely at her colleague. "Yes, Mac?"

"How about going for pizza after we lock up tonight?"

"I'm sorry, but I have other plans."

"You always say that. How can someone so gorgeous turn me down? Come on. How about it?"

Her new assistant manager, transferred in from another store, was good-looking and a real barracuda in sales, but he irritated her by continually trying to get her to go out with him.

"Mac? I've told you already that I'm not interested."

"Some of the guys call you the Ice Queen." He never gave up.

"Really. Anything else you want to say to me before you finish the inventory?"

She heard a smothered imprecation before the door closed. Good. Maybe she *was* an ice queen. Fine! So far she hadn't seen examples of love in her personal life and didn't expect to.

Her birth parents had given her away. Her adoptive parents had suffered through an unhappy marriage. Her adoptive brother was already divorced, and angry. He'd used her pretty mercilessly as an emotional punching bag. Belle always felt she was on the outside looking in, but never being part of a whole.

She thought about the single girls at the store, who all struggled to find good dates and were usually miserable with the ones they landed. Two of the four guys were married. One of them was having an affair. The other was considering divorce. The other two were players. Both spent their money on clothes and cars.

Her own roommates were still single and terrified they would end up alone. It was all they talked about when the three of them went running in the mornings.

Belle didn't worry about being alone. That had been her state from the moment she was born. The few dates she'd accepted here and there outside the workplace had fizzled. It was probably her fault, because she didn't feel very lovable and wasn't as confident as she needed to be. Marriage wasn't an option for her.

She didn't trust any relationship to last, and cut it off early. Belle hadn't met a man she'd cared enough about to imagine going to bed with. No doubt her mother had experimented, and gotten caught with no resources but the church orphanage to help her. Belle refused to get into that circumstance.

What she *could* depend on was her career, which gave her the stability she craved after being dependent on the orphanage and her adoptive parents. She was a free agent now. Her store had been number one in the region for two years. Soon she hoped to be promoted to upper-level management in the company.

But first she would take her precious vacation time to try to find her mother. If Cliff had gotten it wrong or misunderstood, then maybe the trip would be for nothing, but Belle had to think positive thoughts. Romantic Italy, the world of Michelangelo, gondolas and the famous tenor Pavarotti, had always sounded as delightful and as faraway as the moon. Incredible to believe she'd actually be flying there in ten days.

Tomorrow she'd see about equipping herself with a company GSM phone and SIM card, the kind with a quad-band. Once in Rimini, she'd find a local library and work from the latest city phone directory to do her research.

She was in the midst of making a mental list of things she'd need when Rod, one of the reps, suddenly burst in on her. "Hey, boss? Can you come out in front? An angry client just threw his cell phone at Sheila and is demanding satisfaction. He said it broke after he bought it."

She smiled. "If it wasn't broken, it is now. No problem." No problem at all on the first red-letter day of her life. "I'll be right there."

It was seven in the morning when thirty-three-year-old Leonardo Rovere di Malatesta, the elder son of Count Sullisto Malatesta of Rimini, finally got his little six-month-old Concetta to sleep. The doctor said she'd caught a bug, and he'd prescribed medicine to bring down her temperature. It was now two degrees lower than it had been at midnight, and she hadn't thrown up again, *grazie a Dio!*

After he'd walked the floor with her all night in an attempt to comfort her, he was exhausted. The dog ought to be exhausted, too. Rufo was a brown roan Spinone, a wedding gift from his wife's father.

Rufo had been devoted to Benedetta and had transferred his allegiance to Concetta when Leon had returned from the hospital without his wife. Since that moment, their dog had never let the baby out of his sight. Leon was deeply moved by such a show of love, and patted the animal's head.

There was no way he'd be going in to the bank today. Talia and Rufo would watch over his daughter while he slept. The forty-year-old nanny had been with him since Benedetta had died in childbirth, and was devoted to his precious child. If the baby's fever spiked again, he could count on her to waken him immediately.

He kissed Concetta's head with its fine, dark blond hair, and laid her in the crib on her back, out of habit. She never stayed in that position for long. Her lids hid brown eyes dark as poppy throats. She had Benedetta's coloring and facial features. Leon loved this child in a way he hadn't thought possible. Her presence and demanding needs filled the aching loneliness in his heart for the wife he'd lost.

After tiptoeing out of the nursery, he told Talia he was going to bed, then went to find his housekeeper, who'd always worked for his mother's family. She and Talia were cousins, and he trusted them implicitly.

"Simona? I've turned off my cell phone. If someone needs me, knock on my door."

The older woman nodded before Leon headed for his bedroom. He was so exhausted he didn't remember his head touching the pillow. The relief of knowing the baby's fever had broken helped him to fall into a deep sleep.

When he heard a tap on his door later, he checked his watch. He'd slept seven hours and couldn't believe it was already midafternoon! He came awake immediately, fearing something was wrong.

"Simona? Is Concetta worse?" he called out.

"No, no. She has recovered. Talia is feeding her." Relief swamped him a second time. "Your assistant at the bank asked if you would phone him at your convenience."

*"Grazie."* Leon levered himself off the bed and headed for the shower, surprised that Berto would call the villa. Normally he would leave a message on Leon's cell. Maybe he had.

After he'd shaved and dressed, Leon reached for his phone. There was a message from his father asking him to join the family for dinner.

Not tonight.

Another message came from his friend Vito, in Rome. Leon would phone him before he went to bed.

Nothing from Berto.

Leon walked into the kitchen, where he found Talia feeding plums from a jar to his daughter, who was propped in her high chair. Rufo sat on the floor with his tail moving back and forth, watching with those humanlike eyes.

Concetta's sweet little face broke into a smile the second she saw her father, and she waved her hands. Whenever she did that, it made him thankful he was alive. He felt her forehead, pleased to note her fever was gone.

"I do believe you're much better, *il mio tesoro.* As soon as I make a few phone calls, you and I are going to go out on the patio and play." It overlooked his private stretch of beach with its fine golden sand. Concetta was strong and loved to stand in it in her bare feet if he braced her.

Yesterday he'd bought a new set of stacking buckets for her, but she hadn't felt well enough to be interested. Now that her health was improved, he couldn't wait to see what she'd do with them. First, however, he phoned his father to explain that the baby had been sick and needed to be put down early.

When Leon heard the disappointment in his voice, he made arrangements for dinner the following evening *if* she was all better. With that accomplished he called his secretary at the bank.

"Berto? I sent you a text message telling you my daughter was ill. Is there a problem that can't wait until tomorrow?"

"No, no. I'll talk to you in the morning, provided the *bambina* is better."

Leon rubbed the pad of his thumb along his lower lip. "You wouldn't have phoned if you didn't think it was important."

"At first I thought it was."

"But now you've changed your mind?" Berto was being uncharacteristically cryptic.

"*Sì.* It can wait until tomorrow. *Ciao,* Leon."

His assistant actually hung up on him! Leon clicked off and eyed the baby, who'd eaten all her plums and seemed perfectly content playing with her fingers.

"Talia, something has come up at the bank. I'll run into town and be back within the hour. Tell Simona to phone me if there's the slightest problem."

"The little one will be fine."

He kissed his daughter's cheek. "I'll see you soon."

After changing into a suit, Leon alerted his body-guard before leaving the villa. He drove his black sports car into the most celebrated seaside resort city in Europe, curious to understand what was going on with Berto.

After pulling around to the back of the ornate, two-story Renaissance building, partially bombed during World War II and later reconstructed, he let himself in the private entrance reserved for him and his family. He took the marble staircase two steps at a time to his office on the next floor, where he served as assets manager for Malatesta Banking, one of the two top banking institutions in Italy.

Under his father's brilliant handling as wealth manager, they'd grown to twenty-five thousand employees. With his brother, Dante, overseeing the broker-dealer department, business was going well despite Italy's economic downturn. If the call from Berto meant any kind of trouble, Leon intended to get to the bottom of it pronto.

His redheaded assistant was on a call when Leon walked into his private suite of rooms. Judging from his expression, Berto was surprised to see him. He rang off quickly and got to his feet. "I didn't know you were coming."

Leon's hands went to his hips. "I didn't expect you to hang up so quickly from our earlier conversation. I want to know what's wrong. Don't tell me again it's nothing. Which of the accounts is in trouble?"

Berto looked flustered. "It has nothing to do with the accounts. A woman came to the bank earlier today after being sent from Donatello Diamonds on the Corso D'Augosto."

"And?" Leon demanded, sensing his assistant's hesitation.

"Marcello in Security called up here, asking for you to handle the inquiry, since your father wasn't available. The manager at Donatello's told her she would have to speak to someone at the bank. That's when I called you.

"But after I heard it was some American wanting information about the Donatello family, I figured it was a foreign reporter snooping around. At that point I decided not to bother you any more about it."

Leon frowned in puzzlement. Someone wanting to do legitimate business would have made an appointment with him or his father and left their full name.

*Was* it one of the paparazzi posing as an American tourist in order to dig up news about the family? Leon's relatives had to be on constant alert against the media wanting to rake up old scandal to sell papers.

Leon had seen it all and viewed life with a cynical eye. It was what came from being a Malatesta, hated in earlier centuries and still often an object of envy.

"When I couldn't get you or your father, I tried your brother, but he's out of town. I told Marcello this person would have to leave a name and phone number. With your daughter sick, I didn't consider this an emergency, but I still wanted you to be informed."

"I appreciate that. You handled it perfectly. Do you have the information she left?"

Berto handed the notepaper to him. "That's the phone number and address of the Pensione Rosa off the Via Vincenza Monti. The woman's name is Belle. Marcello said she's in her early twenties, and with her long dark hair and blue eyes, more than lives up to her name. When she approached him, he thought she was a film star."

Naturally. Didn't the devil usually appear in the guise of a beautiful woman? Of course she didn't leave a last name....

"Good work, Berto. Tell no one else about this. See you tomorrow."

More curious than ever, Leon left the bank. A few minutes later he discovered the small lodging down an alley, half hidden by the other buildings. He parked and entered. No one was around, so he pressed the buzzer at the front desk. In a moment a woman older than Simona came out of an alcove.

"I'm Rosa. If you need a room, we're full, s*ignore*."

Leon handed her the paper. "You have a woman named Belle registered here?"

"*Sì.*" With that staccato answer he realized he wouldn't be learning her guest's last name the easy way.

"Could you ring her room, *per favore?*"

"No phone in the rooms."

He might have known, considering the low price for accommodations listed on the back wall. "Do you know if she's in?"

"She went out several hours ago and hasn't returned."

He spied a chair against the wall, next to an end table with a lamp on it. "I'll wait."

The woman scrutinized him. "Leave me your name and number and she can call you from the desk here after she returns."

"I'll take my chances and see if she comes in."

With a shrug of her ample shoulders, the woman disappeared through the alcove.

Rather than sit here for what might be hours, he phoned one of his security people to do surveillance. When Ruggio arrived, Leon gave him the American woman's description and said he wanted to be notified as soon as she showed up.

With that taken care of, he walked out to the alley and got in his car. He was halfway to the villa when his cell phone rang. It was Ruggio. Leon clicked on. "What's happening?"

"The woman fitting the description you gave me just entered. She's driving a rental car from the airport."

"Which agency?"

When Ruggio gave him the particulars, Leon told him to stay put until he got there. On the way back to the pension, he called the rental agency and asked to speak to the manager on a matter of vital importance. Once the man heard it was Signor di Malatesta investigating a possible police matter to do with the bank, he told him her last name was Peterson, and that she was from Newburgh, New York. Leon didn't often use his name to apply pressure, but this case was an exception.

He learned she'd made the reservation nearly two weeks ago and had rented the car for seven days. It seemed she'd already been in Rimini three days.

Leon thanked the manager for his cooperation. Pleased to be armed with this much information before confronting her, he made a search on his phone. Newburgh was a town sixty miles north of New York City. What it all meant he didn't know yet, but he was about to find out.

He saw the rental car when he drove down the alley and parked. Ruggio met him at the front desk of the pension, where Rosa was helping a scruffy-looking male wearing a backpack and short shorts.

"She's been in her room since she came in. She's *molta molta bellissima,*" Ruggio whispered. "I think I've seen her on television."

Marcello had said the same thing. "*Grazie.* I'll take it from here," Leon told him. If she was working alone or with another reporter, he planned to find out.

Once Ruggio left, he sat down. By now it was quarter after six. Without a TV, she'd probably leave again, if only to get a meal. If he had to wait too long, he'd insist Rosa go knock on Signorina Peterson's door. To pass the time, Leon phoned Simona, and was relieved to hear his little girl seemed to be over the worst of her bug.

As he was telling his housekeeper he wasn't sure what time he'd get home, a woman emerged from the alcove. Without warning, his adrenaline kicked in. Not just because she was beautiful—in fact, incredibly so. It was because there was something about her that reminded him of someone else.

She swept past him, so fast she was out the door before he was galvanized into action. After telling Simona he'd get back to her, he sprang from the chair and followed the shapely woman in the two-piece linen suit and leather sandals down the alley to her car.

He estimated she had to be five feet six. Even the way she carried herself, with a kind of unconscious grace, was appealing. Physically, Leon could find nothing wrong with her, and that bothered him, since he hadn't been able to look at another woman since Benedetta.

"Belle Peterson?"

She wheeled around, causing her gleaming hair, the

color of dark mink, to swish about her shoulders. Cobalt-blue eyes fringed with black lashes flew to Leon in surprise. If she already knew who he was, she was putting on a good act of pretending otherwise.

She possessed light olive skin that needed no makeup. Her wide mouth, with its soft pink lipstick, had a voluptuous flare. He found her the embodiment of feminine pulchritude, but to his surprise she stared at him without a hint of recognition or flirtatiousness. "How do you know my name? We've never met."

With that accent, she was American through and through. He found her directness as intriguing as her no-nonsense demeanor. Some men might find it intimidating. Leon's gaze dropped to her left hand, curled over her shoulder bag and resting against the lush curve of her hip. Her nails were well manicured with a neutral coating. She wore no rings.

If in disguise for a part she was playing—perhaps in the hope of infiltrating their family business in some way to unlock secrets— he would say she looked...perfect.

He pulled the note Berto had given him out of his suit jacket pocket and handed it to her.

She glanced at it before eyeing him again. "Evidently you're from the bank. How did you get my last name?"

"A simple matter of checking with the car rental agency."

Her blue eyes turned frosty. "I don't know about your country, but in mine that information can only be obtained by a judge's warrant during the investigation of a crime."

"My country has similar laws."

"Was it a crime to ask questions?"

"Of course not. But I'm afraid our doors are closed to all so-called journalists. I decided to investigate."

"I'm not a journalist or anything close," she stated promptly. Reaching in her shoulder bag, she pulled a business card out of her wallet.

He took it from her fingers and glanced at it. *Belle Peterson, Manager, Trans Continental Cell Phones Incorporated, Newburgh, New York...*

He lifted his head. "Why didn't you leave this card at the bank with the security man you talked to?"

Without hesitation, she said, "Because a call to my work verifying my employment would let everyone know where I am. Since my whereabouts are no one's business, I wish it to remain that way. The fact is, I'm on vacation and it's almost over."

He slipped the card into his pocket. "You'll be returning to Newburgh?"

"Yes. I've talked to as many people with the last name Donatello as I've been able to locate in Rimini. So far I haven't found the information I've been seeking."

"Or a missing person, maybe?" he prodded. "A man, perhaps?" The question slipped out, once again surprising him. As if he cared who she was looking for...

Her gaze never wavered. "I suppose that's a natural assumption a man might make, but the answer is no. Not every woman is looking for a man, whether it be for pleasure or for marriage...an institution that in my opinion is overvaunted."

She sounded like Leon, only in reverse, increasing his interest.

"To be specific, the manager at Donatello Diamonds directed me to the Malatesta Bank, but it seems I've come to a dead end there, too. Since you prefer not to tell me your name, at least let me thank you for the courtesy of coming to the pension to let me know you can't help me. I can cross Donatello Diamonds off my list of possibilities."

Like a man concluding a business meeting, she put out her hand for Leon to shake. His closed around hers. Unexpected warmth shot up his arm, catching him off guard before he released her. "What will you do now?"

"I'll continue to search until my time runs out in three days. Goodbye." She turned and got in her rental car without asking him for the card back. He watched until she drove to the end of the alley and turned onto the street.

Her card burned a hole in his pocket. He pulled it out. If he phoned the number on the back of it, he'd find out if she'd been telling the truth about her job. But since he was a person who always jealously guarded his own privacy, he could relate to her desire to keep her private life to herself.

No matter what, this woman meant *nothing* to him. If she'd come on a fishing expedition, he hadn't given her any information she could use to cause trouble.

By the time he'd driven back to the villa, his thoughts were on his daughter. It wasn't until later, after he'd kissed her good-night and was doing laps in the pool, that images of the American woman kept surfacing. There was something familiar about her that wouldn't leave him alone.

A nagging voice urged him to phone the head office of TCCPI, wherever it was located, to find out if she'd fabricated an elaborate lie including a business card. Leon could do that before he went to bed. If he didn't make the call, he'd never get to sleep.

# CHAPTER TWO

EARLY WEDNESDAY MORNING, Belle came awake after a restless night. The tall nameless man in the light blue silk suit who'd tracked her down in the alley last evening was without question the most dangerously striking male she'd ever met in her life.

With those aquiline features, he embodied much more than the conventional traits one normally attributed to a gorgeous man, such as handsome, dashing or exciting. She couldn't believe it, but she'd been attracted to him. Strongly attracted. It had never happened to her before.

Once he'd called out to her, she'd felt his powerful presence before she'd even turned to study his rock-hard physique. His black hair and olive skin provided the perfect foil for startling gray eyes.

For him to come from the bank armed with information no one could have known meant he was someone of importance. The fact that her inquiry had brought him to the pension convinced her she'd unwittingly trespassed on ground whose secrets were so dark, they had to be well guarded.

Who better than the man who'd suddenly appeared like some mysterious prince from this Renaissance city?

Just remembering their encounter sent a shiver down the length of her body.

She was being fanciful, but couldn't help it. His deep voice with barely a trace of accent in English had agitated her nervous system. Even after twelve hours she could still feel it resonating. Though she'd never forget him, she needed to push thoughts of him to the back of her mind. Her flight home Sunday would be here before she knew it, which meant she needed to intensify her search.

Once she'd showered down the hall, and had slipped on a short-sleeved, belted white cotton dress, she left the pension armed with her detailed street map and notebook. She'd kept a log of every Donatello name so far. Her destination for the last Donatello she could find in the city of Rimini was Donatello's Garage.

After following the directions she'd been given on the phone yesterday, she talked to the manager, who spoke passable English. He told her a man by another name now owned the shop. The original owner, Mr. Donatello, and his wife had both died of old age. They'd had no children who could inherit the garage.

This was the way it had been going since last Sunday, when she'd started working through the list of Donatellos in the Rimini phone directory. In most cases the people she'd talked to were willing to help her, even going to the trouble of finding someone to help them understand her English.

They were proud of their genealogy. Many of them told her she could come by their house. The others told her their information over the phone, but so far there were no leads on a woman with the middle or last name Donatello, in her late thirties or early forties, who'd been to New York twenty-six years ago. It was like looking for a needle in the proverbial haystack.

Resolving not to be dispirited, Belle thanked him and headed for the library near her pension, to do more research on the other nineteen cities and towns within Rimini Province. They were ten to twelve miles apart and had much smaller populations, so there wouldn't be as many Donatellos to look up. That could be bad, if nothing was discovered about her birth mother.

En route to the library, Belle stopped at a trattoria for breakfast and filled up so she wouldn't have to eat until dinnertime. She would be doing a lot more driving over the next few days. Before she left Rimini, she approached the woman in the research department, who spoke excellent English and knew she was looking for Donatello names.

"I have one more question, if you don't mind. Could you tell me anything about the Malatesta Bank?" The striking Italian who'd shown up at the pension had refused to leave her mind.

"How much time do you have?"

That's what Belle had thought. "Yesterday the manager of Donatello Diamonds directed me to the bank to get information, but I learned nothing. Why would he do that? I don't understand the connection."

"The House of Malatesta was an Italian family that ruled over Rimini from 1300 to 1500. There's too much history since then to tell you in five minutes. But today a member of that old ruling family, Count Sullisto Malatesta, runs the Malatesta Bank, one of the two largest banks in Italy. They own many other businesses as well.

"Another, lesser ruling family of the past, the House of Donatello, made their fortune in diamonds, but over years of poor management it started to dwindle. Some say it would have eventually failed if Count Malatesta, then a widower, hadn't merged with the House of Donatello.

"He saved it from ruin by marrying Princess Luciana Donatello, the heiress, whose father was purported to have died of natural causes." The woman lowered her voice. "I say *purported* because some people insisted both he and his wife had been murdered, either by another faction of the Donatello family, or by the Malatesta family. Soon thereafter, the count made his power grab by marrying her, but nothing definite came of the investigation to prove or disprove the theories."

Belle shuddered. The dark stranger from the bank had looked that dangerous to her.

"The Donatello deaths left a question mark and turned everything into a scandal that rocked the region and made the wedding into a nationwide event."

"You're a fount of knowledge, and I'm indebted to you," Belle told her. "Now I'm off to the other towns in Rimini Province to look up more Donatellos. Thank you so much for your time."

The woman smiled. "Good luck to you."

Belle was glad to be leaving the city, to be leaving *him*. Before she left, she would pay her bill at the pension and turn in her rental car. In case the man from the bank made more inquiries about her, he'd be thrown off the scent. Leaving no trail, she'd take a taxi to another rental agency and procure a car for the rest of the week.

She left the library and walked out to the parking lot to get in her car. As she opened the door, she heard a deep familiar voice say, "Signorina Peterson?" Her heart jumped.

It was déjà vu as she looked around and discovered the man who'd been responsible for her restless night. This time he was dressed in a blue sport shirt that made him even more breathtaking, if that was possible. His eyes played over her with a thoroughness that was disarming.

"Why are you following me, *signore?*"

"Because I overheard your conversation with the librarian and am in a position to help you in your search if you'd allow me."

"Why would you do that, when you won't even tell me your name?"

"Because you're a foreigner who has suffered two frights. The first from me, because I put you through an inquisition yesterday. The second from the librarian, who increased your nervousness just now when she answered your question."

He'd been listening the whole time? That meant he'd followed her from the pension. Belle held on to the door handle for support. "What makes you think I'm nervous?"

"The pulse in your throat is throbbing unnaturally fast."

Those silvery eyes didn't miss a detail. "I imagine it always does that when I'm being stalked."

"With your kind of beauty, I would imagine it's an occupational hazard, especially at your workplace." While she tried to catch her breath, he said, "I had you investigated."

"I knew it," she muttered.

He cocked his dark head. "Not in a way that anyone from your store could ever find out. I called headquarters in New York and explained our bank was doing the groundwork to sponsor an American cell phone company in Rimini, to see how it would play out."

"That was a lie!"

"Not necessarily. American cell phone companies are one asset we've had an idea to acquire for some time. When I asked which store manager might be equal to the task, you were mentioned among the top five managers for your company on the East Coast."

"What did you do? Talk to the CEO himself?" she demanded.

"Actually, I did."

*Good heavens.* He was handsome as the devil and just as cunning.

"I find it even more compelling that you started with that company at age eighteen and six years later are still with them. That kind of loyalty is rare. I was told you're going to be promoted to a regional manager in the next few months. Perhaps it might land you in Rimini."

*What?*

"My congratulations."

Who was this man with such powerful connections? Belle needed to keep her wits. "Just so you know, I have no interest in moving overseas. So now that you've learned I'm not one of the paparazzi, I'd like your word that you'll leave me alone, whoever you are."

"I'm Leonardo di Malatesta, the elder son of Count Sullisto Malatesta."

Her heart thudded too fast. It all fit with her first impression of a dark prince, and explained the signet ring with a knight's head on his right hand. There was a wedding ring on his left. "I understand that name connotes someone sinister."

His smile had a dangerous curl. "If it would make you feel more comfortable, call me Leon."

"The lion. If that's supposed to make me feel any better…"

A velvety sound close to a chuckle escaped his lips. "I want to apologize for my unorthodox method of getting to know you, and frightening you. Considering the fact that you plan to return to the States on Sunday, perhaps if you told me exactly what you're hoping to find, I could help speed up the process. I really would like to assist you."

"I doubt your wife would approve."

Those gray eyes darkened with some unnamed emotion. "I'm a widower."

"Yet you still wear your wedding ring. You must have loved her a great deal. Forgive me if I'm being suspicious. The truth is, I wouldn't dream of bothering a busy man like you, one with so many banking responsibilities. The only thing I was hoping to get from the manager at Donatello Diamonds was a little information about the female members of the Donatello family. It would take just a few minutes."

"So you're looking for a woman…"

"That's very astute of you."

A gleam entered his eyes. "Considering the very attractive female I'm talking to, surely I can be forgiven for my earlier assessment of the situation."

*Don't let that fatal charm of his get to you, Belle, even if he is still in mourning.*

"That depends on what you can tell me," she retorted with a wry smile back at him.

After a pause, he said, "Obviously you haven't found

her yet. Why is she so important to you that you would come thousands of miles?"

The small moment of levity fled. "Because the answer to my whole existence is tied up with her. My greatest fear is that she's no longer alive, or that I'll never find her." Sorrow weighed Belle down at the thought.

He studied her with relentless scrutiny. "Is she a relative?"

This was where things got too sensitive. "Maybe."

"How old would she be?"

"Probably in her forties." Again, maybe. According to Cliff, her adoptive father had called her mother "that Italian girl." Belle took it to mean she was young. "I learned she was from Rimini, Italy, but that could mean the city or the province."

His black eyebrows furrowed. "My stepmother, Luciana, was an only child, born to Valeria and Massimo Donatello here in Rimini. Valeria died in a hunting accident on their estate when Luciana was only eleven. As the librarian told you, some people still believe it wasn't an accident."

"What she told me sounded positively Machiavellian."

"You're right. It was only a few months ago that the police finally solved the case. The shooting was ruled as accidental."

"I see. It's still tragic when any child loses its mother."

"I couldn't agree more," he said in an almost haunted voice. Their eyes held for a moment. "My father was fifteen years older than Luciana, and he married her against my brother's and my wishes. She was only twenty at the time and could never have replaced our mother."

Four years younger than Belle's age now. "Of course not." She could only imagine this man's pain. Suddenly he'd become more human to her. He'd lost his own mother and his wife.

"She's forty-two now," Leon added. "There must be quite a few Donatello women between those ages you've met while you've been here in Rimini."

"Yes, but so far I've had no luck, because none of them ever traveled to New York in their late teens or twenties."

Leon's heart gave a thunderclap. "New York is the connecting point?" he rasped.

Belle nodded.

What had she said in answer to his earlier question about why this was important to her? *Because the answer to my whole existence is tied up with her. My greatest fear is that she's no longer alive, or that I'll never find her.*

As Leon stared at Belle, pure revelation flowed through him. He *knew* why she looked familiar to him. Had Marcello picked up on the resemblance? Or the manager at Donatello Diamonds? Probably not, or they would have said something, but he couldn't be sure. Ruggio thought he'd seen her on television.

*Madonna mia!*

"I told you I'd like to help you, and I will, but we can't talk here. Leave your car in the library parking lot and come with me. It will be safe."

"I don't need your help. Thanks all the same."

She opened her shoulder bag to get her keys, but

he put a hand on her arm. "If you want to meet your mother, I'm the person who can make it happen. But you're going to have to trust me."

Her gasp told him everything he wanted to know. Those fabulous blue eyes were blurry with tears as they lifted to his. "Are you saying what I think you're saying?" Her voice shook.

"Let's find out. Is there anything in your car you need?"

"No."

"Then we'll drive to my villa, where we can talk in private. I have some pictures to show you."

She moved like a person in a daze as he escorted her to his car and helped her inside. At a time like this, the shape of her long, elegant legs shouldn't have drawn his attention, but they did. Her flowery fragrance proved another assault on his senses.

"Do I look like her?"

"When I saw you come out of the alcove at the pension yesterday, you reminded me of someone, but I couldn't place you. It's bothered me ever since. Not until a few minutes ago, when you mentioned New York, did everything click into place." He started the engine. "You'll need to buckle up."

Leon wove through the streets to the villa, not really seeing anything while his mind played back through the years to the time he'd first met Luciana. He remembered his father telling him and Dante that she'd lived in New York for a year and could help them improve their English. How much had his parent known about the sober young princess he'd brought home to the palazzo, besides the fact that she had money and was beautiful?

Yet even if she'd told him nothing about having a

baby, his father would have guessed, if she'd had a C-section or stretch marks. If not, he might still be in the dark. Her terrible secret might explain why she'd always seemed so remote and elusive to Leon.

Before they reached the house he phoned Simona. After learning Concetta was back to normal and playing with her new buckets in the kitchen, he told his house-keeper to prepare lunch for him and a guest. They'd be arriving shortly and could eat out on the patio.

Engrossed in her own thoughts, the woman seated next to him hadn't said a word during the drive. Once upon a time she'd been a baby, separated at birth from her mother by an ocean. When Leon thought about his little daughter and how precious she was to him, he couldn't fathom Belle's or Luciana's history. Leon had so many questions he didn't know which one to ask first.

When the white, two-story villa built along neoclassic lines came into view, he pressed the remote to open the gates and drove around to the back. When she saw the flower garden there, Belle gave a gasp of admiration.

Leon helped her from the car and led her up the steps into the rear foyer that opened into the dayroom. "At the end of the hallway is a guest bedroom with bath, where you can freshen up. When you're ready, come and find me in here, and we'll eat lunch on the patio, where we won't be disturbed."

"Thank you."

The second she disappeared, he hurried through the main floor to the kitchen, where he found Concetta in her playpen with some toys. She made delighted sounds when she saw him, and lifted her arms. He gathered her up and kissed her half a dozen times against her neck, causing her to laugh. Again he was reminded that his lunch guest had never known her mother's kiss. Obviously not her father's, either.

Talia smiled. "She's had her lunch and is ready for her nap."

"I brought company, so I can't give her all my attention, but I will when she wakes up." He kissed her once more and handed her back to Talia. His daughter didn't like being separated from him, and shed a few tears going down the hall to the staircase.

Much as he wanted to put her to bed himself, he was aware someone else was waiting for him, someone who'd been waiting years for any word about her parentage.

Simona looked over her shoulder. "Do you want lunch served now?"

"Please."

He retraced his steps to the dayroom and found Belle holding a five-by-seven framed photo she'd picked up from a grouping on one of the credenzas. Her back was turned to him, but even from this distance, he could see her shoulders shaking.

"I won't pretend to say I understand what you're feeling. I can only imagine what it must be like to see yourself in Luciana's image. Though you're not identical, anyone who knows you well would notice certain similarities."

Belle put the picture back and whirled around, her lovely face dripping with tears. She used both hands to wipe them off her chin. "My mother is a princess? *Your* stepmother? I—I can't take it in," she stammered. "In the orphanage I used to dream about what she would be like. I had to believe she gave me up because of a life-and-death reason. But my dreams never reached heights like that."

Leon put his hands on his hips. "I'm still in shock from the knowledge that she had a baby, yet there's never been a whisper of you."

He heard his guest groan. "When Cliff told me my mother was from Italy, I wanted it to be the truth. But I never thought I'd really find her. Why did you bother to come to the pension?" The throb in her voice hung in the air.

It was the question Leon had been asking himself over and over. He rubbed the back of his neck. "I can't honestly tell you the reason. It was a feeling that nagged at me to the point I had to investigate."

She clasped her hands together. "If you hadn't come, I would know *nothing,* and I would be flying back to New York without ever getting an answer. Thank heaven for you!" she cried. "I'll never be able to repay you."

A strange shiver chased through his body at the realization he might not have heeded the prompting. He'd tried to ignore it, until he'd been swimming in the pool. Then it wouldn't leave him alone.

Belle's gorgeous eyes searched his. "But now that I see her picture, I think I'm frightened. It's like that old expression about being careful what you wish for, because you might get it."

She wasn't the only one alarmed. Already she was important to him in ways he couldn't begin to explain.

"Is it because you've discovered you're the stepsister through marriage of the infamous Malatesta family?"

He'd thrown the question at her in a silky voice to

combat her pull on him. His attraction to her was sucking him in deeper and deeper. He didn't want this kind of complication in his life, not after having lost Benedetta. Too many losses convinced him it was better not to get involved. Leon had his daughter. She was all he needed.

His guest stared at him through haunted eyes. "What are you talking about? When the couple who adopted me brought me to their house, they broke their birth son's heart. He hated me from the first day. If anything, I'm afraid of being the orphaned offspring of the woman your father brought into your home, thereby breaking *your* heart."

Her words touched on Leon's deep-seated guilt, and confounded him. She really was frightened. He could feel it. "You're pale and need to eat. Come out to the patio with me."

Leon showed her though the tall French doors on the far side of the dayroom. Simona had set the round, wrought-iron table with a cloth and fresh flowers from the garden. She'd prepared bruschetta and her *bocconcini* salad of mozzarella balls and *cubetti di pancetta* ham he particularly enjoyed.

He helped Belle to a seat where she could look out at the Adriatic. With the hot, fair weather, he spotted half a dozen sailboats and a few yachts out on the water. It was a sight he never tired of, especially now with the view of her alluring profile filling his vision.

Once he'd poured her some iced tea he said, "If you'd prefer coffee or juice, I'll ask Simona to bring it."

But Belle had already taken a long swallow. "This tastes delicious and is exactly what I needed. Thank you."

After drinking half a glass himself, he picked up his fork and they started to eat. "I'm assuming Cliff is the son you referred to."

She nodded. "The Petersons adopted me when I was ten. Mr. Peterson never wanted me, but Nadine had always hoped for a daughter and finally prevailed on him to adopt me. They already had a sixteen-year-old son, who had no desire for a girl from an orphanage to move in on what he considered his territory."

Leon's stomach muscles clenched in reaction. He could relate to Cliff's hatred at that age. Leon had been eleven when his father had installed the twenty-year-old Luciana in the palazzo, a world that had belonged to him and his brother, Dante. *No one else.*

Now that the years had passed, and Leon had his own home and was a father, he understood better his parent's need for companionship. At eleven he'd been too selfish to see anything beyond his own wants.

From the beginning he'd rebuffed any overtures from Luciana, but he had to admit she'd never been unkind to him or Dante. Anything but. As the years went by, he'd learned to be more civil to her. Maturity helped him to see that her cool aloofness at times masked some kind of strange sadness, no doubt because she'd lost both her parents under tragic circumstances.

To think she'd had a baby she'd been forced to give up! The knowledge tore him apart inside. He could never give up Concetta for any reason.

"How did it happen that Cliff told you about your mother?"

After putting her fork down, Belle told him what had transpired at the attorney's office. Leon was astounded by what he heard. For her adoptive brother to take the money before telling her what she'd been desperate to know all her life sickened Leon. What made Cliff more despicable to him was to learn he hadn't let her keep the money that was legally hers.

"Tell me about your life with the Petersons. I'd like to hear."

She looked at him for a minute as if testing his sincerity. Then she began in a halting voice. "The day I was taken to their house, Cliff followed me into the small room that would be my bedroom. He grabbed me by the shoulders and told me his dad hadn't wanted a screaming baby around the house. That's why they'd picked me. But I'd better be good and stay out of his dad's way or I'd be sorry, Cliff said. And in fact his father was so intimidating, I tried hard to be obedient and not cause trouble."

Leon grimaced. "They should never have been allowed to adopt you."

"Laws weren't so strict then. The orphanage was overcrowded. You know how it is."

As far as Leon was concerned, it was criminal.

"Ben was a car salesman who loved old cars and had restored several, but it took all their money. He lost his job several times because of layoffs, and had to find employment at other car dealerships. The money he poured into his hobby ate up any extra funds they had. He was an angry man who never had a kind word. The more I tried to gain his favor, the more he dismissed me."

*And destroyed her confidence,* Leon bet.

"Nadine held a job at a dry cleaners and was a hard worker who tried to make a good home for us. She took me to church. It was one of the few places where I found comfort. But she was a quiet woman unable to show affection. It was clear she was afraid of her own son and stayed out of her husband's way as much as possible. I never bonded with any of them."

"How could you have under those circumstances?" Leon was troubled by her story.

"One good thing happened to me. As soon as I was old enough, I did babysitting for people in the neighborhood to earn money. I'd helped out with the younger children in the orphanage and knew how to play with them and care for babies. I love them." Her voice trembled.

There was a sweetness in Belle that got under his skin.

"To tell you the truth, I liked going to other people's houses to get away from Cliff and his father, who were so mean-spirited. He constantly asked me for money, telling me he'd pay me back, but he never did. I didn't tell on him for fear Ben would take out his anger on me."

With each revelation Leon's hands curled into tighter fists.

"Finally Cliff got a job in a garage after school, and in time bought himself a motorcycle. That kept him away from me, but from then on it seemed he was always in trouble with traffic tickets and accidents.

"He was often at odds with both his parents because of the hours he kept with girls they didn't know. Sometimes he barged into my room, to take out his frustration on me by bullying me. He never lost an opportunity to let me know I'd ruined his life," she whispered.

"I can't begin to imagine how you made it through those hellish years, Belle."

"When I look back on it neither can I. The day I turned eighteen, I got a job in a cell phone store and moved in with three others girls, sharing an apartment. It saved my life to get away from my nightmarish situation."

"Did Cliff follow you?"

"No. I left while he was gone. He had no idea where I went, and could no longer come after me for money and badger me. The few times I went to see Nadine, I went by her work at the dry cleaners so Cliff never saw me. She knew things were out of control with him and never pushed for me to come home again, because I was over the legal age."

Certain things Belle had just said brought home to Leon how mean-spirited he'd been to Luciana when she'd first come to live at the palazzo. He'd been an adolescent and had ignored any overtures on her part. Dante had done the same thing to her, following in his big brother's footsteps.

"I only ever saw him at the church funeral and the attorney's office after that," Belle explained. "When he told me my last name, I didn't know if it was the truth. But I wanted it to be true, so badly that I flew to Rimini on a prayer, knowing I'd seen the last of him, and was thankful."

Shaken by her revelations, Leon wiped the corner of his mouth with a napkin. "You didn't learn anything about your birth father through Cliff?"

She drank the last of her tea. "No. I decided he must have disappeared before my mother took me to the orphanage. What other explanation could there be…unless something horrendous had happened and she'd been raped? I shudder to think that might have been the case, and would rather not talk about it."

"Then we won't." If Luciana had been raped, and

Leon's father knew about it, how would he feel about Belle, the innocent second victim? The more Leon thought about it, the more it was like a bomb exploding, the resulting shock waves wreaking devastation. "What's the name of the orphanage?"

"The Newburgh Church Orphanage. Why do you ask?"

He put down his fork. "Despite the public's opinion of the Malatesta family, we give to a number of charities. Your story has decided me to send an anonymous donation to the orphanage where you were raised. That's something I intend to take care of right away."

A gift no matter how large wouldn't take away his guilt over his treatment of Luciana, but he realized the only reason Belle was still alive was due to the generosity of others who gave to charity.

"If you did that, the sisters would consider it heaven sent, but you don't need to do it."

"I want to. They gave you a spiritual and physical start in life. No payment would be enough."

"You're right," she said in a quiet voice. "One of the sisters in charge reminded us that we were lucky to be there where we could get the help we needed, so we shouldn't complain. The priest at the church where Nadine took me told me I was blessed to have a birth mother who loved me enough to put me in God's keeping."

Hard words for a child to accept, but Leon could only agree. Whatever Luciana's circumstances at the time, she'd at least had the courage to make certain her baby would be looked after. His admiration for her choice when she could have done something else changed his perception of her. But why had she given up her baby?

Had Luciana loved that baby with all her heart, the way he'd loved Concetta from the moment he'd learned they were expecting? He knew enough about Luciana's strict upbringing to realize she would have been afraid of letting anyone find out about her baby, causing a scandal that would tarnish the Donatello family name.

Unbelievable that her offspring had grown up into a beautiful, intelligent woman eating lunch with *him*, no less! *You're enjoying it far too much, Malatesta.*

Luciana had lived through a nightmare, and had gone on to make a home for his father and the boys despite Leon's antipathy. An unfamiliar sense of shame for his behavior over those early years crept into his psyche. He was now paying the price.

"Their goodness to you needs to be rewarded," he murmured, still trying to digest everything.

"Sometimes I felt guilty for wanting to know about my parents when the sisters tried so hard to keep our spirits up. When Cliff asked me why I wanted to find someone who didn't want me, I told him it wasn't important if they didn't want me. I just needed to know who I am and where I came from. But I'm not your responsibility, and I've taken up too much of your time as it is."

She pushed herself away from the table and stood up. "Now that I have answers to those questions, I can go back to New York. Needless to say, I'll be indebted to you for the rest of my life. Thank you for bringing me to your villa, and please thank the cook for the wonderful food. If you'll drive me back to the library, I'd be very grateful."

Leon got to his feet. "We haven't even scratched the surface yet."

"Yes, we have. You and I both know there are reasons why she gave me up. I would never want to cause her pain by showing up uninvited and unwanted."

"You could never be unwanted!" he declared. He refused to believe it, but that was the father in him speaking, the father who idolized his little girl. Ever since Belle was born, she'd never known the love of her own parents. He couldn't fathom it.

# CHAPTER THREE

"You say that with such fervency, Leon, but we know the facts, don't we. My mother came back to Italy and married your father. Unless you're aware of other information, I'm sure she has never tried to find me."

"I have no idea and neither do you. Nevertheless—"

"Nevertheless, she and your father have made a life for themselves," Belle interrupted. "Last year I went to the orphanage for a final time to beg them to tell me something about my roots. I had a talk with the sister in charge." The tremor in Belle's voice penetrated to Leon's insides.

"What did she say to you?"

"She told me she wasn't at liberty to tell me anything, because my adoption was a closed case. Then she handed me a pamphlet to read. It was called 'A Practical Guide for the Adopted Child.' The material was based on research gathered by the psychiatric community. She said we'd discuss it after I'd finished it."

"And did you?"

"Yes!" she cried. "The whole brochure described me so perfectly, I went into shock."

"Explain what you mean."

She moistened her lips nervously. "I've always had

issues of self-esteem. Not to know who you are because you were given up for adoption means you don't have an identity. All my life I've wanted to know if I looked like my birth parents, or acted like them.

"What if I had sisters and brothers I knew nothing about? What if I came from a large family with half siblings or extended family I would never meet or get to know? It used to drive me crazy, wondering."

"Belle…at least now you know you have a mother and a stepfamily who are very much alive."

"Yes," she whispered, staring blindly out to sea. "If I do meet her I'll be able to learn about my birth father. I longed for a father, too, and spent many hours day-dreaming about him. But I'm terrified, Leon, because I *was* abandoned. Being abandonable meant I wasn't good enough to be kept and loved. That's a very hard thing to accept."

What she was telling Leon made him sick inside. "Since you don't know the circumstances of being left at the orphanage, don't you realize your adoptive father and brother have contributed to a lot of those negative feelings?"

"Of course." She took a shaky breath. "But to meet my own birth mother after all this time and find out from her own lips I hadn't been loved or wanted would shatter me. I don't know if I could handle it. The risk is too great."

Leon shook his head. "That's not going to happen to you. If you could see the loving way Luciana treats people…" Luciana was very loving to his daughter when he took Concetta over for visits. "You would see that your mother has an innate tenderness that goes soul deep." Leon had seen and felt it, but in the beginning he hadn't wanted to acknowledge it.

"Even so, I know I'm setting myself up to learn that everything I've ever thought or dreamed of about her and my father won't be as I assumed. You've told me she hasn't had other children, but she's a princess who has lived a life completely different from mine in every way, shape and form. The chances of her even wanting to meet the daughter she gave up are astronomical."

"That's not true. You don't know her as I do."

"I know you want to believe she'll be happy to see me, but you can't know what's deep in her heart. And there's your father to consider. The more I know about her and their life, the more I fear a permanent reunion could never be realized."

"It's true I don't know her inner thoughts." Leon's mind reeled when he compared the two women's worlds. And he had no idea how his father would react upon hearing the news that Luciana's daughter was in Rimini.

"Even if she's willing to meet me, how will she handle it? She thought she gave me up and would never see me again. Even if meeting me could satisfy the question of what happened to me, it wouldn't solve the issues she had for giving me up in the first place.

"What if seeing me exacerbates problems that bring new heartache?" Belle sounded frantic. "This meeting might result in trouble between her and your father, and they'll wish this had never happened…"

She wheeled around, her face white as parchment. Tears glistened like diamonds on those pale cheeks. "What if I brought on a crisis like that?"

Tortured by the fear and pain in her voice, Leon reached for her and rocked her in his arms like he would

Concetta when she was upset and frightened. "Shhh. That's not going to happen, Belle. I swear it." He kissed her hair and forehead without thinking.

"I—I don't want it to happen, but you can't guarantee anything."

Much as Leon hated to admit it, everything she'd revealed from her heart and soul made a hell of a lot of sense. But suddenly he had other things on his mind. When he'd pulled her to him, his only thought had been to comfort her. Yet the feel of her curves against his body invaded his senses, sending a quickening through him, one so powerful he needed to put her away from him. As gently as he could, he let go of her.

Belle took a step back before looking up at him through red-rimmed eyes. "The sister warned me my time would be better served by getting on with my own life rather than wasting it trying to find my birth mother, who obviously didn't want to be found.

"I left the orphanage with the renewed resolve to get on with my career and put my dreams away. Then came the moment in the attorney's office when Cliff made that slip about my birth mother being Italian."

"A providential slip, in my opinion," Leon muttered. He was beginning to believe some unseen power had been at work on both sides of the Atlantic. Otherwise how could he account for going to her pension to talk to her, when normally he would have left it alone?

"I agree, Leon. The second it happened, I ignored the sister's warning and the words in the pamphlet. I thought I knew better, and left for Italy, determined to keep looking. Now I wish I'd listened to her."

To his consternation, Leon was thankful she hadn't obeyed the sister in charge.

Belle's pleading eyes trapped his. "My mother's secrets are safe with me, and they have to remain safe
with you, Leon. They *have* to." The desperation in her
voice pulled on his chaotic emotions.

"They'll be safe as long as you do something important for me."

"What?" Her breathing came in spurts.

"I insist you stay in my house as my guest until you
return to the States. If you don't let me do anything else,
at least accept my hospitality. Our parents are married.
That one fact bonds us in a way you can't deny."

"I wasn't going to, but since I got the information
I came for, I'm planning to fly back to New York either tonight or in the morning. Every second I'm here,
it's worse. The possibility that she could find out I'm
a guest in your villa terrifies me. Whether she wanted
me or not doesn't matter. She gave me life and I'd rather
die than hurt her."

Leon's admiration for Belle grew in quantum leaps.
"I believe you would," he murmured, before making a
quick decision. "Your mind appears made up, so I'll see
you back to your rental car."

"Thank you."

"I'll meet you in the foyer after I let my housekeeper
know I'm leaving."

She nodded, and he went to find Simona. On his way
back through the house he stopped in the dayroom to
pick up the photograph Belle had been looking at. It
showed Luciana and his father on their wedding day,
outside the church. At twenty she bore an even stronger resemblance to her daughter.

When he reached the foyer, he found Belle studying

a large oil painting of his family. "That's my brother leaning against my mother."

"You look about six years old there. How old was Dante?"

"Five. We're just fourteen months apart."

She turned to him. "What a handsome family. You resemble both your parents."

"Genes don't lie, do they?"

"No. Your mother has the most wonderful smile."

"She was the most wonderful everything."

Belle stared at him. "You were very lucky to have a mother like that. What was her name?"

"Regina Emilia of the House of Della Rovere in Pesaro."

"A princess?"

"Yes." He opened the door so she could walk past him. After he helped her into the car, he handed her the photograph. "I want you to have this. No one deserves it more than you do."

Tears sprang to Belle's eyes. "I couldn't take it."

"There are dozens more where this came from." He shut the door and walked around to get behind the wheel.

Belle was still incredulous over what had happened. She hugged the photograph to her chest in wonder that she'd come to the end of her search. It was all because of Leon Malatesta, who was the most remarkable man she'd ever met. But it wasn't his generosity that had caused her to tremble in his arms just now.

While he'd been holding her, kissing her like he would to comfort a child, feelings of a different kind had curled through her like flame. The need to taste his mouth and let go of her feelings had grown so intense, she knew she was in deep trouble. He was her *stepbrother!*

In the past, when her friends had talked about desire, she'd never experienced it. Until a few minutes ago she hadn't known what it felt like. Shame washed over her to think she hadn't wanted him to stop what he was doing to her. By easing away from her before she was ready, he'd sent her into another kind of shock.

"Are you all right, Belle?"

"Yes. I—I'm just feeling overwhelmed," she stammered.

"Who could blame you?"

If he knew her intimate thoughts, he'd drive her straight to the airport right now. Earlier, he'd been ready to run her out of town, when he'd thought she was some gutter reporter out to dig up something salacious about his family. Instead he'd come after her at the pension and had single-handedly led her to her dream of finding her mother.

To tell him she was indebted to him couldn't begin to convey what was in her heart. To think that after all these years of aching to know anything about her origins she had her answer...

With one glance at the amazing man behind the wheel, Belle knew she could trust him to keep his silence. It was herself she didn't trust. There was such a huge part of her that wanted to visit her mother while she was still in Rimini; it was killing her.

The sooner Belle left Italy the better. But that meant she'd never see Leon again. How would she stand it?

*You* have *to handle it, Belle.*

Before they reached the library, she put the picture in

her shoulder bag and pulled out her car keys. The minute he turned into the parking space next to her rental, she opened the door and got out, before he could help her. It only took a moment before she was ensconced in her own vehicle and ready to drive off.

As his tall, powerful frame approached, she opened the window. "Thank you for everything, Leon. I'll never forget your kindness or the photograph."

"I'll never forget *you*," he said in his deep voice. "Good luck in your future position at TCCPI. Have a safe trip home."

*Home.* The word didn't have the same meaning anymore. "Goodbye." She started the engine and drove out to the main street. As soon as she reached the pension, she would phone to change her flight plans.

Through the rearview mirror she could see Leon standing there watching her, a bold, dynamic throwback from an earlier time in Italian history.

When she turned the corner and he was no longer in sight, a troubling thought came to her. He'd given her no grief about leaving Italy immediately. Her heart jumped all over the place because he'd made their parting far too easy. In truth, she knew the dark, mysterious son of the count could move heaven and earth if he felt like it.

Once Belle's rental car had disappeared, Leon pulled out his cell phone and gave Ruggio instructions to go to the pension and keep a close eye on her. If she went anywhere, he was to follow her.

After making a call to Simona to find out how his little girl was doing, and let his housekeeper know he might not be home until late, he headed for the bank to talk to his father. Leon found him in his suite on a business call. His parent waved him inside.

While Leon waited, he poured himself a cup of coffee from the sideboard and paced the floor with it. Whether his father knew about Belle's existence or not, what Leon had to tell him was going to come as a shock.

"It's good to see you," his father exclaimed after hanging up the phone. "Have you dropped in to tell me you're willing to consider ending your mourning period and start looking at another woman I have in mind for you?"

"No, Papà."

By marrying Benedetta, Leon had foiled his father's plan for him to marry a woman of rank he'd carefully picked out for him. The hurt hadn't been intentional, but Leon had always cared for Benedetta and refused to honor his father's wishes in the matter of his marriage. No argument the count raised had made any difference to Leon.

In that regard he wasn't so different from his widowed parent, who'd married a second time while Leon and Dante had begged him not to. But their pleading fell on deaf ears, and there'd been tension with their father ever since he'd brought Luciana into their home.

"I'm here to discuss something of a very delicate nature." Leon locked the door to his suite so no one could interrupt them. "Since I know you just passed your annual medical exam without any major problems, I feel you can handle this."

The count's dark brows met in a distinct frown. "You're beginning to make me nervous, Leonardo."

"Not as nervous as I am." He stared at his father. "This has to do with Luciana."

"Do you think she's hiding something from me since her medical exam?"

Leon heard the worry in his father's voice, revealing how much he cared about her. "I thought you told me she's as fine as you are. I'm talking about a secret she might have kept from you before you married her." Leon never was one to beat about the bush.

His last comment brought his father to his feet. Their gazes clung. *"You know?"*

The coffee cup almost fell out of Leon's hand. That one question told him his father had known about Luciana's baby all these years. He put the cup back on the sideboard. "If we're talking about a child she had out of wedlock, then yes."

Sullisto's gray eyes bordered on charcoal and were dimmed by moisture. "How did you find out?" he asked in a shaken voice.

Leon took a fortifying breath. "Before I answer that question, just tell me one thing. Did she want to give it up, or did she have to? I need to know the absolute truth before I say another word."

A look of sorrow crossed over his father's face. "She *had* to."

"Was she raped?"

The question hung like a live wire between them.

The older man took a deep breath. "No."

"Do you know the name of the father?"

A nerve throbbed in his cheek. "Yes. But *I* wasn't the father, if that's what you're thinking."

"I wasn't thinking it," Leon replied with total honesty. "I know you're an honorable man."

"Thank you for that." The count cleared his throat. "To answer your first question, Luciana wanted her little girl more than life itself. A day doesn't go by that she's not missing her, wanting to be with her. She doesn't talk about it all the time, but even after all these years, I see the sadness and witness her tears when she doesn't know I'm aware."

Hearing those words brought such relief to him for Belle's sake, it broke the cords binding Leon's chest. "How could she have given her up?"

"You have to hear the whole story, *figlio mio*."

"I'm listening."

His father paced the floor. "Luciana's father had many enemies and believed his wife was murdered. Afraid his daughter was in danger, he sent Luciana to a special college in New York at eighteen, under an assumed name, while he had his wife's death investigated.

"While she was away, she met a student. They fell in love and soon she found out she was expecting. Her situation became desperate because she knew her father would never agree to a marriage between them."

"But she was pregnant! Was he that tyrannical?"

"That's a harsh word, Leonardo. Let's just say he was a rigid man. Luciana and her lover decided to be married by a justice of the peace in a town an hour away from New York City, where she was in school. But on the day before the wedding could take place, he was killed in a hit-and-run accident. The driver was never apprehended."

Leon grimaced. "Luciana must have thought she was in a nightmare."

"Exactly. Because of what had happened to her mother, she was afraid she'd been hunted down and her lover murdered."

Aghast, Leon said, "When did she tell you all this?"

"When I asked her to marry me. You see, despite all the rumors about my wanting to take over the Donatello Diamonds empire, the reason I married her was because I'd learned to care for her a great deal."

"It's all right, Papà. You can call it what it was. You loved her."

"So you've guessed it."

"Yes."

His father breathed deeply. "Her sorrow was so great, I thought that having two stepsons to help raise would ease a little of her pain. You boys were only ten and eleven, and needed a mother, especially Dante." His voice trembled. "As for me, I needed someone who could share my life. Naturally, it wasn't like the feelings I had for your mother, but then, you can't expect that."

Leon couldn't believe what he was hearing. They'd never had this conversation about his mother before. Belle was the catalyst to force a discussion that should have taken place years earlier.

"Luciana's father was overjoyed, because he knew I would take care of her. Before she gave me an answer, she said she had something to tell me that no one else knew about, not even her father. If I still wanted her, then she would accept my proposal.

"I listened while it all came pouring out. After bitter anguish and soul searching, she'd felt she had no choice but to give up the baby for adoption so nothing would happen to her precious daughter.

"When she gave her up, she had to sign a paper that meant she could never see her child again or take her back. It was a sealed document. Luciana signed it because she was positive her own days were numbered, but at that point she didn't care about herself. When she returned to Rimini, she wasn't the same vivacious girl I'd known before she left."

Again Leon stood there, dumbfounded by the revelations.

"Her honesty only deepened my respect for her."

It appeared Belle had inherited that same admirable characteristic from her mother.

"Not long after our marriage, her father died of heart failure. She needed me more than ever." Sullisto eyed his son soberly. "But you still haven't answered *my* question."

Leon shook his head. "After what you've told me, I'm not sure it would be the wise thing to do."

"You don't trust me?"

"That's not it. I'm thinking of her daughter, who came to Rimini this week looking for the mother who gave her up."

*"What?"*

Leon nodded. "Sit down, Papà, while I tell you a story about Belle Peterson."

A few minutes later his father was wiping his eyes. "I can't even begin to tell you what this is going to mean to Luciana when she finds out."

"Except that Belle doesn't want Luciana to know anything." For the next few minutes he told his father what had been contained in that pamphlet, and Belle's fear of hurting her mother.

"Hurt her?" Sullisto cried out. "It would have the opposite effect! I know what I'm talking about. The one thing in our marriage that has kept us from being truly happy has been Luciana's soul-deep sadness. We tried to have a baby, but weren't successful. She's always believed God was punishing her for giving up her child."

*"Incredibile—"*

"Not until two months ago did we learn that Valeria's death was ruled accidental. That very day I begged Luciana to call the orphanage and find out what had happened to Belle. At least inquire if she'd been adopted. But she said she didn't dare, because she was afraid her daughter would hate her. I told her I'd hire a private investigator to locate her, but Luciana was convinced Belle would refuse to talk to her, after she'd given her up."

"Belle has the exact same fear, that her mother won't like her."

His father rubbed his hands together. "To know she has come all this way looking for her mother will be like a dream Luciana never thought could come true."

"Then you don't have a problem if they're united?"

"Mind? How can you even ask me that?" he cried. "It's my dream to make Luciana happy, but it has always been out of my hands."

That was all Leon needed to know. He could only imagine Belle's joy when the two of them finally met. "I have a plan. Bring Luciana to the villa for dinner this evening. Tell her the baby is better."

His father nodded. "She's been waiting forever for an official invitation from you."

"I know. I'm sorry about that, but it's something I plan to rectify."

It was regrettable, but true, that though his father had come by the villa on occasion, Leon had never invited them over as a couple. His cool attitude toward Luciana had prevailed all these years. He wished he'd known early on that she'd given up her child. It wouldn't have changed his feelings over his father's remarriage at the time, but he might not have been so quick to judge her because of false assumptions and the many rumors that had reached his teenage ears.

"It doesn't matter, Leonardo. I know how much your mother meant to you and Dante, and I've understood. As for Luciana, we both know how much she loves your Concetta and will rejoice at the opportunity to be with her in your home."

Leon did know that. "Come at seven. By then Concetta will have been fed."

His father seemed more alive as they walked to the door. He gave Leon the kind of hug they hadn't shared in years. It wasn't just the fact that Leon had broken down and invited them both over for dinner. Only now was he beginning to understand how much his father had suffered in his second marriage because of Luciana's pain.

Once Leon left the bank, he alerted Simona about the plans for the evening, then drove to the pension. Ruggio was parked two cars behind Belle's rental near the entrance. Leon walked over to thank his security man, and told him he wouldn't need him any longer for surveillance.

A feeling of excitement he hadn't known in over a year passed through him as he went inside the pension and pressed the buzzer to announce his arrival. Before long Rosa appeared. "*Signore?*"

"Forgive me for not introducing myself before. My name is Leonardo di Malatesta, *signora*." The older woman's eyes widened in recognition of his name. "I need to see Signorina Peterson on a matter of life and death." He'd spoken the truth and felt no guilt about it. "I know she's here. Ask her to come out to the foyer, *per favore.*" He put several bills on the counter for the woman's trouble.

After a slight hesitation she nodded and hurried through the alcove. Leon didn't have to wait long before Belle appeared, with a tear-ravaged face and puffy eyes. He wasn't surprised to see her in this kind of pain.

"Leon?" Her breathing sounded ragged. "What are you doing here? We've already said goodbye." Maybe he was crazy, but he had the gut feeling she was glad to see him.

"Yes, we did, but something's come up. Let's go to your room and I'll tell you what's happened."

She nodded. "All right." Any fight she might have put up seemed to have gone out of her for the moment.

Leon thanked Rosa before trailing Luciana's daughter into the alcove and down the hall to her small room. She was still dressed in the white dress she'd been wearing, but it looked wrinkled.

When they went inside and he'd shut the door, he saw the indention on the single bed, where she'd been sobbing. Leon knew she couldn't bear the thought of having to leave Italy without meeting her mother.

He came straight to the point. "I went to see my father after I left you."

"Oh no—"

"Before you get upset, hear me out. I learned that he knew all about you before he married your mother." Belle's eyes widened as if in disbelief. "I asked him if Luciana had wanted to give up her baby, or if she'd *had* to."

Belle's fear was palpable. "W-what did he say?"

"I'll quote you his answer. He said, 'She had to, but she wanted her little girl more than life itself. A day doesn't go by that she's not missing her, wanting to be with her.'"

Belle turned away from him to hide her emotions. Without considering the ramifications, he grasped her shoulders and turned her around to face him. Her body trembled like a leaf in the wind. Earlier when he'd held her, it hadn't been long enough. This time he drew her against him and wrapped his arms around her.

Her gleaming dark hair tickled his jaw as he murmured, "Whatever plans you've already made to fly back to New York will have to be put on hold, because he's bringing her to my villa tonight for dinner so you two can meet."

An unmistakable cry escaped Belle's lips. She tried to get away, but he wouldn't allow it, and crushed her to him. "She won't have any idea you're going to be there. My father believes this is the best way to handle it, and I do, too. He wouldn't want this if he didn't believe she'll be overjoyed. If you need more convincing, I'll phone and tell him to come over here."

Belle's head was burrowed against Leon's chest, reminding him of the way Concetta sought comfort when she was upset. He rubbed his hands over her back.

"How can you possibly leave and not see her?" he argued. "This is the opportunity you've been waiting for all your life. You've been so strong. You've survived an existence that would have defeated anyone else. Don't you realize how proud your mother's going to be of you and what you've accomplished?"

"I want to believe it."

"Would it help if I told you *I'm* proud of you? When the head of your company sang your praises, I could have told him what a remarkable woman you really are.

How you survived in that household is beyond me. The methodical way you've gone about trying to find your mother in a foreign country, with no help from anyone but yourself, defies description."

He heard sniffing. "Thank you for those kind words." *Belle...*

"I'll wait while you gather all your belongings. For the rest of the time you're in Italy, you're going to be my guest. Don't worry about your rental car. If you'll leave the key at the desk, one of my staff will return it to the agency. When we arrive at the house, you'll have the rest of the day to get ready for this evening."

"You're far too good to me."

He pressed his lips against her temple. "Why wouldn't I be? For you to find your mother with my help after all these years brings me great happiness." *It's a gift I couldn't give my daughter, but I can give it to you.* "You wouldn't deprive me of it, would you?"

Slowly she lifted her head. One corner of her lovely mouth lifted. "No. Of course not, but I'm so nervous. What if—"

"Don't go there," he interrupted in a quiet voice, kneading her upper arms. "I can promise you that if she knew what was ahead for tonight, her fear would be much greater than yours.

"Papà told me that for years she has grieved because your case was sealed when she gave you up. Even if she could get a court order for information, she's been afraid you would find it unforgivable, what she did, and would reject her out of hand."

"Is this the truth?" Fear mixed with hope in Belle's voice.

"Ask my father. He wouldn't lie to me and is excited

for the two of you to meet. It can't happen soon enough for either of us."

"Then he's truly not upset?"

"Anything but. He believes this reunion will help solve certain problems in his marriage."

"What do you mean?"

"Her sadness for having to give you up, and his inability to take it away."

"Oh, Leon…" Belle's heart was in her eyes.

Unable to deny the attraction, he cupped her face in his hands, but it wasn't enough. He needed to taste her, and lowered his head, kissing her fully on the mouth. Right or wrong, she'd been a temptation from the outset.

As he coaxed her lips apart, wanting more, he drew a response from her that shot fire through him. What should have been one kiss deepened into another, then another. He should have been able to stop what was happening, but she'd aroused too much excitement in him.

"Belle…" He moaned her name, hungry for her. But in the next instant she tore her mouth from his and backed up against the door. He felt totally bereft. "Why did you pull away from me?"

"Someone has to stop this insanity!" she gasped, obviously trying to catch her breath. "I'm not blaming you. I could have resisted you, but I didn't because… I enjoyed it."

An honest woman.

"I could say I didn't know what got into me, but that would be a lie," she added. "The fact is I've never been this intimate with a man and I forgot myself."

"You're saying…"

"Shocking, isn't it? At twenty-four?" she blurted. "When I didn't try to stop you, I—I can understand why you kept kissing me. You enjoyed a happy marriage and miss your wife. As for me, I have no excuse, so let's just agree that this was a physical aberration that shouldn't have happened, and promise we'll never find ourselves in this situation again. Promise me, Leon. Otherwise I can't go through with anything, even if it means never meeting my mother." She had fire in her eyes.

"I swear I'll never do anything you don't want me to do. Does that make you feel any better?"

"No."

More astounding honesty. "While you pack, I'll go out to the lobby and take care of the bill."

She moved away from the door. "I don't expect you to pay for me."

"I know. That's why I want to," he murmured. She didn't have a mercenary bone in her beautiful body. Just now her mouth had almost given him a heart attack. Belle Peterson had many parts to her, all of them unexpected and thrilling. After Benedetta died, he thought he'd never desire another woman.

He left the room and paid her account through Sunday, adding a healthy bonus that brought a faint smile to Rosa's dark eyes.

Belle appeared sooner than he would have thought, carrying her shoulder bag and suitcase. Evidently her nervous anticipation over seeing her mother had made her hurry, but he had a hunch she'd always been a punctual person. Another trait he couldn't help but applaud.

He took the luggage from her and ushered her out to his car. For the second time in two days he was taking her home. A great deal had changed since yesterday morning, when he'd gone to bed after being up all night with Concetta.

Leon no longer questioned why his assistant's phone call to the villa had prompted him to get dressed and go down to the bank for an explanation. It appeared there'd been a grand design at work in more ways than one. Even so, the thought raised the hairs on the back of his neck.

# CHAPTER FOUR

AN HOUR AFTER getting settled in the fabulous guest bedroom she'd only glimpsed yesterday, Belle heard a tap on the door. She'd been drying her freshly washed hair with her blow-dryer, and turned it off to go answer. Dinner wouldn't be for another hour.

"The *signore* sent me to find out if you need laundry service or would like something ironed for tonight," said the maid standing there.

Belle had never had service like this in her life. Since she wanted to look perfect for her mother, she decided to take advantage of Leon's incredible hospitality. But she couldn't forget for a second that his life and the lives of their parents were unique in the annals of Italian history.

"Just a moment, please."

She hurried over to her suitcase, which he'd placed on a chest at the end of the king-size bed. After opening it, she pulled out the short-sleeved, lime-colored suit with white lapels and white trim.

"This needs a little touching up to get out the wrinkles," she explained as she handed it to the maid.

"I'll be right back."

"Thank you very much."

While Belle waited, she finished brushing her naturally curly hair and put on her pearl earrings. Fastening the matching pearl necklace presented problems because she was all thumbs. Tonight would be the culmination of her dreams. Despite Leon's compliments, the fear that she'd be a disappointment to her mother wouldn't leave her alone.

She was glad she'd brought her low-slung white heels. When she'd packed for her trip, she hadn't really imagined having an opportunity to wear them.

Before long, the maid brought Belle's suit to the bedroom. "The *signore* said you should join him on the patio whenever you're ready," she announced.

Just the thought of him sent Belle's heart crashing to her feet. She could still feel his mouth on hers, filling her with an ecstasy she didn't know was possible.

Trying to pull herself together, she thanked the maid again. One more glance in the ornate, floor-length mirror after fastening the buttons, and she felt ready to join her host. Would he approve?

What if he didn't? Did it matter to her personally?

Yes, it mattered. Horribly. Those moments of intimacy at the pension had been a revelation to her. The way he'd kissed her had brought every nerve ending to life. The fact that he was her stepbrother didn't matter once they'd crossed the line. What happened between them had shaken her so badly she could hardly function right now, but she had to!

Not wanting to keep Leon waiting, she gave one more glance to the photo she'd placed on the dresser, then left the room and started down the hall. She knew her way out to the patio, but before she reached the open French doors, a darling brown dog rushed over to greet her. As she paused to rub his head, she saw that Leon wasn't alone.

Her eyes traveled to the dainty, dark blonde baby he held in his arms. She was wearing a pink pinafore and tiny pink sandals, the colors of which stood out against the black silk shirt he was wearing. The child cuddled to his chest couldn't be more than six or seven months old and possessed features finer than bone china.

He was walking her around the patio. As he talked to her, he kissed her cheek and neck over and over again. The scene with the baby was so sweet it brought hot tears to Belle's eyes. To be loved like that…

She shivered. She knew what those lips felt like on her mouth. To her shame, she hadn't wanted him to stop. Right now she longed to feel them against her own neck.

Was the baby *his* child? Or could she be Dante's? Belle didn't know much about his family. Their coloring was so different, given Leon's vibrant black hair, but his affection for the little girl touched Belle to the core.

He must have sensed Belle's arrival. When he turned, their gazes fused. She felt him taking in her appearance. In that moment his eyes glowed a crystalline gray that made her legs go weak in response. It was that same smoldering look she'd glimpsed back at the pension after she'd pulled away from him.

"I can see you've already met Rufo. Now come and meet my daughter, Concetta."

"*Your* baby?" Belle cried in wonder. That explained the love he showered on her. "Oh," she crooned softly, "you sweet little thing." She touched the hand clutching her daddy's shirt.

"I've seen a lot of babies in my life at the orphanage, but I never saw one who had your exquisite features and skin. You're like a porcelain doll." She looked up at Leon. "She must have gotten those dark brown eyes from her mother."

"Concetta inherited my wife's looks."

"Obviously she was a beauty."

He pressed a kiss to his daughter's forehead. "Before you judge me too harshly, I didn't mention my daughter to you before now because we had a greater issue on our minds. I planned to introduce you after you agreed to follow through and meet Luciana."

"You don't have to explain. I understand. Would you think me too presumptuous to ask how your wife died?"

"No. She passed away giving birth."

"Oh no! How awful for her—for you..." Belle's gaze traveled back to the baby. "You lost your mommy? No little girl as sweet as you should grow up without your mother. I—I'm so sorry, darling." Her voice broke. "At least you'll always know who she was, because you have your daddy, who loved her so much. And you have pictures."

Without conscious thought Belle kissed that little hand before she looked up at Leon. "What went wrong during the delivery?"

He cuddled his daughter closer. "Soon after our marriage Benedetta was diagnosed with systemic lupus."

A moan escaped Belle's lips before she could prevent it. "One of the sisters at the orphanage had that disease."

He kissed the baby's head. "My wife was the daughter of the now deceased head of the kennel on my father's estate. She and I had been friends throughout childhood. Later on, after I came home from college and had been working at the bank for several years, we fell in love, and got married in a small, quiet ceremony, out of the public eye.

"Before long her illness became more aggressive. She developed a deep vein thrombosis in the leg, which was hidden at the time. A piece of blood clot broke off and ended up in her lung. It caused it to collapse, and heart failure followed."

"Oh, Leon…"

"Concetta came premature. My great sadness was that Benedetta's life had been snuffed out before she'd been able to hold our baby."

Belle's heart ached for them. "Will Concetta get lupus?"

"No. Thankfully, the pediatrician says my daughter is free of the disease. It doesn't necessarily follow that the child inherits it."

"Thank heaven!" Belle exclaimed. "How lucky she is to have her daddy! Every girl needs her father."

Leon's glance penetrated to the core of her being. "You think it's possible to do double duty?" he rasped.

In that question, she heard a vulnerability she would never have expected to come from him. The dark prince who'd kissed her hungrily had a weakness, after all. A precious cherub, the reminder of the woman he'd loved and lost. "With her father loving her more than anyone else in the world, she won't know anything else, and will have all the love she needs, to last her a lifetime and beyond."

He hugged his daughter tighter. "I hope you're right."

"I *know* I am. Do you think she'd get upset if I tried to hold her?"

"She isn't used to people except my staff and family. If you try, you'll be taking your life in your hands, but if you want to risk it…" He didn't sound unwilling, just skeptical.

"I do." The operation at the orphanage was such that the older children always helped with the infants and toddlers. Belle had no hesitation as she plucked the baby from his powerful arms.

By now Concetta had started to cry, but Belle whirled around with her and sang a song that so surprised the baby, she stopped crying and looked up at her. The dog followed them. It was then Leon's little girl discovered the pearls, and grabbed them. Belle laughed gently. "You like those, don't you."

At this point Leon attempted to intervene. She felt his fingers against her skin while he tried to remove his daughter's hands, but she held on tighter. After a slight tug-of-war, the necklace broke and the pearls rolled all over the patio tiles. The sound sent Rufo chasing after them.

"Uh-oh." Belle chuckled again, because the surprise on the baby's dear face was priceless. "Where did they go?" Concetta turned her head one way, then another, trying to find them.

"I'm sorry about your necklace, Belle," Leon murmured, while his gaze narrowed on her mouth. Heat radiated through her body to her face.

"It's nothing," she said in a ragged voice.

"Once the pearls are gathered, I'll have them restrung for you."

"Don't you dare," she said, to fight her physical attraction to Concetta's father, who suddenly looked frustrated. His baby made him so human, her heart warmed to him. "This is costume jewelry I bought for twenty dollars on sale. We don't care, do we, Concetta." She kissed her head and kept walking with her, to put Leon out of her mind. Of course, it didn't work.

"Let's watch that boat with the red-and-white sail." She pointed to it, but by now the baby was staring at her. There were no more tears. "I bet you're wondering who I am. My name is Belle Donatello. I can't believe I know my last name. Your generous daddy is letting me stay here for a few days."

*I'm staying at my peril.*

She lifted her head to find Leon standing a few feet away. "How do you say *daddy* in Italian?"

"Papà," he answered in a husky tone.

Belle turned so Concetta could see him. "There's your *papà*."

All of a sudden his daughter started to whimper, and reached for him. Belle closed the distance and gave her back to him. But the baby quickly looked around and kept staring at Belle in fascination.

Leon's sharp intake of breath reached her ears. "If I hadn't witnessed it with my own eyes, I wouldn't have believed what just happened."

"What do you mean?"

"She didn't break into hysterics with you. Anything but."

Belle's mouth curved upward. "I learned in the orphanage that all babies have hysterics. It's normal. The trick is to get their attention before they become uncontrollable. The sisters were lucky, since between their habits and crucifixes, they were able to quiet the babies down fast. My pearls did rather nicely, don't you think?"

Leon had a very deep, attractive chuckle. "I think the next time you hold her, you'd better keep her hands away from the pearls in your earlobes. Inexpensive as they might be, the rest of you is…irreplaceable."

A certain nuance in his voice made her realize he'd been remembering what had gone on earlier. It wasn't something you could forget.

"Did you hear that, Concetta?" She poked the child's tummy and got a smile out of her. Lifting the hem of the pinafore, she said, "Pink is my favorite color, too. I bet your *papà* bought this for you because he couldn't resist seeing you in it." The gleam in his eyes verified her statement. "Even if you weren't a real princess, you look like one."

For the first time since she'd joined him, his features hardened. "There are no titles under this roof and never will be."

Meaning even after his father died? It followed that, being the elder brother, he *would* be Count Malatesta one day, but he'd just made it clear he wanted no part of it.

"After what I've learned of my mother's tragic history, I think that's the wisest decision you could make as her father."

He switched Concetta to his other compact shoulder. "Before she and my father arrive, this little one needs her dinner. I'll take her to the kitchen."

"Can I come, too, and help feed her?"

A quick, white smile transformed him into the kind of man her roommates would say was jaw-dropping gorgeous. He *was* that, and so much more Belle couldn't find words. "If you do, you may have to change your outfit."

She sent him a reciprocal smile, attempting like mad

to pretend she hadn't experienced rapture. "That'll be no problem."

Together with the dog, they walked through the day-room and down another hall. Belle glimpsed a library and an elegant dining room on their way to the kitchen. From one of the windows she could see a swimming pool surrounded by ornamental flowering trees. A vision of the two of them in the water after dark wouldn't leave her alone.

In the kitchen three women were busily working. Leon introduced her to his housekeeper, Simona, the maid, Carla, and the nanny, Talia, who reached for the baby. If they knew who Belle really was, rather than simply being a guest, they showed no evidence.

After tying a bib around Concetta's neck, Talia placed her in the high chair next to the table and drew a chair over to feed her.

Belle shot Leon an imploring glance. "Could I give her her dinner?"

He looked surprised. "You really want to? Sometimes she doesn't cooperate."

"That's all right. I'd love it! I moved out of my adoptive parents' house at eighteen and haven't tended a baby since."

To her joy, he said something to Talia in Italian. She smiled at Belle, then brought the baby food jars to the table. Belle opened the lid on the meat.

"Hmm...smells like lamb." She glanced down at the dog, who sat there begging her with his eyes. "Sorry, this food isn't for you, Rufo." The other jar contained squash. "Oh boy, Concetta. This all looks nummy." Belle took the spoon and dipped it in the vegetable. "Here it comes."

Slowly, she lifted it in the air and did a few maneuvers. Those black-brown eyes followed the action faithfully. Belle brought the spoon closer to the baby, who'd already opened her mouth, waiting for her food. Belle saw Leon in the shape of his daughter's mouth and felt an adrenaline rush that almost caused her to drop the utensil.

He burst into laughter. "You're a natural mother."

"Not really." She began feeding Concetta her meat while the women watched. "I fed the babies at the orphanage. This is the only thing I have a natural aptitude for."

"The CEO at TCCPI has told me otherwise," he stated.

If she wasn't careful, she might start wanting to hear more of his compliments. *And believing them, Belle?*

"When you're on your own and forced to earn a living, you learn a trade fast."

A troubled expression entered his eyes. "Your adoptive father never helped you after you left home?"

She shook her head, with its dark, shiny mass of flowing hair, and continued to feed the baby. "But I'd be ungrateful if I didn't acknowledge that he and Nadine fed and clothed me for eight years while I lived under their roof. Some of my friends in the orphanage never got adopted, and lived their whole lives there until they were old enough to leave. I was one of the luckier ones."

Concetta hadn't quite finished her food when she put her hands out as if to say she was full. She was so adorable, Belle could hardly stand it. "I think you've had enough." Without thinking about it, she untied the bib. After wiping Concetta's mouth with it, she put it on the table and lifted the baby out of the high chair.

"Uh-oh. I can tell you need to be changed. Where's your bedroom?"

Leon had been lounging against the wall, watching them. "Upstairs."

Belle darted him a glance. "If you'll show me, I'll change her, but only if it's all right with you."

One black brow lifted. "Since you've got her literally eating out of the palm of your hand, I have a feeling she'd have a meltdown if anyone else dared to interfere at this point."

"Leon…" The man had lethal charm. It had been getting to her from the first day and had worked its way beneath her skin.

"Follow me."

The only thing to do was concentrate on the baby. "You have the most beautiful home, Concetta. I always wanted to live in a house with a staircase like this. I wonder how long it will be before you slide down the banister when your *papà* isn't looking."

She heard the low chuckles trailing after him, and it was impossible to keep her eyes off his hard-muscled frame. She knew what it was like to be crushed against him, and came close to losing her breath, remembering. In father mode, Leon was completely different from the forbidding male she'd first met. Like this he was irresistible.

Rufo darted ahead of them. They entered the first room at the top of the stairs. "I might have known you'd live in a nursery like this. Your father has spoiled you silly, you lucky little girl." Belle felt as if she'd entered fairyland. He'd supplied everything a child could ever want.

There was a photograph on the dresser of a lovely,

dark blonde woman who had to be Leon's deceased wife. Concetta would always ache for the mother who hadn't lived through childbirth. The thought made Belle's heart constrict. She knew what it felt like to want your mother and never know her.

She carried the baby over to the changing table against the wall and got busy. After powdering, she put a clean diaper on her. Concetta's cooperation made it an easy operation.

Leon stood next to Belle. The scent of the soap he used in the shower lingered to torment her.

"You've mesmerized my daughter."

"It's the lime suit." She picked up the baby. After giving her a kiss on her neck, she placed Concetta in her father's arms. "I'm wearing a different color than she's used to seeing."

"So that's your secret weapon?"

When Belle raised her head in query, the crystal gray eyes she remembered had morphed to a slate color. Just now she'd detected an edge in his tone, and didn't understand it. If he hadn't wanted her to feed or change the baby, he should have told her.

As her spirits plummeted, she heard a male voice, and spun around to discover Leon's father in the nursery doorway. Rufo had already hurried over to him. She recognized him from the photographs, but since the time those pictures were taken, his dark hair had become streaked with silver.

His presence meant Belle's mother was here! Her mouth went dry.

Leon saw the shock on his father's face. Normally, he headed straight for Concetta, but not this time. The count was staring at Belle. Her beauty stopped men in their tracks, but he'd also seen the resemblance to Luciana and was obviously speechless for a moment.

His father wasn't the only one. Leon had felt out of control since their first meeting. Just now her easy interaction with Concetta, and his daughter's acceptance of Belle, had caught him unaware. It had to be because Belle reminded her of Luciana. To his chagrin he'd experienced a ridiculous moment of jealousy.

"Papà? May I introduce Belle Peterson. Belle? Meet my father, Sullisto."

The older man walked over to Belle with suspiciously bright eyes. "It's like seeing your beautiful mother when she was in her twenties." He kissed her on both cheeks and grasped her hands. "My wife's not going to believe it. I'm not sure I do."

"I don't believe it, either," Belle answered in an unsteady voice. "It's like a dream. I'm so happy to meet you."

He studied her features for a long moment. "How do you want to do this, my dear?"

Leon appreciated his father's sensitivity and stepped in. "Where's Luciana?"

"I left her in the living room, playing the piano."

"Why don't you entertain Concetta up here while I take Belle downstairs to meet her?" He kissed the baby and handed her over. "I'll come back for the two of you in a few minutes and we'll go down together."

His father hugged the baby to him before looking at Belle. "Take all the time you need."

"Are you sure this is the right thing to do, *signore*?" Her question went straight to Leon's gut.

"Call me Sullisto. You're going to make a new person of my wife," his father reassured her.

A hand went to her throat. "Thank you for being so kind and accepting."

Leon could only wonder at the emotions gripping her. "Let's go."

She followed him out of the room and down the stairs. The sound of the piano grew louder. When they reached the front foyer, he turned to her. "Ready?"

Belle nodded. "I've been waiting for this all my life, but I'd like you to go first."

Taking a deep breath, he opened the French doors. "Good evening, Luciana."

The playing stopped and she got up from the baby grand piano looking lovely as usual in a draped midriff jersey dress in a blue print. Though her daughter wasn't wearing Versace, Belle had the same sense of style and good taste as her mother.

She hurried across the Oriental rug toward him. "Thank you for inviting us, Leon. Where's your precious baby?"

He noticed the two women had the same little tremor in their voices when they were nervous. They were both the same height, but Luciana wore her hair short these days in a stylish cut. After giving her a kiss on both cheeks, he said, "Upstairs with Papà. But before he brings her down, there's someone I want you to meet."

"A special woman?"

He knew what she was thinking. His father had Leon's love life on his mind and no doubt had been discussing the list of eligible titled women with Luciana. "This one is very special. You'll have to speak English. Come in," he called over his shoulder.

After Belle stepped into the living room, he watched Luciana's expression turn to incredulity, then shock. She went so pale he put an arm around her shoulders and helped her to the nearest love seat. "Your daughter has come all the way from New York looking for you."

A stillness enveloped both women before Luciana cried, *"Arabella?"*

Tears splashed down Belle's cheeks. She, too, had lost color. Fear that she might faint prompted Leon to help her sit next to her mother.

"That's my real name?" she asked in wonder. "Arabella?"

"Yes. Arabella Donatello Sloan. Your father was English. Arabella was his grandmother's name. She told him it meant beautiful lion. You *are* so beautiful. I don't know how you ever found me, but oh, my darling baby girl, I've missed and ached for you every moment since I gave you up. You've been in my every prayer. Let me hold you."

It was like a light had gone on inside, bringing Luciana to life, illuminating her countenance. Like her mother, Belle glowed with a new radiance. They weren't aware of anyone else.

The sight of the two women clinging desperately while they communicated and wept and made dozens of comparisons brought a giant-size boulder to Leon's throat.

The explanation of Belle's name reminded Leon of his conversation with her the day before, about his own name meaning lion. Belle remembered, too, because she darted him a quick glance. It was an odd coincidence.

"I want you to know about your father. I have pictures of him back at the palazzo."

Belle flashed Leon a smile. He knew what seeing a picture of him would do for her.

"Arabella was the grandmother who raised him before she died. We talked about names before you were born. That's the one we liked the best. You would have loved him, but he was killed before we could be married. I was so terrified he'd been murdered that, when I had you, I made the decision to give you up because the danger you might be killed, too, was too great."

Leon moved closer to them. "We now know that no one was murdered, and Robert's death had to have been an accident."

"Yes, but I didn't know it until a few months ago. When I think about the years we've lost..." Her mother broke down sobbing.

Belle held her for a long time. "What happened to my father?"

"Robert and I had been in downtown Newburgh and we'd just left each other. He'd started across the intersection when this car crossed over the lines and came at him at full speed. The driver just kept going, leaving Robert lying there lifeless."

Belle's groan filled the room.

"It was so horrifying I went into labor and was taken to the hospital. You came a month early, Arabella. You were still in the intensive care unit when I had a graveside service for Robert. The police never found the man who killed him."

"How terrible for you." Belle reached out to hug her harder.

"It *was* terrible, since I couldn't tell my father. He didn't know about Robert. I knew if I took you back to

Italy, he wouldn't let me keep you at the palazzo. Worse, I was afraid you wouldn't be safe with me anywhere.

"When I made arrangements for you at the orphanage, you still needed a lot of care. But my father sent for me to come home. He wasn't feeling well, because of his heart, and hinted that he wanted me to meet Count Malatesta, who'd recently lost his wife to cancer. My father wanted him for a son-in-law.

"We married on my twentieth birthday. The fact that he still wanted me after I confessed everything to him in private proved to me he was a good man. But while I was still in New York, I couldn't imagine ever marrying again. It was agony, because I had to rely on the sisters to watch over you. I told them I'd named you Belle. That way no one could ever trace you to Robert or me. I also told them they had to promise that whoever adopted you would take you to church."

"Nadine always took me."

"Thank heaven for that."

In all the years Leon had known Luciana, she'd never made such long speeches. In one breath he'd already learned enough about her past to erase the lies he'd heard whispered by the staff and others who lived on gossip. Those lies about her being shallow and of little substance had colored his thinking for years.

He left the living room and remained outside the doors for several minutes to get a grip on his emotions, before taking the stairs two at a time. When he entered the nursery, he found his father helping Concetta stack some blocks. Sullisto saw him in the doorway. "Well…I guess I don't have to ask how it went. Your eyes say it all."

Leon nodded. "You were right. This was one reunion that was meant to be. Come downstairs and see for yourself."

He plucked his daughter from the floor, still clutching one of her blocks, and they headed out the door with Rufo. When they'd descended the staircase and entered the living room, he discovered the two women still seated on the love seat, deep in conversation punctuated with laughter and tears.

"Forgive us for barging in on you, but my daughter wants to join in."

"Concetta…" Luciana rushed over to take her from Leon's arms. Belle was right there with her. Both women fussed over his daughter, laughing, and his little girl broke out in smile after smile. She'd never had so much loving attention in her life.

Leon glanced at his father. They shared a silent message that left no doubt this watershed moment had changed the fabric of life in both Malatesta households.

"Dinner's ready. Let's go in the dining room. Tonight we'll all eat together." Leon's words delighted the women.

After he brought the high chair in, they both begged him to put Concetta between them at the candlelit table. Happiness reigned for the next hour, with most of the attention focused on the baby.

Leon looked around, realizing he hadn't felt this sense of family since before his own mother had died. His father hadn't seemed this relaxed and happy in years, either. As for Luciana, being united with her daughter had transformed her to the point Leon hardly recognized her. Gone were the shadows and that underlying look of depression.

But it was the new addition to his table that filled

him with emotions foreign to him. Since Benedetta's death, Concetta had been the only joy in his life. Having lost his wife, he hadn't been able to think about another woman. As for marriage, he had no plan to marry again. His daughter was all he could handle, all he *wanted* to handle.

Before Benedetta had died, she'd been Leon's comfort. With two losses in his life, plus Dante's aloofness, it was Concetta who was the beat of his heart now. Though she was loved by his staff, he guarded her possessively, afraid for anything to happen to her.

He'd been functioning on automatic pilot at work, unenthusiastic about the pleasures he'd once enjoyed. His good friend Vito had phoned, no doubt to make some vacation plans, but Leon hadn't even called him back yet.

While he'd been going along in this whitewashed state, Belle Peterson had exploded onto the scene. Her presence reminded him of someone who'd come along his private stretch of beach and purposely destroyed the sand castle he'd made for his daughter with painstaking care.

In Belle's case it wasn't intentional. Far from it. But the damage was just as bad, because nothing could be put back the way it was before. Leon didn't like having his world turned upside down, leaving him with inexplicable feelings percolating to life inside.

He should never have kissed her. Obviously, he needed to start dating other women. There were many he could choose from if he wanted to. But it was disconcerting to realize that none of them measured up in any way to Belle.

When Carla came into the dining room to pour more

coffee, he asked her to tell Talia to come and put the baby to bed. Concetta was too loud and squirmy, a telltale sign she was tired. But after the nanny arrived and pulled her out of her high chair, his daughter cried and fought not to be taken away. To his astonishment, she reached for Belle and quieted down the second his houseguest grasped the baby to her.

*Diavolo!* He couldn't blame it on the green suit or the shape in it. Belle herself, with her creative ways of doing things, had captured his daughter's interest.

Those dark blue eyes sought his with a trace of concern. "If it's all right with you, I'd love to get her ready for bed."

This wasn't supposed to happen, but what could Leon say? "I'm sure that will make Concetta very happy." When he saw the way she interacted with Belle, it came to him that his daughter needed a mother. Until now he'd been thinking only of his own needs. It had taken Belle's advent in their lives for him to realize a father wasn't enough for Concetta, who deserved two parents to make her life complete.

"Oh good! Come with me," she said to Luciana. "We'll do it together."

"You'll find a stretchy suit in the top drawer of the dresser," Leon suggested.

"A stretchy suit?" Belle said to the baby. "I wonder how many pink ones you have."

"It's a beautiful color on her, but then she's lovely in every color," Luciana said as they left the dining room, chatting together like a mother and daughter who'd never been apart. "She's already a great beauty."

Once they were alone, Sullisto eyed Leon. "I can see that Luciana won't want to be separated from Belle now

that they've found each other. You say she's flying back
to New York on Sunday?"

"That was the plan," Leon muttered, not able to think
that far ahead.

"Well, as long as she's in Rimini, she'll stay with
us at the palazzo. I'm anxious to get them both home."
After a slight hesitation, he said, "I haven't told Luciana this yet, but I'm planning to adopt Belle so she'll
be an integral part of the family."

After learning how much Luciana had suffered since
giving up her daughter, Leon wasn't surprised by the
announcement. What it did do was convince him how
deeply his father had learned to love Belle's mother.

Feeling restless with troubling thoughts he hadn't
sorted out yet, Leon got to his feet. "I'll go up and make
sure Concetta is settling down without problem. Have
you told Dante about Belle?"

"No. Pia has been so upset because she hasn't conceived yet, he took her to Florence for a little break.
They won't be back until sometime tomorrow afternoon. It's probably a good thing. I want to give Luciana
and Belle the next twelve hours or so together before
we break the news to them.

"They don't have your advantage of getting to know
Belle first, and her reasons for coming to Rimini. It will
take time for him and Pia to absorb everything that's
happened while they've been gone."

Dante wouldn't be the only one. Leon was still attempting to deal with the reality of Luciana's daughter,
whose response had almost sent him into cardiac arrest
earlier. Sullisto had been brilliant at keeping his wife's
secret from their family. But for some reason his plan
to adopt Belle didn't sit well with Leon.

He left his father at the table and went to the kitchen to find Talia, asking her to get Concetta's bottle ready and take it upstairs. "You outdid yourself on the dinner," he said to Simona, before bounding up the staircase.

He found a beaming Luciana holding his daughter, who'd been changed into a white stretchy suit with feet. Belle stood next to them, playing with his daughter's toes. The baby was laughing out loud.

Luciana saw him first. "Oh, Leon, she's the dearest child in the whole world." There was a new light in her eyes.

Belle's expression reflected the same sentiment. "We wish she didn't have to go to bed."

"I'm sure she doesn't want to be put down, either, but it's time." He walked over and reached for his daughter, who clung to him with satisfying eagerness. Talia wasn't far behind with the bottle.

She sat down in the rocker, so he could hand her the baby, who'd started to fuss the second he let go of her. "*Buonanotte,* Concetta. Be a good girl for Talia." He kissed her cheeks before following the two women out of the nursery.

Sullisto met them at the bottom of the stairs. He reached for Belle's hand. "Your mother and I would like you to stay at the palazzo with us while you're in Rimini. Would you like to come with us now?"

Leon sensed her slight hesitation. He was pleased by it when he shouldn't have been. Though he didn't know what was going on in her mind, he made the instant decision to intervene.

"Belle has already settled in as my houseguest for tonight, Papà. As it's late and I know she's exhausted, why don't I bring her to the palazzo in the morning for breakfast, and we'll discuss future plans?"

Luciana hugged her daughter. "Of course you're tired. After the shock of coming face-to-face with my beautiful daughter, whom I thought would always be lost to me, I confess I am, too. Tomorrow we'll spend the whole day together. I can't wait."

"Neither can I."

"I love you, Arabella."

"I love you, too." Belle's words came out in a whisper.

They hugged for a long time before letting each other go. Together everyone moved to the front foyer. Luciana's gaze moved to Leon. "Please bring Concetta when you come. We can't get enough of her."

Leon nodded to his stepmother and father before the two of them disappeared out the door. When it closed he turned to Belle.

"Did I speak too soon for you? It's not too late to go with them."

She shook her head. "Actually, I'm very grateful you said what you did. No matter what you say, this meeting put my mother and your father in a difficult position. By my staying here in your home, they'll have time to talk alone tonight. She put on a wonderful front, but—"

"It was no front," Leon contradicted. "I've known her close to fourteen years. The joy on her face when she saw you changed her to the point that I hardly recognized her."

Belle bit her lip. "But that doesn't alter the fact that she gave me up and no one knew about it. Now that I'm here, she has to worry about people finding out she had a child before she married your father."

"Do you honestly believe that matters to either of them now?"

"I don't know. She said she gave me up to keep me safe. But since that's no longer a concern and I've shown up, she'll have to deal with gossip. I'm not worried for myself, but the last thing I want is to bring more unhappiness to your family."

"That's very noble of you, Belle, but she's already let you know you're welcome with open arms."

Her chin lifted. "Maybe. I think it would be better if she comes over here in the morning, where we can talk in private before I go back to New York. Her presence in your home won't draw attention. If I thought my coming to Italy could upset her life in any way..."

He raked a hand through his hair. "Come out on the patio with me and we'll talk."

Without saying anything, she followed him down the hall to the other part of the house. When he opened the doors to the patio, they were greeted by a sea breeze scented with the fragrance of the garden flowers. Belle walked over to the railing. "How absolutely heavenly it is out here."

"It's my favorite place."

"I can see why."

Leon stood next to her, studying her stunning profile, which was half hidden by her dark hair. "Forget everything else for a minute and answer me one question."

She turned her head in his direction. "You want to know how I feel."

Belle had the disarming habit of being able to read his mind. "Can you put it into words yet?"

"No," she answered promptly. "Luciana is wonderful. More wonderful than I could have ever hoped. So's

your father. But over these years, this need to find her
has been all about me and what I want. Sitting with her
on the love seat while she explained her life to me, I realized what a terrible thing I've done to her."

Leon looked into those blue eyes glittering with
tears. "I don't understand."

"She didn't deserve to have me sweep into her world,
bringing up all the pain and unhappiness she's put behind her. No—" Belle put up her hands when he would
have argued with her.

"The sister in charge warned me I could be taking a
great risk in trying to find my birth mother. I thought I
knew better when you told me I could meet her at dinner tonight. When I met your father, I still felt good
about it. But I don't anymore."

Leon had to think fast. "I'm guessing the part of
you that feels unlovable has taken over for the moment.
You're terrified that any more time spent with her and
she'll see all your flaws."

Belle gripped the railing tighter. "I'm nothing like
her. She's lovely and refined. I never met anyone so
gracious. She's not the kind of person to tell you what
she's really thinking inside. She and your father have
made a life together. There's no place in it for me and
there shouldn't have to be."

"You're wrong about that, Belle." If his father had
his way, it wouldn't be long before she found herself
being adopted for the second time in her life.

"It's hard to explain, but I feel like I've trespassed
on their lives."

"Trespassed... If you feel like that, then blame me
for facilitating the meeting."

Tears again sparkled in her eyes. "I could have decided not to go through with the plans for this evening. Of course I don't blame you. You've been wonderful. You *all* have. I'm the one who doesn't belong in Rimini."

"That's another part of you talking, the part that feels you don't deserve this outpouring of kindness and acceptance. You're going to have to give this time, Belle. In the past you've been too used to rejection from your adoptive father and brother. If you turn away now, after one meeting, you'll be giving in to old habits. Consider your mother's feelings."

"She's all I'm thinking about right now."

"How do you imagine she'll feel if you let your fear of rejection prevent her from really getting to know you? It works both ways."

Belle shook her head. "I don't know what to do."

"Do you think *she* does?"

A troubled sigh escaped her lips. "I'm not sure. If she'd begged me to come with her tonight..."

Ah. "What if she was afraid to pressure you, in case you had reservations? I'm the one who mentioned your fatigue, and she grabbed on to it for an excuse, in case you didn't feel comfortable going with them. Don't you see?"

"I—I don't know what I see," Belle stammered. "I love her so much already, Leon, but I'm more anxious than ever." Her eyes met his, full of despair and confusion.

He wasn't immune to her pain, but he couldn't take her in his arms again, not after he'd sworn to keep his distance.

Yesterday, when he'd drawn her against him, he'd become instantly aware of her as an alluring woman, but he'd fought those feelings. He couldn't handle the complication of a woman in his life. Yet when they'd been at the pension, he'd reached for her again, because he couldn't help himself. Much more of this and he would lose every bit of objectivity.

Already her presence was making chaos of the well-ordered existence he'd been putting back together since Benedetta's death. Otherwise why would he have stepped in to suggest Belle remain under his roof tonight?

# CHAPTER FIVE

Belle looked away from Leon's dark gaze, trying desperately to pull herself together. After priding herself on being able to handle her life on her own, why did she keep falling apart like this?

She should have jumped at the opportunity to go home with her mother earlier, but Leon had read her hesitation with uncanny accuracy and had offered another solution. When she'd confided her reason to him for holding back, she'd told the truth. She'd wanted to give her mother space.

But she feared there'd been another reason to stay with Leon, not so readily discernible until this moment, now that she was alone with him again. Reflecting back to that interlude in her bedroom at the pension, she was angered by her need for comfort from the last person she should have turned to.

For her to have lost control and kissed a man who still had to be grieving the loss of his wife was humiliating. It was madness.

Feigning a calm she didn't feel, she managed to dredge up a smile. "Thank you for helping me work through my angst. Concetta is the luckiest little girl in the world to have you for her father. And like *your* father, you're a virtual bulwark of strength and reason, Leon Malatesta. I've gotten over my jitters and can go to bed now with the hope of getting some sleep. Good night."

Without looking at him, she left the patio and went straight to the guest bedroom, shutting the door.

A good sleep? That was hilarious.

*"Signorina?"*

Belle came out of the bathroom the next morning, where she'd been putting on her makeup. Earlier, Carla had brought her coffee. "Yes, Simona?"

"Signor Malatesta says to come to the rear foyer. He's ready to drive you to the palazzo whenever you're ready."

"I'll be right there. Thank you."

She'd been up for an hour, unable to stay in bed following a restless night's sleep. After some experimenting, she drew her hair back at the nape. In her ears she'd put on her favorite pink topaz earrings. Luciana was so elegant, Belle wanted to look her best for her mother.

This morning she'd dressed in a short-sleeved, three-piece suit of dusky pink, with a paler pink shell. Whenever she wore it to the regional meetings for her work, it garnered compliments.

When she stepped outside the door, she saw Leon in a light tan suit, fastening his daughter in the back car seat of a dark blue luxury sedan. Concetta was dressed in a blue-and-yellow sunsuit. With those dark brown eyes that saw Belle coming, she was a picture.

"Good morning, you adorable thing!"

He stood up, transferring his gaze to Belle. *"Buon giorno,* Arabella," he murmured, while his eyes traveled over every inch of her. When he did that, she melted on the spot.

*"Buon giorno,"* she responded, sounding too American for words. "Do you mind if I sit in back with her?" During the night Belle had decided that the only safe way to be around Leon was to stay close to his daughter. It was no penance. Belle was already crazy about her.

Without waiting for an answer, she walked around to the other side and climbed in back. Rufo had already made his place on the floor at the baby's feet. Belle rubbed his head behind his ears. He licked her hand before she turned to Concetta and fastened her own seat belt.

"How's my little sweetie? I love those cute seashells on your top." As she touched them, the baby smiled and reached out to pull her hair.

Leon was still looking in from the other side. Could there be such a striking man anywhere else in existence? "Like I said last night, you keep that up at your own risk."

"After the pearls, what's a little hair?" she teased.

He chuckled. "She's already got her sights set on your earrings. They're stunning on you, by the way."

"Thank you." *Please don't keep saying personal things like that to me.*

In seconds he got behind the wheel and drove them away from the estate toward the city. This was the first time since coming to Rimini that Belle was actually able to see it through a tourist's eyes. Until now her thoughts had been so focused on finding her mother, she'd been pretty much unobservant.

He drove her along the autostrada and played tour guide. On one side were hundreds of fabulous-looking hotels. On the other were hundreds and hundreds of colorful umbrellas set up three rows deep on the famous twelve-mile-long stretch of beach.

"It's a sun lover's paradise, Leon!"

"If you don't mind the invasion of masses of humanity," he drawled over his shoulder.

But he didn't have to worry about that. His private portion of beach was off-limits, and no doubt strictly watched by his security men.

After a few minutes they climbed a slight elevation where an incredible period residence in an orangey-pink color came into view. "Oh, Leon…"

"This is the Malatesta palazzo. Our family purchased it in the nineteenth century. It's of moderate size, but over the years has been restored and transformed. Like many of the elegant patrician villas along this section of the Adriatic, it combines modern technology with old-world charm." He drove through the gates, past cypress trees and a fantastic maze.

"It's breathtaking. When you were little, your friends must have thought they'd died and gone to heaven when you invited them over to play."

His eyes gleamed with amusement as he looked at her through the rearview mirror. "I don't know about that, but Dante and I enjoyed hiding out from the staff. Guests have been known to get lost in there."

"I don't doubt it."

They continued on and wound around the fountain to the front entrance. Thrilled to see her mother come out the door and rush over to her side of the car, Belle hurriedly got out to meet her. They hugged for a long time.

"Now I know last night wasn't a dream." Luciana cupped her face. "My dearest girl, do you think you could ever bring yourself to call me Mom? You don't have to, but—"

"I wanted to call you Mom last night," Belle confessed.

"Then it's settled. Come on. Let's get Concetta and go inside." Belle looked around, to discover Leon had his daughter in his arms. "We're eating on the terrace," her mother announced. "I've got Concetta's high chair set up."

Rufo ran ahead to where Sullisto stood in the elegant foyer. He sought out Belle with such a warm smile that she had to believe it was a sincere reflection of how he felt about her. It went a long way to dispel some of her fears for her intrusion in their lives.

She felt Leon's gaze. When she looked up, his gray eyes seemed to encourage her to embrace what was happening.

Once she was inside, the palazzo's sumptuous tapestries and marble floors left her speechless. Belle particularly loved the colonnade with its stained-glass windows. Leon explained that before the destruction in the war, they'd formed part of the chapel.

After following the passageway, they came out to the terrace, where a veritable feast awaited them. But Belle couldn't hold back her cry of wonder at the sunken garden below. Grass surrounded a giant black-and-white chessboard. Statues of Roman gods were placed in the odd squares, each depicting one of the twelve months of the year.

"I've never seen anything like it! The whole estate is unreal." Her gaze unconsciously flew to Leon's. "To think this was your playground, growing up."

His eyes smiled back at her.

"Come and sit by me, darling. Here are some pictures of your father."

Belle did her mother's bidding. Her hands shook as she studied the half-dozen snapshots. "He looks so young and handsome!" She couldn't believe she was gazing at her own father.

"He was both. Keep those photos. I have more."

After studying them, Belle put them carefully in her purse. Over the delicious meal, she lost track of time, answering her mother's questions about life at the orphanage. Then the subject turned to the Petersons.

Sullisto shook his head. "I can't understand why you weren't adopted right off as a baby."

"I used to ask the sisters the same thing. They told me that because I was premature, I was very sickly. It seems I took a long time to get well, and was underdeveloped. My speech didn't come until I was about four. By then, I was too old."

"Darling..." Luciana hugged her for a long time before she let Belle go.

"It's all right. I finally did get adopted, but I didn't see love between Nadine and Ben. I guess somewhere deep down he cared for her, enough to go along with my adoption. But I wished I'd been placed in a foster home, so I could have left when things got difficult."

"You had no advocate?" her mom asked, sounding horrified.

"Not after being adopted. But at one point I gathered enough courage to talk to her about it. She said she'd wanted me to feel like I belonged. Nadine had the right instincts, but there was too much wrong in their marriage, and I know for a fact they didn't consult Cliff. He was so angry, I got out of the house the second I turned eighteen. As you know, they were killed in a car crash later on."

Her mother's eyes had filled with sadness. "Where did you go, darling?"

"I'd been scanning the classifieds and found a want ad for a roommate. I went to meet three single girls who'd rented part of an old house and could fit one more person. I told them that if they'd give me a month, I'd get a job and move in. Since I needed a cell phone, I applied for work at TCCPI and they hired me. That was my lucky day."

"Now she's a manager," Leon interjected. He'd just gotten up from the table to walk Concetta around. "In fact, the corporation is taking her in to the head office in New York City in two months."

Belle's head flew back. "You didn't tell me that earlier. You only said I was going to be promoted."

His features sobered. "I overstepped my boundaries when I contacted them, and didn't want to give away all the surprises in store for you."

He'd surprised her again.

"That's wonderful!" Luciana exclaimed, but a look of pain had crossed over her face, belying her words. "Do you love your work?"

Bemused by the question, Belle turned to her mother. She knew what she was really asking. They'd met only last evening. After finding her parent, the idea of separation was unthinkable to her right now, too. "I like it well enough. It's been a way to earn a living, and they've been paying for me to go to college at night. Another semester and I'll get my business degree."

"I'm so proud of you! Are you still living with roommates?"

"Yes. It's cheaper and I've been able to save some money." Belle pulled the wallet out of her handbag and passed around some pictures of her friends. She had one photo of the Peterson family to show them.

After studying the photos, Sullisto leaned forward. "I must admit I'm surprised you didn't show us the picture of your latest love interest. Why aren't you married? Are the men in America blind? Who's the miserable man you're driving crazy at the moment?"

Belle laughed quietly. "I've been too busy with studies, along with trying to put my store on top, to get into a relationship."

"You sound like Leonardo," he grumbled.

"Concetta keeps me so occupied, there's no room for anyone else."

She sensed a certain friction between him and his father. Belle happened to know how deeply enamored Leon was of his little girl. It surprised her Sullisto would touch on that subject, when he had to know his son was still grieving over his wife's death. No wonder she'd detected an underlying trace of impatience in Leon's response.

Belle could only envy the woman who would one day come into his life and steal his heart. As she struggled with the possibility that he might always love Benedetta too much to move on, she heard footsteps in the background, and turned her head to see an attractive man and woman dressed in expensive-looking sport clothes walk out on the terrace.

"Ah, Dante!" Sullisto got to his feet to embrace his son, who bore a superficial likeness to him and Leon. "We didn't expect you until this afternoon," he said in English. "You've arrived back from Florence just in time to meet our home's most honored guest. Belle Peterson from New York? This is my son Dante, and his lovely wife, Pia."

Belle agreed Pia was charming, with amber eyes and strawberry-blond hair she wore in a stylish bob. They walked around and shook her hand before taking their places at the table. But already Belle felt uncomfortable, because Leon's brother had seen her sitting next to Luciana, and had to have noticed the resemblance. He kept staring at them. So did his wife, who whispered something to him.

Sullisto turned to his wife. "*Cara?* Why don't you carry on from here?"

Luciana cleared her throat and got to her feet. Belle's gaze collided with Leon's oddly speculative glance. She had the impression he didn't know how this was going to play out, and she felt an odd chill go through her.

"After all these years, my greatest dream has come true." She reached for Belle's hand and clung to it. "Years ago my father sent me to New York, because he thought I was in danger here.

"You know the family history, but there are some things no one ever knew except your father, who loved me enough to marry me anyway. You'll never know what that love did for me and how much I've grown to love him since then."

Her mother's revelations brought moisture to Sullisto's eyes and touched Belle to the depths of her soul. But as she saw a bewildered look creep over Dante's face, the blood started to throb at her temples.

"While I was there, I met a man from England named Robert Sloan, and we fell in love. When we found out we were expecting a baby, we planned to be married with or without my father's permission. But Robert was killed in a hit-and-run accident. At the time I was convinced he'd been murdered, and it brought on early labor for me."

Dante looked like a victim of shell shock. As Luciana continued talking, he transferred his cold gaze to Belle. It reminded her of Cliff's menacing eyes when his mother had first introduced them. That memory made her shrink inside as Luciana came to the end of the story.

"Her real name is Arabella Donatello Sloan. She flew to Rimini this week to try and find me. If it weren't for Leon, we would never have been reunited."

Dante turned to his brother. A stream of unintelligible Italian poured from his mouth.

"Our guest doesn't speak Italian," Leon reminded him. For an instant his gray eyes trapped Belle's as reams of unspoken thoughts passed between them. This was the crisis Belle had prayed wouldn't happen.

Sullisto intervened and in English told Dante how she'd researched the Donatello name until it came to Leon's attention at the bank.

"It's an absolute miracle," Luciana interjected. "It's one that has brought me the greatest happiness you can imagine. Sullisto and I talked it over last night. We're hoping she'll decide to make her home here at the palazzo with all of us, permanently."

*"Mom..."*

While Belle was still trying to absorb the wonder of it, Sullisto tapped his crystal goblet with a fork. After clearing his throat, he said, "We want to take care of you from here on out. Now that you're united with your mother, we don't want anything to keep you two apart."

He reached for Luciana's hand. "I'm planning to adopt you, Arabella."

*"Adopt?"* Belle gasped. "I—I hardly know what to say—" Her voice caught.

A smile broke out on his lips. "You don't have to say anything."

Belle was so overcome with emotions sweeping through her, she hardly noticed that Dante had gotten to his feet. With one glance, she saw that he'd lost color. He stared around the table at all of them. The dangerous glint coming from those dark depths frightened her.

"That's quite a story. The resemblance between mother and daughter is extraordinary, thus dispensing with a DNA test," he rapped out. His gaze finally fastened on Belle. "Welcome to the Malatesta family, Arabella. We truly do live up to our name, don't we?"

*"Basta!"* his father exclaimed. Belle knew what it meant.

*"Mi dispiace,* Papà," he answered with sarcasm. "Now if you'll excuse us, Pia and I have other things to do." He strode off the patio with an unhappy wife in pursuit.

"Don't look alarmed," Sullisto advised Belle the minute they were gone. "Your mother and I discussed it last night. There's no right way to handle a situation like this. We didn't expect them home until later, but since he walked in on us, we felt it was better to let Dante know up front. When he and Pia have talked about it, he'll apologize for his bad behavior."

Belle got up from the table. "For you to welcome me into your home leaves me thrilled and speechless, but I'm afraid the shock of hearing your plan to adopt me was too great for Dante. I'm not so much alarmed as sad, Sullisto. It's because my adoptive brother, Cliff, had the exact same reaction when Nadine brought me to their house from the orphanage. He was unprepared for it."

"But it's not quite the same thing," Sullisto impressed upon her. "You're flesh of Luciana's flesh. Dante is flesh of mine. Both of you are beloved to me and your mother." His words touched her to the core. "The difference lies in the fact that Dante's not a teenage boy. He's a grown man who's married, with expectations of raising a family of his own. Your being brought into the family has no bearing on his life except to enrich it."

"E-even so—" her voice faltered "—he has lived under your roof all his life and has sustained a huge shock that will impact your family and create gossip. If it's all right with you, I would feel much better if the two of you had the rest of the day to be alone with him and his wife. They're going to need to talk about this."

With an anxious glance at Leon, Belle implored him with her eyes to help her out of this, and prayed he got the message. "Since Concetta is ready for a nap, I'll go back to the villa with Leon." She leaned over to kiss her mother, then Sullisto. "Thank you for this wonderful morning. I don't deserve the gift of love you've showered on me. You have no idea how much I love both of you. Call me later."

Leon had already lifted the baby from the high chair and was ready to go. They left the palazzo and she climbed in the back of the sedan to help him fasten Concetta in the car seat. Rufo hopped in and lay down.

Belle kissed the baby's nose. "You were such a good girl this morning, you deserve a treat." She reached in her bag and pulled out her lipstick. The baby grabbed the tube and immediately put it in her mouth. It kept her occupied during the drive.

If Belle hadn't made the suggestion to escape, Leon would have insisted they leave the palazzo immediately. The shattered look on Dante's face had revealed what Leon had always suspected.

Like a volcano slowly building magma, his quiet, subdued brother had hidden his feelings beneath a facade. But today they had erupted into the stratosphere, exposing remembered pain and fresh new hurt.

"When we get back to the villa, I'll ask Talia to put the baby to bed so you and I can talk about what's happened."

"I can't bear that I've brought all this on. It's disrupting your life and everyone else's. I didn't want to hurt Mother's feelings by leaving so fast, but when I saw poor Dante's eyes..." Belle buried her face in her hands.

"You can be sure she and Papà understood. Dante finally reacted to years of suppressed pain. His behavior wasn't directed at you. It's been coming on since the day our father told us he was getting married again."

"I feel so sorry for him."

So did Leon. He eyed her through the rearview mirror. "Do you have a swimming costume?"

She blinked. "Yes."

"Good. When you've changed back at the house, meet me on the patio and we'll go down to the beach. We both need to channel our negative energy into something physical."

Belle nodded. "You're reading my mind again. A swim is exactly what I crave."

"In that case, you'll want a beach towel. There are half a dozen on the closet shelf in the guest bathroom."

"Thank you."

The drive didn't take long. When they entered the villa he showered his loving daughter with kisses before turning her over to Talia. Once upstairs in his room he changed into his black swimming trunks.

His last task was to phone Berto and tell him he wouldn't be coming in to work. Unless there was an emergency, Leon was taking time off until tomorrow. On his way out the door he grabbed a towel.

It didn't surprise him to find Belle in bare feet, waiting for him on the patio. The woman needed to talk. He could sense her urgency when their eyes met.

She'd swept her hair on top of her head, revealing the lovely stem of her neck. As he was coming to learn, every style suited her. The pink earrings still winked at him. His gaze fell lower. He knew there was a bathing suit underneath the short, wispy beach jacket covering her shapely body. It was hard not to stare at her elegant legs, half covered by the towel she was holding.

"I'm glad you suggested this, Leon. Like you, I'm anxious for some exercise before I lose it. Let's go."

*Lose it* was right. Dante's behavior at the table had cut like a knife.

Together they descended the steps to the sand. She removed her jacket and threw it on top of her towel before running into the water. He caught only a glimpse of the mini print blue-and-white bikini, but with her in it he felt a rise in his own body temperature despite the sorrow weighing him down.

"The sea feels like a bathtub," she cried in delight while treading water. He decided it had been a good idea to come out here. They both needed the distraction. Her dark sapphire eyes dazzled him with light.

He swam closer. "You've come to Rimini when the temperature is in the eighties."

"No wonder the city is a magnet for beach lovers. This is heaven!" For the next hour she kept her pain hidden. While she bobbed and dived, he swam lazy circles around her.

Leon held back bringing up the obvious until they'd left the water and stretched out on their towels. He lay on his stomach so he could look at her. She'd done the same. Belle had no idea how much her innate modesty appealed to him. It didn't matter how ruthlessly he tried to find things about her he didn't like in order to fight his attraction. He couldn't come up with one.

"What's going on in that intelligent mind of yours?"

"Flattery will get you nowhere," she said in a dampening voice, "especially when we both know you've been able to read me like a book so far."

He turned on his side. "Not this time."

She let out a troubled sigh. "I learned a lot after living with Cliff for those eight years. Whether justified or not, he felt betrayed by his parents. The family should have gotten professional counseling to help him. When I saw Dante's expression, he reminded me so much of Cliff, I got a pain in my stomach."

"The news definitely shook him."

"It was more than that, Leon." Slowly she sat up and looped her arms around her raised knees. "All I saw was the little boy who a long time ago fell apart at the loss of his mother. Your father said he's a grown man now, with a wife, and can handle it, but I'm afraid Dante's world has come crashing down on him again."

Leon nodded slowly. "If I don't miss my guess, his turmoil came from the fact that Papà wants to adopt you. Call it jealousy if you like. He and I suffered a great deal in our youth over his remarriage."

"Now he's reliving it. He sees how devoted your father is to my mother. When he said he planned to adopt me, maybe you couldn't see Dante clearly from where you were sitting, but his face went white."

"I noticed," Leon muttered. "There's no question her sin of omission has caught up with my brother."

In that moment he'd realized Dante had disliked Luciana perhaps even more strongly than Leon himself had years ago. But Dante had held back his feelings until this morning, when she'd revealed news about her secret baby. To make it even more painful, Belle had been sitting next to her mother at the table, bigger than life and more beautiful.

"I can see only one way to stop the bleeding."

Her thoughts were no longer a mystery. He rolled next to her and grasped her upper arms. "You can't go home yet—"

That nerve in her throat was throbbing again. "I have to. Don't you see? As long as I'm in Rimini, I'm a horrible reminder of his past. Mom and I have the rest of our lives to work things out. I have a career, Leon. In a few days I'll be back at my job. She can fly to New York and visit me. If I leave, then there'll be no gossip, and Mom's secret will remain safe."

His jaw hardened. "There are two flaws in your argument. In the first place the damage has already been done to Dante. Secondly, now that you've been united with her, she won't be able to handle a long-distance relationship. I've already learned enough to know a visit once every six weeks will never be enough for you, either. You can forget going anywhere," he declared.

Her chin trembled. He had the intense desire to kiss her mouth and body, but sensing danger, she eased away from him and got to her feet. "To remain in Italy for any length of time is out of the question. Don't you see it will tear Dante apart? It's not fair to him! He didn't ask for this. None of you did, but he's the one at risk of being unable to recover."

Leon stood in turn. "He'll recover, Belle, but it's going to take time."

"I don't know. I keep seeing his face and it wounds me. I have to leave. As for the rest of this week, I couldn't possibly stay at the palazzo while I'm here. That's always been Dante's home. My only option is to fly back to New York ASAP."

"No. For the time being you're going to stay with me, where you'll be away from Dante and yet still remain close to Luciana."

A small cry escaped Belle's throat. She shook her head. "I...couldn't possibly remain with you, and you know why. If I stay anywhere, it will be at a hotel."

Before he could think, she backed away farther. In a flash she'd gathered up her jacket and towel and darted across the sand to the steps leading to the villa.

Long after she'd disappeared inside, Leon was still standing there trying to deal with a tumult of emotions regarding his brother. But he also had been gripped by unassuaged longings, and realized he had a serious problem on his hands.

Just now he'd wanted to kiss Belle into oblivion. The chemistry had been potent from the first moment they'd met. Though Benedetta hadn't been gone that long, Leon found an insidious attraction for Luciana's daughter heating up within him.

*Like father, like son?*

Something warned him it could be fatal. How was that possible? If she'd sensed it, too, that could be the reason she'd run like hell.

# CHAPTER SIX

In a panic over feelings completely new to her, Belle raced to her room and jumped in the shower to wash her hair. In getting what she'd wished for by finding her mother, her world and everyone else's had been turned upside down. Nothing would ever be the same again and it was *her* fault!

Since she turned eighteen she'd been leading her own life as a liberated adult, in charge of herself and her decisions. No matter the situation now, she refused to be a weight around Leon's neck.

Her roommates would tell her she was stark staring crazy to run from the situation. They'd kill for the chance to stay with a gorgeous widower in his fabulous Italian villa. What was her problem?

Belle could only shake her head. What *wasn't* her problem? When Leon had driven her away from the palazzo earlier, she'd left it in an emotional shambles. After trying so hard not to hurt anyone, she found out that every life inside those walls standing for hundreds of years had been changed because of her driving need to know who she was.

*Are you happy now, Belle?*

In a matter of minutes Dante's life had been turned

into a nightmare. She couldn't live with herself if something drastic wasn't done to staunch the flow of pain for him.

But she couldn't stay with Leon any longer, either. Through an accident of marriage, he was her *stepbrother,* for heaven's sake! Yet she had to face the awful truth that her feelings for him were anything but sisterly. She could be arrested for some of the thoughts she'd been having about him.

Just now on the beach, the ache for him had grown so acute she'd literally melted when he'd grasped her arms. It wouldn't be possible to stay with him any longer and not act on her feelings for him.

She finished blow-drying her hair and slipped on the only pair of jeans she'd brought, along with a khaki blouse. It was time to play tourist while she decided what she was going to do.

Before leaving the room in her sneakers and shoulder bag, Belle dashed off a note, which she propped on the dresser. In it she explained she'd gone for a walk and would be back later.

No one was about as she retraced her steps to the beach. It was the only way to leave his gated property. She hurried past a lifeguard tower. For all she knew, the guy on watch was one of Leon's security people. But she wouldn't worry about that now, because she'd reached the crowded public part of the beach. From there she entered one of the hotels.

After taking a couple of free pamphlets printed in English from the lobby, she walked out in front to get a taxi. She told the driver where she wanted to go. In a few minutes he dropped her off at the ancient Tiberius Bridge.

The leaflet said it was begun by the Emperor Augustus in AD 14, and completed under Tiberius in AD 21. It was a magnificent structure of five arches resting on massive pillars. Incredible to think that she was here in such a historic place, but she couldn't appreciate it.

Tormented because she didn't know what she should do, Belle crossed the river to the city center to window-shop and eat a late lunch. The brochure indicated the Piazza Cavour was once the area of the fish and vegetable markets during the Middle Ages.

It was fascinating information, but partway through her meal she lost interest in her food. Sightseeing hadn't been a good idea and there were too many tourists. She decided to find a taxi and return to the villa. As she got up from the table, she almost bumped into Leon, who was pushing Concetta in her baby stroller.

"Leon!" Belle cried in utter surprise. The sight of his tall, powerful body clothed in jeans and a white polo shirt took her breath. "Where did you come from?"

A seductive smile broke out on his firm lips. Her gaze traveled to the cleft in his chin. The enticing combination was too much for her. "We've been following you."

Belle might have known Leon's security people would keep him informed of her every step. In spite of knowing she'd been watched and followed, a rush of warmth invaded her. To offset it, she knelt down to give the baby kisses. "So *that's* what you've been doing. Are you having a wonderful time?"

Concetta kept smiling at her as if she really recognized her and was happy to see her. That sweet little face had a lock on Belle's emotions.

"When we found your note, we thought we'd join you."

*No*... To spend more time with him and the baby wasn't a good idea. "I was just going to find a taxi and go back."

"Fine. My car is parked right over there on the side street."

Caving to the inevitable, Belle said, "May I push her?"

"Go ahead, but you'll have to dodge the heavy foot traffic."

She rubbed her hand over Concetta's fine hair. "We don't mind, do we, sweetheart."

As they navigated through the crowds toward his car, every woman in sight feasted her eyes on Leon. His black hair and striking looks compelled them to stare. Belle felt their envy when they glanced at her. She had to admit that if she'd been a tourist and had seen him with his little girl, she would have found him irresistible. There was nothing that captured a female's attention faster than an attractive man out with his baby and enjoying it, especially this one.

"On the way home we'll stop by the Delfinario."

"That's an intriguing word."

With half-veiled eyes, he helped her and Concetta into the backseat of the sedan. "I think you'll be entertained."

"Is it animal, vegetable or mineral?"

Leon burst into rich laughter. "You'll get your answer before long."

Her heart went into flutter mode, something that had started happening only since she'd been in Leon's company.

He drove along the beach until they came to what appeared to be a theme park. After they got out he said, "I'll carry Concetta. Come with me."

Belle followed him to a large, open-air pool. She spotted some mammals leaping out of the water. "Dolphins?"

*"Sì, signorina. Delfino."* Leon paid the admission and found them two seats in the packed arena where they were performing. Belle could pick out a few familiar words spoken by the man narrating the show in Italian. She loved the sound of the language. The children in the audience were enraptured by the sight.

"Look, Concetta!" Belle pointed to them. "Can you see the *delfino?*"

The baby got caught up in the excitement and clapped her hands like the kids surrounding them. More enchanted by her reaction than by the remarkable tricks happening in the water with the trainers, both Leon and Belle laughed with abandon.

After one spectacular feat, their eyes met and she flashed him a full, unguarded smile. Belle found it impossible to hold back her enjoyment in being here like this with the two of them, as if they were a family. It wasn't until later, on their drive home, that she was brought back to reality, knowing she had a huge decision to make.

"I think my little *tesoro* needs her dinner."

"Would you let me feed her and put her to bed?" Being with the baby brought Belle comfort, the kind she needed right now.

"Of course. It will give Talia a break."

"Oh goody. Did you hear that, Concetta?" Belle was

sitting next to her in the back of the sedan and kissed her half a dozen times.

Once they arrived at the villa, Leon carried her in the kitchen to her high chair and got out the baby food for Belle. Another fun-filled half hour passed while the child ate and played with her food, smearing some of it on the traytop as well as herself.

Laughter rumbled out of Leon. "I had no idea she could be this messy an eater."

"Most babies make a huge mess when you make a game out of eating. She's so happy. Look at the way she beams at you, Leon. It's the cutest thing I ever saw. But let's be honest. She's in need of a bath big-time."

"You took the words out of my mouth. Her little plastic tub is under the sink in the bathroom."

"I'll get everything set up." As Belle turned to leave the room, Concetta started to cry, causing Belle to turn around. "Oh, sweetie, I'm just going upstairs."

Leon darted her a piercing glance while he cleaned the baby off. "My daughter is already so crazy about you, she's not going to want Talia's attention."

Belle's heart thudded. "I hope that's not true," she whispered. "See you in a minute, Concetta." She hurried through the house and up the stairs to the nursery. Once she'd started filling the tub, she found the baby shampoo and a towel.

"Leon?" she called out. "Everything's ready!"

"Here we come!" He breezed into the bathroom, carrying his daughter in the altogether and lowering her into the water. Concetta talked her head off and splashed water everywhere.

"Already you're a water baby, aren't you, sweetheart? That's a good thing, because you've got a swimming pool and the Adriatic right in your own backyard." Leon grinned as he poured a little shampoo on her head.

Belle massaged it in. "Are you having fun, my little brown-eyed Susan?"

"What's that?" Leon asked. His command of English was remarkable, but once in a while he could be surprised.

"A yellow flower like a daisy with a center just like her incredible eyes."

He nodded. "The first time I looked into them, they reminded me of poppy throats."

Spoken like a father in love with his little offshoot. "They're both apt descriptions. One day she's going to grow up and drive all the Rimini *ragazzi* wild."

A burst of laughter broke from his throat. "Your knowledge of Italian is impressive. But let's hope that eventuality is years away yet."

"I don't know. They grow up fast." Belle kissed the baby's neck. "Are you having fun, sweetheart? I know *I* am." Truly, she'd never had so much fun in her life.

"That makes two of us," Leon said in his deep voice.

He made a wonderful father. If every child could be so lucky...

Once the bath was over, she slipped a diaper on Concetta and Leon found a light green sleeper. "Here's the bottle." He handed it to her. "Would you like to give it to her?"

"You know I would."

Belle sat down in the rocker with the baby and sang to her. So much playtime had made Concetta sleepy. Her eyelids drooped almost at once while she drank her formula. The long lashes reminded Belle of Leon's. Before long the child stopped sucking and fell sound asleep.

Leon watched as Belle put the baby down in the crib on her back. After they'd left the nursery he turned to her.

"Now that we've got the evening to ourselves, I'm taking you out on the cabin cruiser so you can get a view of the coast from the water. It's a sight you shouldn't miss. The pier is a few steps down the beach, in the opposite direction from where you went earlier today."

"I figured the lifeguard was one of your security people, but he didn't try to stop me."

Leon's lips twitched. "While we're out, I'd like to discuss something of vital importance with you. I've worked out a solution to our problem."

"So have I." She was going home on Sunday as planned, with no interference from him.

His black brows lifted in challenge, as if he could read her thoughts. "Then we'll compare notes," he said in an authoritative tone. His hauteur came naturally to him, because it was evident few people had ever dared thwart him. "Meet me on the back patio in twenty minutes. Bring a wrap. It will get cool later."

She nodded before hurrying downstairs to her room. She couldn't imagine what kind of solution he'd worked out, and didn't want to listen to him, not when Dante's happiness was at stake. But she was a guest in Leon's home and couldn't forget her debt to him. It was one she could never repay.

Without him acting on his uncanny instinct to follow through on her inquiry at the bank, she would have gone on searching for her mother in vain. The situation was untenable any way she looked at it.

A tap on the door a few minutes later brought her head around. *"Signorina?"* Belle rushed over to open it and discovered Carla. "The Countess Malatesta phoned while you were bathing the baby. She would like you to call her." The maid handed Belle a note with the phone number written on it.

"Thank you, Carla."

After she left, Belle pulled the cell phone out of her purse and called her mother. Two rings and she answered. "Arabella?"

It was still unbelievable to Belle that she was talking to the mother she'd ached for all her life. "Mom— I'm so glad you called. To hear your voice...it's like a miracle to me."

"I was just going to tell you the same thing, darling. What have you done with your day?"

Belle bit her lip. "I went sightseeing and Leon took me and the baby to see the dolphins. Then we fed her and bathed her. Now she's just gone to sleep." But Belle didn't want to talk about Leon and the way he made her feel. Her mouth had gone so dry thinking about him, she could hardly swallow. "How's Dante? I've been worried sick about him."

"To be truthful, we've been worried, too. They've stayed in their wing of the palazzo all day. Since they have their own entrance, they could have gone out without our knowing it. Sullisto and I thought we'd done the right thing to tell him the truth this morning..." Her voice trailed off. "I know my husband's hurt by this."

Belle gripped the phone tighter. "If it's any consolation, I don't think it would have mattered when you told Dante. The outcome would be the same. Maybe tonight he'll decide to talk to you, so I'm not planning to come over. Can we see each other tomorrow?"

"That's why I phoned you. I'll pick you up in the

morning and we'll take a drive. I want to show you my world. We'll talk and eat our heads off. How does that sound?"

She smiled. "Like heaven."

"Let's say eight-thirty."

"Perfect. I'll be ready. I love you, Mom."

"I love *you*. Isn't it wonderful to be able to say it to each other?"

"Yes." *Oh yes.*

After they hung up, Belle threw herself across the bed and thought about the day Cliff had let her know she wasn't wanted or loved.

She'd been a child then, with a child's reaction. But she was a woman now, and understood Cliff's behavior, just as she understood Dante's. In both cases Belle had been the one to bring on more suffering. This time she had the power to end it.

When it was time to meet Leon, she grabbed her sweater and hurried down to the patio. She would listen to what he had to say, but it wouldn't change her mind about leaving on Sunday.

Leon knew something was up the minute he saw her. "What's happened since you went downstairs?" he asked as they headed for the dock.

"I just got off the phone with Mom. They haven't seen Dante all day."

"My father told me the same thing a few minutes ago, but it isn't surprising. His way is to hide out."

"What do you mean, *his* way?"

Leon sobered. "There are things you don't know."

She took a shuddering breath. "Well, I know one thing. My arrival in Rimini has hurt him."

"It's not personal, Belle. *I'm* the one who has hurt him."

Her brows met in a frown as she looked at him. "How can you say that?"

"Because it's true. You saw and heard what happened at the table when Father said I was the one who made the reunion possible. Dante couldn't handle it and blew up at me in Italian."

She shook her head. "The whole thing is tragic. Mom's going to take me for a drive tomorrow. Maybe if Dante knows she's out of the palazzo, he and your father will be able to talk."

"I don't think so."

"Why do you sound so sure about that?"

"Once we're on board, I'll explain." Leon couldn't let Belle go on thinking she was the cause of everything.

He helped her climb over the side of the cruiser. After giving her a life jacket to put on, he undid the ropes and started the engine. They moved at a wake-less speed until they were past the drop-off before he opened it up.

She knelt on the bench across from the captain's seat, looking out to sea. "Is it always this placid?"

"It is this time of evening. Much later a breeze will spring up."

"You weren't exaggerating about the view. With the blue changing into darkness, all the lights twinkling along the shoreline make everything magical."

"Your eyes are the same color right now. Twilight eyes."

His words seemed to disturb her, because she turned around to face him. "You said you would tell me about Dante. Let's talk about him." She was a businesswoman who'd been fending off men's advances for years and knew how to probe through to the marrow.

He shut off the engine and lowered the anchor. After turning to her, he extended his legs. "When Dante and I lost our mother to cancer, he was ten and I eleven. For several years we were pretty inconsolable. Father had always been so preoccupied with business, she was the one who played with us and made life exciting. No one could be more fun. We could go to her with any problem and she'd fix it."

"You were blessed to have her that long."

"We were, but at the time all we could realize was that her death left a great void. Sometimes Benedetta saw me walking on the grounds and she'd join me with her dog. She wouldn't say anything, but she was a comfort, and I found myself unburdening to her the way kids do. Unfortunately, Dante didn't have that kind of a confidante. All he had was me, and I was a poor substitute."

"Don't say that, Leon. Just having a sibling, knowing you're there, makes such a difference. There were several siblings at the orphanage. They had a special bond without even talking. If you could discuss this with Dante, I'm sure he would tell you how much it meant to have a brother who understood what he was going through."

Leon studied her for a moment. "You have so much insight, Belle, there are times when I'm a little in awe of you. But you haven't heard everything yet."

She smiled sadly. "I was the great observer of life, don't forget. You've seen people like me before. We hover at the top of the staircase, watching everyone below, never being a part of things. But I eventually grew out of my self-pity. I had to!"

"Look at you now, a successful businesswoman."

Belle leaned forward. "What happened to your relationship with Dante? I want to know. Was it terrible when your father told you boys he was getting married again?" The compassion in her eyes was tangible.

"The truth?" She nodded. "We both felt betrayed."

"You poor things."

"To be honest, I couldn't fathom him marrying anyone else. Our mom was a motherly sort, the perfect mother, if you know what I mean. She made everything fun, always laughing and lively, always there for us.

"Her death brought a pall over our household. Dante came to my room every night and cried his heart out. I had to hold back my tears to try and help him."

"That's so sad, Leon. I believe the heartache you two endured had to be worse than anything I ever experienced at the orphanage. To be so happy with your mother, and then have her gone…"

He sucked in his breath. "Things got worse when Papà brought Luciana to the palazzo to meet us. The diamond heiress looked young enough to be his daughter. In fact, she didn't look old enough to be anyone's mother. I found her cool and remote."

Belle's heart twisted. "I can't picture her that way."

"That's because meeting you has changed her into a different person. At the time I hated her for being so beautiful. Anyone could see why she'd attracted our father. As you heard through the librarian, there'd been rumors that both Luciana's mother and her widowed father might have been murdered."

Belle nodded.

"Some of those rumors linked my father to the latter

possible crime. I knew in my heart Papà couldn't have done such a thing, but I was filled with anger."

"Why exactly?"

"Because I was old enough to understand that love had nothing to do with his marriage to her. He'd done what all Malatestas had done before him, and reached out to bring the Donatello diamond fortune under the far-reaching umbrella of our family's assets.

"Gossip was rife at the time. People were waiting to see if he produced another heir. It felt like he'd betrayed our mother, and I couldn't forgive him. Dante felt the same way and threatened to run away."

"How terrible," Belle whispered sadly.

"I told him we couldn't do that. But when we turned eighteen, we would leave. Until then we had to go along with things and deal with the ugly rumors surrounding the Donatello family. But I let him down when I made the decision to go away to college."

"You had to live your own life."

He raked his hair back absently. "This morning's explosion lets me know I made a big mistake in leaving." Pain stabbed his insides, forcing him to his feet.

"What do you mean?"

"I left Dante on his own to deal with his pain. I should have stayed and helped him, but I didn't. Papà's marriage to a princess shrouded in gossip and mystery was so distasteful to me, I couldn't get out of the palazzo fast enough. I could have gone to college in Rimini, but instead I went to Rome in order to get away.

"During the years I was gone, Dante's pain turned to anger. When I returned, he was involved with his own friends. I moved to the villa, one of the properties I inherited from our mother's estate, and dug into business at the bank. Later on I began to spend more time with Benedetta. My brother and I had grown apart, but that was my fault."

Belle put a hand on his arm. At the first contact, tiny sensations of delight he couldn't ward off spread through his body. "You couldn't help what happened then," she murmured.

Leon looked down at her hand. "Oh yes, I could have, but I was too caught up in my own pain to reach out. Dante didn't display any outward signs of rebellion, but obviously, he was riddled with turmoil once our father's marriage was a fait accompli. I didn't see it manifested until I came home from college."

"Didn't your father try to prepare you for his marriage to my mother?"

"No, but to be honest, if he *had* tried, it wouldn't have done any good. Be assured I'll always love my father, but there was a gulf between us. While I was gone I stayed in touch with him and Dante, even made a few short visits on holidays. But it was four years later before I returned to Rimini to live.

"By that time Dante no longer shared his innermost thoughts with me. The closeness we once enjoyed seemed to have vanished for good. I'm afraid that for him, it was a hurt that never went away.

"He married Pia Rovere, a distant relative from our mother's side of the family. They chose to live in another wing of the Malatesta palazzo. That arrangement pleased my father and suited me, since I preferred living on my own at the villa."

"She's lovely."

"And very good for Dante, I think. Since then the three of us work in the family banking business. Unfortunately, the relations between my father and me continue to be frayed because of my marriage to Benedetta."

Belle's delicately arched brows met. "I don't understand."

"When I married her, I did something no other Malatesta has done, and took a woman without a title for my wife. I made it clear I wanted nothing to do with such an archaic custom. My father has had no choice but to look to Dante to follow in his footsteps."

"Which he has done by marrying Pia, who's from a royal house."

Again Leon frowned. "But now that Benedetta is gone, Papà is counting on my marrying a titled woman he has in mind to be Concetta's new mother. He's made no secret about it. Every time he brings it up in front of Dante, which is often, I keep reminding him that even if I weren't in mourning, I would never do as he wants. I've told him I'm not interested in marriage and only want to be a good father to my daughter."

Belle let out a troubled sigh. "Why do you think he's so intent on it?"

"Because I'm the firstborn son and the firstborn is supposed to inherit the title."

"In other words, he would prefer you to receive it over Dante."

"Yes. It isn't that he loves Dante less, but he's a stickler for duty. Luciana's father was of that same ilk. It's the one area where Father and I don't get along."

"I'm surprised he didn't forbid you to marry Benedetta."

"He did, but we got married in a private ceremony before he knew about it, and his hands were tied."

Belle studied him for a minute. "I'm sure you must miss your wife terribly. Tell me about her."

"I knew her from childhood. She was Dante's age. Our mother was an animal lover. We spent hours at the kennel playing with the dogs. Benedetta was always there, helping her father. She'd lost her mother to pneumonia, and our mom took her under her wing. It was like having a sister."

"So your love for her was based on long-standing friendship first."

He nodded. "It wasn't until several years after I returned from Rome that my feelings for her underwent a change."

"What happened?"

"She worked for her father and had a Spinone who'd been her devoted pet for a long time. I happened to be at the palazzo one day in the fall when word came to us that her dog was missing. I knew how much she loved him, so I gathered some staff to go look for him. We found him shot dead by a hunter we presumed had trespassed on the property."

"What a dreadful thing to happen. I can't bear it."

"Neither could I. When I saw him lying there, I felt like I'd been the one who'd received the bullet. Benedetta was so heartbroken, I didn't think she'd recover. I dropped everything to be with her for the next week. We comforted each other. She'd always had a sweetness that drew me to her."

"You must have had a wonderful marriage."

"For the short time we were given, I was the happiest I'd ever been."

Leon heard Belle take a deep breath. "One day your daughter is going to love hearing about your love story."

After a slight hesitation, she added, "How hard for both of you to find out she had that disease. What was it like? I hope you don't mind my asking."

For the first time since it happened, Leon felt like talking about it. "At first she grew very tired, and then suffered some hair loss. I came home from the office early many times to be with her, console her. After a while she couldn't go out in the sun. As time passed, more symptoms occurred. She had painful swollen joints and fever, even kidney problems."

"That must have been so awful, Leon."

"I didn't want to believe it would get worse. We prayed she'd get it under control, and were both looking forward to the baby. I never dreamed I'd lose her during the delivery. I was in shock for days."

"Of course. I'm so sorry. Did she suffer a long time?"

"No, *grazie a Dio.*"

"Then you received two blessings, one of them being your adorable daughter." Belle shifted position and lowered her head. "How did you cope with a newborn?"

"You've met Simona and Talia. They worked for my mother's family and I trusted them implicitly. They fell in love with the baby and have been with me ever since. I couldn't have made it without them."

"Did your father help?"

"Yes. Everyone did what they could. Their love for Concetta brought us all a little closer together."

"Then you'd think that after a marriage like yours, and that sweet baby, your father would give up his futile desire and leave you alone to decide what you want from life."

Leon nodded. "That's what a normal parent would do. Perhaps now you're beginning to understand what

I've always been up against. The point is, I would never choose a woman of rank."

"Why do you feel so strongly about it? I'm curious."

"My parents were officially betrothed before they ever met each other. They made their arranged marriage work. From what I saw, they were kind and decent to each other, sometimes showing each other affection. But until Mother was dying, I didn't know she'd loved another man and had to give him up."

*His mother had told him something else, too.*

"I can't begin to imagine it," Belle was saying.

"After realizing the sacrifice she'd made to marry for duty, I made up my mind that her situation wasn't going to happen to me. When the time came, I proposed to Benedetta without hesitation."

Belle shifted restlessly in her seat. "I guess that meant your father had to sacrifice, too."

Leon nodded. "You know what's interesting? The other night Father told me that when he asked Luciana to marry him, he said, 'Naturally, it wasn't like the feelings I had for your mother, but then you can't expect that.'"

"So what do you think he was really saying?"

"That he was still trying to protect me by pretending he'd loved our mother, but I knew it wasn't true. They were never in love with each other. Do you want to know something else?"

Her eyes fastened on him, revealing her concern in the reflection of the cruiser's lights.

"I think the real truth is he fell deeply in love with Luciana, enough to overlook everything in order to make her his wife."

After a slight hesitation, Belle said, "I'm pretty sure

she has learned to love him, too. The way she talked to him at the table convinces me they are very close."

"So close, in fact, he wants to adopt you to make her completely happy."

"He mustn't do that…" Her features screwed up in pain. "Think of the damage it would do to Dante. I can't handle that. You've got to stop him, Leon!"

Her reaction was even more than he'd hoped for. "I agree, and I've thought of a foolproof plan. I failed my brother when I went away to college in Rome, but this will be a way to atone for my sins."

"What can you do?" she cried. "Tell me."

"It involves your cooperation, but it has to be so convincing to everyone, and I mean *everyone,* no one will believe it's not true."

Determination filled her gaze. "I'll do anything."

"I hope you mean that."

"I swear it. Since Dante left the table, I've been dying inside."

Leon reached out to squeeze her hand before letting it go. "First you have to phone your boss and tell him you need to take family leave. Let him know you're in Italy visiting the mother you were just reunited with. Tell him an emergency has arisen that prevents you from returning to work Monday. They have to give you the time off."

Leon heard her take several short breaths in succession. "I…suppose that could be arranged, especially when I've never asked for it before."

*"Bene."* He checked his watch. "Now would be the perfect time to reach him at work." He handed her his phone. "Once you've talked to him, you'll be able to concentrate on our plan."

"I don't know what it is yet."

"Before I say anything else, we need to know if everything's all right for you to stay in Rimini. If not, I'll have to come up with another plan. While you do that, we'll head back to shore."

He raised anchor and started the engine. The sound prevented him from hearing much of her conversation. By the time they reached the dock, she'd finished the call. While he tied up the cruiser, he gave her a covert glance. "What's the verdict?"

"I couldn't believe he was so nice. He said for me to take all the time I needed. Not to worry."

*"Eccelente."*

*One roadblock removed.*

Belle handed him the phone and took off her life jacket, which he stowed away under the bench. She replaced it with her sweater. "When are you going to tell me the plan?"

"I don't know about you, but I could use some coffee. Let's go up to the villa and check on Concetta. Then we'll have the rest of the night to talk everything out."

"I admit coffee sounds good. It's getting cooler."

He helped Belle step onto the dock and they made their way back in silence. They might not be touching, but the sensual tension between them was palpable. Talia saw them in the hall and told him Concetta was sleeping like an angel.

Before heading for the kitchen, he and Belle went upstairs and tiptoed into the nursery to take a peek. Suddenly, both of them chuckled, because the baby was sitting up in the crib. She saw them in the doorway and started fussing.

"It looks like she was waiting for you to say goodnight," Belle whispered. Leon crossed the room to pick her up and hug her. His heart dissolved when his child kissed him and patted his cheeks. "She adores you, Leon."

The sound of her voice brought his daughter's head around. To their surprise she reached for Belle, who caught her in her arms.

"Are you going to give me a kiss good-night, too? How lucky can I be? I love you, sweetheart." She walked her around the room. "I wish Concetta knew what I was saying, Leon."

"She doesn't need to understand English to know what you mean," he murmured in a satisfied voice.

"Is that true?" Belle kissed her again.

In the intimacy of the darkened room his daughter clung to her as if she were her mother. It added substance to an idea that had been building in his mind since the first time Belle had picked her up.

He'd planned to talk to her after they'd gone back downstairs for coffee, but his little girl had unexpectedly chosen the place and the moment for this conversation.

"Since she's not ready to go to sleep yet, I'll tell you my plan now. We need to get married right away to prevent my father from adopting you."

# CHAPTER SEVEN

BELLE LET OUT a laugh that filled the nursery. She stood in front of Leon with the baby's head nestled against her neck. "Right away? As in…"

"Tomorrow."

"I didn't know it was possible," she mocked.

"I have a friend in high places."

"Naturally. So *that's* the solution to all our problems? From the man who's still grieving for his wife and never intends to marry again?"

Leon couldn't help smiling. "It's even stranger, considering that I've proposed to a woman who has declared marriage isn't an option for her."

Belle patted Concetta's back. "All right. Now that you've gotten my attention, let's hear what's really on your mind."

"You just heard it."

"Be serious, Leon."

He shifted his weight. "When you allow it to sink in, you'll discover it makes perfect sense. Our marriage will make it unnecessary for the adoption to take place, because you'll be my wife, mistress of our household, mother to my child."

His words caused Belle to clutch his little girl tighter.

"Concetta's tiny eyelids are fluttering, on the verge of sleep. That's how comfortable she is with you. She needs a mother, Belle. I've been blind to that reality for a long time. But seeing her with you is so right. Just now I heard you tell her you loved her. That came from your heart, so don't deny it."

Belle could hardly swallow. "I'm not denying it."

"If we marry, there'll be two desired outcomes, both of them critical. First, our marriage will enable you to have the full relationship you deserve with your mother for the rest of your lives, without moving into the palazzo. We both know that's Dante's territory and should remain so."

She hugged the baby closer.

"Secondly, it will prevent any more machinations on my father's part to see me married to the titled woman he's picked out for me. After all, who could be a more fitting bride than his wife's daughter? The beauty of it is that I'll be the one who takes care of you, not my father."

In a furtive movement, Belle walked over to the crib and tried to put the baby down. But Concetta wasn't having any of it and started crying again, so she picked her back up. "You need to go to sleep, little love."

A satisfied smile curled Leon's lips. "She doesn't want to leave your arms. It convinces me my daughter has bonded with you in a way she hasn't done with anyone else but me. You have to realize how important that is to me. She's been my world since Benedetta died."

"I'm very much aware of that."

"When I told Father I would never marry again, I meant it at the time. How could I ever find a woman who would be the kind of mother to Concetta that my mother was to me and Dante? But your arrival in Rimini has changed all that."

Belle buried her face in the baby's neck to shield herself from his words.

"Tonight I watched my daughter reach for you. With the evidence before my eyes, I know that with you as my wife, she'll have a mother who will always love her. I *know* how much you care for her already. I've seen the way you respond to her. It's the same way Luciana responds. Like mother, like daughter."

Belle kissed the little girl's head. "As long as we're having this absurd conversation, there's one thing you haven't mentioned."

"You're talking about love, of course. Since we both made a conscious decision not to marry, before we met, we won't have that expectation. But there's desire between us, as we found out yesterday. Which is vital for any marriage.

"Furthermore, we've become friends, who both love our families. Between us we can turn all the negatives into a positive, in order for you to be with your mother and calm Dante's fears." Leon moved closer. "Nothing has to change for you. Talia will continue to be Concetta's nanny. If the bank backs a new TCCPI outlet in Rimini, you'll be installed as the manager and can go on working."

"I guess it doesn't surprise me you could make that happen," she muttered.

"Let me make myself clear. I'd do *anything* to give my daughter a life that includes a mother and a father." Leon's voice grated. "Your journey to Italy to find your mother has convinced me you'd do anything to be close to her. If a career you've carved out for yourself will keep you here, then you can be a mother, have your career and stay near Luciana. Won't that be worth it to you?"

Belle shook her head. "I can't believe we're having this conversation. But for the sake of argument, what you're suggesting is that we enter into an arranged marriage."

He reached for Concetta and put her back in the crib. This time she didn't cry, but she held on to his finger. "Yes, but one in which we haven't been pressured by anyone. I realize I can't compete with your roommates for the companionship you enjoy with them, but I'm not so bad. We had fun watching the dolphins, didn't we?"

"That question doesn't require a response. What you're suggesting is ludicrous."

"Now you have some idea of how my parents must have felt when they had to enter into an arranged marriage. At least with you and me, we've both felt the fire. How long it lasts is anyone's guess. But if nothing I've said has made any difference in how you feel, then it appears the only alternative is for you to go back to your life in New York."

*What life was that?*

Leon lifted his head to appraise her. "While I stay with Concetta until she's asleep, why don't you go down to the kitchen and have that coffee you wanted? I'll join you shortly and you can give me your definitive answer."

"You think it's that simple?"

He grimaced. "No. I only know that we can't change what has happened, and a decision has to be made one way or the other."

"Like I said, I shouldn't have come to Italy."

"It's too late for regrets, and we've already had this conversation. The only thing to do is move forward. Just be aware that whether you stay here or go back to the States, my father plans to adopt you. He's been so eager to do it, only time will tell how that hurt has affected Dante. His relationship with our father and Luciana has been rocky at times."

"I don't want him hurt."

"Neither do I." Leon lifted his brows. "If you can think of a better way than marriage to prevent more pain from happening and still be close to your mother, I'll be the first one to listen."

"I'll go to your father and beg him not to do anything."

"It won't do you any good, Belle. On certain issues, my father is adamant. Where your mother is concerned, this is the gift he wants to give her, and no amount of tears or cajoling will change his mind."

"Not even for Dante's sake?"

"I'm afraid not. You heard my father. Dante's a grown man and should be able to handle it."

Belle was frantic. "You can't really mean what you've been saying..."

"Why do you think I married Benedetta in the dark of night?" he countered.

Belle's head jerked back. "But it's a feudal system!"

"I've been fighting it all my life."

At this point she was pacing the floor. Finally she stopped and turned to him. "What would we tell our parents? We've known each other only a few days."

"We'll tell them it was love at first sight. They won't be able to say anything. I happen to know Papà fell for Luciana the minute he met her. He'd never known a love like that with my mother."

Belle pressed her lips together. "It's so sad about your parents."

"They managed, but it's past history now. I can't speak for Luciana, but she must have had strong feelings for my father in order to get married again so soon after losing the man she'd first loved."

"You're really serious about this, aren't you."

"Serious enough that I've been on the phone with our old family priest, who married everyone in our family. He stands ready with a special license to officiate at the church tomorrow morning. All you'll need to provide is your passport. My staff will be our witnesses."

Belle stared blindly into space. "I was supposed to go out for the day with Mom...."

"Call her and tell her there's been a change in plans. Promise her I'll drive you to the palazzo later in the morning. When we arrive with Concetta, hopefully Dante and Pia will be there, so we can make the announcement of our nuptials in front of everyone."

"You don't just get married like this—"

"Most normal people don't. But we happened to be born to a mother and father with unique birthrights, who are married to each other, thus complicating your life and mine. With our marriage taking place, the idea of my father wanting to adopt you will fade, and take the sword out of Dante's hand. It might even improve our relationship. Much more than that, I can't promise. Only time will tell."

Belle edged away from him. "This is all moving too fast."

"The situation demands action. Father believes you're going back to New York on Sunday. When he announced he was planning to adopt you, I knew it meant he'd already been in touch with his attorney. He'll want your signature on the adoption papers before you leave. When he makes a decision, he acts on it before you can blink."

"You're a lot like him."

"Is that a good or a bad thing?"

"Please don't joke at a time like this, Leon."

Concetta had finally fallen asleep. He walked across the room to Belle. Reaching in his pocket, he pulled out a ring. She stared at the plain gold band. "What are you doing?"

He took her left hand in his. "Your engagement ring. Tomorrow it will be the wedding ring of Signora Arabella Donatello Sloan di Malatesta."

Belle pulled her hand away before he could put it on her. "I haven't agreed to anything."

He stared at her through shuttered eyes. "Then in the morning all you have to do is tell me you don't want it, and we won't talk of it again."

"Leon—you can't do this to me!"

"Do what? Offer to marry you so I can give you my name and protection? Help you to enjoy the mother you never knew? Give you the opportunity to be a mother to my daughter, who's already welcomed you into her life?"

"You know what I mean!" Belle cried.

"Don't you think I'd like to make up to you for the years of emotional deprivation? For the cruelty you received at your stepbrother's hands?" he demanded. "Don't you know your existence has changed destiny for all of us?"

His words scorched her. She wished to heaven she had someone to talk to. Ironically, now that she'd found her mother, she couldn't go to her. Not about this. It was worse than getting caught in the maze she'd seen earlier on the palazzo grounds.

"What do *you* get out of this?"

"I thought you understood. The most remarkable mother in the world for my daughter, and a possible chance to win back my brother's affection. When Benedetta became so ill, she begged me that one day I'd find happiness with someone else. At the time I didn't want to hear it, but she was right. Life has to go on. Our marriage will be a start along that path. Until you flew into my world, I didn't know where to begin."

Belle couldn't take any more. "I'm going to say goodnight." Without hesitation she bolted from the nursery and flew down the stairs to her bedroom.

For the rest of the night she tossed and turned, going over every argument in her mind. Could she really enter into a marriage when she knew Leon's heart had died after losing his wife? Belle couldn't hope to compete with her memory, but he wasn't asking for love. He wanted her to be Concetta's mother.

It was probably the only area in Belle's life where she felt confident. If she had that little baby for her very own, she could pour out all the love she had to give. Belle could be the kind of mother to Concetta she'd dreamed of having herself.

Leon *wanted* her to be his baby's mother.

That had to mean something, didn't it?

He was the most marvelous man. To think he trusted her with his prized possession!

Even if she was a virgin who'd had no experience with men, she could do the mothering part right. Maybe their marriage would help heal the wound between Leon and his family.

Marriage to him would ensure a close relationship with Belle's mother for the rest of their lives.

But what if Leon met another woman and fell in love?

Belle knew the answer to that: it would kill her. But would their union be so different from the many marriages where one of the partners strayed? It was a fact of life that millions of married men and women had affairs. There were no guarantees.

By the time morning came, she'd gone back and forth so many times she was physically and emotionally exhausted. But one thing stood out above all else. The thought of going back to her life in New York seemed like living death....

It was a beautiful, warm summer Saturday morning for a wedding in Rimini. In a veil and a white silk and lace wedding dress of her dreams, Belle stepped out of the bridal shop with Leon. They walked to his car where her bouquet lay on the backseat. He'd thought of everything. Belle heard the church bells of San Giovanni before they arrived. Though it was much more ornate than the church attached to the orphanage in Newburgh, Belle had the same sense of homecoming once Leon ushered her inside the doors.

Church had always been her one place of comfort, whether she'd been at the orphanage or the Petersons'. Except that this morning she was to be married to the dark prince of Rimini, as she'd first thought of him. Nothing seemed real.

He'd pinned a gardenia corsage to her linen suit before they'd left the villa. In the lapel of his midnight-blue silk suit, he wore a smaller gardenia. Belle could smell the fragrance she would always associate with being a bride, but she couldn't seem to feel anything. It was as if she were standing outside her body.

Leon's staff came in a separate car. They followed them down the aisle to the shrine in front, where the old priest was waiting in his colorful vestments. Talia carried the baby, who so far was being very good, and looked adorable in a white lace dress and white sandals with pink rosettes.

The priest clasped both of Belle's hands and welcomed her with a broad smile. "Princess Arabella?" She almost fainted at being addressed that way. "You look like your mother did when I married her and the count," he explained in heavily accented English. "Leonardo has advised that I perform this ceremony in English. Are you ready?"

"We are." Leon answered for them in his deep voice.

"If the witnesses will stand on either side."

Talia and Simona stood on Leon's right. He kissed his daughter, who kept making sounds. Carla stood on Belle's left.

"Arabella and Leonardo, you have come together in this church so that the Lord may seal and strengthen your love in the presence of the church's minister and this community. Christ abundantly blesses this love. In the presence of the church, I ask you to state your intentions. Have you come here freely and without reservation to give yourselves to each other in marriage?"

Without reservation? Belle panicked, but she said yes after Leon's affirmative response.

"Will you love and honor each other as man and wife for the rest of your lives?"

That wasn't as difficult to answer. Belle did honor

him. He was the one responsible for finding her mother. And there were many things about him she loved very much. The way he loved his daughter melted her heart.

"Will you accept children lovingly from God, and bring them up according to the law of Christ and His church?"

That was a question Belle hadn't been expecting. But how could she say no when she'd just admitted to coming here freely to give herself in marriage? She said a faint yes, but didn't know if the priest heard her.

"Take her hand, *figlio mio*."

Leon's grasp was warm against her cold fingers. He rubbed his thumb over her skin to get the circulation flowing. *That* she felt.

"Repeat after me. I, Leonardo Rovere di Malatesta, take you, Arabella Donatello Sloan, to be my wife. I promise to be true to you in good times and in bad, in sickness and in health. I will love you and honor you all the days of my life."

The next few moments were surreal for Belle, who could hear the words of the ceremony uttered by the priest, and their own responses. Concetta's baby talk provided a background.

Blood pounded in Belle's ears when he said, "You have declared your consent before the church. May the Lord in His goodness strengthen your consent and fill you both with His blessings. What God has joined, men must not divide. Leonardo? You have rings?"

*Oh no.* Belle didn't have one for him.

"We do."

"Lord, may these rings be a symbol of true faith in each other, and always remind them of their love, through Christ our Lord. Leonardo?"

Belle watched him pull the gold band out of his pocket. "Put it on her finger and repeat after me. Take this ring as a sign of my love and fidelity. In the name of the Father, and of the Son, and of the Holy Spirit."

It was really happening…

Leon reached in his pocket again and pulled out his signet ring to hand to her.

The priest said, "Arabella? Repeat after me. Take this ring as a sign of my love and fidelity. In the name of the Father, and of the Son, and of the Holy Spirit."

After saying the words, she was all thumbs as she put it on the ring finger of Leon's left hand. He'd removed his own wedding band. How hard that must have been, after the love he'd shared with Benedetta.

While she was still staring at his hand incredulously, Leon put a finger under her chin and tilted her head so he could kiss her.

"We've done it, Belle. You're my wife now," he whispered against her lips. "Thank you for this gift only you could have given, to help me raise Concetta. For that you will always have my undying devotion."

When his mouth covered hers, it was different from a husband's kiss. She didn't know what she'd expected, but it was more like a sweet, reverent benediction. Quickly recovering from her surprise, she whispered back, "Then we're even, because you've given me the gift of my mother and your precious daughter."

By now Concetta was making herself heard and getting wiggly. Belle saw Leon reach for her, and with a triumphant cry hug her in his strong arms.

The staff huddled around Belle with moist eyes to congratulate her. Their well-wishing was so genuine she was moved by their warm welcome as Leon's new wife.

Over their heads she looked at the baby. Leon caught her glance and brought Concetta over for Belle to hold. The child came to her with a sunny smile.

Belle's eyes closed tightly as she drew her close. This precious little girl was *her daughter* now! It was unbelievable.

The priest stood by with a smile, patting Concetta's head. "The *bambina* now has a beautiful new *mamma*." He made the sign of the cross over both of them.

"Thank you, Father."

They all moved out to the vestibule, where the priest asked them and the witnesses to sign the marriage document. With their signatures on it, everything was official. Leon took the baby from Belle, but as she leaned over the table to take her turn, two petals from her corsage fell on the paper. She looked around and discovered another petal still in Concetta's hand.

"She has the same sleight of hand as her *papà*. She'll need watching," Belle murmured.

His eyes gleamed molten silver. No man should be so handsome. Her hand shook as she wrote her signature. When it was done, she noticed the others were gone except for Leon. He rolled up the marriage certificate and put it in his pocket.

"Talia carried the baby out to our car. Shall we go, Signora Malatesta?"

Belle wondered if she would ever get used to her new name. He walked her outside to the church parking area.

"I looked up the meaning of your name in the library the other day, Leon. I knew *mal* meant *bad,* but found out *testa* meant *head.*" They'd reached the sedan where Talia had put the baby in the car seat. She was standing by the rear fender.

"If it meant bad people headed your family, then it had to have been a long time ago, because I've known nothing but good from your hands and your father's. I just wanted you to know that I'm proud to bear your name."

Some emotion turned his eyes a darker gray. "I'll cherish that compliment. Thank you." He helped her into the backseat next to Concetta, who was biting a plastic doughnut. Rufo lay at her feet, guarding her. Before Leon stood up, he planted a swift kiss on Belle's mouth, then shut the door. While he walked Talia to the car where the others were waiting, Belle ran a finger over her lips.

He was her husband. She needed to get used to this, but every time he touched her, she went up in flame.

In a minute he came back to the sedan. Once he was behind the wheel they drove away from the church. With the palazzo their next destination, Belle's thoughts darted to his family and their reaction when they heard the news.

Her heart ached for Leon. Though they both hoped the announcement of their marriage would help the situation with Dante, she knew her husband had been in pain over him for years. He had to be anxious right now.

"Leon?" she called to him in a burst of inspiration.

He'd been glancing at her and the baby through the rearview mirror. "Are you all right? You look worried."

"I am, because I have an idea, but I don't know how you'll feel about it."

"I won't know until you tell me."

Uh-oh. He *was* on edge. She could feel it. "The other day Mom told me Dante and his wife have their own entrance into the palazzo."

"That's right. They live in the other wing."

Her lungs constricted. "What would you think if we drove around to it first and dropped in on them, unannounced and unexpected? Under normal circumstances Dante would be the first person you'd run to with our news.

"Why don't you treat him that way instead of going through your parents? The element of surprise will catch him off guard, and might even please him if he realizes your parents don't know yet. It's worth trying—that is, if they're home."

For a long time Leon didn't say anything. "I don't know what they do with their Saturdays," he muttered.

Belle got excited when she heard that. "Then let's find out. What's the worst he can do? Slam the door in our faces while we're standing there with Concetta? I finally faced Cliff and look what happened!"

In the mirror, Leon's eyes flashed silver fire. "I believe you've got a warrior in you. If you're willing, I think your idea is rather brilliant."

*"Grazie,"* she said in lousy Italian.

"First thing we're going to do is get you a tutor."

She laughed out loud. Miraculously, he joined her. It was the release they needed. When they entered the estate, he kept driving past the courtyard and on around to the other end. Belle saw a red sports car parked outside the entrance.

Pia's car was missing. That meant Dante was home alone. If Belle's suggestion was going to work, then it was better Pia had gone somewhere.

Leon pulled to a stop. By the time he'd gotten out, Belle had already alighted from the car with the baby in her arms. There was no hesitation on her part. Rufo rubbed against Leon's legs as they walked to the door.

When the boys were young, they had their own knock for each other. Rather than use the buzzer, Leon did what he used to do, then waited. Belle glanced at him. "Try it again."

He would have, but suddenly the door opened. To say that a disheveled Dante, clad in sweats, was shocked to see him and his entourage was probably the understatement of all time.

"Sorry to burst in on you like this, but I wanted you to be the first to know."

Dante squinted at him through eyes as dark a charcoal as their father's. "What in the hell are you talking about?"

"Belle and I just got married. We've come straight from the church."

"Be serious."

"I've never been more serious in my life."

A look of bewilderment crossed his face. "I thought you were still grieving over Benedetta."

Leon nodded. "I'll never forget her, but then something amazing happened when I met Belle. Papà is in for a shock when I tell him. You and I both know he has several women lined up, and expects me to marry one of them, but I could never do what he wants. I've never believed in titles."

A full minute passed before his brother said, "He'll tell you to annul your marriage."

"Not when he learns we fell in love the moment we met and haven't been separated since. I couldn't let her go back to New York tomorrow."

Dante took the scroll from him and unrolled it. After

studying it he said, "But to marry Luciana's daughter…"
His eyes darted to Belle, who was entertaining the baby.

"We've never talked about it before, but I'm convinced the same thing happened to Papà when he met Luciana."

Dante swallowed hard. "I figured that much out when I got a little older. Papà never loved Mamma that way," he muttered.

"No," Leon whispered, glad his brother had come to the same conclusion. "That's why it hurt us so damn much when he got married that fast."

"It did that, all right."

Clearing his throat, Leon said, "There's something I've been needing to say for a long time. I hurt you when I went to school in Rome. I shouldn't have left you, but I was in so much pain, I thought only of myself. I'm hoping one day you'll be able to forgive me."

Dante eyed him with soulful eyes, an expression he hadn't seen since they were teenagers, but he had no words for him. Fresh pain consumed Leon. As Belle had said, it was worth a try.

He took the certificate from him. "We're going to go tell the parents now. It would be nice if you were there for a backup. You know how Papà feels when he sees either of us let our emotions overrule what he considers our duty. If he can't handle this, then Belle and I will be moving to New York with the baby."

An odd sound came out of Dante. "You'd go that far?"

"For my wife and daughter, yes." He reached out and grasped his brother's shoulder. "Thanks for answering the door. I purposely gave it our special knock to give you the chance to open it or not. Despite what you might think, you always were and always will be my best friend."

He turned to Belle and took the baby from her. "Come on, my little *bellissima*. We'll walk around to the other end of the palazzo and enjoy this wonderful day."

# CHAPTER EIGHT

"JUST A MINUTE, Leon. I need to grab her diaper bag."
When they were out of hearing range, Belle caught up
to him. "No matter what happens, you spoke your piece
and your brother knows you love him. It's up to him
now."

Leon grasped her hand and squeezed her fingers.
"That's what has me worried. Don't forget he's a Malatesta."

"Have you forgotten I'm proud to be married to one?
Remember something else. He didn't slam the door in
your face, either. That has to count for something."

Leon had married an angel. "Are you ready to face
the parents?"

She nodded. "Be honest. You *are* a little worried
about their reaction."

"You're wrong, Belle."

"Then what's the matter?"

His bride was highly perceptive, but he couldn't tell
her the truth yet. He knew the reasons she'd entered into
this marriage, but she didn't know all of them. When
she found out, *that* was what he was worried about.

"Your life hasn't been like anyone else's. Not even
your wedding day could be like anyone else's. I—"

"There you are!" Luciana called to them, cutting off the rest of what he was going to say. "I saw your car pull around the drive, but you were so long I came to see what was going on."

Belle ran to meet her mother and they hugged. "Leon wanted to talk to Dante for a minute."

"That was an awfully long minute, when I've been waiting for you. Sullisto went to the bank this morning, but he'll be home any second." They both gravitated to the baby. "Look at that outfit she's wearing! Where have you been?"

"To church," Belle answered with her innate honesty. "We were there quite a while. She needs a diaper change and a bottle."

Leon carried Concetta into the house, deciding it was the perfect segue for what was coming. He handed her over when Belle reached for her, and all three females disappeared into one of the guest rooms, while he wandered around the living room, looking at the many family pictures.

There was an eight-by-ten that he particularly loved—his mother on her knees in the garden. She wore a broad-rimmed hat and was planting a rosebush. Flowers were her passion. So were her two boys.

She'd poured out all her love on them. In the process she'd spoiled them, but Leon could never complain. His childhood had been idyllic. That's what he wanted for Concetta. He knew Belle would love her forever.

He picked up the framed photo. "Mamma? I wish you were here today. You'd love Belle the same way you loved Benedetta."

When he heard voices, he put it back and looked across the room at the stunning picture of the three women in his life. They sat down on one of the couches while Belle fed the baby.

"I know she's so good, but I'm surprised you took her to Mass," Luciana said.

Belle flashed him a signal. He took the chair closest to the couch and pulled it around. "Not Mass. We arranged a private meeting with Father Luc."

"Why?"

"This morning your daughter did me the honor of becoming my wife." He drew the certificate out of his pocket and handed it to Luciana. "Last night we talked everything over. I asked her to marry me, so she wouldn't go back to New York and meet some other man. As you can see, Concetta is already crazy about her."

With tear-filled eyes, Luciana looked at Belle. "I only want to know one thing. Do you love him? Because if you don't, darling…"

Leon knew what Luciana was asking. She was married to a man who'd done his duty with Leon's mother, but the personal fulfillment hadn't been there. The mother in Luciana didn't want that for Belle.

"It's all right, Mom," she said with a gentle laugh. "When I first met Leon, I thought of him as the dark prince of Rimini. He frightened me, but he also thrilled me."

Her half lies thrilled *him*.

"I can understand that," Luciana murmured. "He has a lot of his father in him."

"I tried not to be attracted, but that flew out the window, because we've spent hours and hours together. Then I met Concetta. The three of us had such a wonderful time watching the dolphins we didn't want it to end, did we?" She kissed his daughter's forehead. "We saw a lot of daddies there, but none of them had your daddy's way."

"Leon has been a remarkable father." Luciana's comment made him feel more ashamed of his prior behavior toward her.

"But I guess I didn't know how deeply I felt about him until he told me he wanted to marry me," Belle went on. "The thought of turning him down and flying back to New York was too devastating to contemplate. I felt the same pain at the thought of leaving you, after having just found you."

In the next breath Luciana jumped up from the couch. First she threw her arms around Belle and the baby, then Leon. "I'm so happy with this news, I can hardly contain it."

Leon's gaze fused with his wife's. If Belle had any doubts about their marriage being the right thing to do, they were wiped away by her mother's joy.

"Your father shouldn't have left. Why isn't he home yet?"

Leon had a hunch he'd been meeting with his attorney about the adoption. While he was thinking about that, they had a visitor. To his shock, his brother entered the living room, in jeans and a sport shirt, showered and shaved. "I just got off the phone with him." *Who called whom?* "He'll be here in a minute." Dante eyed Leon. "Don't worry. I didn't spoil your surprise."

He moved over to Belle and hunkered down in front of her. The baby had fallen asleep against her shoulder. "Belated congratulations. I would have invited you in earlier, but I wasn't decent."

"If you want to know the truth, when I'm at the apartment in New York, sweats are about all I wear."

Dante grinned. "Do you run?"

"As often as I can, before work."

That was news to Leon.

"We must be soul mates. Like you, I try to get in a run, but I usually do it after work."

"Does your wife run with you?"

"Sometimes."

"We'll all have to do it together."

"I'm afraid my brother swims."

Belle nodded. "So I noticed. Like a fish, I might add. Maybe I can train him by getting him to push Concetta in her stroller at the same time."

Dante roared with laughter.

"Where is Pia, by the way?"

"Visiting her mother, but I phoned her. She'll be back soon."

"Does her family live far from here?"

"No. Only a few kilometers."

"How lucky for both of them." Belle smiled at Luciana.

"They'll never know, will they, darling."

"No."

Dante studied them. "I bet it shocked both of you when you first saw each other."

Leon hadn't seen his brother smile or act this animated in years. Belle had that effect on everyone.

"When I was at the orphanage, I used to dream about what she'd look like."

Leon got up to take the baby from her. "Little did you know you saw her every time you looked in a mirror." He kissed his little girl. "I'll go put her down in the crib." Luciana had provided one for her after she was born. Leon hadn't brought her over often enough.

"I'll go with you. We'll be right back."

"Sure you will," Dante joked.

Belle followed Leon out of the living room and down the hall to the first bedroom. He put the baby on her back and covered her with a light blanket. Belle stood next to him at the side of the crib.

He reached for her hand, too full of emotion to speak.

"So far so good," she whispered.

"A miracle has happened today. It's all because of you."

"I'm afraid it's not over yet. We still have to tell your father." She eased her hand away. "If you'll excuse me for a minute, I need to freshen up, and will meet you back in the living room."

Much as he wanted to be alone with her, this wasn't the time. With another glance at his daughter, who was sleeping peacefully, he left the bedroom, and ran into his father in the hallway. The marriage certificate was in his hand. Leon had forgotten it had been left on the coffee table.

"It seems everyone in this house knows what you've done except me," Sullisto exclaimed without preamble. "Your powers of persuasion are phenomenal, to get Belle to marry you when you don't love her. You've even convinced Luciana."

Love for his stepmother seeped into Leon.

"She's only been here three days," his father added. "What did you do? Slip something into her wine?"

Leon bristled. That was below the belt, even for the count. "No. The trick of our ancestors wouldn't work on her. She doesn't drink, smoke or indulge in drugs."

"Belle's not an ordinary woman."

"Truer words were never spoken. She's made in the image of her mother, a woman who would have married the man of her heart if he hadn't been killed.... The woman you married after Mamma died because you wanted her at all cost."

His cheeks went a ruddy color. "How dare you speak to me that way—"

"I didn't say it to be offensive, Papà. I only meant to point out that true love makes us act with our hearts, not our heads."

His father's eyes glittered with emotion, but Leon had to finish what had been started years ago. "Mamma loved another man before she obeyed her parents and married you. I have no doubts my autocratic grandfather forced you into your first marriage."

"*Basta,* Leonardo!"

"I'm almost through. I was about to say it's possible *you* loved someone before you had to do your duty. I have no way of knowing, since you never shared that with me or Dante. But given a second chance, you married for the right reason. Every man and woman born should have that privilege. Concetta will grow up being able to choose."

For once in his life, Leon's father looked utterly flummoxed.

"Would you really condemn me to a loveless marriage with one of the titled women you've picked out for me, because it's what Malatestas do?"

"You're my firstborn son."

"You were *your* father's firstborn son, too. We'll both always be the firstborn, but in the end, what does it matter? In the Middle Ages it was a system devised for the aggrandizement of wealth. Surely we've come further than that in the twenty-first century."

*"Leon is right."*

Dante had suddenly materialized, seemingly out of nowhere. Sullisto swung around. "Were you in on this, too?"

"On what?"

"This outrageous marriage of your brother's." He thrust the marriage certificate at him. "When I phoned, you said nothing."

"Because I didn't know anything. But I can tell you this. When he showed up at my door, he looked happy like I haven't seen him since before Mamma died. Let's hope Luciana didn't hear you, or she might think you don't approve of her daughter. I happen to know you do or you wouldn't have invited her to come and live with you."

"So you're in his corner now?"

"This is his wedding day, Papà."

"A wedding set up to thwart me!"

"I doubt you were on his mind when he asked Belle to marry him," Dante interjected. "Just so you know, Luciana sent me to tell you lunch is ready on the terrace."

"I couldn't eat now."

"It would hurt Luciana if you don't come. In fact, it would be the height of bad manners."

Their father scowled. "I don't recall you having any the other day."

"The other day I wasn't myself." Dante shot Leon a pleading glance. "Since then I've repented."

"Why?"

"Since I've come to realize how much I love my brother."

*Bless you, Belle, for your inspiration.*

Leon smiled at him. "That goes both ways, Dante. Why don't you two go ahead? I'll find out what's keeping Belle. Maybe the baby woke up."

Their father still looked angry as he eyed both of them before walking back down the hall toward the foyer.

Dante clapped Leon on the shoulder. "That went well," he teased, sounding like the old Dante. "See you in a minute." He rolled up the marriage certificate and handed it to him.

"I owe you." Putting it in his pocket, Leon watched them go before he hurried into the bedroom. To his surprise, he found Belle standing at the side of the door. Rufo walked over to brush against his legs.

"I heard every word. I'm so happy you and your brother have reconciled. Between the two of you, I'm sure in time you'll be able to win your father around. Your master plan worked brilliantly, Signor Malatesta. Come on. Lunch is waiting." She slipped out the door, trailing the scent of gardenias, but she didn't look at him.

His marriage was in trouble.

He knew how deep Belle's insecurities ran. Leon had to hope his powers of persuasion were as phenomenal as his father claimed. Otherwise he was in for the kind of pain from which he sensed he'd never recover.

"Leon? How soon do you think you can arrange for TCCPI to set up a phone store here?"

Now that Concetta was awake, Belle had carried her out to the patio to play buckets with her.

He was standing by the railing, looking out at the sea. She feared he was brooding over his father. "I'll lay the groundwork next week," he told her.

"At first I couldn't believe you were serious, but since then I've found out you never joke about anything. I like a challenge. It would be interesting to see if I could make a success of it."

"What do you mean, *if?*"

Leon always complimented her. She decided it was in his nature, but she didn't deserve it. "When Mac learns I'm not coming back to the store, he'll be overjoyed, because he wants my job."

"That's probably the reason he won't get it."

She chuckled. "Spoken like a man who knows about business."

"I've been thinking about that and other things. I'll arrange to have your possessions sent from your apartment."

"Except for books and a few more clothes, I brought everything else important with me. One good thing about me. I travel light."

He didn't smile. She couldn't bring him out of his dark mood.

They'd just returned from the palazzo. Belle had forced herself to eat the fabulous meal Luciana had served them. For her mother's sake she'd acted like a new bride, and had kissed Leon several times for family pictures, while Sullisto looked on with only a comment here and there.

Pia had arrived in the midst of the festivities. Whatever Dante told her must have resonated, because she was very friendly to Belle. The party atmosphere continued after Concetta awoke from her nap and entertained everyone.

With the announcement that they were leaving to get ready for a short honeymoon, Leon brought the car around to the front. Rufo jumped inside before Belle's new husband helped her and the baby, after another hug for her mother. They left the estate and drove to the villa, where she changed into jeans and a knit top.

This was her home now, complete with the dearest, sweetest little girl on the planet and a husband to die for. There was only one thing wrong with this picture. Sullisto's words still rang in her ears.

*Your powers of persuasion are phenomenal, to get Belle to marry you when you don't love her. You've even convinced Luciana.*

*She's only been here three days. What did you do? Slip something into her wine?*

No. Leon didn't have to do any of those things. Belle had fallen instantly in love with him. He was the man she would have married no matter how long she had to wait. Of course he wasn't in love with her, but he'd been right about their desire for each other.

With every kiss over the past few days, she sensed a growing hunger from him. After having been happily married to Benedetta, it was only natural he craved the same kind of fulfillment. A man could compartmentalize his needs from his emotions.

Belle couldn't.

She loved him in all the ways possible. Today she'd made vows to be his wife. That was exactly what she would be to him. If not his love, he'd given her everything else, including a baby. There were trade-offs.

Belle could always be near her mother now. He and Dante were friends again. Sullisto was at war with himself, but it spoke volumes about how much he loved Leon, because he hadn't disowned him yet.

"Where are we going on our honeymoon?" That brought his dark head around. If she wasn't mistaken, her question had caught him off guard. "Mom offered to look after Concetta."

Leon's hand went to the back of his neck. She noticed he did that when he was weighing his thoughts carefully. "Where would you like to go?"

"Anywhere on the water. How about you? Or did you do that with Benedetta…?"

"No. We honeymooned in Switzerland, but I don't want to talk about her."

"I'm sorry. Would you rather we postponed a trip right now? Believe me, I'd understand."

"Understand what?" he blurted. "My father hurt you today. Do you think I'm going to forget that?"

"I didn't take it personally, not after his warm welcome the first night we met. He needs time. You're trying to change someone who was raised under a different set of rules."

Leon's eyes narrowed on her face. "How do you know so much about people?"

"Probably because I wasn't one of the participants of life. As I've told you before, most of the time I spent it observing other people. You learn a lot that way." She cocked her head. "Does your family own a yacht?"

"Yes. Shall we take it across the water to Croatia? There are some wonderful ruins in Dubrovnik and Split to explore."

"That sounds thrilling, but this is your honeymoon,

too. Since you've probably done everything, what would be your very favorite thing to do?"

His lips twitched for the first time. "That's a loaded question to ask a new husband."

"Humor me. I'm a new wife."

"Has anyone ever told you *you* live dangerously?"

Belle laughed. "I'm still waiting for your answer."

"Find a deserted island in the cruiser and do whatever appeals."

Her heart ran away with her. "An island? I'm glad you said that. I'll phone Mom and ask her to come over while we're gone. Concetta will be happier in her own surroundings, with the dog and familiar staff."

Belle picked up the baby, who'd become bored with the buckets. "Can we leave soon? It will give us more daylight to find the right island." That suggestion seemed to galvanize him into action. "I can see by your eyes you already have one in mind."

He actually grinned. When he did that, she was reduced to mush. "There's not much I can hide from you."

Yes, he could. He did! But being a Malatesta gave him special powers that rendered him inscrutable at times. Such as when he was pretending to be in love with her.

"I'll call Mom."

"While you do that, I'll pack the cruiser."

They pulled away from the dock at four, loaded with everything Leon could think of to make this trip one they'd never forget. Belle had been humoring him, to the point he could almost believe her gratitude to him for uniting her with Luciana wasn't all she was feeling.

He hoped like hell her physical response to him so

far wasn't a total act. If a woman as genuine as Belle could be playing a part for his benefit, then he no longer trusted his own judgment.

They headed farther down the coast. There were no islands of volcanic origin close to Rimini, but there was a sandbar. Those familiar with the area knew to avoid it. Others came upon it too quickly and in many cases ruined their hulls. Years ago Leon had come across it by accident and got in some of the best fishing of his life. If he'd had Belle with him back then...

Using his binoculars, Leon found the exact spot. He cut the motor and let momentum carry them all the way in. When sand stopped the cruiser, Belle gazed at him in surprise. "I thought we were going to an island."

"I lied. There isn't one around here. But with the sea this calm, there's enough sand exposed for us to sunbathe until tonight, and then moon bathe under the stars. No one else is around here for miles." He loved how she'd piled her hair up on her head. "If we'd taken the yacht, we'd have staff to contend with. These days it's almost impossible to get away from people."

Her mouth curved into a smile. "But you managed it." She stood up on the bench and looked around. "I love it! It's like being shipwrecked."

"Except that we have all the comforts of home on board and can leave when we feel like it."

"I don't want to talk about leaving. We just got here. I think this is the most romantic place for a honeymoon I ever heard of. Unique in all the world." The light in her eyes dazzled him. He wanted this to be real. "A little focaccia, a bottle of water and thou. It's evident Omar Khayyám hadn't been to the Adriatic."

Laughter rumbled deep in Leon's chest before he

picked her up and lifted her out of the boat to the sand. She started stripping as she ran. He did, too. They'd both worn their swimming suits beneath their clothes.

"If you'll stay close to me in the water, I won't make you wear a life preserver."

She sobered. "That rule applies to you, too, Leon. If you decide to go out alone, I don't want anything to happen to you."

*Belle*...

"Come on," he said in a husky voice when he could find it. They waded into the water, then started swimming. He loved her little shouts of excitement every time she saw a fish.

Several times they went in and out of the water, lying in the sun in between dips. Belle put on sunscreen and gathered some seashells. Leon got out his fishing pole and caught two mackerel. They cooked them in a pan on his camp stove, and ate them with salad and fruit brought from the villa. She declared she'd never eaten a tastier meal, and he agreed with her.

After the sun went down they covered up and lay back on lounge chairs on the cruiser. He turned his head so he could look at her. "When you told me earlier I'd probably done everything, you were wrong. I've never been here with anyone else."

"I'm glad you're making a new memory. I'm really glad it's with me. This has turned out to be the most fabulous wedding day a girl could ever want. To be surrounded by your family and my own mother. I can hardly express it." Belle's voice had caught in her throat.

"You're easy company, Belle. I've never enjoyed anyone more."

"I feel the same way about you." She sat up abruptly.

"Do you know I almost didn't go to your bank? Obviously the manager at Donatello Diamonds had advised me to go there for a reason, but I was so upset with him, I had to have a long talk with myself first."

Leon didn't even want to think about it, and turned on his side toward her. "What decided you in the end?"

"I knew that if I went home not being able to find my mother, it would haunt me that I hadn't turned over that one stone to see what was under it." Her way of expressing herself enchanted him.

"Tomorrow it will be a week since I flew out of JFK Airport, a single woman with no family, on a quest so overwhelming, I can't believe I followed through. Tonight I'm lying under the stars on the Adriatic with my Italian husband, knowing my mother is home watching your little girl."

"*Our* little girl now."

Belle nodded. "I know I'm not dreaming, but you have to admit the chances of all this happening are astronomical. You've been so good to me, Leon. If I spend my whole life thanking you, it won't be enough. I promise to be the best wife I can. Do you mind if I go downstairs now and take a shower? I'm a sandy mess."

"While you do that, I'll get everything battened down for the night."

Belle gathered up her things and went down the stairs to the lower deck. The twenty-one-foot cruiser had to be state-of-the-art. Leon had told her he liked a smaller boat like this. He could man it himself, and pull in and out of coves with ease. It made a lot of sense.

Beyond the galley was a cabin with a double bed.

One glance at it and her heartbeat tripled. She hurriedly took a shower and washed her hair.

Leon was giving her plenty of time, but now that she was ready, she felt feverish, waiting for him to come. Belle was the only one of her roommates or the girls at her work who hadn't been to bed with a man. Now it was her turn.

The mechanics of the act were no mystery to her, but it was a whole new world she was about to enter. Those few kisses they'd exchanged had already thrilled her, so much she couldn't wait to find out what it would be like to spend the night with him.

They hadn't talked about the consequences of sleeping together, but she'd made a vow to accept children lovingly. How would he feel about another child if she conceived? Or was Concetta enough for him?

This marriage had happened so fast, Belle was full of questions about the sexual side of their relationship. Only he could answer them. Why didn't he come? They needed to talk.

After another five minutes, she walked down through the hallway and called to him from the stairs.

"I'll be right there."

When he joined her in the bedroom five minutes later, he'd showered and was dressed in a T-shirt and lounging pajamas. The sight of his black hair disheveled after being washed had an appeal all its own. Her gaze dropped lower, to that well-defined physique she'd longed to touch all day. He was standing only a few feet away. She could reach out and touch him. Marriage had given her the right, but she needed a signal from him.

"Is there anything you need before I go back up on deck for the night?"

The question, asked in that deep voice, sent her down a dark chute with no bottom. The pain was so acute she couldn't hold it in. "I thought this was to be our wedding night."

His sudden grim expression chilled her, reminding her of the side of his nature that could be forbidding at times. "Under normal circumstances it would be."

She shook her head, causing her hair to swish across her shoulders. "These aren't normal? I don't understand."

For a moment she thought she saw a bleak look enter his eyes, but it might have been a trick of light. "You don't have to keep up the pretense any longer, Belle."

"Excuse me?"

"Your gratitude has been duly recognized. The truth is, I don't expect your sleeping with me to be a part of it."

She sucked in her breath. "Well, pardon me if I misunderstood. I thought this morning we took vows to become man and wife. You know—the kind who sleep together."

Now that she was all worked up, she couldn't stop. "You think you're so different from your father, but you're just another version of the same male. He was right. You don't love me. *That* I can handle. You've taught me that love at first sight is an absurdity, after all. I learn something new every day.

"Everyone knows real love takes years and years to develop. It's your lie about feeling desire for me that cuts to the quick, Leonardo di Malatesta. You faked it until I believed it, but now that it's crunch time, you've brushed me off the way I've been brushed off all my life."

*"Belle—"* A ring of white had encircled his hard mouth.

"I'm not finished. Do you have any idea how hurt I am by your rejection? How humiliated I feel after putting everything I am and feel out there on the line for you?

"Cliff was right about my being pathetic. Thank you for underscoring what I've always known about myself. But until just now I was looking forward to being with you tonight, to being in your arms.

"I thought my stepfather hurt me when he told me to get out of his garage and never step in it again. But you're the true master at turning the knife. Now that you've drawn blood, please leave *my* bedroom. We'll never talk about this again.

"In the morning I want to go back to the villa. Never fear, I'll go on being your wife and a mother to Concetta. I'll be there for your family day and night. You want to sleep in the same bed to keep up the pretense and avoid gossip? I'll do it. I'll stand by you at work, at home, until death. I owe you that. I made vows to do that."

She took a deep, painful breath. "But don't you *ever* touch me in bed, not even by accident."

Leon hadn't been sick to his stomach in years. But at two in the morning he slipped over the side of the boat and found a private spot. After being violently ill, he shook like a man with palsy. Until she heard him out, he wasn't going to make it through the night.

He decided it would be better to make noise on his way below deck so he wouldn't frighten her. Once he reached the bathroom, he brushed his teeth and drank some water. Then he tapped on the closed door. "Belle?"

"What is it?"

"We can't go on like this. I have to talk to you. May I come in, or do we do this through the door?"

"It's your boat."

It didn't sound as if she'd been asleep. He opened the door and a dim beam of light from the hallway fell across the bed, where her dark hair was splayed across the pillow. She was an enticing vision. How to begin repairing the damage?

Leon reached the end of the bed and sat on it. "When I came down here earlier, the last thing I wanted to do was go back upstairs for the night. But because of the speed of our marriage, I didn't want you to think that I'd 'purchased' you so I could claim my rights. I wanted to give you time to get used to me.

"Today was pure enchantment for me. I wanted it to go on and on. I was terrified that if you knew how much I'd been counting the minutes until we could go to bed together, it would frighten you. So I backed off. But to my despair, I unwittingly made the wrong decision, and I fear it has cost me my marriage.

"You have no idea how sick I was when I realized you'd overheard the conversation with my father. When we went into lunch, I knew the things he'd said had affected you. I felt helpless to do anything about it until I could get you alone. But when I came down the stairs to join you after your shower, I saw a woman who looked like the proverbial lamb going to slaughter.

"I thought of your bravery in leaving the orphanage to go to a strange home and adapt to someone else's lifestyle. You were so strong to do that and be able to handle it. Tonight I saw your strength in the way you faced me head-on, no matter what you might be feeling inside.

"Your trust in me was so humbling, I didn't want to do anything wrong. You have to understand I would never deliberately hurt you. How could I do that?" He tipped his head back. "There's something important you need to know, Belle."

"What is it?"

"This is about my mother. She had some last words for me before she died. I'll never forget them."

Belle stirred in the bed. "What did she tell you?"

"She said, 'You're so much like me, Leon. If you expect to ever truly be happy, then follow your heart.' Her advice sank deep inside me and helped free me from certain expectations, because I knew I had her blessing. When the time came to ask Benedetta to marry me, I didn't hesitate.

"Last night I asked you to marry me for the same reason. The *only* reason. I love you, Belle. I'm a man desperately in love. You're the most beautiful thing in my life. When we said our vows this morning, I kept thanking God for you in my heart. I can't explain why I fell so hard for you. The French have an expression for it—*coup de foudre*. A bolt of lightning. That's what it was like for me.

"Immediately I needed an excuse to keep you here for good. But the truth is, if there'd been no excuse— no baby, no Dante, no mother to find—I would have followed you back to New York until I could get you to fall in love with me."

Leon moved to the door, petrified he wasn't making

any headway. "As God is my witness, I love you. That's what I came to say."

He walked into the hallway and was about to shut the door when he heard the rustle of sheets. "Don't leave me."

Afraid he was hearing things, he turned around in time to see Belle move toward him. "Don't ever leave me." In seconds he felt her arms around his neck. "I'm madly in love with you, too, Leon. I love you so much it hurts. Don't you know that's why I said those cruel things to you?"

He came close to expiring with joy. "I do now." He picked her up in his arms and carried her back to bed, following her down with his body. The second their mouths fused, they began devouring each other.

Belle awakened the next morning before her husband. She lay halfway across his chest, with their legs entangled, and watched him in sleep. He was the most beautiful man she'd ever seen.

She loved his powerful legs, which kept her where he wanted her, even in sleep. The top cover lay on the floor, along with her robe and his clothes. She hadn't known pleasure like they'd given each other was even possible. It was too intoxicating to describe.

Unable to hold back, she kissed his eyelids and nose, the cleft in his chin. It was embarrassing how much she wanted him again. "Darling," she said against his compelling mouth, "are you awake?"

His hand roved over her back.

Delighted with that much response, she kissed his throat and worked her way to one earlobe. She slid her fingers into his black hair. Belle was on fire for him.

"I love you," she cried, out of need for the fulfillment only he could give. Her dark prince had to be the most satisfying lover alive.

His eyes opened at last. They were smoldering like wood smoke. *"Buon giorno, esposa mia."*

She smiled. "It will be a very good morning when you've made love to me again."

He rolled her on top of him so he could look up at her. "You're a shameless beauty. How lucky can a husband be?"

"Was last night as wonderful for you as it was for me?"

Belle heard him take a ragged breath. "Couldn't you tell? I ate you alive last night."

She smiled. "I'm still alive," she said breathlessly.

"I know. Come here to me, *bellissima*."

It was several hours later when they surfaced. Leon kept a possessive arm around her hips while they stared into each other's eyes. "Where do you want to go today?"

"I want to stay right here. Is that all right with you?"

He laughed out loud. "You don't know much about men, but I have to admit I'm thankful I'm your first and only lover."

She traced the line of his mouth with her finger. It could go soft or hard depending on his mood. Right now there was a sensual curl. "I could look at you for hours. Do you think I'm terrible?"

He laughed again. "As long as I get to do the same thing."

Heat rose to her cheeks. "I think it's fun to be married. After being with you like this, I realize I grew up lonely. It worries me that I might be too needy. Promise you'll help me not to get that way."

He smoothed the hair away from her temple. "I think you're perfect just as you are."

"That's because we're on our honeymoon. But when you have to go to the bank, I don't think I'll be able to let you leave. Concetta and I will be miserable until you get home. Will you hate it if I bring lunch to your office sometimes?"

"What do you think?"

"I think you will."

After another burst of laughter he kissed her passionately.

"Leon?" she said, when he finally let her catch her breath. "I've given the idea of the cell phone store a lot of thought. The truth is I'd really like to be a full-time mother to Concetta. In order to do that, I couldn't manage a store, too."

He kissed a certain spot. "Especially if we decided we wanted to have another baby."

"You'd like that?"

"I want one with you. Concetta needs a sibling. My life was rich because I had Dante."

"You were lucky to have a brother. When do you think you'd like to try for a baby?"

Leon's shoulders shook with silent laughter. "Whenever you think you can handle it."

"If we tried pretty soon and were successful, that would make the babies maybe a year and a half apart. That would be perfect."

"Whatever you say, *squisita*."

"You're laughing at me."

Leon grew serious. "No. I'm laughing because I'm so

happy. The dark period I went through with Benedetta's illness and death took its toll. At the time I couldn't imagine feeling like I do right now. You've brought sunshine back into my life."

"You don't have time to hear all the things you've done for me—not before I feed you. While you lie here and miss me like crazy, I'm going to fix you breakfast in bed."

She tried to get up, but he pulled her back. "Don't leave me, Belle."

She pressed a hungry kiss to his mouth. "I'll only be as far away as the galley."

"That's too far."

"Now you know why I'm already dreading you going to work. I've decided I think it's scary to be married."

He took her face between his hands. "I've decided I adore you, Signora Malatesta."

# CHAPTER NINE

*Three months later*

Using the front door key she'd been given, Belle let herself and Concetta inside the palazzo. She'd put her adorable baby in the stroller. "Mom? We're here!"

No answer. That was odd. After Sullisto had left for the bank, her mother had called asking her to come over. Luciana wanted help putting the finishing touches on the birthday party she was planning for Leon's father that evening.

"Mom? Where are you?" She walked through the house, pushing Concetta. "Hmm, maybe she's out in the garden picking flowers. Let's go find your grandmother."

Belle was dying to talk to her mom and was thankful for the excuse to come over now. Leon had arranged for an early business meeting so he could get home in good time for the party, so she was free.

The housekeeper saw her in the hallway. "*Buon giorno,* Belle. Your *mamma* is still in the bed."

Uh-oh. That didn't sound like her mother. "*Grazie,* Violeta."

Belle pushed the stroller through the house to the master suite. She opened the door. "Mom?"

"Come in the bedroom, darling."

Curious, Belle hurried on through and found a slightly pale version of her beautiful mother lying against the pillows. "You're sick, aren't you."

"Not the kind I can give to Concetta. It's a good kind."

A *good* kind of sick?

*What?* All of a sudden Belle got it. She gazed down at her mother. "You're *pregnant!*"

"*Yes...*"

Belle sank down on the side of the bed. "Does Sullisto know?"

"No. He thinks I've got a bug of some kind."

"You *do!*" They both started laughing and then Belle hugged her mother in happiness. They stared hard at each other. "After all this time..." Belle looked at the baby. "Did you hear that, Concetta? In about seven months you're going to get a new aunt or uncle."

The two of them laughed for joy again before Luciana's eyes filled with tears. "It took finding you, darling. That's what the doctor said. You don't know how much I've wanted us to have a baby together, even if I am forty-two. You know, to cement things. This morning Sullisto almost didn't leave for work. I had to beg him to go."

Belle could relate, which was a change for her where Leon was concerned. But this wasn't the time to confide in Luciana. "How long have you had morning sickness?"

"For a few days. I've sworn Violeta to secrecy."

"Until tonight?"

"Yes. The doctor gave me some antinausea medicine. It's already starting to work."

"Sullisto's going to jump out of his skin with joy."

"I believe he will."

"I *know* he will. He loves you terribly, Mom, but being a Malatesta he wants everything to be perfect."

Her father-in-law had calmed down somewhat since Belle and Leon had come back from their honeymoon on the sandbar. But whether he'd forgiven his son for disobeying him a second time was something no one knew.

"Ah, you've already discovered that after being married to Leon. So tell me what's on your mind, darling, and don't say it's nothing."

Belle bit her lip. "When Concetta and I came over this morning, there was something I wanted to talk to you about, but now I can't."

"You mean that you're pregnant, too?"

Her breath caught. "Oh, Mom… I think I am, but I haven't done a home pregnancy test yet. That's what I wanted to discuss with you."

"I've suspected it since our family picnic the other day, when you couldn't eat."

"I didn't realize you'd noticed. If I thought I was carrying Leon's child…"

"Then he doesn't suspect yet?"

"No. I've had a few bouts of nausea, nothing terrible yet, but lately I'm so tired."

Her mother's delightful laugh filled the room. "You need to test yourself right now. There's a kit in my closet, hidden behind the shoes."

"You're kidding!"

"No. I bought two just in case. But the first one worked."

"I'll be right back."

"While you get the official word, I'm going to entertain my granddaughter. Come here, Concetta, and give your pregnant grandmother a big kiss."

Belle found the kit and went into the bathroom. A few minutes later she squealed for joy. Though she was barely learning the rudiments of Italian from her husband and the staff, she didn't need to read the words to understand what the color meant. She ran into the bedroom to show her mother.

"Congratulations, darling! Now that everything's official, we'll make our announcements tonight."

"We can't do that in front of Pia, Mom. It will hurt her too much."

"No, it won't. I know something you don't."

Belle blinked in shock and took the baby from her. "Are you teasing me?"

"No. She told me yesterday."

*Yesterday...* Belle was so excited, she could hardly stand it. "Does she know about you?"

"Yes, but our husbands don't know yet. Obviously, yours doesn't, either." Her mother flashed a secretive smile. "We decided to make this a real surprise party tonight. To know you're pregnant, too... Three in one family at the same time has to be some kind of world record."

"I agree. How do you want to handle it?"

"I think it should be something that shocks our husbands. You know how they love to be in control at all times. It's a Malatesta trait. Don't you think it would be fun just this once to throw them off base?"

She had an imp in her that Belle would never have guessed was there. "There's nothing I'd love more." She'd been standing by a window that overlooked the maze. Suddenly her brain started reeling with possibilities. "In fact, I've got an idea. First we're going to need poster board and hundreds of yards of ribbon in three colors."

"What on earth do you have in mind, darling?"

"A game. We love games, don't we, Concetta." She kissed her daughter's cheeks. "This one is going to be for all the men in the family to play. But this game will be different, because each man will end up getting the prize he's always wanted."

After a successful business meeting, Leon rushed home early to be with his family. The party wasn't scheduled to start for an hour and a half. That would give him enough time to enjoy his wife while his daughter had her nap. Up until this morning, when Belle had stayed asleep, she'd always been so loving and responsive, he knew he was the luckiest man on earth.

Disappointment washed over him in waves when he walked in and Simona informed him that everyone had left for the palazzo hours ago. The news hit him like a body blow. He'd been longing to lie in Belle's arms and forget the world for a little while. She made him feel immortal.

As he took the stairs two at a time to the master bedroom, he realized how empty the villa was without them. The thought of no Belle, his creative, adorable wife, was anathema to him.

All Leon had to do was shower and shave. He and Dante had gone in on a gift for their father. Sullisto had mislaid his old watch and hadn't found it yet, so they'd bought him a new one with their names engraved in it. Dante would be bringing it to the party.

For the occasion Leon had bought himself a new, light gray suit. Belle had told him several times how much she liked him in gray, the color of his eyes. Hating the silence of the house, he hurriedly dressed, and drove to the palazzo at a speed over the limit. He never drove this fast with Belle and Concetta, but he was in a hurry to see them.

When he pulled up in front, he saw his father and brother waiting for him in the courtyard, dressed in what looked like new suits. Leon levered himself from the driver's seat.

"*Buon compleanno,* Papà." He kissed him on both cheeks. "What's going on? Why are you out here?"

"We've been given our instructions, Leonardo." Sullisto didn't sound in the least happy.

Dante's dark brows lifted. "We were told to stay out here, and that when you got here, we were to go to the entrance of the maze to await further instructions."

Leon chuckled. He thought he could see his playful wife's hand in this somewhere. "Where's my family?"

"They're all inside," his father muttered, looking flustered. "Let's get this foolishness over with."

"It *is* your birthday, Papà."

"You're just going to have to be a good sport even if you are a year older," Dante teased.

They headed through the vine-covered gate to the maze. "I told Luciana I didn't want any fuss," Sullisto grumbled.

When they reached the entrance, there was a sign in Italian. Start Following Your Ribbon. Red for Sullisto,

Yellow for Dante and Blue for Leon. Don't Open Your Prizes When You Find Them. Bring Them to the Terrace, Where More Festivities Will Ensue.

Hmm. A prize. Just what did Leon's wife have in store for him? For the first time in years he got the kind of excited feeling he used to get as a child when his mother hid something they wanted, and they had to find it. He put a hand on his father's shoulder. "You go first, Papà."

"For the love of heaven," Sullisto mumbled.

With a grin, Dante followed him.

Leon brought up the rear. The ribbons led them on such a serpentine route, he started laughing. Dante joined in. Their father had gone on ahead and had disappeared. He just wanted to get the game over with.

"This is one game we never played in here," his brother quipped.

"Nope." And Leon knew why. Belle hadn't grown up with them. Her advent in his life had changed his entire world. "I guess this is where we part company. My ribbon has taken off in a new direction. See you in a minute."

"Call out if you get lost."

"That'll be the day, little brother."

Leon kept going until he came to a small package on the ground tied up with the end of the ribbon. Picking it up, he followed the ribbon back to the opening of the maze. Pretty soon his father emerged with an identical package.

"I think Dante must have gotten lost."

"I heard that, big brother." In the next breath Dante made his appearance with his own package.

Sullisto muttered, "I hope this is the end of the games. I don't know about you, but I'm hungry."

The three of them walked around to the terrace with the ribbons trailing behind.

"Careful you don't trip on those," Luciana called out from the table, looking particularly radiant in an ice-blue dress. "Happy birthday, my darling husband."

Pia sat next to her in a stunning pink outfit.

Leon's gaze sought his wife, who was wearing a gorgeous purple dress with spaghetti straps. She was so beautiful he almost dropped his package.

Luciana smiled at all of them. "As soon as you open your gifts, we'll eat."

Her smile was like the cat who'd swallowed the proverbial canary. Something was going on....

Leon opened his package. Inside was a small oblong box containing a home pregnancy device, of all things. His heart thundered in his chest before he even looked inside it. Belle's cobalt eyes had found his. They resembled blue fires, telling him everything that was in her heart.

It came to him then that everyone on the terrace had gone silent. When he looked around, he saw that both his brother and his father held similar boxes in their hands, and were totally dumbstruck.

Sullisto raised his head and looked at Luciana. "We're pregnant?" he whispered in awe.

"Yes, darling. It finally happened."

The look on his father's face was one Leon would never forget.

Pia's beaming countenance told its own story as she eyed Dante with loving eyes. "That trip to Florence," she reminded him.

Suddenly pandemonium struck.

Leon dropped the box and gravitated to his wife, pulling her from the seat into his arms.

"Concetta won't be an only child," she said against his lips. "I hope you're happy, Leon."

"Happy?" he cried. *"Ti amo, amore mio. Ti amo!"* He kissed her long and hard.

It was in this euphoric condition that he heard his father tap the crystal goblet in front of him with a fork to get their attention. Everyone broke apart and sat down while Sullisto remained standing. He lifted his wineglass toward Belle.

He had to clear his throat several times. "To my wife's firstborn, who came like an angel from across the ocean to bless the Houses of Malatesta and Donatello forever and make us all one."

"Hear, hear," an ecstatic Dante echoed, raising his glass.

Leon gripped Belle's thigh beneath the table with one hand, and picked up his wineglass with the other. "Amen and amen."

\* \* \* \* \*

# THE COURAGE TO SAY YES

BY
BARBARA WALLACE

Award-winning author **Barbara Wallace** first sold to Mills & Boon Romance in 2009. Since then her books have appeared throughout the world. She's the winner of RWA's Golden Heart Award, a two-time *RT Book Reviews* finalist for Best Mills & Boon Romance, and winner of the New England Beanpot Award.

She currently lives in Massachusetts with her family. Readers can visit her at www.barbarawallace.com and find her on Facebook. She'd love to hear from you.

To my boys Peter and Andrew—you are the best.
Thank you for your patience, your support,
and your sacrifice.

# CHAPTER ONE

"HEY, WHERE DO YOU think you're going?"

Pudgy fingers gripped Abby's wrist. She froze, hating herself for her reaction. "Let go of me, Warren," she said.

Her ex-boyfriend shook his head. "I'm not done talking to you."

Maybe not, but Abby was done listening. "There's nothing more to talk about." At least nothing she hadn't heard a dozen or three times before.

She tried to yank her arm free, but Warren held fast. "Since when do you tell me what to do?"

His fingers dug into the top of her wrist. He was going to leave a mark, dammit. "Warren, please." The plea slipped out from habit. "The customers..."

"Screw the customers." A couple heads turned in their direction. Abby didn't dare look to see if Guy, her boss, had heard, too.

"This is your fault, you know?" Warren told her. "I wouldn't have to come down to this—" he curled his upper lip "—this *diner* if you weren't being so childish."

As if his pouting and tantrums were the height of maturity. Abby knew better than to say anything. Hard to believe she'd once considered this man the answer to life's problems. Now he was the problem. One hundred ninety-five pounds of unshakable anger. Why couldn't he let her go? It'd been six weeks.

*When it comes to us, I make the decisions, babe. Not you.* That's what he always said.

How on earth was she going to get loose this time?

"Hey, Abby."

The sound of her name cut through the breakfast din, and made her pulse kick up yet another notch. Abby knew the speaker immediately. The photographer. She'd been waiting on him for the past dozen days. Always sat at the back corner table and read the paper, his expensive camera resting on the chair next to him. Quiet, hassle-free. Good tipper. Hunter something or other. Abby hadn't paid close attention. Whatever his last name, he was heading toward them, weaving his way through the tables with a graceful precision. Warren was not going to like the interruption.

"You want something?" he asked, before she could.

"I could use some more coffee." Hunter directed his answer to her as though her ex had never spoken. "That is, if you can pull yourself away from your conversation."

"Um…" She looked to Warren, gauging his reaction. After six years, she'd become an expert on reading his facial expressions. The telltale darkening of his eyes wasn't good. On the other hand, she knew he preferred discretion, choosing to do his bullying in private.

"You heard the man. He needs fresh coffee," Warren replied. "You don't want to keep your customers waiting."

Leaning forward, he placed a kiss on her cheek, a marking of territory, as much for her benefit as

Hunter's. Abby had to fight the urge to wipe the feel of his mouth from her skin. "I'll see you later, babe."

His promise made her stomach churn.

"Nice guy," Hunter drawled from behind her shoulder.

"Yeah, he's a real peach."

She rubbed her aching wrist. What made her think she could walk away, and Warren wouldn't try to track her down? Just because he told her repeatedly that she was a worthless piece of trash didn't mean he was ready to give her up. As far as he was concerned, she was his property.

Warren's car pulled away from the curb. He was gone, but not for good. He'd be back. Later today. Tomorrow. A week from tomorrow. Ready to beg, scream, and try to drag her back home.

Oh, God, what if she wasn't in a public place when he returned? Or if he decided to do more than beg and scream? There were all sorts of stories in the news....

Her breakfast started to rise in her throat. She grabbed the chair in front of her.

"You okay?" she heard Hunter ask.

"F-fine." For the millionth time in six weeks, she pushed her nerves aside. Worrying would only mean Warren still had control. "I'm fine," she repeated. "I'll go get your coffee."

"Don't worry about it," he replied. "I'm good."

"But you said..." She stopped as the meaning of what he'd done dawned on her. He'd interrupted on purpose.

"You're welcome." Hunter turned and headed for his usual table.

Abby didn't know what to say. She should be grateful. After all, he'd just bailed her out of what could have

become a very difficult situation. In all her years with
Warren, no one had ever stepped up to help her before.
On the other hand, she hadn't asked for his help. He'd
just assumed she needed it, as though she were a helpless little victim.

*Aren't you?*

No. Not anymore. Despite what the situation looked
like.

Oh, but she could just imagine what someone like
the photographer thought, too. Her hand still shaking
with nerves, she ran it through her hair before looking
over at the back table. There sat Hunter, sipping the coffee he didn't need refilling. With his faded field jacket
and his aviator sunglasses perched atop his thick brown
hair, he looked exactly the way you'd picture a photographer. If you were casting a movie, that is. One where
the daredevil photojournalist dodged bullets to get the
shot. To be honest, his whole outfit—worn jeans, worn
henley—would seem silly on anyone who didn't look
like a movie star.

It didn't look silly on the Hunter. He had the cheek-
bones and complexion to rival any actor in New York
City. Might as well throw Los Angeles in there as well,
Abby decided. The build, too. Whereas Warren was
soft and doughy, Hunter was hard, his body defined by
angles and contours. Small wonder Warren had backed
off. Her ex might be a bully, but he wasn't stupid. He
knew when he was outclassed.

Too bad she couldn't get Warren to back off so easily.

"Abby, order up!" Guy stuck his craggy head out of
the order window and slapped the bell. "Get your butt
in gear. You want to stand around, you can go find a
street corner."

As if this job was much better. She moved behind the counter to pick up the two plates of scrambled eggs and bacon Guy had shoved onto the shelf. "What about the home fries?"

Guy slapped a bowl of fried potatoes in front of her. "Next time, write it on the slip. And while you're at it, tell your boyfriend if he wants to visit, he can order like everyone else. I'm not paying you to stand around talking."

"He's not my— Never mind." She grabbed the potatoes, wincing a little at the pressure the extra plate put on her sore wrist. No sense arguing a losing point.

"Ignore him." Ellen, one of her fellow waitresses, said as she walked by. "He's like a bear with a sore head this morning."

What about the other mornings? "No change there then." Abby went to serve her customers before Guy blew another gasket. Miserable as her boss might be, he was the only employer who'd been willing to hire an inexperienced waitress. Life with Warren hadn't left her with too many marketable skills, unless you counted walking on eggshells and knowing how to read bad moods. This job was the only thing keeping her from complete destitution. Without it, she might actually end up standing on a street corner.

Halfway through her rounds topping up customers' cups with fresh coffee, Abby felt the hair on the back of her neck began to rise. Someone was watching her. With more than the usual "trying to get the waitress's attention" stare. Automatically, her head whipped to the front door. Empty.

She didn't like being studied. In her experience, scrutiny led to one of three things: correction, punishment or a lecture. With a frown, she looked around the room until her eyes reached the back table where Hunter was sat. Sure enough, his attention was focused directly at her.

For the first time since she'd begun waiting on him, she took notice of his eyes. A weird hybrid of blue and gray, they looked almost like steel under the diner's fluorescent lighting. She'd never seen eyes that color. Nor had she been looked at with such... *Approval* wasn't the right word. It definitely wasn't the disapproval she was used to, either. She didn't know what to call it. Whatever the name, it caused a somersault sensation in the pit of her stomach.

Finally noticing he had her attention, Hunter nodded and held up his bill.

Abby's cheeks grew hot. Of course. Why else would he be looking for her other than to settle his bill? Warren's visit had her brain turned backward. After all, it wasn't as if she was the kind of woman who turned heads on a good day, let alone today. Her face was flushed and sweaty. And her hair? She'd given up trying with her hair hours ago.

She made a point of approaching his table on the fly, figuring she could grab his credit card and sweep on past, so as to avoid any awkward conversation. Considering his intervention earlier, she doubted there could be any other kind.

Unfortunately, as soon as she reached for the plastic, his grip on the card tightened.

"Is there a problem?" she asked when he wouldn't let go.

"You tell me." His eyes dropped to her wrist. To the bluish-red spots marked where Warren's fingers had been.

*Dammit.* She'd hoped there wouldn't be any evidence. Letting go of the credit card, Abby pulled the cuff of her sleeve down to her knuckles. "I don't know what you're talking about."

"Do all your knishes look like eggs over easy?"

"What?" His question made no sense.

"The bill says I ordered blueberry knishes and rye toast."

"Sorry. I gave you the bill from two tables over by mistake."

"Again."

"Again," Abby repeated. That's right; she'd made the same mistake with him yesterday. She wondered if she'd messed up any other tables. Guy would kill her if she did. Again.

"Happens when you're distracted."

"Or busy," Abby countered, refusing to take the bait. She was trying to put Warren out of her head, and while she wasn't having much luck, talking about him wouldn't help.

Taking her order pad from her pocket, she flipped the pages. "Here's yours," she said, tearing out a new page. "Eggs over easy, bacon and whole-wheat toast. Same as every day. You want me to ring you up?" The sooner he settled his bill, the sooner he'd leave. Maybe then she could pretend the morning hadn't happened.

"Please."

Hunter noticed that this time when she reached for the card, she snatched it with her right hand, keeping her left still tucked inside her sweater. How hard did you have to squeeze someone's wrist to leave a bruise, anyway? Pretty damn hard, he imagined. A man had to have some serious anger issues to grab a woman that tightly.

Sipping the last of his cold coffee, he watched Abby

ring up his bill, the sleeve of her sweater stretched almost to her fingertips. A poor attempt at hiding the evidence.

He'd known the minute the guy walked in that he was a first-class jerk. The overly expensive leather jacket and hair plugs screamed needy self-importance. It took him by surprise, though, when the jerk approached Abby. If anyone could be considered jerkdom's polar opposite, it was his waitress. Since his return stateside, Hunter had spent his meals at Guy's trying to figure out what it was that had him sitting in the same section day after day. Certainly wasn't the service, since Abby messed up his order on a regular basis.

Her looks? With her overly lean frame and angular features she wasn't what you'd call conventionally pretty. She was, however, eye-catching. Her butterscotch-colored topknot had a mind of its own, always flopping in one direction or another, with more and more strands working their way loose as the day progressed. The color reminded him of Sicilian beaches, warm and golden. Luckily, Guy was lax about health-code regulations. Be a shame to cover such a gorgeous color with an ugly hairnet.

She had fascinating eyes, too. Big brown eyes the size of dinner plates.

The bell over the front door rang. Hunter watched as she stiffened and cast a nervous look toward the entrance. Worried the jerk would return? Or that he wouldn't? Could be either. For all Hunter knew, his butterscotch-haired waitress had a big old dark side and liked being manhandled. Nothing surprised him anymore.

Well, almost nothing. He'd managed to surprise himself this morning. Since when did he step into other people's business?

A soft cough broke his thoughts. Looking up, he saw Abby standing there, coffeepot in her grip. Her right hand again. "Wrist sore?" he couldn't help asking.

"No." The answer came fast and defensively. "Why would it be?"

How about because she'd had the daylights squeezed out of it? "No reason."

If she wasn't interested in sharing, so be it. Wasn't his business, anyway. "Can I have a pen? For the receipt."

Her cheeks pinked slightly as she handed him the one from her pocket. Hunter scribbled his name and began gathering his belongings.

"Thank you." The words reached him as he was hanging his camera strap around his neck. Spoken softly and with her back turned, they could have been for the thirty percent tip. Or not. He saved them both the embarrassment of responding.

*Distracted* didn't begin to cover Abby's mental state for the rest of the day. She spent her entire shift expecting Warren to tap her on the shoulder. By the time she finished work, she'd managed to mess up four more orders. Not all the customers were as forgiving as Hunter, either. Guy was ready to run her out the door.

"Make sure your head's on straight tomorrow," he groused when she clocked out.

She wanted to tell him that if her head had ever been on straight, she wouldn't be working in a greasy spoon and dodging her ex. Common sense kept her mouth shut. No need to make a bad situation worse by adding unemployment to the mix.

To her great relief, she stepped out to an empty
street to wait for her taxi. Thank goodness. How she
hated being back to looking over her shoulder. After
six weeks, she'd foolishly begun thinking her life might
actually be her own again. Granted, it wasn't the best of
lives, but it was hers. Or rather, she'd thought so until
Warren tracked her down. You'd think he'd be glad
to be rid of her. Wasn't he forever telling her how she
made his life so difficult?

Letting out a breath, she leaned against the railing
in front of Guy's storefront. She hated taking a taxicab, too. Spending money earmarked for savings. It
wasn't that she was so afraid of Warren. Sure, he'd gotten physical a few times—more than a few times—but
she could handle him.

*Liar. Why are you taking a cab then?* Just a few
hours ago, she'd worried today might the day he'd go
over the edge.

Breaking up with Warren was supposed to be her
new beginning. The end of walking on eggshells. Now
she was stuck either leaving the one lousy job she could
find, or praying that Warren had lost interest now that
he'd tracked her down.

Angry tears rimmed her eyes. She sniffed them
back. Warren wasn't going to win. She wouldn't let
him.

Just then, movement caught the corner of her eye
and she stiffened, hating herself even as she gripped
the iron railing. Slowly, she pulled her thoughts back
to her surroundings.

It was the photographer, coming down the street,
camera slung around his neck. His sunglasses had mi-
grated to his eyes, hiding their unique color. Didn't
matter. He was still looking in her direction, his at-

tention causing her stomach to quiver with unwanted awareness.

"Everything okay?" he asked as her taxi pulled up.

For crying out loud, couldn't a woman buy a moment of privacy? As it was, he already knew more of her business than necessary.

She slid into the backseat without answering.

Hunter spent the next day shooting landmarks around the city, updating his portfolio of stock photos. By this point he had more than enough shots for his files, but the project kept him busy. Downtime and he weren't good friends. Too much time off the job and he got antsy, a trait he'd inherited from his father. Inherited, or learned from watching. Either way, he hated being between jobs same as his father did. Only difference was Hunter didn't have a teenage son in tow.

It was midafternoon when he returned to his apartment building. One of the things he liked about this particular piece of real estate was that his street was basically an alleyway, meaning it had less crowds and traffic than other parts of the city. This time of day, the traffic was particularly slow. Guy's had closed, and rush hour had yet to begin.

As he rounded the corner, a familiar flash of butterscotch caught his eye. It was Abby, her angular frame bundled by a woolen coat. She was leaning against the diner's stair rail, her face and attention a thousand miles away. Her topknot, he noticed, had transformed itself. What was left of the mass had fallen to the nape of her neck, while most of the strands had worked loose and were framing her face.

Hunter felt a stirring deep in his gut, the sensation he got whenever he found a special shot. In Abby's case, the special element came from her posture. While she looked as exhausted as you'd expect a woman who'd spent eight hours on her feet would do, her shoulders and spine were ramrod straight. Pushing back against the weight of the world. Before she could notice his presence, he raised his camera and clicked off a half dozen frames. He managed to snap the last one as she turned, zooming in until her face filled the entire frame. That's when he saw the unshed tears that turned her eyes into shining brown mirrors. Hunter wondered if later, when he uploaded the shot, he'd see himself reflected in them.

He clicked one last photo and lowered the camera. Perfect timing, because she suddenly gripped the railing. She was still on edge from this morning, he realized. The reaction bothered him. He wasn't used to women growing rigid in his presence.

"Everything all right?" he asked, just as a taxicab pulled up alongside her.

He didn't expect an answer, and he wasn't disappointed. She slipped into the backseat without a word.

There was a padded shipping envelope propped atop his mailbox when Hunter finally entered his building—an advanced copy of a travel guide he'd shot earlier in the year. New Zealand, New Guinea; one of those places. He tossed the envelope, unopened, on his sofa. It landed with a puff of air, sending stray papers and a Chinese take-out menu sailing. Place had gone to pot since his assistant, Christina, had left to make her mediocre mark on the photography world. Not that she'd kept the place in great shape to begin with. She'd been far more interested in taking her photos than assisting him—a less than stellar characteristic in a photographer's assistant. At some point, he supposed, he should hire someone new and put this mess back in order. Unfortunately, like his last assistant, he was more interested in taking photos than in finding her replacement.

He thought about the pictures of Abby he'd just shot. He was eager to see how they'd turn out. If those eyes of hers were as riveting on paper as he suspected. When it came to photography, his instincts were rarely wrong. Then again, he'd learned through the lens of a master.

"No amount of raw talent can replace the perfect image," his father used to tell him. Joseph Smith had spent his life chasing the perfect photograph. Hell, he gave his life for the perfect shot. The rest of the world had to fall in line behind his work. A philosophy his son had learned the hard way how to embrace.

Sometimes, though, great images fell into your lap. Moving a pile of research books, he fired up the computer that doubled as his digital darkroom—one difference between his father's brand of photography and his. Modern technology made the job faster and easier. No makeshift darkrooms set up in hotels. All Hunter needed was a laptop and a memory card.

Though he had to admit that, every once in a while, he missed the old way. There was a familiarity to the smell of chemicals. As a teenager, he'd come to think of the smells as the one constant amid continual change. There were nights when he still walked into hotel rooms expecting the aroma to greet him.

Maybe he should install a darkroom in the building. Might make the place feel less like a way station.

Then again, building a darkroom was a lot like hiring an assistant. Nice in theory, but not as important as the photos themselves. Besides, nothing would make this apartment feel less like a way station because that's what it was. A place to sleep between assignments.

No better than a hotel room, in reality. Less so, seeing how he actually spent more time in hotel rooms than his apartment.

Thumbnail images lined his computer screen. He'd shot more than he realized, a luxury of digital photography. He scrolled down until he found the series he'd taken of Abby. Sure enough, her face loomed from the screen like a silent-movie actress. The emotions bearing down on her reached out beyond the flat surface. He could feel the weariness. The grit, too. Hunter could see the glint of steely resolve lurking in the depths of her big, sad eyes.

To his surprise, he felt the stirring of arousal. A testimony to the quality of the shot. Good photos should evoke physical responses.

Of course, he didn't usually respond to his own work. He knew better than to get emotionally involved anymore. Start caring about the subject, and you set yourself up for problems. Images were illusory. The world on the other side of the lens wasn't as welcoming as photos made it appear. On the other side of the camera was pain, disinterest, loneliness, death.

Better to stay at a distance, heart safely tucked away where the world couldn't cause any damage. Of all the photography lessons his father had taught him, distance was the most important. Of course, at the time, he'd been too young to appreciate it, but eventually life had helped him to not just understand, but embrace the philosophy.

Yet for some reason, Hunter found himself being drawn in by a simple photo of a waitress. Seduced by the emotion he saw lurking in her eyes. So much simmering beneath the surface...

Only for a moment, though. He blinked and the distance he prided himself on returned. He was once again the observer, and Abby's face merely another photo-graph. An intriguing, but ultimately meaningless, two-dimensional moment in time.

# CHAPTER TWO

To MOST NEW YORK RESIDENTS, McKenzie House was nothing more than an inconspicuous brick row house with a faded green door. To the women inside, however, the house represented far more than an address. The run-down rooms meant a fresh start without abuse or domination. Abby was well aware that her story was mild in comparison to her roommates', but she was no less grateful. The gratitude rose in her chest once more as she fell back on the living area sofa. She was soon joined by Carmella, one of her fellow residents. "You look dead. Long day?"

"The longest. Warren showed up."

"What?" Carmella sat up like a shot. "He tracked you down? How?"

"I don't…"

Wait. Yes, she did. Oh, all the stupid…

"What?" Carmella asked.

"My mother. I called and gave her the diner's phone number in case of an emergency."

Abby grabbed her phone from her bag and punched the speed dial. Two rings and a harried female voice answered.

"Hey, Mom."

"Abby, um, hi! What a surprise." Joanne Gray

sounded like she always did, as though looking over her shoulder. Which she probably was. "I can't really talk right now. I'm getting ready to put dinner on the table."

Abby checked her watch. By her calculations there was still ten minutes before the assigned dinnertime. "I'll only take a second, I promise. I was wondering if anyone's called the house looking for me."

"No one except your boyfriend, that is. He lost your new work number, and figured I knew it."

Mystery solved. "Mom, I told you Warren and I broke up."

Same way she had when Abby told her about the breakup, her mother disregarded the comment. "Warren explained how that was all a big misunderstanding."

"No. It was a breakup. I moved out of the apartment. Remember, I explained to you?" Along with the rest of the sordid story.

"I know what you said, honey, but I figured you'd changed your mind. Warren was so polite on the phone. And he's doing so well. You're lucky to have a man like that interested in taking you back."

Because that's what mattered. In Joanne Gray's eyes, a lousy man was better than no man at all. Didn't matter how miserable or mistreating—

"Joanne!" Abby's stepfather's bellow came through so loud she had to jerk the receiver from her ear. "What are you doing, talking on the phone?"

"I'm sorry," she heard her mother reply. "It's Abby. She had a question."

"She should know better than to call when it's dinnertime. Hang up. I'm hungry!"

There was some shuffling and her mother's voice came back online, a little more ragged than before. "I have to go, honey."

"Sure, Mom. I'll call soon."

Whether her mother heard the promise or not, Abby didn't know. She'd hung up, leaving her daughter on the line, with a headache and a sense of defeat. Some things weren't ever going to change. Not her mother. Not the way her mom viewed life.

"I was right," Abby said, letting the phone drop in her lap. "Warren called her."

Talk about ironic. When they lived together, Warren had no use for her parents. Called them useless white trash. He'd spoken to her parents no more than three times at most.

But of course, her mother would cave with the phone number. Warren, salesman that he was, would hardly break a sweat sweet-talking her.

Abby rubbed her suddenly aching head. "I honestly thought that, after six weeks, he'd move on."

"Well, some guys just don't like to give up what they think is theirs."

Carmella should know. Her ex had torched their apartment during a fight. Thankfully, Warren never did more than twist Abby's arm or deliver a swift backhand.

The silver bracelets lining Carmella's arm shimmered against her dark skin as she pulled back the curtain covering the window. "Any chance he followed you?"

"No. He, um…left." Aided by a field jacket and aviator sunglasses. "Hopefully, he got the message and won't be back."

"Yeah, right. And I'm gonna be on the cover of *Vogue* next week. You're kidding yourself if you think he's giving up now that he's tracked you down."

That's what she was afraid of, Abby thought, rubbing her wrist. The marks had blossomed to full-blown bruises. Annoyance and shame rose in her throat. She was mad. Mad at Warren. Mad at her mother.

Most of all she was mad with herself for believing that living with him was the best she could ever do in life. For letting him take over her entire world, until she'd lost control and herself.

Well, no more. She'd rather be alone for the rest of her life than lose herself in a relationship again.

Why her mind drifted to Hunter at that moment, she didn't know. Correction. Hunter *Smith*. She'd read the name off his credit card. Now that she thought about it, she was mad with him, too.

A new emotion joined the others already warring inside her: embarrassment. She'd worked long and hard to escape Warren's clutches and start her new life. Last thing she needed was her action-hero customer thinking he knew her secrets. Or worse, sending her pitying looks with those steel-colored eyes of his.

It'd be too much to ask that he leave town by morning, wouldn't it?

Knowing her luck, he'd be back at his table tomorrow, with that field coat and those big broad shoulders. Checking the bruises on her wrist.

She'd rather face down her ex.

"Eggs over easy, wheat toast, side of bacon."

Abby held her order pad in front of her face like a shield. If she didn't look at Hunter's face, she wouldn't have to see his expression. Bad enough that the mere thought of facing him gave her stress dreams.

Given everything that had happened yesterday, she'd think Warren would be the one haunting her subconscious. But when she closed her eyes, it was Hunter who invaded her thoughts.

She knew why he was on her mind. It was because he knew her dirty little secret. For so long, keeping secrets was how she'd lived her life. Her mistakes—and man, did she make some whoppers—were hers to hide. To think that now someone else knew—saw—the evidence... Part of her wanted to crawl into a hole. Another part wanted to tell Hunter to take his sympathy and shove it. She settled for focusing on the two-by-three square in front of her face.

"You going to write the order down?" Hunter asked.

"Not necessary."

There was a long, drawn-out pause. "You sure?"

Against her better judgment, Abby lowered the pad to stare at him. "You don't think I can remember?"

"Did I say that?"

His silence said so for him. Granted, she'd forgotten a few orders in the beginning, but she'd improved a lot since then. "You've ordered the same thing for twelve days," she told him.

"Nice to know I'm so memorable."

*More like predictable,* she wanted to say. Though that wouldn't be quite true. She certainly hadn't predicted his behavior yesterday. "I'll go get your coffee."

"How's your wrist?"

Exactly the topic she hoped to avoid. "Fine," she replied in a stiff voice. Her fingers twitched with the urge to tug on her cardigan, to hide the gauze bandage peering out from beneath the cuff. The bruises were darker this morning. Dark enough that simply wearing long sleeves wouldn't be enough to hide them, so she'd covered them with a bandage. Her plan was to tell anyone who asked that she burned herself. Didn't it figure, the first person to say anything would be the one man she didn't want to hear from?

"I'll be back with your coffee," she said, turning on her heel.

Damned if she couldn't feel him watching her walk back to the counter. Awareness washed over her, making her insides quiver. She wasn't used to being looked at under any circumstances. In fact, Warren was the first man who'd ever paid her any kind of attention. Look how terrific that had turned out. Naturally, having a man as handsome as Hunter scrutinizing her set Abby's nerves on edge. Doubly so since she knew his scrutiny wasn't anything more than sympathetic curiosity. It made her feel like some wounded animal in the zoo. Out of the corner of her eye she caught her reflection in the stainless steel. Limp, uncooperative hair; pale skin. Yeah, like she'd attract attention. It scared her to think Warren was right. That he was the best she could do.

Good thing she didn't mind being alone.

Tugging her cuff down to her knuckles, she made her way back to Hunter's table.

"You're going to pull that sleeve out of shape," he remarked.

So what? It was her sweater. If she wanted to stretch it out, she would. "Do you need cream?"

"Don't tell me you forgot already?"

"Sorry. Guess you're not so memorable, after all." She reached into her apron pocket and removed the plastic creamer pods she'd grabbed when getting his coffee. The motion caused her sleeve to pull upward. Whether Hunter looked at the exposed bandage or not didn't matter; she felt he was and that was enough.

"I know what you're thinking," she said suddenly.

"You do?"

"Yeah." He thought he knew her story based on one short encounter. "You're wrong, though. I'm not."

"Not what?"

"Not..." She raised her bandaged arm. "Not anymore. I left Warren."

"Oh."

That was it? *Oh?* Abby watched him as he blew across the top of his cup, his lips pursing ever so slightly. It was the only change in his expression.

"Doesn't seem to be taking the breakup too well," he said finally.

"He'll adjust. Yesterday was..." No need getting into a long, drawn-out explanation. "Look, I'm only explaining because you—"

"Saw the bruises?"

"Say it a little louder, why don't you? They didn't hear you downtown." Swiping at her bangs, Abby looked around at the other tables. Fortunately, no one had heard, or if they did, had decided not to share.

"I wanted to make sure you understood the deal. Because of yesterday. Not that I don't appreciate what you did and all."

"You're welcome."

Abby pursed her lips. "Point is, your help wasn't necessary. I have the situation under control."

"I could tell."

"Seriously, I do." She didn't like how his response sounded mocking. It made her even more defensive. Maybe she hadn't had control at that exact moment, but she would have handled the situation. "So you won't need to repeat the performance."

"In other words, mind my own business."

Exactly. "I'm saying it's not necessary."

Hunter nodded into the rim of his cup. "Good to know. I'm not really into rescues to begin with."

"You're not?" Could have fooled her.

"Nah. Like you said, it's not my business."

"Then why…?"

"Did I step in yesterday?" He shrugged. "What can I say? My mother was a Southerner and raised me to be a gentleman."

So he was protecting her honor? Abby's stomach fluttered. "Well, you can tell your mother the lesson sank in."

"I would, but she's dead."

"Oh. I'm sorry."

He shrugged again. "Don't be. It was twenty years ago."

When he was a kid. The action hero had a sad past. A human side to balance the movie star exterior. Her edge toward him softened a little.

"Abby! Customers!" Guy's voice cut over the clanging of plates and silverware. "Stick and move, will ya?"

"Duty calls." Any more conversation would have to wait. "I'll be back with your eggs soon as they're ready."

Under control, huh? Hunter watched as she bustled off to wait on two businessmen seated two tables over, her knotted ponytail bouncing in cadence with her steps. The gauze on her wrist flashed white as she raised her order pad. Who was she trying to convince with that statement? Him or herself?

Not his business. The lady said she had the situation under control. He was off the hook.

Which suited him fine. Besides, he thought as he raised his coffee mug, maybe the lady did have the situation under control, and that air of vulnerability was all in his head. Wouldn't be the first time.

He reached into his messenger bag and pulled out a manila folder. Probably not the best way to keep the dark thoughts at bay, but he looked at the photo anyway. It was the picture he'd taken of Abby. After much deliberation, he'd decided to print the photo in black-and-white, finding the absence of color highlighted the shadows on her cheeks.

Hunter stared at her eyes. There it was. The sadness. They always said eyes were the windows of the soul and that photography captured a little slice of that spirit. In Abby's case, her spirit was wrapped in a kaleidoscope of emotions. Question was, what emotions were they? Photography, like all art, was open to interpretation. What looked soulful could really be distant, simmering resentment waiting to blow up in your face.

Another argument for focusing on simply taking the picture.

Finished with the businessmen, Abby had moved back to the order window, where she was now dancing back and forth with another waitress who was laden with plates. Hunter let his eyes skim Abby's figure. The misshapen cardigans she wore every day didn't do her silhouette any favors. She had great legs, though. They managed to look shapely despite the sensible shoes. He tried to imagine what they'd look like with her in a shorter skirt and high heels. Not bad, he bet.

He was still contemplating when Abby set a plate in front of him. "What's this?" she asked.

She'd spotted the photo. Since the subject was self-explanatory, he took a bite of his eggs before answering. "You."

"I know it's me. When did you take it?"

"Yesterday. Right here on the sidewalk."

Her brows drew together. "How? Were you following me?"

"Don't be ridiculous." Although given her ex, he could see how she might jump to that conclusion. "I live across the street. I took the photo on my way back to my building."

"Without saying anything?"

"Alerting you to my presence would have spoiled the shot."

"So instead, you creeped."

Hunter set down his fork. "I was discreet. It's what a good photographer does."

"Is it now?" Shooting him a dubious look, she wiped her hands on her apron and picked up the photo.

"Wow," she said after a minute.

Exactly his reaction when he'd finished the digital enhancement. Hunter didn't usually care about compliments; he had enough confidence in his skills that other opinions didn't affect him. But hearing Abby's whispered surprise, and seeing the look of genuine wonder that accompanied it, set off an eruption of heated satisfaction.

"I look…" As she paused to find the word, she worried her upper lip between her teeth. It was such an expressive gesture, Hunter had to fight the urge to grab his camera and snap away.

At last she set the photo down. "Tired," she said. "I look tired."

"Yeah, you do." No sense lying when there were such pronounced circles under her eyes. "But I think you're missing the point." The weariness was part of what made her—that is, her picture—so captivating. "The photo is telling the story."

"What? Woman works hard for the money? Donna Summer already covered it."

"Very funny."

"I'm here all week." Her mood sobered as she brushed her fingertips along the glossy paper. "Sadly, this might be the best picture I've ever had taken."

"Not surprising. It's probably the first time you were shot by a quality photographer."

She laughed. A short, sweet laugh that turned her features bright. To Hunter's surprise, seeing her face light up sent the heat in his gut six inches lower. "Wish I'd known. Might have saved me from years of awful holiday photos. Warren said I looked like a deer about to be plowed into."

"Were you?" Hunter asked. "About to be run over?"

Brown eyes raised to look at him. "I thought you said the problem was the photographer."

"Photographers also capture reality."

"Doesn't that just support my argument about looking terrible?"

"Only if you're terrible-looking to begin with."

"Generally speaking, of course." Pink colored her cheeks and she looked at the floor. It made him wonder how often she heard compliments. Considering her d-bag of an ex-boyfriend, it likely wasn't often.

Hunter handed her the photograph. "Here."

"You're giving it to me?"

"Why not? It's a picture of you."

"Yeah, but…" Whatever she was going to say drifted off as her hand brushed against his. Hunter watched as her eyes widened at the contact. Fear of another man's touch? Her pupils were wide and dark, turning her irises into thin, brown frames.

For some reason, he found himself wanting to extend

the contact, and so he dragged his index finger slowly across the back of her hand as he withdrew. Beneath his touch, he felt her skin quiver.

"Thank you," she whispered.

"You're welcome."

"So *this* is how you take care of your customers."

*Warren.* Abby yanked her hand away, sending the picture fluttering to the ground. Before either she or Hunter could move, her ex-boyfriend leaned over and picked it up. Abby tried to snatch it from his grip, but he held tight. "Nice picture. You look…good."

Abby couldn't answer. Her insides were too tense. Across the way, she could see Guy watching them. *Please don't let there be trouble.* "I thought I told you yesterday that I didn't want to see you."

"That was yesterday. I figured now that you had time to sleep on things, you'd changed your mind. Course, that was before I realized why you didn't want me around."

Warren's eyes were hard and glittered like diamonds. Abby knew the look well. His calm demeanor was an act, a respite before the storm.

Hadn't she told Hunter she had the situation under control? She squared her shoulders. "Warren, you need to leave."

"Not until we talk. You changed your phone number."

"That should have been a clue that I don't want to talk with you."

"Come on, babe, stop being stubborn. I know I messed up, but that's no reason to run away. Let's get out of here and talk. You'll see how sorry I am, and you'll change your mind."

No way. "I'm not going anywhere with you," she told him.

"There you go, being stubborn again."

He moved to grab her hand. Abby jerked out of his grasp. "Oh, sure, I can't touch you, but you got no problem letting him paw you," he snarled.

"She said she didn't want to talk with you."

Great. Until then, Hunter had been quiet. What happened to staying on the sidelines? "I've got this, Hunter," she told him. Last thing she needed was for him to butt in and make a bad situation worse.

Warren's mottled face grew a shade redder. "'This'?" Too late, Abby realized her poor choice words. The switch flipped and the true Warren appeared. "You think I'm something you need to 'handle'?"

"That's not what I meant."

"I know what you meant, you ungrateful cow." This time when he reached for her, he was successful, latching on to her arm with an iron grip. "I'm done playing around. Let's go."

She stood her ground. "No."

Warren yanked her arm. Abby winced.

"The lady said no." Hunter had gotten up and moved between them, essentially blocking their exit.

"Get out of my way," Warren said.

"How about you let go of her arm?"

By now the other customers were watching. Guy had come out from the kitchen and was about two seconds away from throwing them all out. Abby's pulse began to race. She half considered going, if to only keep the scene from escalating any further.

"We can talk," she said, scrambling for a compromise. "But here. Sit down and I'll bring you some coffee."

It didn't work. "Since when do you tell me what I can and can't do? After everything I've done for you? You're lucky I'm taking you back after the way you humiliated me."

"I'm not going back!" For crying out loud, it was like a broken record. Abby yanked herself free, only to stumble backward into Hunter's table, knocking his coffee cup off balance. The cup fell on its side, hot liquid spilling over the edge, where it dripped on the camera below.

"Son of a—" Hunter grabbed for it just as the liquid began running down the outer casing. "This is a five-thousand-dollar camera."

"Serves you right for butting in where you don't belong." Warren sneered.

Hunter set the camera down on a clean table. "That so?" he asked. His voice was low and precise. Compared with Warren's bluster, the quiet deliberateness sounded like ice. The air in the diner chilled.

"Seems to me," Hunter said, stepping into the other man's space, "that the problem started when you walked in the door. Now if my camera has any damage at all, you're going to pay."

Her ex-boyfriend scoffed, not realizing he was out of his league. "I'm not paying you for anything."

Hunter took another step. "Oh, I think you will."

"Okay, you three…"

A standoff. Just great. It figured Warren would choose today to become macho and proud. It was the money. He would run into a burning building to protect five thousand dollars. Meanwhile, Guy was limping over to them. Abby almost groaned out loud. This could only end one way. Badly and with her getting fired. Quickly she stepped between the two men, hoping to regain control before Guy took action. "Look, guys, I'm sure if there's a problem we can—"

"Stay out of this!" Warren snapped. With that, he did what he did best—shoved her aside. Stuck between two tables, Abby found herself with little room to maneuver. Her feet tangled with a chair leg and she fell to the floor, but not before her back slammed into the edge of one of the tables. The table tipped, scraping her skin from bra strap to waist, and sending its contents spilling. Glass and silverware landed on the floor behind her.

So did Hunter's camera. It hit the floor with a crack. The diner went still.

After that, everything happened in a flash. A patron gasped, Guy started yelling, and Abby barely had time to catch her breath before Hunter's fist connected with Warren's jaw.

"Still think you have the situation under control?" Hunter asked.

The two of them sat on a marble bench in the corridor of the new courthouse. After Hunter threw his punch, and Guy threw the three of them out on the sidewalk, Warren had insisted on dragging a nearby traffic cop into the mess by claiming he'd been assaulted. All three of them had ended up in a police station, where Hunter, ever helpful, had suggested the police ask about the bruises on Abby's wrist. They did, and after a whole lot of questions, she found herself here, at the courthouse, waiting to speak to a judge about a nonharassment order against Warren.

"No," she said, answering Hunter's question. She felt anything but in control. Though she might have been if he'd minded his own business. "I could have sworn I told you to mind your own business."

"You'd rather I let him twist your arm off?"

What she'd rather was if the whole incident had never happened. "You didn't hit him for me," she pointed out.

"No, I hit him because he damn near destroyed my camera. And because he shoved you to the ground."

"Yeah, let's not forget that," Abby replied, arching her back. No sense pointing out she was the one, technically, who'd knocked over the camera. Nor the fact that the camera wouldn't have fallen in the first place had he minded his own business—as he claimed he preferred to do.

Letting out a frustrated sigh, she looked down at Hunter's hands. They were big, strong hands, she noted. Showing barely a mark where his fist had connected with Warren's face. "You get most of the ink off?" she asked.

His shoulder moved up and down. "Most of it."

That was another thing. Because Warren had cried assault, Hunter had found himself being charged. Good thing her knight in shining armor didn't have any outstanding warrants, or they might still be at the station house. Abby supposed she should feel bad about the fingerprinting and all, but again, it wouldn't have happened if he hadn't interfered. In fact, if he hadn't interfered the day before, none of today would have happened at all.

She let out another sigh. "Do me a favor. Next time I say I've got a situation handled, stay out of it. I don't care what your Southern mother taught you."

"Do I have to remind you that saying you could handle the situation caused part of the problem? Unless your idea of handling was to get dragged out into the street. 'Cause that's where your ex-boyfriend was taking you."

Recalling Warren's grip on her arm, Abby winced. Hunter was right, unfortunately. She just couldn't bring herself to say thank-you. Not quite yet. "Well, after I meet with the judge, I won't have to worry about Warren bothering me again. Nothing says 'we're over' like a restraining order."

"I'm surprised you didn't get a court order before," Hunter remarked.

"I didn't think I'd need one." A stupid assumption now that she thought about it. She should have listened to the ladies at McKenzie House. They'd told her Warren wouldn't let her end things on her terms.

Why weren't courthouse benches made more comfortable? The narrow space forced Abby and Hunter close together. Well, that and the fact that his long frame took up so much space. His thigh was pressed against hers and she could feel his jacket brush against her sleeve every time he breathed. The increased body heat had her feeling off balance. She tried shifting her weight, but nothing changed. Everywhere she moved, Hunter was there, his hard, lean body pressed tightly against hers, the contact sending disconcerting tingles up and down her arm.

This was crazy. She was in a courthouse, for goodness' sake, filing a restraining order. Wrapping her cardigan tightly about her, she stood up, only to wince when her clothing rubbed her bruised skin.

"How is your back?" Hunter asked.

The truth? Her back stung like heck every time she moved, and a headache pounded her temples. "I've had worse."

"You always such a bad liar?"

Abby looked at him through narrowed eyes. "What can I say? I'm off my game."

And who could blame her? Too much had happened in a very short time. Her system needed recharging. She crossed the hallway to lean against the wall, grateful for the additional personal space.

Hunter stayed on the bench, forearms resting on his knees. Abby had been too annoyed with him earlier to notice, but he looked as tired as she felt. "Why are you still here?" she asked, voicing a question that had been bothering her for a while. "The police said you could go a couple hours ago."

"I've stayed this long. Might as well see the process through."

Thus making a difficult situation all the much more awkward. Abby combed her fingers through the hair around her face. "I thought you weren't into rescues."

"I'm not. But I'm also not into leaving loose ends."

"That's how you see me? As a loose end?"

"Your goon of an ex-boyfriend is," he replied. "What on earth were you doing with him, anyway?"

Something she'd asked herself a million times, hating the answer. "He was different when we met. Bought me gifts. Took me places. I bought the act." She could feel Hunter's eyes on her, waiting for more. "You've got to understand. I wasn't used to nice.

"Or attention," she added, fiddling with a button. "I mean, he lost his temper once in a while, but he was always really sorry. Wasn't all that different from other families, right?"

Hunter raised a brow.

"I was nineteen years old. What did I know?" Obviously not a lot.

What bothered her the most about her story was how easily she'd made Warren the center of her world. Everything these past years had been about him. His moods, his wishes. Letting herself disappear. That was her biggest crime. All because he'd been nice.

"Sounds pretty stupid, huh?" she said to Hunter, although she could have easily been talking to herself.

Her companion hadn't changed his position other than to lower his gaze to the floor. She wished she could see his eyes, to know what he was thinking. How could someone like him ever truly understand? A man who looked like Hunter, who carried himself with as much confidence as Hunter—his world was probably filled with men and women begging for his company. What would he know about "falling for a kind word"?

"I try to make a point of not judging," he said as he studied the palm of his hand.

"Really? I think you might be the first."

Though his eyes remained focused on the ground, Abby saw his cheek tug in a smirk. "Let's say I've learned not to make assumptions about things. Or people."

"Bad experience?"

He looked up and it shocked her to see how closed off his face had become. As if a steel curtain had dropped over his eyes. "You could say that."

Abby knew the terse tone of voice. He didn't want to elaborate. Apparently, she was the only one who was required to share.

"Anyway," she said, "eventually I came to my senses, and one day while he was at work, I took off with three months' worth of grocery money." There was more to the story, of course. Much more. Situations like hers didn't blossom overnight. But she'd said enough to make her point. Hunter wasn't the only one who could refuse to elaborate. "Never thought I'd be sitting here, though."

All right, technically standing. She pulled her sweater tighter. The thing had been tugged at so much she was amazed it had any shape left. She was tired. The day's events were finally catching up with her, pressing down with an unbearable weight.

"Do you still love him?"

"Good Lord, no," she replied, surprised at how emphatic she sounded. "Those feelings died a long time ago." Sometimes she couldn't believe she'd once cared for the man. "Tell you one thing," she said, toeing the marble floor. "Six years ago I never would have believed I'd end up here."

"That, sweetheart, makes two of us."

The courtroom door opened, preventing Abby from commenting. "They're ready for you, Miss Gray," the uniformed woman said.

This was it. Abby looked to Hunter, hoping for what, she didn't know. "Time to get Warren out of my life once and for all," she said, forcing a determined note into her voice. It wasn't until she reached the courtroom door that she added under her breath, "I'm just sorry I have to be here."

*Me, too,* thought Hunter as he followed her into the courtroom. There were a thousand better ways he could be spending his day.

She was right; he didn't have to be here. So why was he? Why on earth had he spent two extra hours sitting on hard marble benches and watching some woman he barely knew fill out forms?

*Maybe because you're the reason she's here in the first place.* If he hadn't thrown the first punch—the only punch—Warren would never have gone wailing to the police. But that camera was Hunter's baby, dammit! What was he supposed to do? Just let the jerk damage it?

Yeah, because Hunter's outburst was all about photography equipment, and had nothing to do with seeing Abby fall backward. He could try to sell himself that excuse all day long. Truth was, he hadn't gone after Warren until she'd lost her balance. Then Hunter had seen red.

What the hell was wrong with him? His job was to capture action on film, not become the action. Yet here he was, playing hero two days in a row. Civilized society be damned.

After dragging all afternoon, the process in front of the judge moved quickly. Hunter had to give Abby credit. It couldn't be easy answering the same questions over and over. Although he could tell from her posture that she was wound tighter than tight, the only outward sign of stress were the fingers fidgeting with the hem of her sweater. He found himself wanting to snatch them up and hold them still.

It took less than ten minutes for the judge to approve her petition and grant a temporary order. A member of the sheriff's department would serve Warren that night. Hunter didn't miss the way Abby's shoulders relaxed at the announcement.

"Congratulations," he said when he met her at the door.

"You make it sound like I won the lottery."

"You got rid of the ex."

She seemed far from relieved. Surely she didn't regret the order?

"Don't be ridiculous," she snapped, giving him a

dirty look when he asked. "It's just…" She swiped at her bangs. "I feel like an idiot for buying his act."

"Happens to the best of us."

She glanced at Hunter sideways. "Meaning it happened to you?"

"Meaning you're probably not the only one Warren fooled." The elevator doors opened and they stepped inside, Hunter immediately making his way to the rear. Truth was, he understood what had happened to Abby all too well.

Shoving bad memories back where they belonged, he continued. "If it's any consolation, I know his type. Faced with a real obstacle, he'll back off. Fifteen days from now, he'll have moved on to someone else."

"In other words, some other woman gets suckered and goes through what I went through. Lucky her."

Hunter didn't know how to reply.

They rode down the three floors in silence. It had been a long day. Stealing a look in Abby's direction, Hunter regretted packing his camera away. She wouldn't want to hear it, but her appearance at that moment told a real story. With the fluorescent light casting a gray pall on her skin, he could see the cracks in her stoicism. The pronounced circles under her eyes, the subtle slump of her shoulders. Her makeup had worn off hours earlier and her hair… Her hair was an all-out mess. The morning's haphazard ponytail was now an out-of-control bunch. Most of the strands had fallen loose, and those that hadn't weren't far behind. Made him wonder if her insides weren't in a similar state.

And, strangely enough, wonder if she could use a hug.

When they stepped outside, shadows were crawling up the sides of buildings, engulfing the lower halves of high-rises in shade. Sunset came early this time of year.

In a few hours, the streets would be dark. So much for taking any pictures. His flash and lighting equipment were back at the loft.

"What are you going to do now?" he asked Abby. "Head home?"

Asking only reminded him that he knew very little about her life beyond the diner. Did she have a home? She'd said she'd left with only a few months of grocery money. What kind of apartment did that get a person? He was embarrassed to realize he didn't know.

"Actually, I thought I'd go back to the diner. I need to talk to Guy about my job. If I still have one," she added in a low voice.

"I'm sure once you explain the situation..."

From the look she shot him, Abby didn't believe that possibility any more than he did.

"Sure, he'll understand. Because Guy's such an understanding person. I bet when he yelled 'get out and stay out,' he was only kidding."

Unfortunately, she was probably right; her job was history. Hunter felt a little bad about that.

A cab pulled to the curb. He beat Abby to the rear door, opening it and motioning for her to climb into the backseat. "We're going in the same direction. No sense grabbing separate taxis."

"True." Despite sounding less than thrilled, she slid across the leather seat, only to stop halfway across. Holy Mother of— Had she been hiding those legs under that ugly skirt all this time? Her uniform had bunched up, revealing a pair of creamy white thighs. "One thing," she said. "On the off chance I convince Guy to let me keep my job, there's something I'd like you to do."

"Sure." Still blown away from the legs, Hunter was

more than glad to let her talk. Especially if it kept the view from disappearing. "Just name it." He forced himself to look her in the eye.

The gaze that met his was hot and frosty at the same time. "Find somewhere else to eat."

## CHAPTER THREE

"GET OUT."

Abby looked over her shoulder, hoping Guy was talking to Hunter and not to her. Apparently her request in the cab had fallen on deaf ears, because the photographer had insisted on following her inside after the cab ride home.

Her plan had been simple. Catch Guy before he locked up, apologize and assure him that Warren wouldn't be back. If necessary, beg and plead a little. Instead, she barely got through the door when he came around to the front of the counter. Dish towel slung over his shoulder, he jabbed the air with his gnarled finger. "Both of you," he said. "Out."

Abby almost went. After all, six years of being pliant didn't disappear overnight. Taking a deep breath, she held her ground. "Can't we talk about this?"

"There's nothing to talk about. I told you when I hired you to keep your drama outside, and I meant it. You can't do that, you're out of here. There are plenty of waitresses who can do your job and who won't cause fist fights during my breakfast rush."

"Abby didn't cause the fight."

"Stay out of this," she snapped to Hunter. His help had caused enough problems.

"Fine." He raised his hands in mock surrender. "You're on your own."

"Thank you." Too bad he hadn't backed off so readily this morning.

"Can't you give me another chance?" she asked, turning her attention back to her boss. Her ex-boss. Hopefully soon to be boss again. "I know this morning was bad."

Guy waggled his index finger again. "Not only did you cause a fight, you left us shorthanded."

"I know, and I'm really, really sorry. I promise to make it up to you."

"Who's gonna make it up to the customers I lost?"

It was a neighborhood restaurant with regular customers. He hadn't lost anybody. Telling him he was exaggerating wouldn't help her cause, though. If she'd learned anything from her years with Warren, it was when to keep her comments to herself. Instead, she moved to the second half of her plan. "Please, Guy. I'm begging you. I really need this job."

"You should have thought about that before bringing your little love triangle to work."

Love triangle? That's what he thought today was about? A love triangle?

"That is definitely not what happened," she said.

Guy dismissed her with a slap of his towel from one shoulder to another. "Don't care what it is," he said. "You're still gone." He turned his back.

Gone. As in fired. She couldn't be. "But Warren won't be back," she said, chasing after him. "I went to court. I got a restraining order."

The kitchen door swung shut in her face. "You still owe me a paycheck!" she hollered through the order window.

"What paycheck? I'm keeping it to cover the damages."

Damages, her foot. A couple broken dishes wouldn't take a whole paycheck, even with Guy's cheap wages.

Could this day get any worse?

"Come back tomorrow after he's calmed down," she heard Hunter say.

What good would that do? Guy wasn't going to change overnight. Why was Hunter still here, anyway? "Don't you have pictures to take or something?" she asked him. She would have thought he'd be on his way a long time ago.

"Lost all the good light," he replied.

"Oh, good. Then we've both lost something. I feel so much better." Rude? Yes, but she wasn't in the mood to be pleasant. Pushing her way past him, she headed to the front door. As if he had all day, Hunter accompanied her.

"You'll find another job, you know."

Easy for him to say. He had a job. "Do you have any idea how hard it was to get this one?" Of course he didn't. "News flash. Jobs don't grow on trees. Especially when you don't have skills. Or experience." Only thing she knew how to do was cook, clean and manage Warren's tantrums. Hardly stuff to build a résumé on.

"Thanks to today, I can't even use Guy as a reference."

Suddenly exhausted, she sank down on the steps of the building next door. Her body felt as if it'd been hit by a truck. Come to think of it, she might be better off if she had been hit by a truck. At least then she'd be in a hospital bed, and Guy might feel bad enough to let her keep her job.

She jammed her fingers through her hair, destroying what was left of her ponytail. "You know what really stinks?" she asked Hunter. "Warren's the bad guy in all of this and he's got everything. The apartment, a job, money—"

"A shiny new restraining order."

"Big whoop. So he can't come within a hundred yards. You said yourself, he'll move on before the hearing. Meanwhile, what do I have? No job and nine hundred lousy dollars in the bank. You tell me where that's fair."

"I can't."

Tears burned the back of her eyes. She blinked them away. Very least she would do was keep her pride. "All I wanted was to get my life back. Is that so freaking wrong?"

"No."

"I was close, too." She was. She had a job. She was saving money. Until Mr. Action Hero decided to live up to his looks. Now everything was ruined. "Why'd you have to punch him?"

Hunter sat on the step next to her. "I already told you."

"I know, I know. He almost broke your fancy-schmancy camera."

"That fancy-schmancy camera, as you put it, happens to be my life."

"So was my job!" Abby flung the words back at him. "Bet you didn't think about that when you decided to get all tough with Warren, did you? Who cares about Abby, right? Not like she matters. She's just some useless piece of…"

The dam broke and all the frustration that had been building since the morning came roaring free. She was angry. At Hunter. At Warren. Mostly, though, at herself for letting herself be held down for six long years and ending up here in the first place. With hot tears threatening to blind her yet again, she lashed out at the first thing she could reach, which happened to be Hunter's chest. "Damn you," she said, slapping at his jacket. "Damn you, damn you, damn you."

A pair of arms reached around her body, reining in her blows. *Not on your life,* she thought. She wasn't going to let him trap her and force her to stop. No one was going to force her ever again. Blind slaps became shoves. "Let me go."

He didn't. Nor did his grip grow harsh, as she expected. He simply held her in a firm but gentle embrace while she shoved and slapped until she didn't have any struggle left. Worn-out, she collapsed against his chest. Sometime during her tirade, the tears had escaped; she could feel the cotton beneath her cheek growing damp.

Eventually her breathing slowed and Abby became aware of the heartbeat beneath her ear. Closing her eyes, she listened to its slow, steady thump, letting the cadence calm her own racing pulse. Hunter's clothes smelled faintly of detergent and fresh wood. As she inhaled, letting the scent fill her nostrils, it dawned on her that she'd never been held like this before. Without anger or ulterior motive. The experience was comforting and unsettling at the same time.

"Let me go," she muttered one more time into the folds of his jacket.

"Depends. Are you done?"

"I'm fine."

"I didn't ask if you were fine. I asked if you were done."

Abby let out a sigh. "I'm fine and I'm done. Better?"

Hunter's answer was to release her. Abby shivered

at the abrupt departure, the way a person did when having the covers ripped from them while sleeping. The warmth she'd been feeling disappeared into the autumn night.

"I don't like being restrained," she told him, hugging her body.

"I don't like being slapped."

As if she could do damage to a body as firm as his. "Sorry. Been a long day."

She could feel his gaze on the top of her head. The sensation made her want to squirm, and she had to stare at the top button of his shirt to keep from doing so.

"Come on," he said finally.

That made her look up. "Come where?"

"I haven't eaten since breakfast and I'm starved," he said, as if that would explain everything. "Judging from your meltdown, I'm guessing you could use some food, too."

"I'm not hungry."

"Again, I didn't ask if you were hungry, I said you probably needed food."

"So?"

"So, there's an Indian restaurant around the corner."

"You're asking me out?" The hair on the back of her neck stood up.

"I'm offering to buy you something to eat. You coming?"

Everything she'd ever experienced in life told her to say no. Despite spending the day with her, Hunter Smith was a stranger, and by going anywhere alone with him, she'd only be buying trouble. After all, everything came with strings attached. Lord knew what kind of strings Hunter Smith wanted.

"Why?" she asked, swiping at her damp cheeks. "What's the catch?"

"No catch."

So he said. Last thing she needed was a man thinking he could take over her life. "Because if this is some kind of come-on, you can forget it. No matter what you think, I'm not an easy—"

"No catch," he repeated, a little more emphatically this time. "I want to eat. I'm offering you a chance to eat, too. You can come with me or you can stand out here until Guy tosses you off the sidewalk. Your choice."

Hunter stepped off the curb. "And by the way, as far as easy is concerned? You've got way too much baggage to ever be easy."

Damn straight she did. Abby considered the broad shoulders walking away from her, deliberately not thinking about how good it had felt when she'd rested her body against him. What she did think about was how her head felt as if it were about to explode. As much as she hated to admit it, having food in her stomach would help. Free food would help even more, given her return to unemployment.

"Fine. But you're paying." She stepped off the curb to join him.

For a dinner with no catch, Hunter certainly picked a fancy-enough restaurant. Abby looked around at the rust-colored walls and copper fixtures. Bathed in amber light, they glowed with a warmth that rivaled the candle table toppers. Even if the rest of the patrons weren't dressed in business attire, Abby would be underdressed. The setting was much too intimate and lush. Quickly, she checked the front of her uniform to make sure it was at least clean, then buttoned her cardigan tight.

A short ball of a man in a black suit greeted them with a smile. "Good evening, Mr. Smith. You picking up to go?"

"Not tonight, Vishay. We're going to eat here."

With a deferring nod, the man led them to a table near the back of the restaurant, next to a bronze statue of what Abby assumed was some kind of Indian god or goddess. It didn't escape her notice that Hunter, though as underdressed as she was, looked perfectly at home. Worse, he looked better than all the other men in the room. Any glances in his direction were admiring ones, and there'd been quite a few.

"First-name basis," Abby noted after Vishay departed. "You come here a lot?"

"Two, three nights a week when I'm in the city."

And breakfast every morning at Guy's. "Not much for home cooking, are you?"

"Never really had the chance to learn. Eating out is easier."

For him maybe; certainly not his wallet. Abby's eyes bugged when she saw the prices on the menu.

"Is something wrong? Don't you like Indian food?" Hunter asked.

"Wouldn't know. I've never eaten Indian food." What she did know was that Hunter had very expensive tastes when it came to take-out restaurants.

"Warren wasn't big on eating out," she explained when Hunter looked surprised. "Said he did enough of that at work and didn't see the need. Not when I could cook for him." She unfolded an amethyst napkin and covered her lap. "I used to think that was a compliment until I realized he simply didn't want to spend the money.

"On me, anyway," she added, smoothing the purple wrinkles.

She felt Hunter studying her again. "What?" she asked, looking up. He wore a perplexed expression, one that made his eyes gray and unreadable. "Did I say something wrong?"

"I'm trying to figure out how someone like you got stuck spending six years with that idiot."

"I told you. He didn't start out a bully. He grew into the role over time."

"Still, you don't seem the type to be bullied."

Oh, how little he knew. "Guess I grew into the role, too." That's what happened when you believed you couldn't do better. "Warren was the only person I knew in the city."

"You didn't have friends?"

"No one close. There were a few women in the building, but no one I felt comfortable going to."

"What about your parents?"

She didn't mean for her laugh to come out so sharply, but it did nonetheless. "Let's say my mother and I have similar taste in men and leave it at that."

She saw him digesting the information. "So you stayed because you didn't have anywhere to go."

"Partly." If it was only that simple, she thought, playing with the edge of her napkin. "Warren was the first man who… He had me convinced I couldn't do any better." A weight settled on her shoulders.

"Hey." To her surprise, Hunter reached across the table and covered her hand. "You've already done better."

"I have?"

"Sure." His expression was deadly serious. "You dumped his sorry behind, didn't you?"

She was struck by how much the candlelight made his eyes sparkle. An optical illusion, no doubt, but mesmerizing all the same. She found herself falling into them. "Thank you."

He pulled his hand away, leaving her skin cool once more.

Scrambling for some sort of mental purchase, she changed the subject. "How about we talk about something else instead?"

"Like what?"

"How about you?" she asked.

Hunter lay down the menu. "Not much to talk about."

"There's got to be something." An entire day together and she knew very little about the man. He spoke little, revealed less.

Case in point, the way he shrugged off her request. "Not really."

"How long you been taking photographs?"

"My whole life. My father bought me my first 35 millimeter when I was eight. I blew a whole roll taking pictures of my mother's Pomeranian. Dad told me later I should have used better lighting."

"He was a photographer, too?"

"You ever see the photo of the schoolkids saluting the president?"

"Sure. It's famous." Her eyes widened again. "He took that?"

"Among others."

"Wow. I'm impressed."

"Yeah. It's a memorable shot." For a moment, he seemed to lose himself in the candle flame. "Anyway,

I got started by studying him. I used to travel as part
of his crew when I was on school break."

She noticed Hunter said *part of his crew,* not *with
him.* Abby wondered if there was a story behind his
choice of words. If she knew him better, she'd ask. "And
what do you take pictures of?" she asked instead. "Besides unsuspecting waitresses."

"Anything and everything. Wherever the job sends
me."

A waiter suddenly appeared. He wore a bright gold
jacket and carried a bread basket that matched. Everything in the place seemed to glisten in jewel tones.
Between the surroundings and the man across from
her, she felt like a unkempt, drab mop. If the food was
gorgeous-looking, too, she was out of there.

It didn't help that the host had placed them in what
she swore was the most intimate corner of the restaurant. She and Hunter sat tucked behind a potted plant, in
a nook illuminated by jeweled votive candles. Hunter's
eyes changed color in the soft light, turning indigo to
match their surroundings. She tried to shift her position, but her foot brushed his, making her doubly aware
of the closed space.

The waiter placed the basket in front of her. "Naan,"
he explained.

Abby unfolded the napkin to reveal an aroma that
made her mouth water. "Indian bread," Hunter told her.
"Best I've had outside of New Delhi."

"You've been to India?" She wasn't surprised. Seeing how at ease he appeared in these surroundings,
she could easily imagine him in exotic lands. *A real-
life action hero.*

"Couple times on assignment," he said, tearing off
a chunk of flat bread and handing it to her. "Once

to northern India and once to New Delhi. Beautiful country."

He was right. The bread was delicious. She reached for another piece. "Must be nice. Traveling all over the world. Photographing exotic places."

"I'm not sure you'd call my last few assignments exotic. I've been doing a lot of work for *Newstime*. In fact, I leave in a few days for a swing through the Middle East."

"Sounds pretty exotic to me."

"Sure, if you like dodging potential violence."

"Yeah, I wouldn't know anything about that," she drawled.

Hunter cocked his head, eyes catching the candle flame. The shift brought out the blue even more. "Are you always this sarcastic?"

"Unfortunately." Warren called it her smart mouth. "I try to bite my tongue, but for some reason, with you the tone slips out."

"Should I be flattered or insulted?"

"I'll let you decide," she told him. Mainly because she didn't know the answer herself. She didn't know why she was so free with her thoughts today. Fatigue? Not having to fear a reprisal? With Warren she was always so careful about her words, never knowing when she'd say something to set him off. She was pretty certain all Hunter would do was snark back.

Or maybe it was the fact she didn't feel the need to impress. Rather, knowing she had no need to impress, she didn't have to worry about trying.

Perhaps she should try. A little. The man had spent the day at the courthouse with her. Then again, the day at the courthouse was largely his fault. Besides, he wasn't exactly putting his best foot forward for her, ei-

ther. And after tonight, they'd probably never see each
other again. He'd be off living his exotic adventurous
life, and she'd be at McKenzie House, sitting in the
common room circling Help Wanted ads. The agree-
able mood she'd been nursing faded away.

Dinner was delicious, as always, although Hunter's
companion didn't seem to enjoy the food as much as he
hoped she would. Abby retreated into herself and never
completely returned, and he...well, he apparently was
battling his conscience. Why his chest knotted up every
time Abby's face sobered, he couldn't explain. After all,
it wasn't his fault Guy was a self-serving slug. Hunter
hadn't asked the diner owner to fire Abby, any more
than he'd asked her d-bag of an ex-boyfriend to track
her down. She—they—were not Hunter's problem. So
why did every crestfallen expression that crossed her
features have him feeling like Attila the Hun? Worse,
why did he feel the insane need to take her out to dinner? Here, where the candlelight turned her hair the
color of warm caramel?

That reminded him: he needed to have a talk with
Vishay. The man had sat them at the smallest, most
candlelit table in the restaurant. Beneath the table, their
knees touched. Above, every little movement caused
their personal spaces to collide. Hunter spent the meal
far more aware of her body than he should be. Every
brush of her leg against his jeans reminded him of how
it had felt when he was holding her earlier. He'd reacted
with a lot more than compassion. At least his body had.
How could he not? With her head tucked beneath his
chin as if she was a perfect fit. Her hair...damn, the
way her curls tickled his skin. Like baby-soft strands of
silk. The mere memory made his fingers twitch. What

he wouldn't give to smooth his hands through the untamed strands to learn for himself if the softness lived
up to its potential.

How long had it been since he'd touched a woman,
anyway? Five, six months? Longer.

Too long, apparently. Unfortunately, he wasn't kidding about the baggage. Abby had a freaking wardrobe-
ful. He wasn't into taking on other people's burdens. It
was enough shouldering his own.

Nope. If he wanted to scratch his itch, he would
have to find somewhere else. Wasn't like he didn't have
plenty of opportunity. There were always women
available women—drawn by either the excitement of
his profession or his money, who were more than willing to visit his bed for a night or two.

"It's after seven," he said, looking at his watch.
"Think the sheriff's paid your ex a visit?"

"Hope so. They didn't give a time." She poked at a
piece of chicken with her fork. "Warren's going to be
furious," she said in a low voice.

"Who cares how Warren feels? His feelings aren't
your problem anymore."

"Old habits are hard to break. You're right, though.
Warren brought his problems on himself. I've got far
bigger ones to worry about."

The twisting sensation seized his chest again. "I can
talk to Guy. Smooth things over. Explain."

"You'd do that?"

"I offered, didn't I?" No need to tell her he was as
surprised by his offer as she was.

Abby shook her head. "Thanks, but I doubt he'll
listen to you any more than he listened to me. Looks
like I'll have to start from scratch. By the way, since
I can't list Guy, I'm putting you down as a reference."

"Me? What am I supposed to say?"

"I don't know. Tell people what a great waitress you thought I was. How I'm efficient and invaluable."

"You kept forgetting people's orders."

"Only at the beginning," she replied, eyes narrowing. "And you owe me."

Hunter decided not to argue the point. "Fine. If a prospective employer tracks me down while I'm in Tripoli, I'll tell them you were the best waitress I ever had. How's that?"

"No need to exaggerate. Just be realistic." She leaned back in her seat, looking as if she was about to withdraw again. "I doubt you'll get many calls, anyway. The job market for unskilled help is pretty competitive."

"I doubt you're that unskilled," he said. He didn't like that her expression was getting to him again.

"Weren't you listening? Guy's was the first job I ever held. Taking care of Warren doesn't count. Unless you know someone who needs a glorified housekeeper, chief cook and bottle washer."

"Actually…" Hunter sat back without finishing his statement. He wasn't sure if she was hinting or if his mind came up with the thought on its own. Either way, he thought as he studied her candlelit face, the idea was a bad one. A truly bad idea.

On the other hand—he considered the disorganization taking over his loft—Christina did say he needed a housekeeper more than an assistant. It would be a temporary fix at most, a win-win for them both while she looked for a real job.

Besides, he was leaving the country. By the time he got back, he'd have scratched his itch and put an end to the twisting, unsettled feeling that gripped him every time he looked in Abby's direction. And she couldn't say he hadn't made amends for Guy firing her.

From across the table, her big brown eyes watched him with interest. Waiting on what he'd started to say.

"Actually…" Leaning forward, he started again. "I have a proposition for you."

# CHAPTER FOUR

"YOU'RE EARLY."

Abby flashed a nervous grin. When Hunter suggested she work for him—temporarily—she'd accepted immediately. What could she say? Recent unemployment and the threat of poverty made her overeager. This morning, however, she wondered if she should have thought things through a little better.

Especially since her new employer answered the door half-dressed.

To be fair, she *was* early, although no more than twenty minutes or so. Again, she blamed unemployed eagerness.

"Just trying to impress the boss," she said.

Amazingly, she managed to answer without stuttering. Based on his damp hair, Hunter had been in the shower when she rang the front doorbell. Droplets of water clung to the brown hair dusting his chest, and she was pretty sure she saw one drip traveling downward, toward what she was sure was a very contoured abdomen. Visions of last night's embrace popped into her head. She'd leaned against that torso. Spread her palms across those shoulders.

"You could have told me to wait outside," she told him.

"Next time I will. Is that coffee for me?" He gestured to the cardboard tray in her hand.

"Yes." Abby felt her cheeks grow warm, although that could be from the near nakedness as much as anything. "I was getting myself some, and figured you'd be looking for breakfast. Since Guy threw you out, too."

"My money would have put me back in Guy's good graces quickly enough."

True, but she needed breakfast and she wasn't in Guy's good graces. "Does that mean you don't want your fried egg sandwich?"

"You got me a sandwich?"

"With cheese on whole wheat. Not exactly your usual order, but it was the best I could do while commuting."

"That's…" There was an unreadable expression in his eyes as he looked in the bag. "Thank you," he said, turning those eyes back to hers. "That's very nice of you."

You'd think no one had ever been nice to him before. Or that she'd ever received a compliment, for that matter, seeing how her blush shot straight to her toes. Come to think of it, she couldn't remember the last time she *had* received a compliment.

"I thought you were broke."

She gave her best shrug. "I found temporary employment. And, like I said, I'm simply trying to get on the boss's good side."

"Food isn't necessary. Just do your job and clean my apartment."

Did he have any idea how liberating such a simple request sounded? To simply do anything without worrying about reprisal was all she ever wanted. "You got a deal," she said, smiling. Her eyes locked with his.

Their color was definitely bluer today than last night. Bluer and darker.

The heat of the air in the hallway kicked up a notch.

"You, um..." Maybe it was the woodsy smell of his aftershave mingling with breakfast, but she suddenly remembered Hunter's state of dress. "Could you...?"

"Right." He blinked, as if realizing himself, and backed away. "Of course. Come inside while I put a shirt on."

*Don't rush on my account,* Abby almost said. Fortunately, she didn't.

While Hunter jogged upstairs, she wandered into the kitchen area, looking for a place to set the coffee down. She needed a good dose of caffeine to clear the topless-Hunter images from her head. Today was supposed to be fresh start number two. No way she was ruining the milestone by acting like a flustered schoolgirl. The squirrelly sensations in her stomach would simply have to go away.

She wasn't stupid. She knew exactly what was happening to her. Her libido, after years of being bullied into dormancy, had decided to wake up. Hardly surprising, when she thought about it. A woman would have to be literally dead not to feel some kind of physical awareness around a man who looked like Hunter. It was like being attracted to a movie star or a handsome model in a magazine advertisement. Enjoyable but unrealistic.

What shocked her, though, was the intensity with which she reacted. She didn't simply look at him with attraction; she felt it all the way to her bones. Her skin grew hot every time he glanced at her, and her insides seemed on a perpetual trampoline. She hadn't felt this much with Warren ever. Thank goodness Hunter was leaving town in a couple days. Her attraction was obviously making up for lost time by overreacting.

On the plus side, she could, with relief, say that her years with Warren hadn't deadened her completely. That was one piece of baggage she could unpack.

In the meantime, she needed to act professionally. She was here to clean and organize, not fantasize. Setting her packages on the black marble countertop, she looked around her temporary assignment. Hunter's apartment was not what she expected. In her imagination, she'd pictured him living in some rugged man-cave, a location that matched his action star exterior. She certainly didn't expect an airy, light-filled loft. It had one of those open floor plans where one large space was meant to be broken up by furniture into smaller living areas. Hunter hadn't broken up anything, however. He barely had furniture.

It was pretty obvious why he needed a housekeeper, though, because what he did have was clutter. A lot of clutter. There were piles stacked all over the place. In one corner sat a workstation piled high with miscellaneous items, half of which she didn't recognize but assumed were photo related. Probably equipment that spilled over from the collection of cameras and materials on the shelf above.

It was as though he'd decided to decorate with clutter instead of real furnishings. And yet, in spite of the mess, the apartment felt empty. Incomplete. As if it was missing something besides furniture.

She was in the kitchen studying the impressive array of unused appliances when Hunter reappeared. He'd slipped into a faded T-shirt. The tight red cotton still obscenely emphasized his body, but at least he was dressed. "Getting the lay of the land?"

"I'm trying. This kitchen is a cook's dream."

"So the Realtor told me." He was busy digging into the sack for his egg sandwich.

"I take it that wasn't a big selling point for you." Wonder what was? Meanwhile, watching him devour his poorly prepared breakfast, she got an idea. "If you'd like, I could cook for you. I mean," she added when he looked up, "while you're in town. For a change of pace."

"I didn't hire you to cook."

"I know. I'm not a gourmet cook, either. But you've got to admit, a home-cooked meal before leaving for the desert might be nice, don't you think? Comfort food for the road?"

"I wouldn't know. I've never had a home-cooked meal."

"You're joking." He was, right? The look on his face said no. "Never?"

"Not really. They don't have personal chefs at boarding school."

"You went to boarding school?" How sad.

"When I wasn't on the road with my father. You needn't look so horrified," Hunter added. "They're not all Dickensian nightmares."

Abby wasn't quite sure what he meant by his comment, but she did know he wasn't as indifferent about the experience as he'd like to appear. The way he fiddled with his sandwich wrapper gave him away. Hard to picture the strong, aloof man she'd spent yesterday with being affected by anything. But then, as she'd already noted, she didn't know him, did she?

The apartment's incompleteness hit her again.

"How about I cook you your first one today?" she said, returning to the topic at hand. "Nothing fancy.

Spaghetti and meatballs? A side salad. It's a shame to waste all these fancy appliances."

"Not to mention it would add another item to your job description for when I write you a reference."

Cheeks warming, she found it was her turn to study the counter. "I did call myself a chief cook and bottle washer. Kind of implies cooking."

"Suppose it does." Hunter gave a sigh, but his expression was one of amusement. The crooked smile brightened his face. If possible the look was even sexier than his bare torso. The squirrelly sensation returned, causing her knees to buckle a little. Dear Lord, but he was too gorgeous for words.

"So it's a deal?" she asked, clearing her throat.

"Sure," Hunter replied. "Spaghetti and meatballs it is."

"Great. I'll cook for you tonight."

As if on cue, the squirrels began dashing around even faster.

"I think I'm signing you up for that reality show about hoarders," Abby remarked an hour later.

Hunter didn't even look up from the spreadsheet he was working on. "You're exaggerating."

"Barely." All right, she was exaggerating, but seriously, did the man not know the meaning of the term *file cabinet?* Before she could do any kind of serious cleaning, she realized, she had to take care of the piles. What she'd discovered was that Hunter's apartment wasn't so much messy as it was simply chaotic. Needless to say, most of the equipment was job related. There were research books, photo proofs, magazine articles. Then there was the equipment, and equipment-related stuff—the unrecognizable junk on his workstation table. Who knew there were so many different kinds of camera lenses? And lens films. What the heck? Wasn't film for inside the camera?

"Did you know," she continued, picking up another travel magazine, "they invented this new machine a few years ago. Called a paper shredder."

"Very amusing. I told you. I'm only here between assignments. The apartment's nothing more than a place to stow my stuff."

"Pretty expensive storage space. Wouldn't one of those rental units work better?"

"The building's an investment." He looked up from the screen. "You never talked this much when you were a waitress."

Meaning she was talking too much now. Abby felt her cheeks grow hot. "Sorry," she murmured. Biting her lip, she went back to her cleaning.

Behind her, Hunter let out a breath. "You don't need to apologize," he said.

"Sorry. Force of habit."

"Let me guess. Warren didn't like you talking, either."

"Said he needed quiet after a hard day at work." Thinking of all the aspects of her life her ex-boyfriend had controlled, Abby cringed. Thank God he was out of her life for good.

"Hey." Hunter's voice, soft and low, sounded behind her. "You don't have to stop talking."

"But you said…"

He touched her shoulder. "I'm not Warren."

No, he definitely wasn't. Far from it. For starters, Warren's touch was never as gentle, nor had it sent warmth spiraling around her spine.

"I—I found a bunch of receipts," she said, edging

away before she grew too used to the feeling. "Underneath a pile of photos. Are they important?"

"Probably. What are the photos of?"

"A demonstration."

"Right. Damascus, last month. I should submit those."

He said it casually. Abby handed him the paperwork, glancing again at the photos. The images were violent and rueful. It was jarring to think a person could be having breakfast at a streetside café one moment and photographing brutality the next.

One picture showed a man being dragged away, blood staining his torn jeans. "Do you ever get worried, taking photos at events like this?"

"No."

"I would."

"I worry about missing the shot."

"Would that be so bad?"

Hunter, who'd been settling back into his seat, stopped what he was doing to stare at her in disbelief. "Yes, it would. It's my job to get the shot."

"Even if it means putting your life at risk?" No photo seemed that important.

"Doesn't matter. They aren't paying me to run away. The only thing that counts is getting the shot. And since you never know when that perfect shot is going to happen, the only thing you can do is click till you run out of memory space."

How ironic. It sounded as if the action-hero costume fit, after all. He really was literally dodging bullets. "Did you learn that lesson from your father?" She'd borrowed a computer last night and done a little research, enough to know Joseph Smith's famous photograph was only one of many famous shots he was known for. Hunter, she'd discovered, was famous, too, a little fact he never mentioned. She found site after site celebrating his coverage of a school explosion in Somalia.

"My father was right. You can't do your job if you're worried about staying safe."

"I'm sure your mother disagreed."

A curtain came down over his features. "Seeing as how she was dead at the time, I doubt it."

"Oh. Right." *Idiot.* The internet didn't mention his mother, but Abby should have put two and two together based on his comment yesterday.

Somehow, though, she imagined that had his mother lived, she would have objected. Especially seeing as Hunter's father died while on assignment. That Hunter's life might end under similar circumstances...for what? A photograph? The idea bothered Abby. Seemed sad and rather senseless, if you asked her. "The way you talk, you make it sound like your life doesn't matter," she said.

"Photography is my life," he relied.

Now that truly didn't seem right. She refrained from saying so, though. The photos, she realized, were still in her hand. As she moved to set them down, she found herself turning over the top one. The image was too harsh to look at. "I don't think I could do it," she decided.

"Do what?"

"Stand there and take pictures without being afraid. Or affected. I mean, how do you look at what's going on around you without reacting?"

"You learn."

"How?" She wanted to know. Had his father taught him that lesson, too?

But Hunter had turned back to the computer screen. "You just do," he told her.

Once again a curtain had dropped over his features, closing his expression to scrutiny. There was more to his story. His answer was too emphatic, too absolute. Had something happened to hammer home the lesson? She wondered if she'd ever find out.

They worked in silence for the next couple hours. Hunter wasn't sure if Abby's silence was in response to his comment about talking too much—he hoped not; the way she'd shrunk back in apology made his stomach hurt—or if she was thinking about their other conversation. It was clear she didn't approve of his answers, even if what he told her was the truth. What other answer did she expect? Might as well ask a soldier if he worried about being shot in battle.

How many times had he watched his father risk life and limb for the perfect picture? When Hunter was a kid, his father's risk-taking used to scare him. But oh, the shots he'd pulled off. *Makes all the risk worth it,* he'd overheard his dad tell a coworker once. Okay, so sometimes he did wonder if, had his mother lived, his father would be as daring. He'd certainly seemed more cautious when she was around. Ultimately, however, the answer didn't matter. His mother had died, his father had lived for his job, and Hunter understood why he'd taken the risks. Abby would understand, too, if she were a photographer. Maybe he should put a camera in her hands, train her to be one. He shook off the notion as quickly as it popped into his head. Why should he care whether she understood or not?

A flash of red caught the corner of his eye. Abby on her knees in front of his filing cabinet. She'd taken

it upon herself to organize the film and stock images
he'd neglected. Already proving herself a better hire
than Christina.

And once she was finished, he would get a proper
cleaning service. Preferably one where the employees'
rear ends didn't look so enticing. Today was the first
time he'd seen Abby dressed in something other than
that shapeless waitress uniform. He missed the blue-
and-white sack. Today's turtleneck and narrow-legged
jeans revealed way too much. What he'd assumed was
angular and too skinny was really long and lean. The
big glimpse of leg she'd flashed in the cab? Tip of the
iceberg. One thing for sure, legs like that should not be
encased in attention-getting red. He must have made a
dozen inputting errors because the color distracted him.

"Hunter?"

Breaking off from his thoughts, he turned his attention to the file cabinet. With a photo clutched in her
hand, Abby was staring at him as if he had two heads.
Dammit. How long had she been talking?

"Should I label the back of the photos with yellow
notes like the ones already in the file?" she asked.

Thank goodness it was a question where he didn't
have to be listening in order to answer. "For now. The
notes are reminders for labels." Another project Christina had failed to complete. With luck, karma had gifted
his old assistant with an equally distracted and inept
assistant of her own.

"Looks like I have another project to tackle while
you're gone," Abby said, grabbing a pen and yellow
notepad.

"Unless you find a job before then."

"I meant if I didn't find a permanent position." Her

expression faltered again. Hunter wished she'd stop looking so forlorn. Made his gut hurt.

Why had he said anything in the first place? They both knew the job was temporary. He didn't need to remind her.

*Maybe you were reminding yourself?* As his gaze dropped to the brass grommets dotting her back pockets, he wondered if the reminder wasn't to keep him from doing something stupid.

"Where was this picture taken?"

Abby held up the photo in her hand.

"Let me see." Joining her, he took it from her and saw it was a black-and-white shot of an old man enjoying a cigarette while sitting on a stack of luggage.

He smiled, remembering. "Mirpur Khas," he said. "Waiting on the rail platform. We got to the station before sunrise and he was sitting there, patient as can be. When the sun got bright enough, I snapped his picture. He didn't even blink."

Reaching around her shoulder, Hunter pointed to the band on the man's wrist. "See? You can read the time on his watch? And how wizened his skin is? I remember seeing those wrinkles and thinking he looked like he'd been waiting forever."

"Maybe he had," Abby replied. She turned to Hunter, and he found himself nearly nose to nose. "Do you remember every picture you take?"

"The memorable ones stick in your head." *Like yours,* he thought. Looking at her now, he saw glimpses of the same wistfulness and steel. She still wasn't wearing much makeup. He liked that. Showed the imperfections and emphasized the character of her face. No wizened skin here. What would if feel like if he traced the back of his hand across her cheek? Would her skin feel as soft as he imagined?

To his disappointment, she turned away, back to the photographs.

"Now that one," he said, recognizing the shot of elephants marching in the mist, "was taken in the Congo rain forest. I waited two days in the rain for those blasted creatures. Caught a wicked case of paddy foot from standing in the mud and had to spend the next week changing my socks twice a day."

"Better paddy foot than getting shot."

Back to that, was she? "Better I came away with the photo," he reminded her. "I could have sat in the rain for nothing, which happens more than you know. A lot of this job is plain old luck. Being in the right place at the right time."

"And yet you stick with it. Guess the job can't be all bad."

Hunter slipped the photo from her fingers. "It has its moments, that's for certain." Good and bad.

He waited as she wrote "Africa: Wildlife" on a sticky note, then handed her back the picture.

"I'm curious," she said. "Under what category would you file my photo?"

"Why do you want to know?"

"Well, as far as filing goes, you've got old men, old women, street people, occupations."

"Standard stock categories."

"I was wondering what category you'd stick me in. Women at work, street scenes or—" she scanned the tabs "—New Yorkers."

"None of the above. You'd get your own special category."

"I would?" She blushed, making him wish he had

a camera then and there instead of across the room. The soft pink suited her. People should compliment her more often, to draw out the shade.

"Uh-huh. I'd file you under strangely compelling waitresses."

Another blush, followed by a swipe of her bangs and a duck of her face. A trifecta of shyness. So sexy he felt his jeans tighten.

"You mean the photo, right?" she said in a low voice.

Catching her chin with his finger, he lifted her face back to his. "Sure." In reality, he found far more than the photo compelling. But saying so would only open a dangerous can of worms.

Perhaps she realized it as well, because her smile was tinged with gratitude. "I'll make sure to label it appropriately should I run across a copy."

"Actually, you'll find a few copies on the printer. From the other day when I was working."

The look she gave him, as she scampered over to check, said *really?* "I lost my copy during the fight."

"You can take one of those if you'd like," he told her. "Personally, I think the black-and-white version has more depth. Highlights the contrasts."

"You mean the bags under my eyes."

This dumping on her appearance was becoming a habit. "Are you always so negative about the way you look?"

"Generally. Another force of habit, I'm afraid. Along with jumping when called and blaming myself for mistakes.

"I'm working on it, though," she added over her shoulder.

"As for the photographs..." She left the page in the

tray. "Thanks, but I'll pass. Not sure it's a memory I want to keep, if you know what I mean."

He did indeed. Photography had the power to instantly transport you to a place or time, even ones you wished you could forget. "I'll take another of you if you want," he offered. "One with a nicer memory."

"No sense pressing your luck. I can't guarantee I'll take a second good shot."

There she went, denigrating herself again. Warren and whoever else had put those thoughts in her head should be shot.

Moving back to his computer chair, Hunter told her, "I can."

"How confident of you," she said with a laugh.

"Simply stating a fact."

"Of course you are. I think I'll go back to filing."

"Suit yourself." He'd take a shot of her sometime when she wasn't paying attention. He preferred candid, unaffected ones, anyway.

He returned to his expense reports. Had to admit, the numbers weren't nearly as interesting.

"Uh-oh," Abby said a few minutes later. "One of your files is missing a tab."

"Must have fallen off."

"Either that or your former assistant never created one. Did you know she couldn't spell?"

"Doesn't—"

"Wow!" Abby's gasp of amazement cut him off. "These photos are…"

He wondered what he'd photographed that she found so impressive. "Are what?"

"The kids playing soccer. They look so happy."

*Kids?* Hunter's insides turned icy. Couldn't be. He'd ordered those photos thrown away.

Even as he dreaded seeing the images, some perverse need made him get up to look. Over Abby's shoulder he saw what she didn't. The hard black eyes hadn't changed a bit. Hatred hidden behind a broad smile. The memory came flooding back. *Mr. Hunter! Mr. Hunter!*

"Throw them out," he said.

"Why? They look perfectly good to me."

"I said throw them out!"

Abby sat back on her heels, eyes wide in confusion. Hunter immediately felt like a jerk. Wasn't her fault. She didn't know. "Sorry," he said, washing his hand over his features.

"Is something wrong? I don't understand."

"Nothing's wrong. Just — I don't want to keep the photos, okay?"

The walls started closing in. He needed fresh air. A break. "I'm going to go out for a bit," he told her. "Lock the door behind you when you leave for the day."

Grabbing the one anchor he could always count on, his camera, he headed for the door. As he closed it behind him, the last thing he saw was Abby, still kneeling on the floor, surrounded by photos and questions.

# CHAPTER FIVE

ABBY MADE SPAGHETTI and meatballs, anyway. She'd promised, and she intended to keep her word. If Hunter returned in time for dinner, terrific. If not, at least his gourmet kitchen got one good use. Besides, it wouldn't be the first time she'd spent time and energy on a meal that was ignored.

Although in this case, the circumstances were a bit different. Hunter wasn't ignoring her, nor did he storm out in anger. On the contrary, he'd been upset for a different reason. The minute he saw those photographs, his entire demeanor had changed. He went from warm and open to closed off in the blink of an eye. Why? What about those pictures set him off?

Hunter had told her to throw the photos away, but curiosity wouldn't let her. Once she'd finished making the sauce, she turned to study the pictures across the countertop, looking for something that might explain Hunter's agitation. The shots were of kids playing soccer in what looked like Africa. What could possibly be so upsetting about kids playing a game?

She thought about the moments just before she'd found the file. It'd been a pleasure to work around him. While he spoke little, his presence was comfortable, friendly. Then, when he knelt behind her on the floor...

She used to hate it when Warren approached her from behind. Mainly because if she couldn't see his face, she couldn't judge his mood. A hand gripping her shoulder could mean anger as easily as it meant anything else. But when Hunter knelt behind her, she didn't so much as tense. At least not with uncertainty. Instead, it brought her back to this morning in his doorway, when he'd greeted her damp and half-naked. Even now, in a kitchen smelling of tomatoes and garlic, she could, if she concentrated, recall his aftershave. How the scent had teased her nostrils when he reached around her to point out landmarks. Much like the way his breath had tickled her temple when he spoke.

*Focus, Abby.* Bad enough her libido caused problems when Hunter was in the room; she didn't need it flaring to life while thinking of the man, too.

She returned to the photos. There was a woman in several of the shots. Tall and voluptuous, she had auburn hair and a toothy grin that leaped off the page. Was she the bad memory? A broken heart would certainly explain his distant nature.

What kind of woman would Hunter fall for? Abby traced the image. That she'd be beautiful was a given. This woman's looks, however, went beyond surface pretty. One glance at her photos told you she had a special sort of vitality. Her eyes literally sparkled with life. A far cry from Abby's dead insides, that's for sure.

Keys sounded in the lock, causing her to drop the photo she was holding and jump back. Hunter walked in, camera around his neck. He looked tired, as if he'd walked a marathon. One he'd lost. Abby wasn't used to seeing his shoulders slumped with such weariness. She grabbed the counter edge to keep from wrapping him in a hug.

"Hey," she murmured softly.

"You're still here."

Not the most enthusiastic of greetings. "Promised you dinner, remember?"

"So I can smell. You didn't have to go the trouble."

"We're talking spaghetti sauce, not a gourmet meal. Besides, I enjoyed being able to cook again." McKenzie House didn't have much of a setup beyond the basics. Anything that involved more than a microwave and a jar was a treat to make, as far as she was concerned. "Hopefully, you'll like how everything turned out, because I made a lot. And by a lot, I mean a lot. You'll be eating leftovers for a week." She was babbling, trying to fill the awkwardness with noise. The fact that Hunter hadn't moved since setting his camera down didn't help. He simply stood in the kitchen entrance, staring.

*Shoot.* Abby followed his gaze, and realized he'd spied the photographs. Quickly she moved to gather them. "Sorry, I didn't get to throw those away yet. Let me do it right now."

Hunter reached over and stopped her. "S'all right. I'll take care of them." Except he didn't, continuing instead to stare off into space. Abby wished she knew what he was thinking. He felt so far away.

"I shouldn't have walked out the way I did," he said after a few minutes.

"No big deal. You didn't swear or throw anything. Makes it a step up from most of my walkouts."

He arched a brow. The gesture almost—almost—breached the distance he'd retreated behind. "Just because I wasn't violent doesn't make it right. You shouldn't roll over so easily."

"You think I'm rolling over?"

"I was rude, and you made me spaghetti. What would you call it?"

What she'd call it was deflecting the focus away from himself. She "rolled over" and left the challenge unspoken. "Next time I'll skip the cooking. Would that be better?"

Hunter didn't answer, his attention having returned to the images spread across the counter. Coming around to join him on his side, Abby picked up the shot that seemed to be holding his attention. It was a close-up of the woman, with several young children gathered around her. A wave of envy washed over Abby as she was yet again struck by the woman's vitality.

"She's very beautiful," she said.

"Her name was Donna."

*Was.* No mistaking the finality in his voice. Abby turned the photo over, ashamed that she'd been envious of a dead woman.

"I shouldn't have said anything." No matter how curious she was, she had no business picking the scab of an old wound. Better to let him process the past in peace. "I'll go check on the sauce."

"I took these shots in Somalia," Hunter said, stopping her.

Somalia. Hearing the name gave her a déjà vu feeling. Nonetheless, Abby shook her head and told him, "You don't need to explain." Knowing what dragging up the past was like, she felt the need to let him off the hook.

"On the contrary, I think I should explain more. I *want* to explain more."

"Why?" No one had ever bothered explaining their behavior to her before. She leaned a hip against the countertop. "Is this because I shared my sad story with you? Because if that's your reason, there's no need to go tit for tat."

"I know, and you're rolling over again."

"No, I'm offering you an out."

He half smiled. "So you are. Thank you."

Abby felt a warmth settle over her. It was nice to have her consideration acknowledged, despite the sober circumstances. "You're welcome. And I'm sorry if the photos brought back bad memories."

"They did." She waited while he set the overturned photograph right side up again. "It was my first assignment after my father's accident. I thought I was prepared. I'd seen war and horrible conditions before, so I figured I knew what I was getting into. The people, though…" He blew out a long breath through his nose. "When I traveled with my father, the attention was on his work. Even if I was taking my own shots, it was second to what he needed to do. That's how being an assistant worked. Something Christina, my old assistant, never understood.

"Anyway, for the first time in my life I was the lead photographer. The one who did the talking, the interacting. I was supposed to spend a couple weeks there, but I stretched it out."

"Sounds like the place made an impact on you."

"Not the place, the people," he replied. "They were so grateful, so eager to learn. The kids, especially. Like little sponges, absorbing everything. Slightest little thing would make their faces light up. Could be anything. A piece of chocolate, a book, even something like a soccer game."

"And Donna?" Had she made as powerful an impact? He'd yet to say, and Abby was surprised at how anxious she was to find out.

"Donna taught at the school. Second or third grade, I can't remember which. Maybe both. Didn't matter. The entire school loved her. Camera loved her, too, in case you didn't notice."

"So that's why there are so many photos of her?"

"Did you think…?" He shook his head. "No, she wasn't. Not the way you think. Yes, she and I—"

"I get the picture." They'd been lovers; she wasn't the love of his life.

"Given my reaction, I could see why you might think otherwise."

"Why did you react so badly?" So far, he'd revealed nothing but a fondness for the school and the country. Sliding onto a nearby stool, Abby eagerly waited for more.

"Like I said, the place was special. I didn't expect to get so sucked in, but there was something addictive about the sense of community. It was like being in the middle of this giant family."

Which, to a man who'd recently lost his father, must have been incredibly appealing. Abby could relate. Loneliness was an incredibly powerful weakness. Hadn't she grabbed hold of the first person she'd found to fill the emptiness in her life?

"There was this kid named Naxar," Hunter said. "Not so much a kid, actually. He was only a couple years younger than me. Worked as a janitor at the school. Always following me around, calling 'Mr. Hunter, Mr. Hunter!' I made him my pet project. He'd carry my equipment, help me set up."

"Your first assistant," Abby noted with a smile.

"The beginning of a very bad trend," Hunter said, giving another half smile. Like before, it failed to reach his eyes. "You'd think I'd learn."

The smile faded. "He blew himself up during a school assembly."

*Dear God.* Abby's stomach dropped. The explosion. The photos that had made Hunter's career.

"The evidence was there all along, but I was too involved to see it. Too busy focusing on the kids' smiles."

Hunter fished a photo out of the pile and slid it toward her. A crowd watching two boys racing after the soccer ball. Abby knew right away which young man was Naxar. While all the others were cheering, he stood on the edge of the action. Hunter's camera had caught him unaware, capturing a face icy with rage. It was that expression that had caught her attention when she first unearthed the pictures. Looking again, this time knowing the whole story, Abby shivered. To think one man could cause such death and destruction. Even Warren, for all his rages, wasn't capable of that level of violence.

And Hunter, seeing the community he cared about blown apart... She couldn't imagine how that felt.

Or the guilt he might be feeling.

"It's not your fault," she said. Wasn't that what the abuse counselors had told her? That the victim isn't responsible for the abuser's rage? "There's no way you could have known what he planned to do."

"Not my fault, but a mistake all the same."

"What was?" She figured he would say missing the signs.

"Letting him get close. Letting any of them get close."

"You mean the people at the school?"

He nodded. "There's a reason the camera stays between you and the subject. It's your buffer. Keeps you focused on the job. I forgot."

"You make it sound like caring was a mistake."

"It was. The only thing I should have cared about was getting the shot. Everything else…"

He shrugged the rest of the thought away, but Abby got the point. He was saying nothing else mattered but the shot, same as he'd said before. Not his subject, not the people around him, not his own safety. With one raise of his shoulders, Abby suddenly understood why he wanted the photographs destroyed. He wasn't trying to bury the memory of a woman, or even his guilt. He was burying his feelings. How well she understood that desire. She, too, had wrapped her heart in a blanket of numbness, stuffed it in a hole of self-preservation, where pain couldn't find it. Life was simpler that way.

Only for some reason, when it came to Hunter, the desire felt wrong. Why, she couldn't say. In fact, she couldn't say anything at all. She settled for touching his shoulder.

Hunter covered her hand with his. The cool touch of his fingers wrapped around hers ran straight up her arm, reminding her that while her heart was numb, the rest of her was still alive.

"You're not wearing a bandage today," he said.

Changing the topic. "Didn't see the sense," she told him "You know the bruises are there. Why bother hiding them?"

Turning her hand palm up, he gave a small nod. "Your skin shouldn't have bruises."

"He says, stating the obvious." She was being flip, but inside, she'd grown warm. Could he feel her pulse beneath his fingers? If so, he would know it was racing. Shouldn't be. He was simply making an observation. There was no compliment, no seductive overtone. Her body was reacting to the tenderness.

Maybe she was the one, then, who needed distance.

Especially now, as Hunter ran his thumb across the pulse point. "You deserve good things, Abby Gray. Good things. Good people. A good life. You know that, right?"

Of course she knew that. This sudden switch in conversation didn't make sense. It was almost as though he was trying to tell her something else.

"So do you," she told him.

"Don't worry about me. I get exactly what I need." Dropping her hand, he gathered up the photographs. "I'm going to get rid of these before dinner."

A few minutes later, Abby heard the high-pitched squeal of a shredder—the very machine she teased him earlier about not owning. She listened, unconsciously stroking her wrist. Got what he needed, huh? She couldn't help wondering if that was enough.

"Explain to me again why, if you hired me to be your housekeeper, we're taking a walk in Central Park?" Abby stood on the top of the apartment building's steps, watching Hunter fiddle with his camera.

"I told you," he replied, "I get stir-crazy if I stay inside too long."

"I got the stir-crazy part. What I don't get is why I needed to come along. Shouldn't I be, I don't know, cleaning your house?" Which she'd been doing, until he'd insisted she join him.

"You have a problem with taking a break?"

"Suppose not."

He watched a squirrel drag a piece of pizza crust across the sidewalk.

"Are you planning a long walk?" They seemed to be walking at a very determined pace for just a simple stroll.

"Does it matter?"

"It does if you want me to get dinner started for you."

Hunter stopped in his tracks. For a second, Abby thought they might turn around. "I told you yesterday, you don't have to cook for me. That's not part of the job."

"And I told you, I don't mind cooking for you."

"Well, I mind. If I'd wanted a private chef, I would have hired one." He started walking again. Abby hurried to catch up.

"Most people would enjoy the opportunity," she pointed out.

"I'm not most people."

That, she thought, looking at him from the corner of her eye, was an understatement. He was back in action-hero mode again today. Fortunately, she'd been spared a shirtless greeting when she arrived this morning. Unfortunately, he chose to wear a painted-on henley with the buttons undone. Rather than hide his muscles, the thin cotton emphasized them by rippling every time he moved. She'd decided to scrub bathrooms so she wouldn't stare.

"Besides," he added as he draped the camera strap around his neck, "it's not like you stuck around to eat."

Did he really expect her to? The mood following Hunter's story had been intimate enough. No need compounding the atmosphere by sharing dinner. It was also another reason she'd barricaded herself in the shower this morning.

His story affected her in a way she didn't expect. Until then, Hunter had been this sort of larger-than-life figure. The reluctant—potentially tragic—knight in shining armor. Sexy but not quite real.

But then he'd told her about Naxar and she'd glimpsed a sliver of something more. Something real and familiar. She preferred sexy and illusory. She wasn't interested in feeling anything deeper than physical attraction. And so she took a page from Hunter's book and pulled back.

Until he insisted she join him for a walk. She'd caved and now was stuck strolling the park path, with him looking sexier than a man had a right to.

"I didn't realize my company was required," she replied. Or wanted, for that matter. He'd pretty much shut down himself.

The look he gave her was made unreadable by his sunglasses. "The situation reminded me too much of Reynaldo," he said.

"Who's Reynaldo?" Another assistant? He'd lost her with the reference.

"Reynaldo was the cook my mother hired the summer after fourth grade."

Abby's jaw dropped. "You had a private chef?" When he said he never had a home-cooked meal, she foolishly assumed he meant a meal not cooked at home.

"Not a chef. Reynaldo."

Sounded the same to her. "What's the difference?"

"Chefs are trained cooks. Reynaldo was…" He let out a long breath. "Reynaldo was Reynaldo."

"Meaning not trained."

"Not in the least.

And she reminded him of the man. "You're saying you don't like my cooking?"

"No, your cooking is fine."

"It's all right if you don't. Warren certainly complained enough about it." Oddly enough, Hunter's response disappointed her more.

"I said your cooking is fine. In fact, the spaghetti was delicious."

Abby couldn't help it. She smiled. "Really?"

"Yes. Trust me, your leftovers will not go to waste."

"Then I don't understand. How do I remind you of this Reynaldo?" She grabbed his arm. "Please don't say I look like him."

"Definitely not."

Again Abby smiled.

Hunter, meanwhile, had returned to fiddling with his camera settings. "My mother hired Reynaldo the year she got sick," he said in a low voice. "I ate most of my meals alone at the kitchen counter."

As he had last night.

"Oh." Abby swallowed hard. Damn, but when he dropped a comment like that into the conversation, how could she not get a lump in her throat? It was as though he was dealing out pieces of the Hunter Smith puzzle one by one. The picture she was building wasn't a cheerful one, either. "If I'd known..."

"What? You would have stayed? Kept me company?"

Abby blushed. Her answer would have been yes. He made the suggestion sound like pity, which wasn't the case. "I was going to say that I wouldn't have offered to cook in the first place," she said, scrambling to cover herself. "As far as company is concerned, I'm sure you could find some without my help."

"I'm sure I could, too."

Oh, she bet he could. She imagined he had a whole bevy of women interested in sharing a meal. Along with other things.

"Let me guess. A girl in every port, right?"

"Something like that."

Good for him, she thought, with an uncomfortable twist in her stomach. "If that's the case, then I'm off the hook, aren't I?"

"How so?"

"Well, if you were truly lonely last night, you would have whipped out your little black book."

Pleased with herself, she skipped ahead and turned to walk backward, only to stumble over a crack in the asphalt. Her foot twisted and she fell back, arms flailing. Hunter caught her just before she landed on her backside.

Abby gasped. His arms were wrapped around her waist, pressing her tight against him. So close she could feel every contour and ridge of his muscles. His face looked down upon her. Her mouth ran dry as she imagined his silver-blue eyes looking into hers.

"What makes you think I didn't?"

Abby swallowed hard and blamed her wobbly knees on falling, not his slow growl of a response. "If you did, you certainly shipped her out early."

"Maybe I don't like overnight guests."

"Certainly would fit the profile," she retorted. "You said you kept your subjects at a distance. Why not your lovers at a distance, too?"

Hunter flashed a crooked smile as he righted her. "You might want to try walking forward. Would make the trip easier. No pun intended."

Abby blushed. Fortunately, the tumble had knocked her hair loose from its clip, forcing her to fix the damage, and giving her an activity to hide behind. "I'll keep that in mind," she said, barrette stuck between her teeth.

At least her tumble had cooled the atmosphere. The sizzling whatever-you-want-to-call-it that rose up between their closely pressed bodies seemed to recede. If it ever existed in the first place.

For the next several yards, they walked in silence. In spite of her original reluctance, Abby had to admit the day was perfect for being outside. Overnight, Indian summer had decided to visit the city, blown in on a warm western wind. Above them, the sun hung high in a cloudless blue sky. She couldn't blame Hunter for feeling stir-crazy. It looked like half of New York had had the same idea. Central Park was full. Business people making phone calls while on park benches. Mothers pushing strollers. Couples relaxing in the sunshine. Everyone enjoying summer's last gasp.

Hunter appeared oblivious to this. Instead, far as she could tell, he appeared to be on some kind of mission. Pointing to the camera around his neck, she steered the conversation to safer topics. "You haven't snapped a single picture. Do you plan to, or do you carry it around till you see something worthy of having its picture taken?"

Again, Hunter gave her an indecipherable look. Even with his eyes mirrored, having his gaze focused so intently in her direction made her feel exposed. So much so, she almost looked away.

"Look up ahead," he told her, pointing. On the hill in front of them, a gray building rose above the tree line.

Abby felt a familiar rush. "Oh, wow, that's Belvedere Castle!"

"You know it?"

Of course she knew it. Although he didn't realize it, Hunter had guided them to one of her favorite escapes.

"I used to come here whenever things with Warren got too overwhelming." She craned her neck so she could see the main building through the trees. "Did you know the observation tower has one of the best views in the park?" When Hunter shook his head, she rolled her eyes. "Unbelievable. And you call yourself a world traveler."

Built on top of a large, craggy rock, the granite building had been part of Central Park for over a hundred years. Without giving it a second thought, Abby pulled Hunter off the path and across the grass. Leaves rustled beneath their feet as they made their way across the great lawn. "You can see practically the entire park," she told him.

Hunter could care less. He'd taken plenty of views of the park, the skyline and the castle. The only view he was interested in today involved the woman whose hand held his. She was, after all, the reason they were here. Although at the moment he was wondering if his idea was a good one.

He hadn't handled yesterday well at all. Seeing those photos from Somalia, Naxar's face, had kicked him hard. Especially since Hunter had been fighting hard all week to keep those memories from bubbling to the surface.

Interesting how they'd chosen to rise around the same time he'd met Abby. A reminder from the universe? Maybe.

Yet here he was, taking her to Belvedere Castle for a photo session. He guessed he thought the gesture might put an end to the agitation that had plagued him the past twenty hours or so. The churning, empty sensation that made him feel as if he was leaving business unfinished. In a way, he was. If she found a permanent job while he was out of the country, there was a good chance he'd never get to photograph Abby a second time, as he'd promised.

Like an artist who'd found a favorite model, he wanted another opportunity to capture her on film, in a different atmosphere, with a different emotion on her face. To see for himself if the elements would come together as seamlessly as they had before.

What he hadn't expected was for her to be so enthusiastic about the location. She practically dragged him across the grass in her rush.

Nor did he expect to be holding her hand. Her delicate fingers nestled in his felt strangely natural. Uncomfortably so. Relaxing his grip, he pulled away to regain his distance. Immediately, she blushed, then ducked his glance by brushing the hair from her face. Damn, why didn't he have his camera ready?

"I found this place totally by accident," she told him. "One day after an argument with Warren. When I saw the turret above the trees, it was like finding a little piece of magic."

"Magic?" He was surprised to hear her talk so whimsically.

"When I was a kid, I read a lot of fairy tales. Rapunzel, Sleeping Beauty, Cinderella. I wanted to believe Prince Charming existed. That he would come riding in and whisk me off to his castle in the sky."

They reached the stone stairs. "I ended up with Warren instead. Guess we know how well that turned out, don't we?"

Hunter could tell from her frown her thoughts had gone to that dark place she went whenever Warren's name came up. How bad had things gotten? he wondered. How bad were they before that, to make running off with an overweight loser look like a better option?

Didn't matter; whatever happened was worse than she deserved, just as he'd told her last night. No woman should have bruises on her skin. And Abby had such beautifully pale skin. To think anyone would ever want to mar its surface made him want to punch Warren all over again.

"Anyway—" hearing her voice jerked him from his thoughts "—seeing a castle in the middle of New York City gave me a little hope that fairy tales might still exist for some people. Stupid, I know. Chasing Prince Charming. I'd have better luck chasing Santa Claus. Maybe I wouldn't have stuck it out with Warren as long as I did."

"Or ever come to New York," Hunter replied, not realizing until after he spoke how the comment sounded. "I mean—"

"No, you're right. A healthy dose of realism might have saved me a lot of trouble from the start."

She was right. Still, he didn't like hearing her take such a defeatist attitude. Didn't like the shadows that killed the light in her eyes.

"You wouldn't want to be a princess, anyway. Sleeping in a castle isn't all it's cracked up to be."

As though a switch had been flipped, the darkness left her expression. You had to admire her resilience, Hunter thought. She refused to be kept down.

"Please don't tell me you lived in a castle?" she said.

"For ten days. It was drafty and cold."

"When?"

"All the time."

"I meant, when did you live in a castle?"

Hunter knew exactly what she meant. He just liked how her eyes flashed when she got exasperated. "A couple of years ago. On a job. And there were no princes. Or princesses, either. Just a very cranky caretaker."

"Another fantasy bites the dust."

"Fantasies are overrated."

"Not to mention completely unrealistic," Abby said. "Too bad there's not always someone around to help us cope when we realize the sad truth."

Sad indeed. "Who helped you?" He had a suspicion he already knew the answer. She'd told him how isolated Warren had kept her.

"You're looking at her," Abby said with a smile.

Making his suspicion correct. He was beginning to realize the resilient woman he'd captured on film the other day was the real Abby. Took a lot of inner strength to pull yourself from a bad situation. Clearly, her strength ran even deeper than he'd thought. Made his admiration for her that much deeper, too.

They reached the terrace on the rampart. Despite being early afternoon on a weekday, the pavilion was crowded. Tourists taking pictures, mothers herding young children. A violinist had set up shop by the top of the stairs, his case open for passersby to toss in money. Hunter dug into his wallet and dropped in a few bills to say thank-you for the live soundtrack.

When he turned around, Abby was by the wall, looking out at the pond below. "Gorgeous, isn't it?"

He had to agree, though in his case, he wasn't thinking about the landscape. He found the way Abby's skin glowed far more intriguing. She'd lit up in a way he hadn't seen before. Even her hair, which had yet again developed a mind of its own, seemed brighter. As she brushed the strands from her face, tawny highlights caught the sun.

"Drafty or not, you've got to admit having a view like this would be amazing," she said.

*Amazing* was the perfect word, he thought as he

stood to the side and snapped away. "You'd still freeze your behind off. No window or heat."

That earned him both an eye roll and a look in his direction. "Buzzkill."

"Realist," he countered.

A second eye roll, and she returned her attention to the landscape. Hunter watched as she rose on tiptoes and leaned forward to get a better view. A move that caused her sweater to creep up her back, revealing an enticing strip of bare skin. Remembering how soft her skin felt, his body grew hard. He was beginning to see how Warren had grown so possessive. Did she have any idea how good she looked right now? Even the violinist was staring.

Hunter joined her at the wall, partly because he wanted to get closer, and partly to block the musician's view. The water below them was a smooth black mirror. Zooming in through his lens, he could make out the two of them peering over the edge. "How often did you come here?"

"More than I care to admit. Usually when Warren was at work. I'd sneak over while I was supposed to be running errands. That way if he called, I would have a reason to be out."

Hunter's dislike for the man grew with each slip of Abby's tongue. A pretty big feat, given he'd disliked the man intensely upon sight.

Abby turned around and leaned back against the rampart. Faced with a perfect shot, Hunter did what he did best. Let life play out on the other side of his lens.

"Did you just take my picture?" she asked when the shutter clicked.

"I've taken a lot of pictures."

"Well, stop." She averted her face, killing his view. "You know I don't like it."

"But I told you I'd photograph you again."

"And you pick another day when I don't have makeup on and I'm pale as a ghost."

"I don't want you made up. I prefer you the way you are." To prove his point, he pressed the shutter, despite her turned head.

"Now you're just being obnoxious," she murmured.

"No. I'm taking pictures. Not my fault you're a good model." He could practically hear her silent scoff. "You don't believe me?"

"Oh, I believe you," she replied, glancing over her shoulder. "The term *model* might be an exaggeration."

"Why are you so hard on the way you look?"

"Because I'm female," she replied with a smirk.

He didn't buy the answer, not for a second, and so he waited to speak again.

"I hate when you stare like that," she said.

"Stare how?"

"I don't like how you turn my comments into questions, either. You know what I'm talking about. The way you stare like you're looking through me."

"Not through you," he replied, shaking his head. "At you. I wish you could see yourself the way my camera does."

Abby curled the hair around her ear. "Unfortunately, your camera doesn't speak, and it hasn't spent twenty-five years telling me how average and unappealing I am."

God, but he really hated Warren now. Her parents, too, if they'd helped fill her head with such ragtime. "You're wrong," he said. "My camera does speak. I make it speak with what I see through my lens." Ignoring the doubt in her eyes, he moved a little closer. Perhaps if he showed her in the viewfinder the scenes he'd been photographing... "And what my camera says is that you are a woman of strength and character who has really amazing hair."

She smiled a little at the last part. "Amazing hair, huh?"

"Fantastic hair. Like a lion's mane," Hunter said, smiling back.

He meant to show her. He meant to hold out the camera so she could see for herself. Instead, their eyes caught and his intentions fell away. Everything fell away. The pavilion, the crowd, the violinist. All he could see was Abby. Her pale, unmade-up face, her shining eyes. A piece of hair blew across her cheek, the end clinging to her lower lip. Lucky strand.

He reached out and brushed the hair free, letting his fingers linger at the corner of her mouth.

"Your skin's cold," he said.

"Sun's going down. Guess Indian summer's all over. Time to return to reality." As she said the last part, she ducked her head, breaking contact with his touch. Not, however, before he caught the note of regret she was trying to hide.

"Not yet," he told her. "Come with me."

# CHAPTER SIX

Sʜᴇ ᴍᴀʏ ʜᴀᴠᴇ given up princess fantasies, but Abby had to admit she was starting to feel a little royal today. And her mood had nothing to do with visiting Belvedere Castle. Not at all. It was the look she saw on Hunter's face. He'd told her last night that he kept his subjects at an emotional distance, but standing there, stroking the hair from her cheek, the way his eyes held hers made her feel...special. Beautiful.

Must be what photographers did to charm models.

Even so, her lips continued to tingle from his touch as he led her back through the park and across the street. As she stepped inside the tavern, she felt she'd traded one castle for another, only this one was far more intimate. The narrow space was a honeycomb of velvet sofas and candlelit nooks warmed by a giant fireplace. Because it was only midafternoon, the establishment was empty except for a few couples tucked in dark corners. The emptiness only added to the romance, making it feel as though Hunter had brought her to his own private hideaway.

Abby brushed the hair from her face. Lion's mane or not, between the wind and her tumble, her hair had to look more of a tangled mess than usual. Way too messy for a place like this.

The hostess led them to a seat in front of the main fireplace. "This is amazing," Abby said as they settled on velvet cushions. Even though the fireplace was off on such a warm day, she could imagine the warmth.

"I come here to unwind sometimes," Hunter replied, sliding into the seat next to her. "Reminds me of a place in London."

"I can imagine. The unwinding, that is." She decided curling into the sofa would be uncouth, and settled for crossing her legs and sitting back against the pillows. "I walked by this place a few times when heading to the park, and always thought it was some kind of private club." Or maybe the upscale atmosphere just felt off-limits to her. "Not that I would have gone in, anyway," she added.

"Why not?"

"Stopping off somewhere for a drink? Oh, yeah, that would have gone over real well. Coming home with liquor on my breath."

Hunter turned so he could face her. Abby noticed he didn't have a problem tucking a leg beneath his body. "Let me guess, Warren had a double standard when it came to drinking."

"Warren had a double standard when it came to lots of things. Drinking, outside friends. Money. Took me almost a year of overstocking the pantry so he wouldn't notice when I began skimming off the grocery money."

It wasn't until she said it that she realized how much her simple comment revealed.

Hunter looked astonished. "I had no idea," he said.

"Hey, we do what we have to do." She waved a hand dismissively. To think about all she'd had to do to escape only reinforced how bad she'd let the situation become.

"But to plan for a year for walking away..."

"I wanted to be prepared. Coming to New York with Warren was a hasty decision, and look how good that turned out. Figured this time I'd 'repent in leisure,' as they say." Plus, if she were to be completely honest, it had taken her a while to work up the nerve, as well.

"Somehow I don't think leaving an abusive boyfriend is quite what the phrase means," Hunter noted.

She shrugged. "Repent, regret—same thing."

The quirk of his brow said otherwise. Fortunately, the waitress arrived then, cutting short any comment, and he turned his attention to ordering.

"Do you mind?" he asked, indicating the menu.

"Be my guest." It was, she realized, the second time he'd taken charge like this. Part of her considered balking at the high-handedness. She was, after all, perfectly capable of reading a wine list. However, as in the Indian restaurant, Hunter clearly knew more about the contents than she. Besides, he asked, whereas Warren would have taken over without a word.

"Impressive," she remarked once the waitress departed with their order. Although not surprising, considering his background. A family who could afford a private chef no doubt held food—and drink—in high esteem. "Did you learn about wine from your father or the infamous Reynaldo?"

"Neither. I learned from a bed-and-breakfast owner in Napa Valley. I was photographing a wine festival, and she offered to help me with my research."

"She. So, we're back to the little black book then."

"What makes you think she's in my book?"

"Is she?"

His smile said yes; Abby decided she didn't like the woman.

"Reynaldo was a lousy cook," Hunter said a beat later. He'd gone back to fiddling with his camera, twisting and popping off the lens cap, then putting it back on again. "Used to burn the macaroni and cheese."

"Doesn't sound like much of a private chef."

"That's because he wasn't a chef. I'm not even sure he had proper training. But then—" he gave Abby a strange smile "—my mother didn't hire him for his cooking."

"I don't understand…" Abby dragged out the sentence. Surely Hunter wasn't suggesting what she thought he was suggesting? Didn't he say his mother had been sick?

"He made her laugh," Hunter replied, and Abby gave a silent sigh of relief. For whatever reason, she didn't like the idea of Hunter's mother having an affair with the help while her son ate alone. "He'd flirt and say these outrageous things to her, like calling her 'Senora Seximama.' Stupid, I know, but she giggled every time."

His eye roll had a wistful affection to it. "I think that's what I remember most. Her laugh.

"Anyway," he continued, "I think she hired Reynaldo more for comic relief than the food."

"Your father didn't mind?"

"My father laughed with her. The two of them laughed together a lot before…"

Suddenly interested in the lens cap again, he let the sentence trail off. Finishing wasn't necessary. Abby heard enough sadness in the words Hunter did say. It was a different despair than when he'd told her about Somalia. It was a deeper sadness. A lonely sadness. Coupled with a resignation that came from carrying the burden around for a long time.

Abby hated to think she understood, but she did. Not losing a parent—the parent would have to stick around for you to lose them. But the deep-seated feeling of loss in general—that she understood too well.

She wanted to reach out and squeeze his hand, but the moment shifted before she had the chance. Their server arrived, discreetly setting their drinks on the table.

Hunter handed Abby a glass. "You know, you never said where you lived before moving to New York."

Changing the subject. Abby could understand that, as well. "Schenectady," she answered.

"Ever think of going back?"

"What for? My parents?" She shook her head. "Maybe, if it was only my mother, but as long as my stepfather is around, no way. I'd rather live on the streets." Nearly damn near did.

"A bad guy, is he?"

"Remember when I told you my mother and I both had bad taste in men?"

Hunter nodded.

"Mine's the better of the two. At least I can blame being too young to know better. Mom? I don't know what her reason, other than she didn't learn her lesson the first time." Abby plucked at the piping on the sofa arm. Who knew what drove her mother to cling to the jerk? Fear of being alone? "He was the reason I ran off with Warren after graduation."

"Did he—"

"Oh, no!" She shook her head. Aaron was a bully, but he wasn't a monster, thank goodness. "You know that phrase 'spare the rod'? He was a big believer. Particularly when I messed up, or mouthed off." Or caught his eye on a bad day. "Lucky for me, I got used to his moods. A good skill to have. Came in pretty handy during the Warren years."

"Not every man requires you to spend your time walking on eggshells, Abby."

She knew he'd say something like that. "So the counselors tell me."

"They're right."

"Maybe." Whether they were or not didn't matter; she didn't plan to test their theory by becoming emotionally involved again.

She sipped her wine. The dark red liquid was rich and dry. "Listen to us, will you? Last night I said we didn't have to go tit for tat, but here we are, swapping sad stories. First Reynaldo, then my stepfather."

It took only a swallow for the wine to seep into her veins, melting away a chill she didn't know she had. "I don't know about you, but I'm tired of being depressing. It's too beautiful a day. I'd much rather exchange happy stories."

"Such as?"

"Such as is there anywhere in the world you'd like to visit but haven't yet?"

"Schenectady."

She nudged his ankle with her toe. "Seriously. Where would you go?"

"Good question." Abby took another sip while he appeared to give the question real thought—a first for any man in her life. "I've never been to Antarctica," he said.

Not the answer she would have guessed. "You want to go to the South Pole?"

"Why not? In one of my father's photography books I remember seeing photos of Shackleton's ship, the *Endurance*. He ran aground there in the early twentieth century. The contrast of the white icebergs against the gray sky was so bleak, yet powerful. I'd love to do a modern black-and-white study."

"I have to admit, taking photographs of icebergs would not be my idea of a dream trip." Although she'd gladly listen to him talk about the project if it meant watching his face brighten. Whenever he spoke about his craft, he grew animated. The enthusiasm brought out the blue in his eyes, reminding Abby of dark water. She liked the color on him. She liked the brightness.

Maybe it was the wine, but she suddenly felt warm in a whole bunch of places deep inside her.

Hunter, meanwhile, had shifted in his seat so he was leaning closer. "All right, smarty-pants, where would you go?"

"Europe," she replied. She didn't need to think twice.

"Anywhere in particular? Or just Europe as a whole?"

"I've always wanted to go to Paris."

"Maybe someday you will."

Sure. She was still earning the down payment for an apartment. "Today I'll settle for having seen a little more of New York. Six years here, and I feel like I haven't seen anything." Hadn't lived much, either.

Someone had turned on the sound system, adding soft jazz music to the atmosphere. Abby drained her glass and sighed. The heat was beginning to spread through her limbs. She was relaxed and melty-feeling. "Today has been really nice," she told him. "Thank you."

"You're welcome." He was looking at her in that way again. Zeroing in on her as if there was nothing else to focus on. In her new relaxed state, she found herself noticing new details about her employer. Like the way the hair curled about the tops of his ears, and the regal slope of his nose. Long and graceful. Like the way he moved.

She noticed his hands, too. How they were large and capable, yet cradled the base of his goblet with gentleness. She'd watched how those hands treated his camera the same way. The touch never too hard or too soft, but always—always—with assuredness.

Heat changed to an ache. Desire, Abby realized. The feeling curled long and low inside her. With one look he made her feel like more of a woman than Warren had in six years. No way that little black book of Hunter's was anything short of a mile thick. Not with that skill.

He believed in keeping the world at arm's length. No commitment; no false promises. No strings, demands or control.

Last night she'd questioned his rules, thought they were wrong for him, but now the idea of emotional distance sounded just about right.

Just about right indeed.

His lips were dark and shining from the wine. "Something on your mind?" he asked.

"I was thinking about dinner," she replied. "Be a shame for you to fly to the Middle East tomorrow without one last home-cooked meal."

She shifted in her seat, closing the distance to less

than a foot. If Hunter noticed her new proximity, he didn't seem to mind. In fact, he set his goblet down and moved in a hair closer.

"We've been through this," he said. "You don't have to cook me dinner."

He brushed his knuckles along her cheek, causing a thrill to run through her. "I don't expect you to wait on me hand and foot."

If she had any doubts about what she wanted, those magic words blew them away. They, along with his gentle touch, turned her bold. Tomorrow, he would be overseas. Why not give herself tonight?

"Then I won't cook," she said in a soft voice. She couldn't help it; her eyes had to look at his mouth again. "How about I just keep you company instead?"

She kissed him.

At first he did what any man would do. He kissed her back. Hunter opened his mouth and drank her in, savoring her taste and texture. He heard her sigh, and he kissed her even deeper as her fingers twisted in his jacket, pulling their bodies closer together, oblivious to their surroundings. That is, until his foot nudged the table leg.

What the hell was he doing?

This wasn't some woman. This was Abby, who'd spent the afternoon telling him about shattered fairy tales, and who was laden down with baggage. Gripping her shoulders, he reluctantly pulled himself back from the embrace. "I can't…"

"Ohmygod!"

There was no need to finish. Slapping a hand to her mouth, she shot to her feet, embarrassment and confusion turning her eyes black. "How about we pretend that never happened, okay? Turn back the clock, act like we never left the apartment. I mean, never... Never mind. I'm going to leave now."

"Hold on." This was not how he wanted to leave town. With the picture of her looking so wounded stuck in his head. He tossed a few bills on the table and caught up with her by the front entrance.

"It's not that I'm not flattered. It's just that—"

"Don't." She silenced him with both hands. "Please spare me the 'it's not you, it's me' speech. I've had a crappy enough week as it is."

A lousy week because of him. He could kick himself for not stopping her when he'd seen her leaning toward him. He knew exactly what she was thinking, and he hadn't done a thing.

*Because you were thinking the exact same thing. You wanted to kiss her.* God, but did he want to kiss her.

Least he could do was apologize. He moved to lay a hand on her shoulder, but she shrugged off his touch. Arms folded, she stood staring at the street outside, the barriers firmly in place. "We should be heading back to your apartment. I left my pocketbook there.

"Besides," she added in a stiff voice, "I'm sure you have a lot to do before you leave town. Packing. Getting takeout."

Abby shoved open the door. Too bad it didn't have a proper hinge so she could slam it behind her. Block Hunter and the memory of what happened. She knew she'd screwed up the second Hunter's hands had gripped her shoulders. What an idiot. Thinking Hunter, who could have any woman he wanted, would add her to his list.

So much for being amazing. Oh wait, it was her hair Hunter called amazing. What was she, again? Regrettable, apparently. Oh, and baggage laden. She couldn't forget the baggage. After all, Hunter clearly hadn't.

She wished she'd never agreed to take the stupid walk with him. Now she was stuck walking back, too. A couple miles of awkward silence. The only reason she was returning to his apartment was because she needed her pocketbook. Otherwise she'd jump on the nearest subway. Disappearing into a hole sounded awfully good about now.

"I should explain," he said about a half mile in.

Oh no, he was going to apologize again. She'd rather the silence. "You don't have to."

"I want to. You're an attractive woman, Abby, but kissing you...kissing you was a mistake."

"Really? Never would have guessed."

Hunter winced. *Good,* thought Abby. He deserved to feel a little more stupid.

"What I'm trying to say is that I'm... That is, I..." He took a deep breath, presumably to start again. "You deserve better."

"Better than what?"

"Than a guy taking off for the West Bank in a few hours."

"Oh." So that was it. He'd heard her talking about fairy tales and princes this afternoon, and he'd assumed that's what she was looking for. She grabbed his arm.

"No offense, but what makes you think you know what I deserve?" Rejecting her was one thing, but who was he to make assumptions? She was going to set him straight right now. "You better than anyone know that I just got out of the relationship from hell. Did you ever stop to think I might not want more than a few hours?"

"That's not who you are."

Says who? Him? "Excuse me, but you don't know who I am," she snapped. "And you sure as hell don't get to decide whether I'm looking for a fling. Six years having my life dictated is enough, thank you very much."

"Fine. Next time we make out, I'll ask before I stop kissing you. Okay?"

"Thank you." She tried to keep the flutter that erupted at the words *next time* under control.

# CHAPTER SEVEN

"GOT YOUR COFFEE, I see."

It was two weeks later, and Abby and Hunter were having their regular video chat. Originally, when they'd said their uncomfortable goodbyes, Hunter said he would check in "once or twice" to see if she needed anything. Once or twice, it turned out, meant daily. In a way, talking regularly was a good thing. It helped them get over the awkward hump left behind after their kiss.

*You mean after you threw yourself at him.*

It probably also helped that they'd come to some silent, mutual decision to pretend the kiss had never happened. If Abby every once in a while felt a flash of heat when cleaning Hunter's bedroom, or experienced a passing, random memory of how good his lips felt… well, she quickly shoved the thoughts aside. No point dwelling on the embarrassing. Even if it was the best kiss she'd ever experienced.

Despite her resolve, however, there was one nagging thought she couldn't shake: for a brief moment, Hunter had kissed her back. More than kissed. *Kissed.*

Originally, after the disaster in the wine bar, she'd briefly considered quitting. In fact, she'd rehearsed her speech on the trip back from the bar. Nothing else to do, since neither of them were talking to each other. Before she could say a word, however, Hunter had surprised her by shoving his door key in her hand.

"You still want me?" Abby had immediately asked. "I mean, as a housekeeper?"

"I promised you temporary work until you got back on your feet. I see no reason why I shouldn't keep that promise. Do you?"

Actually, Abby could have given several, but in the end, he was leaving town and she needed money, so she stayed quiet.

Which was why she now sat in front of a computer monitor with a coffee mug cradled between her hands, while across the ocean Hunter did the same with a glass of beer.

"Don't know why you're so surprised," she said, when they were finishing up their morning chat. "These calls of yours are the perfect excuse for a coffee break." To illustrate her point, she took a large swallow, while in the back of her mind she wondered if the reason they both brought drinks was to keep their hands occupied while they talked. Empty hands led to fidgeting, and fidgeting would reveal the awkwardness they were both trying to hide.

"Did you get the package I sent you?" she asked, raising the cup to her lips again.

"Waiting downstairs when I checked out."

"Good. I was afraid the protests would delay delivery."

"You needn't have been concerned," Hunter said over his beer. Today's selection was a dark-looking ale. "Protests are several miles away from the hotel."

Maybe so, but Hunter had been in the middle of them. Abby hadn't forgotten his cavalier attitude toward his personal safety. He might not care what happened to himself, but someone should. For now, the task fell to her. She owed him. After all, he did step in to help her. She'd spent the week scanning the internet and news reports to keep abreast of the action.

Which reminded her. "I saw one of your photos online yesterday."

"How'd it look?"

Thinking of it, she shivered. "Violent. Bloody."

On his side of the computer screen, Hunter nodded, and she knew he was remembering which shot. "How's everything else?"

"Good. I bought you a plant to green up your windowsill. For a photographer, you have surprisingly bland walls."

"I meant the job hunt."

"Oh, right, that." She set down her cup, the coffee having turned sour-tasting. "Going."

"Didn't you have an interview this week?"

He would remember. "I did. They hired someone with more experience."

"Happens."

A lot. In fact, it had become a pattern. Every morning she circled want ads and filled out applications, only to hear she either didn't have enough experience or the job had been filled before she got there. The other day, she'd lost out to the woman who showed up fifteen minutes before her.

What bothered Abby most, however, wasn't losing out on the job. It was the fact that none of them appealed to her. Surely her fresh start meant more than waiting tables or answering phones? For crying out loud, she'd gotten more satisfaction from buying Hunter his plant.

That fact might bother her most of all.

"Abby?"

She blinked. "I'm sorry."

"I said my flight gets in at seven-thirty. Could you call the car company and confirm the reservation?"

"Sure. Of course." She scribbled a reminder note, and told herself the flurry of emotions in her chest was embarrassment. "Bet you're looking forward to coming home."

"It's only a quick stopover. I take off again at the end of the week."

"Well, with luck I'll be out of your hair before you leave. I mean—" she glanced up "—luck can change, right?"

There must have been a flicker in the connection, because as she was looking up from her notepad, it appeared as if his expression slipped. However, on second look, his face was the same as always, handsome and impassive. "With luck," he repeated.

His words sounded flat.

They spoke for a few more minutes, mostly about travel arrangements, before Hunter told her he had to sign off. "I won't have a chance to check in tomorrow morning," he told her.

"You'll see me tomorrow night."

"You don't have to stick around. I have no idea how long it will take getting back from the airport."

"That's all right, I don't mind waiting for you." Realizing how her comment might come across, especially after their kiss, she scrambled to add, "You forget, tomorrow's payday. Even temporary employees get paid."

"Yes, they do," he said with, unless she was mistaken, a little bit of relief in his voice. "I'll see you tomorrow night, Abby."

"Hunter?" She caught him as he was reaching to sign off. "Be safe."

He gave a quick nod, and the screen went blank.

Hunter jogged up the stairs to his apartment. He must have slept better on the plane than he thought. Normally international flights left him drained.

Could also be that the drive from the airport took less time than usual. He'd have to thank Abby for double-checking the reservation.

*Abby.* As he rounded the second floor landing, the smile her name brought to his face faded. He'd been thinking about her, or rather their arrangement, a lot this trip. Wondering if he hadn't made a mistake offering her a temporary job. Granted, she appeared to be doing well, but the whole reason he'd made the offer was to ease his guilty conscience, and thus far he wasn't feeling less guilty at all. If anything, he felt worse.

*That's what happens when you slip up and kiss someone you shouldn't.* Problem was he didn't know if he felt guilty for kissing her or because he didn't have nearly the amount of regret he should have over the incident. If he concentrated, he could still taste her when he licked his lips. Her uniquely Abbyish taste.

Damn, he never had scratched that itch. God knew he'd tried to, but with every woman who crossed his path, he found himself comparing her mouth to Abby's or her dark hair to Abby's butterscotch curls. In the end, it was easier to sleep alone.

The apartment was dark and empty when he let himself in. "Abby?" He got a sinking sensation when he realized the apartment was empty. She'd said she'd be waiting for him.

Guess she got a better offer. *Did you ever stop to think I might not want more than a few hours?*

Unacceptable, he thought as he looked around the empty space. Completely unacceptable. Temporary hire or not, if she was going to change plans, she needed to let him know. A call, a note. Something. Grabbing his cell phone, he punched out the phone number she'd given him. *There'd better be a good explanation.* What if he'd counted on her being here for business or…or some housekeeping emergency?

Abby answered on the fourth ring. "Hunter! You're back in New York!"

He ignored the rush he felt at her enthusiastic greeting. "Funny thing," he said in return. "My apartment's empty."

"Yeah, I know. I meant to be there when you got in, but something came up."

Something or someone? His jaw remained as stiff as his spine. "An emergency?"

"Sort of. I'm…" There was a pause, followed by the sound of muffled voices. Wherever she was, she wasn't alone.

"Abby? Where are you?" Hunter squeezed the phone as he waited for a response.

"I'm at the police station."

Hunter found Abby sitting on a bench in the precinct corridor. As soon as he saw her, the nausea that had been churning in his stomach since her phone call eased.

He called her name and she looked up with big brown eyes.

He rushed over to her. "What happened? Are you—" He looked her up and down for signs she'd been roughed up. Her hair hung in her face. He reached out to brush the strands aside.

"I'm fine," she said, backing away. It was a lie. There was a palm-size red mark on her cheek. His blood began to boil.

"Warren showed up where I live," she told him.

"I thought you made sure he didn't know where you lived?" Hunter didn't even know.

"I did. Apparently he went to the diner looking for me, and Guy suggested he check across the street."

The miserable old— Hunter was going to wring his scrawny neck.

"Anyway…" She sat back down. He noticed she'd gone back to wearing her baggy cardigan, which she now pulled tight. "Anyway, he must have seen me coming out of your building, and followed me home. He cornered me by the subway stop this morning and wanted me to get in his car and go somewhere to talk. I managed to get away and head back to the house. We've been tied up with police stuff ever since."

"We?"

"My friend Carmella. She came with me. She's in the ladies' room freshening up. Been a long day, to say the least." Heaving a sigh, Abby swiped the hair from her face, the very hair Hunter had reached for earlier. When she looked at him again, he saw that her eyes were overly bright and shining. "I'm sorry I wasn't at the apartment like I promised," she said.

"Not a big deal. Obviously you had a reason." Looking back, he felt like a heel for overreacting the way he had. Especially now that he had a clear view of the mark marring her cheek.

"Does it hurt?" He tried to look closer, but she quickly shook her head, bringing the hair back into her face. "I meant to leave a message letting you know what happened, but then we got tied up with statements and filling out forms."

"It's all right."

"I said I'd cook dinner, too. You're probably starved. As soon as we're done—"

"Abby, I said it's all right." The words came out sharper than he meant them to.

She pulled her sweater even tighter. "It won't happen again."

"I'm sure it won't." Although he appreciated the promise, her comeback sounded wrong. It lacked her usual sharpness.

The flight was catching up with him. Stifling a yawn, he sat down on the bench next to her, only to have her scoot a foot in the opposite direction. About ten inches more than she needed to. That's when he finally caught the fearful look in her eyes.

"Hey." Making sure his voice was as soft and gentle as possible, he shifted so he could look her in the eye. "You know I'm not Warren, right?"

"Of course," she replied. There was too much defensiveness in her voice, however, to sound very convincing.

Dammit, now he really hated himself for sounding so harsh on the phone. Must have scared the daylights out her. Worse, he had absolutely no good explanation for why he'd gotten so upset.

None of that mattered at the moment, however. He needed to reassure Abby.

Poor thing looked worn-out. With the exception of Warren's ugly reminder, her skin had turned pale as powder. The mouth that he'd found amazingly kissable only two weeks before was a colorless line. He wished he could run his thumb across the surface and bring the color back.

"Are you sure?" He wanted to be absolutely certain she understood that he was nothing like her ex-boyfriend. It had suddenly become very important she know that. "Are you really sure? Because while I might lose my temper, I would never hurt you. You know that, right?"

Giving in to the impulse to touch her, he covered her hand with his, relaxing when she didn't flinch and pull away. "I believe you," she said with a sad smile.

Relief spread through Hunter's chest.

He coughed to clear the sudden tightness. "So is Warren under arrest?"

"They're going to talk to the prosecutor."

"Which is a total joke," a strange voice boomed. A short African-American woman, whose build definitely didn't fit her voice, walked toward them. Carmella, he presumed.

"It's up to the lawyers to decide if there's enough evidence to do anything."

"Problem is I don't have any evidence or witnesses," Abby said.

"What do they call that mark on your cheek? Chopped liver?"

Hunter agreed. "Don't forget, you had a restraining order. You told me he skipped the hearing last week. Doesn't that mean the order is still in effect?"

Both Abby and Carmella looked at him with jaded expressions. "Again," Carmella said, "no witnesses. He can lie through his teeth."

"Probably will, too. God, I feel so stupid." Abby buried her face in her hands. "I actually thought that once I left, he'd forget about me."

"It's not your fault the guy's a jerk," Carmella said.

"So people keep telling me. I'm just tired of the whole thing."

It killed Hunter to hear the defeat in Abby's voice. This wasn't the woman whose photo he'd taken outside the diner.

"Problem is," Carmella said, "you're exhausted. A good night's sleep and everything will seem brighter."

"Hope your right," Abby said with a sigh. "Lord knows, I am beat." She looked to him. "We may be stuck here for a while."

In other words, she was offering him an out to go back to the apartment. His reluctance to leave her outweighed any exhaustion he was feeling. "I already came across town to get here. Might as well wait till you're finished."

A hint of a smile curled her lips, the first positive sign he'd seen since arriving. Though only a small thing, seeing it made him happy. "You said that last time, when we spent the day at the courthouse."

"What can I say? I like hanging in municipal buildings with you," he told her. "Why don't you and your friend find out what's happening? I'll call a car and catch up with you."

"Seriously, Hunter, there's no need for you to—"

He held up a finger to stop the protest. "I need a ride home, anyway. Might as well travel in style. Now go."

"That's the photographer, huh?" Carmella asked as they walked back to the squad room.

"That's him."

"I can see why you took the job. Guy looks like a movie star."

"I took the job because I need the money," Abby

replied. "Besides, the job's only temporary. He threw me a bone because he felt guilty over getting me fired from the diner."

"And did his guilt or the bone make him come all the way over here?"

"I'm not in the mood." Abby wasn't really upset. Her friend was only trying to lighten the mood.

She still couldn't believe Warren showing up the way he had. He'd been as unreasonable as ever, spewing angry comments about her and Hunter. *You really think a guy like that is going to let you stick around? You're just a bed warmer.* Had she not been focused on getting away, she might have told Warren his rantings were not just irrational, but completely impossible.

"You didn't answer my question," Carmella pointed out.

Abby wasn't sure she had an answer. Why had Hunter ridden all the way across town? To check on her? There were men who did things like that simply because they were decent people. Hadn't Hunter said his Southerner mother had taught him manners?

"I assume he came because he was worried. He knows what Warren's capable of, so when I told him I was at the police station, he got concerned."

"Uh-huh. My boss wouldn't drive across town to check up on me."

Her implication was obvious. In spite of everything that had happened, Abby had to roll her eyes in amusement. "For crying out loud, I'm at the station house filing charges against my ex-boyfriend. What on earth made you think I'm even interested in Hunter Smith?"

"I don't know. Maybe because he's hot and rich?"

*And off-limits,* Abby added silently. Which was a good thing. Not that she was interested in men at the moment—one look at her surroundings was confirmation enough of that point—but if she were to someday return to the dating scene, it wouldn't be with a man as overwhelming as Hunter. In retrospect, it was a good thing that he turned her down. If the way her insides leapt at the sight of him was any indication, a fling would have been a bad idea.

"Unfortunately, since it's your word against his, there's not a lot we can do," the officer told her.

"In other words, her ex can just do anything he wants." Carmella shook her head.

"He can't do anything," the officer replied. "If we catch him breaking the order, we can arrest him. But without firm evidence…"

"There's nothing you can do," Abby finished for him. This was great. When was she going to catch a break?

"Isn't there anything more you can do?"

Abby started at the sound of Hunter's voice. She hadn't heard him join them. Turning around, she saw him hovering over her like a big protective bird. Too bad he wasn't really an action hero.

"We're doing everything we can," the officer replied. He seemed to sit up straighter before addressing Hunter's concern. "We've reminded Mr. Pelligini what will happen if he steps out of line. And we'll have a patrol car keep an eye on McKenzie House. That way, if he shows up again, we can act immediately."

Abby nodded. Wasn't much, but it was something. "Thanks."

"Wish we could do more, ma'am."

Yeah, she did, too.

"I can't believe this," Carmella said when they left

the squad room. "We spend all day here and the best they can do is to keep an eye on the house?"

No sense pointing out the fact that both she and Carmella had predicted the outcome. "There's only so much they can do, without proof. Maybe we'll get lucky and Warren will do something stupid."

Carmella scoffed. "What are you supposed to do in the meantime? Lock yourself in the house?"

"I could always stay at a hotel." So much for her apartment nest egg. Still, she'd certainly sleep better in a new location. "Maybe the desk officer can recommend a place that's not too expensive."

"You're not staying at a hotel."

Again, Hunter's voice startled her. Up to that moment, he'd been unusually quiet. Regretting ever meeting her, Abby assumed. Lord knew, she would. "Where would I stay, then? Because I truly don't want to sleep at home tonight."

His expression was as unreadable as ever when he looked over at her. Didn't matter, because his words caused her heart to skitter. "My place," he said. "You'll come stay with me."

# CHAPTER EIGHT

"No way." Abby shook her head.

"Why not?" Hunter looked at her as if she had two heads. "It's the perfect solution. I have a second bedroom. State-of-the-art security. You would be going back and forth to my place for work, anyway. This way you won't have to worry about running into Warren while you're commuting."

"Makes a lot a sense to me," Carmella said.

Perfect sense. But Abby's gut said it was a horrible idea. "The whole reason Warren flipped out was because he saw me at your place," she told Hunter. "What's he going to do if he finds out I'm sleeping there? He'll go even crazier."

"I hate to break it to you, sweetheart, but Warren's going to think what he thinks no matter what you do."

True enough. When they were going out, Warren had constantly accused her of conspiracies, from shrinking his clothes to purposely forgetting his favorite foods to "hurt" him. If he thought she was involved with Hunter, nothing would change his mind. But to sleep in the same apartment as Hunter? His essence was all over that place. Surely that wouldn't help ease her rest. It definitely wouldn't help her attraction.

Just thinking about the arrangement sent her pulse into overdrive.

"I'll be fine at McKenzie House," she told them both. "There are plenty of people around. The police will be patrolling—"

Hunter cut her off. "This isn't up for debate, Abby."

*What?* Of course it was up for debate. She was the victim, for crying out loud. Who did he think he was? She looked to Carmella for support. Her friend merely shrugged. "Sorry, I think he's right."

Unbelievable. She was being bullied into where she should hide from a bully.

An hour later, still angry at being forced into the arrangement, Abby headed downstairs. Her plan was to make one last argument. Instead, she got to the third step from the bottom and found Hunter sprawled across his living room sofa, his long frame illuminated by the computer screen. While she'd been upstairs fuming, he'd changed into a pair of track pants and an unzipped sweatshirt. She paused, struck by how different he looked in the moment. Stripped of his action-hero uniform, with his hair mussed and his attention stolen, the vulnerability he normally kept barricaded seeped out. This was a softer, gentler Hunter. His lips were parted in concentration.

Noticing how his eyes picked up the gleam of the computer screen, she wondered, if she were closer, would she see the computer image reflected in their blue-gray depths? This was a different Hunter. The one he showed only glimpses of. Her heart jumped to her throat, killing her irritation. This was why she'd argued against staying. How could she fight an attraction when she saw Hunter unguarded? Given what she'd been through today, she shouldn't be feeling any attraction at all toward anyone. Yet here she was, mesmerized by the man. Clearly, her self-destructive tendencies were alive and well.

She must have sighed or made some other noise because he looked up. "You're awake."

"So are you," she countered.

"Couldn't sleep, so I decided to answer a few emails. Thought you'd collapse the minute you went upstairs. It's not every day you get attacked by an ex-boyfriend."

"Just every three or four."

Surprisingly, the sarcasm earned a smile. "Nice to know you're back on form. Have you settled in?"

"Pretty much. It's not like I had a lot to unpack."

"You could have brought more."

"Didn't have much to begin with." She came down the rest of the stairs, joining him in the living space. He'd sat up while speaking, his sweatshirt falling open to reveal his bare chest. "There's coffee if you want some."

Abby had to smile. "Someone finally used his coffeemaker."

"What can I say? Someone stocked my pantry with coffee."

Padding to the kitchen area, she poured herself a cup, while Hunter sat up and cleared room for her to sit. It felt strange being in his house this late at night. She wondered how he felt about his space being invaded, he who spent so much of his time alone.

"Thank you letting me stay."

"Wasn't about to let you go home and risk getting beat up," he replied.

"A hotel would have worked just as well."

"Right. I would have felt real good about dropping you off somewhere in your price range."

Abby joined him on the sofa. "I wouldn't have minded."

"I know. Sadly." He picked up his coffee cup, started to drink, then set it back down again. "This isn't a punishment, Abby. Even your friend thought staying here was a good idea."

Because her *friend* was as bad as Warren when it came to thinking something was going on between the two of them. Hunter was right, though. Most people would be thrilled by his generosity. "I'm sorry. I don't mean to sound ungrateful. I was being a brat."

"I wish you'd stop apologizing."

"Sorry for that, too." Before he could open his mouth to lecture, she grinned to let him know she was joking. He mock-glared back.

"Why did you argue the point?" he asked.

"I think you know."

"My kissing you."

Hearing him say the words aloud brought the memory shooting to the surface. Remembering brought a sigh to her lips, and she had to bite down to keep the sound from escaping. "I kissed you, if I recall."

"We kissed each other, and I also recall us settling things."

Oh yes, they'd settled things. To a point. "I was afraid it might be...awkward."

Hunter studied the contents of his coffee cup. "We've been talking over the internet for the past two weeks. Are you saying you're still thinking about what happened?"

"No," she quickly assured him. "What I meant was we haven't seen each other in person since that happened. It's one thing to communicate by computer, but when you're in the same room..."

"My personality hasn't changed, Abby, if that's what you're wondering."

"Never would have guessed."

Setting deeper into the corner, Abby sipped her coffee and thought about how intertwined hers and Hunter's lives had become the past few weeks. The level to which he had ended up involved. A lot for a guy who preferred to be on the sidelines capturing the action. She could only imagine his regret. "I bet you're sorry you ever sat in my section of the diner, aren't you?"

"Why do you say that?"

Wasn't it obvious? "I've been nothing but trouble from the start. Since meeting me you've been kicked out of your favorite breakfast place, hired a house-keeper you didn't want, been arrested for assault—"

"My lawyer assures me the charges will go away," he interrupted.

Still, he faced the hassle of fighting the charges in the first place. "And now you're stuck with a roommate on your first night back from overseas."

For a moment, Hunter didn't reply. Then he slid a little closer. "My apartment needed cleaning," he said. The simple response made her vision blur.

"I'm sorry for messing up your life," she said, blinking.

"You don't have to apologize."

"Maybe I want to." Over the years, she'd given so many apologies simply to avoid conflict. It felt good to give one on her terms.

To her relief, he understood. At least that's how she chose to interpret his nod. "Apology accepted then."

She suddenly had to blink again.

Silence settled between them. Tucking herself in the

corner of the sofa, Abby sipped her coffee and tried not to think about how intimate the setting felt. The computer screen cast no more light than a candle, and with Hunter only a foot away, she became acutely aware of his presence. Every breath, every rasp of cotton against his skin, every gap in his open sweatshirt. Especially every gap in his sweatshirt. Despite the shadows, she could see every contour of his sculpted torso. He must have taken a shower, for with each breath, his skin gave off the faintest aroma of soap. The scent mingled with Italian roast to create a unique aftershave that instantly reminded her of how it felt to be wrapped in his arms.

Interestingly, it wasn't the kiss that popped to her mind, but the other embrace. When he'd held her during her meltdown, surrounding her with calm and security.

Next to her, she felt Hunter shift his weight. He was facing her. "I was thinking. About you being my housekeeper. There's no need for you to keep looking for work."

Abby had to pause to make sure she'd heard right. "I thought you said the arrangement could only be temporary."

"Those were the terms you offered me. You're a lousy negotiator."

He was offering her a full-time job. "Why?"

"I just told you why. I need my house clean."

He'd needed his house clean before he'd gone away, and had seemed in no hurry to have a full-time employee. She could think of only one reason for this new offer. "Your change of heart wouldn't have anything to do with Warren's reappearance today, would it?"

"What if it did?"

"At least you're honest."

"Look…" He slid across the leather until they were

knee to knee. "Does it matter why I'm offering? You're not having luck finding another job, anyway, so why not? It'll help you get back on your feet that much faster."

True on all counts. Problem was, it did matter. She didn't want Hunter to see her as some charity case who needed help; he'd seen her that way enough. She wanted him to see her as...

As what? A woman? The notion stirred awareness deep inside her.

And if he looked at her that way? What then? She hung her head. Stress and exhaustion had her thinking in circles. Hunter was right about one thing: she wasn't having any luck finding other work. Only a stubborn fool would reject his offer.

"A job and a night in a luxury apartment. A girl could do a lot worse."

"You're welcome. Glad to see you've stopped being stubborn."

Stubborn. That's what Warren called her when she didn't do what he wanted.

At the thought of Warren, Abby felt the day finally catch up with her, and exhaustion pressed hard on her shoulders. She needed to turn in before she did or said something foolish.

"Good night, Abby," Hunter said when she stood up.

She offered him a smile. "Thanks again. For everything."

"You're welcome. Again. Oh, and, Abby?" His fingers caught hers. "Just so you know, the room is yours for as long as you need."

Her heart leaped to her throat again, killing her ability to speak. Too bad she couldn't say the same for the voice in her head telling her she'd just made a very bad decision.

* * *

Hunter watched until Abby's stocking feet disappeared up the stairs. What was he thinking? He barely stayed in the apartment. He didn't need a housekeeper, certainly not one full-time. And living here to boot. Granted, the living arrangement was temporary. But then again, that was how the job had started.

He ran a hand over his face. What the hell had happened?

His coffee was long cold. No matter. He drank the liquid anyway. By all rights he should be dead to the world in a bed, like Abby, but he couldn't shake the image of her sitting on the police bench, her color drained away, and worrying he was mad at her. *You're probably sorry you ever met me.* He hated hearing her say things like that. He hated that ex-boyfriend of hers for dredging up her insecurities. Couldn't stand the idea Abby thought so little of herself. She was better than that.

Would you listen to him? Hunter slammed down his coffee cup. He sounded so protective. Hell, he was *acting* protective. The woman was sleeping in his spare bedroom, for crying out loud! When had Abby gone from being some waitress he saw being hassled, to sleeping upstairs, with him downstairs worrying about her? So much so he'd offered her a job and told her she could stay as long as she liked? When did he start *caring?* He wasn't supposed to care.

The only thing compassion did was cause you to get burned. He turned off his laptop, plunging the area into darkness. Sitting back, he closed his eyes and waited for his emotional wall to rebuild itself. The wall that since childhood had kept him whole, shielding him from loneliness, betrayal, desertion. Brick by brick, he would build an invisible fortress until the outside world stopped affecting him.

Only this time, the walls refused to rise. At some point between landing at the airport and now, his insides had shifted. There was a breach in the protection buffeting his soul. Because when he closed his eyes, the only thing his mind could see was Abby.

Abby tiptoed down the stairs, trying to be as quiet as possible in case Hunter was still asleep. He wasn't. Just her luck, she found him awake and propped against the kitchen counter eating a toasted frozen waffle slathered with peanut butter. He smiled when he saw her, an unusually shy smile that he managed to make look sexy, and raked his free hand through his curls. "Morning, Sleeping Beauty."

Talk about your misnomers. It was her turn to rake a hand through the mess on top of her head. Most women were cursed with either limp bangs or unruly curls. She'd gotten both, meaning bed head was not her friend. "I didn't mean to sleep so late." Unfortunately, her thoughts had kept her awake long after she should have slipped unconscious. "If you give me five minutes, I'll make you breakfast."

"Already made." He licked a dab of peanut butter from his lower lip. Abby tried not to focus on the sheen his tongue left behind. She'd thought the one good thing to come out of her tossing and turning was that she'd woken up determined to keep her fantasies in check. Instead, rather than improve, the awkwardness felt as if it increased tenfold. Seeing Hunter in his sweatshirt only reminded her of last night's eerily intimate conversation in the dark.

"See you're becoming a regular barista, too," she said, noting the full pot of coffee.

"Had no choice. My housekeeper slept in."

"Relax," he added when she began to protest. "It was a joke. Should I bother asking if the bed was comfortable?"

"A lot better than the thing the shelter calls a bed, that's for sure." Realizing what she'd said, Abby winced. Up to now, Hunter hadn't commented on her living arrangements. A fact she had hoped meant he didn't know.

He was in the middle of pouring her coffee. "Did you say 'shelter'?"

So much for hoping. Abby nodded. "McKenzie House. It's part of a network of houses around the city for battered women." She waited for the inevitable reaction.

"Damn!" Hunter swore with disbelief. "Why didn't you say anything?"

For what? So he could look at her with greater pity in his eyes? "Do you drop where you live into everyday conversation?"

"No."

"Neither do I."

"But a shelter?"

"McKenzie House isn't a homeless shelter. Not really. It's more like a halfway house where women can stay while getting back on their feet.

"Look," she said, leaning against the counter. "I'm not ashamed of where I live." Her only shame was in letting her life become such a mess in the first place.

Hunter held out her coffee. "Fair enough. Although I'd like to point out you no longer live at McKenzie House, either."

"This arrangement is temporary. Soon as Warren backs off, I'll go back."

"We'll see."

What was that supposed to mean? She'd opened her mouth to ask when Hunter turned on his heel. "Before I forget."

His messenger bag lay on the dining room table. Striding over to it, he reached in and retrieved what looked like a yellow plastic shopping bag. "Here." He thrust the sack in his direction.

"For me?"

She pulled out a gold-and-coral-colored scarf. *He'd bought her a present?* "It's beautiful."

"I was shooting near the marketplace, and one of the vendors had a bunch of them. I figured I should buy something."

Tiny embroidered flowers danced across the linen material. Abby ran her fingers over the raised metallic thread. She couldn't remember a gift that didn't come with an apology.

Or an expectation. Her stomach twisted. Hunter's kindness. Would there be a price tag attached to that, as well? Did she want one?

Her thoughts must have played out on her face, because suddenly there was Hunter, closer than he should be, catching her chin with his fingers. Forcing her face upward, he met her gaze with a gentle seriousness. "It's only a scarf."

He was halfway upstairs before Abby found her ability to speak—too late for him to hear her whispered thank-you. She could kick herself for jumping to such a wrong conclusion. Then again, she was still seeing the world through her Warren-skewed lens. Goes to show, old habits die hard.

And old baggage never quite went away.

* * *

"I can't believe you don't have a single picture."

Hunter looked up from the shot he was editing. "I beg your pardon?"

"On your walls," Abby replied. "I can't believe they're bare. You're a photographer, for goodness' sake."

"Which means I'm required to hang photographs?" He was teasing her. She'd been muttering about photos and artwork for the past twenty minutes. so he knew exactly what she meant. He just enjoyed seeing her gear up for a discussion.

They'd been living together for three days. That is, Abby had been his live-in housekeeper for three days. With each tick of the calendar, she seemed to get more comfortable.

Personally, Hunter wasn't sure how he felt. Having spent the better part of his life alone, he was used to silence and solitude. Abby brought chatter and activity to his otherwise quiet workday, knocking him from his rhythm and interrupting his concentration.

On the other hand, she brought chatter and activity to his otherwise quiet workday. Suddenly he had noises in his kitchen, and conversation over dinner and...

And midday debates about whether his walls were too bare.

"You are planning to stay here while I'm in Libya, aren't you?" he asked. It was a question that had been bothering him since their arrangement began. There'd been no sign of Warren since she moved in, a fact that he knew hadn't escaped her notice.

"I was thinking about it, and decided I should go back to McKenzie House." A ridiculously small plant sat on the windowsill. She picked up the pot and carried it to the kitchen sink. "Why? Does that bother you?"

Did it? "Yes."

"Why? You won't be here. Besides, if I don't go back, they'll give away my spot."

"And would that be such a bad idea?" he asked her. "Is staying here so awful?"

"No. Of course not." A shadow crossed her face. She was holding part of her answer back. He wondered what. "Why do you care so much?"

Truthfully? He didn't know why he found her insistence on keeping one foot at the shelter bothersome. It shouldn't matter to him at all, or so his brain would tell him. It was his insides—his gut, his chest—that seemed to cramp up at the idea. All he knew was that when she talked of leaving, his nonthinking parts told him it was a bad idea.

"I think you should stay. You've got a bedroom. Going back only takes a bed away from someone else."

"I…" Clearly, she hadn't thought of that point. Mentioning it might have been underhanded if it weren't also true. If there was one thing Hunter had learned about Abby this week, it was that she believed strongly in McKenzie House's mission, and the people it helped.

He could tell the moment she acquiesced by the nervous darkness underscoring her expression. "Cheer up," he told her, trying not to be annoyed. "I'll be gone. You'll have a whole week to hang photos."

Surprise replaced the darkness. Her eyes grew wide. "While you're out of town?"

"Sure," he replied with a wave of his hand. "Hang away." If it would make her face light up like that, he'd let her knock down walls. "What's wrong?"

Only one reason could dim her enthusiasm. Warren.

"He had to approve everything," she said when Hunter joined her by the counter. "The food we ate, the shows we watched. I never would have been able to decorate."

"Abby—"

"You're not Warren. Don't worry, that lesson's been hammered home."

Soft fingers touched his cheek. Hunter felt their contact all the way to his toes. It was like velvet against sandpaper.

"Thank you," she said.

"For what?" He was distracted by the hand warming his skin. "Letting you hang pictures?"

"For trusting me. For not assuming I'll mess it up."

Never had someone's words hit him so hard. They gave birth to a sensation like nothing Hunter had ever felt before. A primal sensation that rose from somewhere deep inside him, filling his chest and fueling his protectiveness.

Just like that afternoon at the castle, everything disappeared from view but Abby's face. He felt as if he was falling, and grabbed the edge of the counter to stay balanced. His eyes dropped to her mouth. He wanted to kiss her again. But having pushed her away, he couldn't. Kissing her now would only confuse them both, and make him no better than her miserable, selfish ex.

"If you want to hang pictures, come with me," he told her. "And bring a sweater. You're going to need it."

"Where are we going?"

"I'm going to show you something no other person has ever seen." With a small smile, he presented his offering. "My archives."

# CHAPTER NINE

PULLING HER CARDIGAN tightly around her middle, Abby unlocked the door to Hunter's archives. He'd built the climate-controlled room in the basement of the building. The smell of cool, dead air drifted out the darkened doorway. As she flicked on the overhead light, bathing the space in fluorescent white light, Abby yet again marveled at the row of boxes organized by date and location. Alberta, Arcadia, Athens. People and events from around the world.

"You did this?" she'd asked the first time she saw the meticulous organization. "Impossible."

"What makes you say that?"

"You forget I clean your living room. This is way too orderly."

Hunter had pretended to be hurt. "I happened to have spent days creating this room." When she'd responded with a sidelong look, he'd shrugged. "Supervisorally speaking."

He'd given her a tour, pointing out certain countries and projects he remembered fondly. "If you can't find a photograph or two in here to hang on my walls, you're in trouble. We're talking a lifetime of pictures."

"A lifetime, huh?" She'd pulled a box off a shelf at

random. "Did you always know?" she asked. "What you wanted to be?"

He'd shrugged again, a more serious gesture than the first one. "I'm not sure. I think part of me did. God knows, I drove the Pomeranian crazy." Abby had smiled at the image.

"Mostly, though, I wanted to be like my dad. Then, what kid doesn't?"

"Me. My stepfather was a landscaper. I can safely say I never wanted to mow lawns."

"Point taken. *I* wanted to be my father, though. I guess I thought…"

Hunter had drifted off before finishing, both his voice and his presence. It had taken Abby touching his arm to bring him back. "You guessed what?"

"It would give us something in common. After my mom died, photography was the one thing we could talk about. Then, when I got older, he started taking me on his expeditions during the summer." There'd been a wistful note to Hunter's words when he said them.

"Father-son photo trips," she'd remarked.

"More like father-photo-son-set-up-lights trips. I worked on the crew, remember?"

"Must have been fun."

"I definitely learned a lot from watching him, that's for sure."

Twice he'd said he learned from watching his father. What about being with him? She had yet to hear Hunter say anything about sharing their passion. "He didn't teach you directly?"

She recalled Hunter fiddling with the metal label holder on one of the boxes, running his index finger around the corners. "My father," he'd told her in a voice quieter than she'd ever heard him use before, "taught me that in order to take great photos, you couldn't have distractions. That the best photos froze time at the exact right moment. He was famous for waiting for days to find that right moment."

"It's all about the shot," Abby had murmured, parroting the words he'd said to her.

Hunter's eyes became gray mist. "He did take some amazing shots."

But what about his son? Abby wondered. What did he do while his father focused on the all-important picture?

"You were lucky." Sensing a sadness about to descend on his shoulders, she'd decided to change the subject. "You had a passion. Only passion I had was wishing I lived somewhere else."

"Like Cinderella's castle?"

He'd remembered. "You saw how well that worked out," she'd pointed out. Looking back, the memory seemed childish and foolish. "Maybe if I'd had someone to warn me, life might have turned out differently."

"But then you might not have ended up here," Hunter had replied.

Somehow the matter-of-fact words still managed to make her breath catch. "No," she'd replied. "I wouldn't have."

They'd smiled at each other like a pair of shy children.

Back in the present, Abby ran her fingers across the perfectly aligned boxes. It had been a compliment, Hunter showing her this room. She didn't want to think about the significance of his compliment. Staying with him the past week already had her on edge. Adding speculation would drive her mad.

Funny, she'd thought the days of feeling on eggshells

were over the day she'd left Warren, but no. Here she was, still unsteady and living on constant alert. At least this time it wasn't fear of an outburst keeping her on edge. Rather it was a fear of her own weaknesses. She worried she might misread a smile or a gesture, and tumble deeper into attraction than she already was.

Take the other day. Right before Hunter mentioned his archive room, he had been staring at her with an intensity that made her heart race. The pupils in his eyes had darkened until only a thin sliver of silver showed around the black. Coupled with the way his expression intensified, she'd been certain he was about to kiss her. Instead, he'd invited her down here.

Leaving her back on edge.

She found the box by accident. It had been pushed to the back of the uppermost shelf. If she hadn't been moving a pair of photo containers, she might have missed it.

Standing on tiptoes, she pulled the brown cardboard closer. While the other boxes were organized, this one had clearly been thrown together. A range of dates had been hastily scrawled across one side in faded red marker. Abby smiled. Hunter's early years. Realizing the treasure she held, she couldn't resist her curiosity. Who knew, maybe she'd find the Pomeranian.

She pulled off the lid to the smell of chemicals and age. Whereas the photos in other boxes were organized in crisp plastic sleeves, the ones in this box were tossed in haphazardly, without regard to size or subject. Abby smiled again. This was the Hunter she knew and loved. No, not loved, she quickly corrected. She was nowhere near love.

Flipping through, she discovered a time line of his photography career. There were pictures of the infamous Pomeranian, one of which she set aside. A photo of a handsome man in linen pants and a white cotton shirt unbuttoned to his navel. He was beating the contents of a stainless steel bowl. Abby smiled. *Reynaldo.* A woman lying on a chaise longue, head covered by a floral scarf. Abby's smile faded. *His mother.* From there the photos moved outward. Views from his window. Kids playing ball. A girl petting a dog.

And of course, more photos of his father. On location, in his office and behind the camera. So many photos of the man behind his camera. Photo after photo of a world without Hunter.

She almost missed the envelope at the bottom of the box. Manila and faded from time. As she undid the clasp, she felt the hairs rising on the back of her neck. The fact the contents were separate from the rest of the box suggested she was treading into extremely private territory. But Hunter had told her she had permission to look, hadn't he?

A collection of photographs spilled onto her lap, both color and black-and-white. A laugh burst out when she saw the top one. It was of a pudgy-cheeked little boy offering an ice cream cone to a dog. Hunter at his most giving. Hunter's mother must have found the idea funny as well, because she was in the background, a huge grin on her face. Lord, but she'd been beautiful, Abby realized.

Another shot showed Hunter and his father rolling on the grass in a park. Both of them were laughing, their heads thrown back, mouths wide-open with glee. And a third was a professional portrait of the whole family. Hunter the impatient toddler, with the proud parents looking on with love.

No, check that. Hunter's mother looked on with love.

Joseph Smith's smile was for his wife. One of complete adoration.

With a sudden, sickening heaviness, the final piece of the Hunter Smith puzzle slid into place. These photos were *before*. Before Hunter's mother had passed, before Joseph Smith turned to his career. It all made sense now. Joseph's lesson to his son: keep your distance. Losing his wife had been Joseph's Somalia. The moment he'd decided to bury his heart behind the lens of a camera.

Hunter had told Abby a good picture told a story. These did that and more. They showed a time before life had given way to solitude and separation. His father hadn't just focused on his career. He'd pulled away from his son, leaving him to be another observer in a crowd of observers.

No wonder Somalia had hit Hunter so hard. He'd found a community, a place—people—he'd cared about, and a terrorist had selfishly destroyed them all.

Her poor Hunter. Abby looked at a photograph by her knee. It was of his father, behind the lens as always. The window behind him showed the reflection of a child. A small boy, with a brown mop of curls, hiding behind his own camera. Abby suddenly found herself picturing a young Hunter following his father around the world, doing his best to emulate the man in order to spark a conversation.

*A good photographer fades into the background.* No wonder Hunter was so good at what he did. If she was right—and her gut told her she was—he'd been practicing fading into the background for most of his life. Staying on the sidelines. This room held thousands of photos, all taken from the sidelines.

Her heart wept. She felt a tear slipping down her

cheek. They had something else common, she and Hunter. Loneliness really was a great equalizer. He chased the emotion away by hiding behind a camera; she ran away from it by heading toward Warren. They were two peas in a pod.

With newfound understanding, she placed the cover back on the box. If Hunter were present, she'd wrap him in her arms and tell him he didn't need to be lonely anymore. That she was here.

Thankfully, he was thousands of miles away, and she was safe from making a fool of herself.

"Is this centered?"

It was three days later, and Abby stood on a too-small step stool, trying to hang a framed shot of Belgian soccer players over Hunter's sofa. She lifted a corner before looking over her shoulder. "Is it?"

"Close enough," Carmella replied.

"I don't want 'close enough.' It needs to be exact."

"I'm going to go with yes, seeing as how you measured three times."

"I'll measure again." With a sigh, Abby set the frame on the sofa. "I thought you came over to help me?" she remarked, heading in search of her tape measure.

Her friend swiveled her stool back and forth. "I came over to say hey. You're the one who tried to put me to work."

"Key word *tried.* So far all you've done is drink our coffee."

*Hunter's coffee.* Abby corrected the slip in her head.

"That's all I'm going to do, too," her friend replied. "Why are you going so crazy, anyway? Will he really notice if the picture is half an inch to the left?"

*You never know,* thought Abby. "Doesn't matter. I'll

know. Now come here and hold the tape level so I can mark the spot again."

"Man, you're being nitpicky." Despite the grumbling, Carmella did as she was asked.

"I just want everything to be perfect." Hunter trusted her, and it was important he see his trust was well placed. This could be her one opportunity to say thank-you for all he'd done for her.

There was another reason she was taking her task so seriously. Her visit to Hunter's archives had opened her eyes. She finally realized why his apartment had felt incomplete. The emptiness wasn't caused by lack of artwork or the echo of footsteps, but by the lack of personality. A home reflected the people who lived there. Hunter had created a residential limbo, because that was how he lived. That wasn't who he was, however. As she'd seen over the past few weeks, Hunter Smith was far more complex than a man who merely snapped pictures on the sideline, or a gorgeous action hero. He was funny, smart, heroic, charming. It was important for Abby to create an apartment that showed the world all of Hunter's many sides. Why it was important, she wasn't sure. A niggling, nagging voice in the back of her head kept trying to speak up. Warn her about something. She pushed it aside.

Carmella was giving her a dirty look. "Are you going to mark the wall or aren't you?" she asked.

"Why? You in a hurry to get somewhere?"

"Actually, yes. I'm going apartment hunting." Abby almost dropped her end of the tape. Looking left, she saw Carmella grinning. "Finally pulled some money together. I'm out of there by next month."

This time, Abby did let go, to free up her arms for hugging. There was a crackling noise as the metal tape hit the ground. "I'm so glad for you! You must be so happy."

"You don't know the half of it," Carmella said, giving her a squeeze and a grin. "Then again, maybe you do. I never thought I'd scrape enough up. I thought I'd be stuck paying for being with Eddie the rest of my life."

"I know that feeling," Abby muttered, though, thank heaven, things had never escalated to the terrifying heights of Carmella and her husband's fights.

"Warren given you a hard time lately?"

"Not in the past week, though I'm not relaxing yet." He could be biding his time. "Warren is like a bad penny. Just when you think he's gone, he pops back up."

"Let's hope when he does, he'll pop up when your big bad bodyguard is around."

"Hunter is not my bodyguard, Mella, and you know it. He's my boss."

"A pretty darn protective boss, then," the woman muttered over her mug. The comment made Abby shiver. *Protective* reminded her too much of *possessive,* which she'd done, thank you very much. In her experience, no good ever came from either one.

"His mother raised him to be chivalrous. He's only doing what he's been taught," she told her friend.

"Whatever. I hope he and Warren meet up again. I'd like to see the big fat weenie get pounded."

Abby would prefer Warren never came by again. "What makes you think I can't protect myself?"

"If you could, you wouldn't have wound up in McKenzie." It was a point that, sadly, Abby couldn't argue.

"How is your boss, anyway?" Carmella asked.

"Don't know. I haven't talked with him in a couple days." Three, actually, but who was counting?

"I thought you guys did that daily video thing."

"We usually do, but he's in an area with very poor connections." She reached for the hammer while doing her best to sound nonchalant. "We probably won't get a chance to talk until he gets near a city."

"That's a bummer."

*Yes.* "I'll survive. We're talking a week tops." She refused to acknowledge aloud how long the past three days had felt. Without Hunter's lanky frame, the apartment was too empty and quiet. Surrounded by his belongings, she felt his absence keenly.

Worst part was the not knowing how he was doing. Every morning she scoured the headlines to make sure nothing had happened in that part of the world overnight. So far, she'd read about demonstrations, but nothing major. Thank goodness.

Her tense nerves were Hunter's fault. Every time she did talk with him, she made a point of reminding him to be safe. The warnings fell on deaf ears. He would wave them off with a obligatory "I will," then go off and do his thing, without concern for who might be home worrying.

"Ouch!" She hadn't been paying attention, and the hammer slammed down on her thumb.

"You okay?"

"Fine." Served her right for thinking like she was more than a housekeeper. As if he had a responsibility to her. Hunter didn't consider himself responsible to anyone. *Which is how you wanted things, remember?*

In fact, she should be glad circumstances hadn't switched. Maybe she should ask Hunter for some pointers on how to keep the world at arm's length. She seemed to be having a problem in that area....

Her cell phone rang. "Would you grab that? I want to run my finger under cold water."

"Speak of the devil," Carmella replied. "It's Hunter."

"What's he calling for?"

"Maybe he misses you."

More likely he'd forgotten a piece of equipment. An important piece, no doubt, for him to make the drive to where he could get service. Abandoning care for her swollen thumb, she scooped the phone from Carmella's fingers.

"What's up?"

"Abby Gray?" The voice on the other line was definitely not Hunter. "My name is Miles Bean. I'm a colleague of Hunter's."

*Colleague. Hunter's.* Abby's stomach clenched. She gripped the countertop to keep her knees from shaking. A few feet away, Carmella held herself rigid, studying her. Abby had the feeling it was because she'd grown pale.

"Yes, Mr. Bean," she asked. "What can I do for you?"

"I'm afraid there's been an accident."

# CHAPTER TEN

TWENTY-SEVEN STEPS to the rental car counter, fifty-four steps round-trip. Abby had pacing down to a science. It felt as if that's all she'd done since getting Miles's phone call.

As she made the turn for another lap, her eyes shot to the Customs exit. Nothing. The plane had landed twenty minutes ago. What was taking so long?

*Hunter was hurt.* Miles's news replayed itself in her head. There was a protest that turned ugly. Hunter was taking photos. Somehow he'd ended up crossing paths with the wrong people, and they'd attacked him.

"Brutal" was how Miles described it. "Though Hunter was more bent up about his camera being damaged."

Of course he was. That camera was his life, wasn't that what he'd said? She looked around for something to kick, settling for the air in front of her. Hadn't she warned him before he left to stay safe? But no, he had to get his perfect shot. Like father, like son.

She spotted him. Ducking through the exit door, sling hugging his right arm to his body. Abby let out her breath. She'd never been so happy to see someone in her life. For the first time since Miles had called, her chest didn't feel as if it had a giant weight sitting on it.

"Before you say anything, the doctor said both breaks will heal perfectly," he said. "I'll only be laid up a couple months. Eight weeks tops."

"Only eight weeks? How lucky." Upon closer look, she could see why Miles had said his injuries looked "nasty." Along with a cut above his left brow, Hunter had a vicious black eye that spread close to his cheekbone.

There was a second bruise on his chin, less noticeable thanks to his stubble. Lightly, she ran her fingertips along his jaw, surveying the damage. "You're lucky to be alive, from what Miles said."

"Miles can be overdramatic. You should read his wire pieces." Hunter caught her hand and gently squeezed her fingers. "You were worried." It sounded more like a question than a statement, and Abby realized he was unsure. Keeping the world at arm's length had its consequences.

"Couldn't help myself," she replied. "I tend to freak out when I get emergency phone calls from strangers. I was afraid I'd be unemployed again." Not to mention scared to death he might be lying battered and bruised in a street somewhere.

Her attempt at sounding unaffected failed, and, smile fading, he leaned forward until their foreheads rested against one another.

"I'm sorry I scared you, sweetheart."

She closed her eyes and exhaled as much of the stress and fear as she could. "I didn't know what to think. Not after talking to Miles."

"I told you, Miles is dramatic."

Dramatic or not, he'd painted a pretty horrible picture. Listening to him describe the scene, she'd felt physically ill. "What happened?"

"Wrong place at the wrong time is all." That wasn't all. He'd been attacked, for crying out loud. Abby knew there had to be more to the story. She wouldn't press, though. At least not now.

They stood nuzzled together as the crowds filed past, until Abby felt the trembling. It was coming from her. Her body was shaking. Hunter must have noticed, because he wrapped his good arm around her shoulders and drew her closer.

"Shouldn't this be the other way around?" she asked. "Me comforting you?" Though even as she spoke she was burying her face against his jacket.

Hunter's hand rubbed up and down her spine. "You are comforting me," he told her. "You have no idea how much."

He buried his nose in her hair. She could have sworn she felt him press a kiss to the top of her head. "Absolutely no idea."

Hunter took a pain pill before they left the airport, and dozed in the backseat while the driver weaved in and out of New York traffic. A few feet away, safely strapped in her seat belt, Abby used the respite to study Hunter's bruised face. The tiniest of muscles twitched beneath his eye, betraying the tension otherwise hidden by his relaxed posture. Every so often his mouth would draw into a frown as well, the lines in his face growing more pronounced. Below the neck, his ever-present field jacket had a stain on the collar. Blood. The discovery made her own run cold. How close had she come to losing him?

All because of a stupid photograph. Brushing a hand through his curls, she silently cursed his father for making him believe nothing else mattered.

"Mmmm. That feels nice."

She smiled at the drowsiness in his voice. "Someone's feeling no pain," she teased.

"Feel great. It's good to be home."

"We're not home yet."

"S'I am." He nudged her hand with his head, like a cat seeking petting. Abby obliged him with another stroke. "Mmm," he purred. "Missed you."

That was the painkillers talking. However, having a mind of their own, her insides decided to flutter anyway.

Hunter's eyes blinked open. "You were really worried about me?" His voice might have been low and husky, but Abby heard the lonely little boy with a camera. The one whose photos touched her so deeply.

She stroked his cheek. "Someone has to," she told him.

"I'm glad it's you." He searched her face, his eyes so dark Abby felt like she might drown in the grayness. He was touching her, she realized. His fingers tracing a path up and down her arm, each stroke leaving a trail of warm goose bumps.

"You're so beautiful," he murmured.

She could feel the flush working its way across her skin. He didn't mean it. If anything, he was reacting to his own stress by looking for a connection.

"I think your painkillers are making you loopy."

"Not so loopy," he replied in a voice so low she could feel the reverberations. His hand moved up to cup the back of her head, pulling her closer. "Not so loopy at all."

Then he kissed her. A slow, deep, lingering kiss that turned her inside out. Sighing into his mouth, Abby melted closer. She'd been thinking of his kiss ever since she kissed him in the wine bar, and while somewhere in the back of her mind she knew warning bells had to be going off, she chose not to listen. Yes, kissing Hunter in return was a bad idea. No doubt he would back off once he came to his senses. She didn't care. In fact, she was glad he had his emotional walls. It meant she could keep hers.

Hunter woke up on the sofa alone. He had a vague memory of climbing the stairs to his apartment with his arm wrapped around Abby's waist, and refusing to go any farther. Before that, they'd been in the Town Car and he'd been...

Kissing Abby. No way he could forget *that*. He'd only thought about kissing her the entire flight. Amazing how getting jumped in the middle of the street could knock some sense into a man. Had he really told her he'd missed her? His skin grew damp as he thought of the chance he'd taken. He'd come back from Libya determined to stop pussyfooting around, and take what he wanted. It was the only way to deal with all these strange feelings haunting him.

Granted, the seduction wasn't quite how he'd envisioned it going. For one thing, in his fantasy, he wasn't doped up on painkillers, and was able to take the kiss a lot further... But he wasn't complaining. He'd simply have to kiss her again properly later on.

*She'd been worried about him.* That still boggled his mind. No one had worried about him since his mother died. He'd always soldiered on by himself. If bad things happened, he grabbed his camera and took photos, while his inner walls kept the emotion out. So he didn't know quite how to handle the idea that another person cared about him. But when he'd looked into Abby's eyes and seen the concern reflected there, a window had opened and light poured inside. For the first time, he'd felt what it was like to have a connection with someone. A real connection, far deeper than simple desire. Frightened the hell out him. But if getting the snot kicked out of him had taught him anything, it was that he needed to do something. Otherwise, Abby would continue rattling around in his thoughts, distracting him from his work and causing him trouble. So he'd kissed her, and miracle of miracles, she'd kissed him back twice as hard. If only the stupid painkillers hadn't kicked in.

A noise in the kitchen caught his attention. Abby was washing dishes in the sink. Seeing her with her hair hanging limp and curly in her face, and her sweater sleeves rolled to her elbows, he felt a new rush of desire. She was wearing the scarf he'd bought in Israel. The dark gold thread wasn't as warm a color as Abby's hair, but the shade was close, and in the right light, they almost matched. Had he bought the scarf for that reason? Wouldn't surprise him. Even that first week, Abby had occupied his thoughts.

She definitely dominated his thoughts this week, so much so that here he was, lying on a sofa with a broken arm. He fingered the cast through his T-shirt. *Wonder what she'd say if she knew the entire story?*

"I thought you were sleeping."

Returning his attention to the kitchen, he discovered her wiping her hands with a towel. "Much more fun watching you work."

"Because housework is such a spectator sport."

"It is when done by the right person."

A magnificent flush colored her cheeks. The way she blushed so easily was one of the qualities he found so attractive. Her skin turned such a pure color. Made him want to kiss every inch to see what other shades he could bring to the surface.

Unfortunately, she insisted on staying across the living area. He couldn't very well kiss anything if she was thirty feet away.

Wincing as stiffness in his shoulder made its presence known, he sat upright and patted the sofa cushion. "Come here."

A nervous shadow passed over her. Regret over the kiss? God, he hoped not. "I can't. I have to work. This apartment doesn't clean itself, you know."

"It's all right. Your boss won't mind. I have an in with him." Hunter patted the sofa. "Come sit."

"Thought you said you liked watching me work?"

"I'd much rather look at you close up."

Though Abby rolled her eyes, she put down her dish towel and came to sit on the nearby chair, posture perfect.

"You can sit closer." He motioned to the sofa next to him.

She shook her head. "This is good." Good if you were into sitting ten feet apart. "I don't want to hurt your arm."

"Unless you step on me, the bone should be fine."

"Just in case, I'll sit over here."

"Suit yourself." Ignoring the twinge of disappointment her answer caused, he moved on. "You decorated."

Instantly, her face brightened. "You noticed."

Of course he'd noticed. Although it took him a moment for the changes to register in his medicine-soaked brain. During his short absence she'd taken his "barren beige walls," as she'd described them, and turned his living room into a photo gallery. Reprints of various location shots hung on the walls, filling the room with color and action. She'd added a few other touches, as well. Curtains and a few vases. For the first time since he'd bought the place, the apartment looked like home.

*Home.* A word he thought he'd never use. Must be the day for new experiences and feelings. Tripoli was a far bigger eye-opener than he'd thought.

Abby was waiting for his verdict, he realized, as though he was delivering the most important statement in the world. To think his opinion yielded such power for her made the hair on the back of his neck start to rise. That was a warning signal, he decided. But for what, he wasn't sure.

"I like your photo choices," he told her. He looked over his shoulder at the Belgian footballers. Wasn't the perfect selection for the space, but it wasn't bad, either. "You have a decent eye."

He might have told her she was Da Vinci from her beaming smile. "Thanks. I was nervous hanging the darn thing."

So was it nerves regarding his reaction to the apartment that had her sitting miles away? "You needn't be. I told you I trusted your judgment."

"So you said, but…" Abby swiped the bangs from her face. How to explain something she wasn't sure about herself?

"Please don't compare me to Warren," Hunter told her.

"Okay, I won't." Pushing herself to her feet, she walked to the sink and poured a glass of water. "Nor will I mention this was the first apartment I ever decorated on my own." And he'd barely noticed until now.

She set the water in front of him, along with a plastic bottle of pills. "Here. Should be close to your next scheduled dose."

Probably. He couldn't tell the time, because his watch face had been smashed in the fight. No matter; he'd rather deal with the pain than fall asleep again. "I don't need them."

"But your arm?"

"Isn't as bad as people are acting."

While he was talking, Abby had been busying herself with wiping a water ring from the coffee table. Every time she bent over it, the proximity brought him a hint of her presence—a glimpse of skin between her scarf and sweater; her scent. The sweet smell of her skin was enough to ignite his need to touch her.

"Stay," he said to her. A simple request, but at the same time, one that carried so much weight. "Don't go back to your chair."

To his great relief, she understood his message and sat down. On the edge of the sofa, but at least closer than she had been.

"What changed?" she asked him. "You were very clear the afternoon we were at the castle."

She meant why had he kissed her? Hunter decided to answer her honestly. "I did. Actually, to be more accurate, I didn't change."

"I don't understand."

Neither did he, completely. "I couldn't stop thinking about you. Nothing I did to shake my attraction to you worked. When I saw you in the airport, I realized it was a waste of time, fighting what I really wanted. So I kissed you.

"And—" deciding it was time to take matters into his own hands, he slid over, closing the space between them "—based on your reaction, I'm guessing you want me, too."

Her blush was enough of an answer.

She was staring at her lap, thoughts unreadable. "Abby, look at me." He cupped her jaw, bringing her face in line with his. What he found was a pair of lips, and eyes that shone bright as stars. "You're so beautiful," he whispered.

"Don't…" She shook her head. "It's not necessary. I don't need a lot of compliments."

Maybe not need, but she deserved to hear she was special. The emotions that had taken up residence inside his walls grew stronger still. If she wouldn't take words, he'd find another way.

With that, he lowered his mouth to hers and poured every compliment he wanted to say to her into his kiss.

"I knew you'd get restless. How on earth are you going to survive two months of inactivity?" He hadn't made it two full days.

Hunter had dragged Abby out for a walk along the Greenway. "I can't help it if I like fresh air," he said. The night was unseasonably warm, more like midspring than midfall. Stars dotted the cloudless sky like a big, sequined blanket. Occasionally a cyclist or jogger would pass them, but mostly they had the road to themselves as they walked the Hudson's edge.

It was the perfect setting for lovers.

*Lovers.* Was that what she and Hunter were? They'd never quite defined what it was they were doing. Unable to say why, she found the term sat uneasily with her.

It certainly wasn't Hunter. As a lover, he was everything she'd expected him to be. Passionate, skillful, generous. Set the bar high for his partner. Maybe that was the problem. She wasn't sure she could match the standard set by the other women who'd visited his bed.

Or maybe it was the word *love* that upset her. Lord knew, that particular word was a land mine for her.

Plus, they weren't lovers. *Lovers* implied permanency, commitment. They shared neither. They were simply two people enjoying each other's company.

"You are a million miles away," Hunter said as he pressed a kiss to her temple. "Where'd you go?"

"Just enjoying the view." The lie left her uncomfortable, but she didn't want to rock the boat on such a beautiful night. Funny how easily a person could slip into old patterns. "I love how black the water is."

The only patterns on the water were the columned reflection of streetlights.

"Mmm."

She wondered if he was wishing he'd brought the camera.

It was weird, not seeing him with the strap around his neck.

"Do you feel naked?" she asked him. "Without your third eye?"

"Interestingly, no. Would have been too much hassle with my arm in the cast, anyway."

"Really? You have no trouble doing other activities."

"That's because I'm more motivated in those 'other activities,'" he replied. "Speaking of the word *naked*..."

"We weren't."

"Weren't we?"

He leaned down and kissed her. As always, the moment went from sweet to heady with a speed that left her breathless.

"I could kiss you forever," he whispered, before pressing another small, hard kiss on her lips.

All Abby could do was nod as his comment stilled her insides. Something about Hunter had changed over the past twenty-four hours. Maybe it was her imagination, but he seemed different. He was definitely more tactile, using every opportunity to kiss or touch. She chalked up that change to a sexual haze; she had the need to stay in physical contact with him, too.

If it was only the touching, she wouldn't think twice. But his whole manner had shifted. She could feel the change in Hunter's kisses, and in comments like this one. Romantic, tender gestures that left her off balance. Could it be, after years of Warren dysfunction, she simply didn't understand how real couples behaved?

*But we aren't a couple!* The protest screamed loudly in her brain. She clung to the fact like a life preserver. Knowing this…thing between them was temporary kept her grounded. It would be too easy to fall otherwise.

They'd resumed walking. After a few moments of silence, Hunter cleared his throat. "Our visit to Belvedere Castle the other week got me thinking."

"About what?"

"Besides our first kiss?"

There he went again, saying things that made her heart skip a beat. Abby shivered. Without saying a word, Hunter pulled her closer. "I was thinking it might be interesting to shoot some of Europe's castles."

"What about your other work? For *Newstime?*"

"I was thinking of cutting back on the hard-core news stuff for a little while."

"Because of what happened in Libya?" He never had told her what happened during the riot. "Do you feel like talking about it?"

"Nothing much to say. I doubt my version is nearly as interesting as Miles's."

No, but it would be *his* version, and Abby was willing to listen. After all the listening he'd done for her, she owed him.

"Anyway," he continued, completely dodging the conversation, "the pictorial I had in mind would be Europe's forgotten castles. The smaller ones that had gone to ruin."

"Crumpled fairy tales," Abby quipped.

Hunter looked in her direction. Since they were between streetlights, his expression was marred by shadows, although she suspected he was shooting her a disapproving look. "We need to work on your fairy tales," he said.

"I already have." Or wasn't he listening at Belvedere when she'd said she was over her princess fantasy? "Prince Charming turns out to be a jerk, Cinderella moves out and learns self-defense." Apparently she could add the castle falling into ruin, too. "A much more realistic version, if you ask me."

"What about the sequel?"

"What sequel?"

"The one where she meets a new prince and he whisks her off for a two month European vacation to check out castles?"

"I don't think..." She paused as Hunter's words caught up with her. "Wait a minute. Are you inviting me to go along with you? To Europe?"

"Why not?"

"I—" Abby was floored. "You're talking weeks."

"Couple of months, more likely."

Months? "I don't know what to say."

"Yes would be a good start."

"Y-yes."

He gave her shoulder a squeeze. "I can't wait to show you Europe, sweetheart. There are so many beautiful things and places."

He began listing the various cities he wanted to show her.

Any other woman would be thrilled to receive such an offer. Especially if offered by a man like Hunter.

All Abby could feel at the moment was fear.

It was starting. Listening to him tell her what they'd be doing, where they'd be going, she felt her control slipping away little by little. He was making plans for a future she hadn't agreed to. She'd never said she wanted Europe. "I don't have a passport."

Even the shadows couldn't mask his frown as he stepped back. No doubt he expected her to be bursting with excitement. "We can have one expedited. We can have one done practically overnight."

"Great." She forced a smile.

"There's this hotel in the French Alps with a view you won't believe." He paused to study her face before running a hand along her cheek. She couldn't help her tremor. "I'm thinking I might have to trap you in there and not let you out of the bed for days."

"Let?" Abby whispered.

"For days."

He meant the comment as playful; she knew as much. "You make it sound like I'm your personal property."

Eyes never leaving hers, he planted a kiss on the inside of her wrist. "Would belonging to me be that bad?" he breathed across her skin.

That's when she saw it. The desire glowing in his

eyes. Brilliantly lit by the streetlamp, a possessive gleam in his gray-blue eyes that said *you're mine*.

It had been there all along, hadn't it? That's why she'd felt so unsettled. The light had been there all along. Damn him.

Worst of all, a thrill actually passed through her when she saw the gleam.

It was happening again, wasn't it? She was on the cusp of being swallowed up. The signs were all there. Her obsessive need to avoid mistakes in decorating his apartment, her fibbing to keep from rocking the boat. He now he wanted to whisk her off to Europe, and she, like an idiot, had almost agreed. Before long, she'd be completely under Hunter's spell, and then what? The bottom would fall out. He'd leave or she'd fail him like she did Warren and…

Dammit! Hunter had promised. She'd believed him when he said he had nothing to offer emotionally. That he couldn't give her a relationship. Then he went and looked at her like a man staring at his prized possession. As if he cared.

"I have to get out of here." She broke from his grasp, hoping to flag a cab before Hunter could stop her.

"What the hell is going on?" Naturally, he ran after her. "Why are you leaving?"

She fought against the tug on her heart his confusion caused. "I just have to get out of here. I have to go…."

Go where? She couldn't stay at his apartment anymore. She'd have to pack her things and head back to McKenzie House. So much for fresh start number two.

And where were all the taxis? This was New York, for goodness' sake. Weren't there supposed to be taxicabs everywhere? A flash of yellow appeared. She waved her arm, only to have the car speed by her, back-seat occupied.

Hunter gripped her shoulder, forcing her to turn around. "Whatever's got you worked up, you need to tell me. I'm not going to let you run off without an explanation."

He was right. She owed him more, but couldn't find the right words to explain.

"It's going to Europe, isn't it? You don't want to go. Fine."

"It's more than Europe."

"More how?"

She sniffed back the moisture threatening her eyes. He looked so confused and worried, and maybe just a little bit hurt. In a flash, she was back in the archives and remembering the boy on the sidelines. Regret tore her in half.

The tears she'd sniffed away a moment early burned her eyes. "I made a terrible mistake," she whispered.

"A mistake?"

She saw the second he understood. The shutters closed over his eyes and he pulled inward. Gone was the tender man she'd made love to. "I see."

"I'm so sorry." She hated that she'd hurt him. Like his father, like Naxar. He'd let her in, and she was going to have to betray that gift. If only she could explain. "I never— That is, I can't..." She stopped while a pair of joggers ran by. "I told myself I wouldn't make the same mistakes I made with Warren."

"Warren. For crying out loud." Hunter jabbed his hand through his hair. "How many times do I have to remind you I'm not your ex?"

"I know." He was, though, in some ways far more

dangerous. "Which is why it would be so easy to make you the center of my world."

"I don't understand."

"I lost myself with Warren. I became this weak-kneed woman I didn't recognize, all because I decided he was my Prince Charming. Except he wasn't, and when I got free I promised myself I wouldn't lose myself for anyone ever again. I would rather be alone."

"I see." He stared at the ground for a long minute before turning his eyes back on her. Just before they hardened, she caught a glimpse of the lonely little boy in their depths. "Just one question."

"What?"

"When are you going to stop letting Warren run your life?"

"Warren isn't running anything." Hunter should know. He'd gone to the courthouse with her.

"Could have fooled me. Everything you do goes back to him."

How dare he? "Did you not listen to what I was saying? This is about not making the same mistakes. Excuse me for being cautious."

"Cautious or afraid?" he asked.

Silence filled the widening gap between them. Afraid? Who did he think he was? What did he expect her to do? Ignore the lessons of her past?

If he didn't understand that, then there was nothing more for them to say. Abby folded her arms across her chest. "Goodbye, Hunter."

Rather than say anything, he raised his arm. Within seconds, a yellow cab pulled to the sidewalk. As he opened the door, the scent of his aftershave drifted past, stabbing her in the heart. She hoped she never smelled the wonderful woodsy scent again.

"I'll be out within the hour," she told him.

"Suit yourself." With a shrug, he shut the door, leaving her to drive away without him.

# CHAPTER ELEVEN

"I THINK I'VE LOOKED at every low-wage job in the five boroughs." Abby flopped down in the faded Queen Anne chair. "Nothing. Not even a fast-food job." She either lacked qualifications or arrived after the job had been filled.

"Cheer up," Carmella told her. "It's only been three days."

Three whole days since she'd left Hunter standing on the sidewalk. Three days back living in McKenzie House, looking for work. She had a running bet with herself which would take longer: finding a job or getting rid of the ache in her chest that had been constant since she'd closed that cab door. Odds were in the job search's favor, and so far, she hadn't gotten a single nibble.

"Wait, there is one," she told Carmella. "Overnight shift cleaning crew in an animal testing lab."

"Sounds fun. I've got to go answer the bell. It's my day for door duty."

"Maybe I'll be able to bring us home a pet," Abby called after her friend. She was secretly rooting for the job; working nights might keep her from tossing and turning in her bed.

The restlessness came from her perverse habit of replaying their parting argument in her head every night. Correction: her parting argument. In her replay, she was laying out her reasons for ending their affair, while Hunter said hardly a word. Except, of course, for his parting ones. *Cautious or afraid?*

Why was it when she listened to her arguments, they didn't stick the way those three words did?

Carmella came back into the room. "You have a visitor."

He was the last person Abby expected to see. But there Hunter was, handsome as ever in his faded field jacket and sunglasses. Seeing him, she leaped to her feet. Her first instinct was to run up to him, but she caught herself in time.

"Hi."

He didn't return the greeting. Last time they saw each other, he'd worn a cool, shuttered expression. He wore the same expression today. It was obvious he found seeing her uncomfortable.

What did he want then?

"How's your arm?"

Ignoring her question, he pulled a manila envelope from his bag. "I came by to give you this. It's from our day at Belvedere Castle."

The day of their first kiss. How could she forget?

In the envelope she found an 8 x 10 photograph. He must have snapped it when she was rambling on about castles and fairy tales. In this shot, she had her face tilted as she gazed beyond the camera, her hair blowing about her face.

"You said you lost the other one."

This photo was nothing like the one she had lost. In the photos he'd taken outside the diner, she looked tired and put-upon. In this picture, her face was animated. She was *smiling*. And her eyes sparkled with a vitality she didn't realize she was capable of. She looked alive. Happy.

"Thank you." She had trouble getting the words out; her throat had a lump stuck inside. "This is—"

"I missed the shot."

Abby looked up. "What shot?"

"In Libya. The protest. I didn't get the picture. My entire career…" Whatever he was going to say faded off as he paced away from her. "It's all about the shot. That's what I was always taught. That nothing is as important."

"I remember." Like father, like son.

"The day of the protest, I moved to the far end of the square. That's where I was when I got jumped."

"I'm sorry. I didn't know." She'd known there was more to the story than he would admit. Although why he was telling her now, she wasn't sure.

"You don't understand." Pivoting, he paced back to her. "I moved because I wanted to get out of the way of the crowd."

"What?" Was he saying he chose to move on purpose? Why would he do that?

"Because getting the picture wasn't as important to me as coming back in one piece."

Hunter stopped and looked her in the face. "Apparently my housekeeper wanted me to stay safe."

He'd done it for her. The man who put his photos first, who believed in staying uninvolved and on the sidelines, had taken her advice. She didn't know what to say. Her heart was racing too fast for her to form coherent thoughts. If she'd heard right, he was saying that he…

She hated the skip in her pulse. The way her heart

leaped to life. Why did he have to go and make things worse by unlocking feelings she so desperately needed to keep under control?

She knew he'd come back different from his last trip, but she'd attributed the change to his being attacked. She had no idea that the attack was actually a result of his change. A price he'd paid for putting someone else's desires first.

What a huge risk he took, this man who'd been taught by life to hold the world at arm's length. Allowing himself to care about another person again. To care about *her*...

And what did she do with this precious gift he risked giving her? Turned it away. In her lowest of lows, she'd never felt as despicable as she did right now.

Tears burned the back of her throat. "I'm so sorry," she whispered. There had never been a more inadequate set of words in all the English language.

Fingers caught her chin, forcing her to look him in the eye. Into blue-gray depths whose shutters couldn't block the pain and hurt in their depths. "Me, too."

Hunter brushed her jaw with his thumb. Abby shut her eyes at the feeling. So good. So tender. She felt his body close to hers. His breath on her skin.

Then it was gone. As if she'd never felt it at all. When she opened her eyes, Hunter had left, the only trace of his visit the photograph in her hands.

Long after she heard the front door close, Abby stayed and stared at the picture. His admission—or rather, what he was implying—turned everything upside down. He'd chosen safety and her over his career. Chosen her. How could he care for someone like her? A baggage-laden mess too scared to accept his gift.

Thing was, all her previous arguments still held.

She was still weighed down with baggage, with the same concerns. Hunter was too good for her. Too good to her. It would be so easy to make him the center of her universe.

Moisture began to pool at the corners of her eyes. A tear slipped out and trailed down her cheek. She wiped it away, remembering how Hunter had once done the same. He was right. She was afraid. Afraid to take the same risk he'd taken.

Ironic, really. That day at Belvedere Castle, Hunter had told her he couldn't have a relationship. How wrong he'd been. Turned out it was Abby who couldn't.

Hunter had been the one to risk his heart. Too bad she didn't deserve it.

Abby didn't think her week could get any worse. She was wrong, of course. Seemed as if she was wrong a lot lately.

It happened as she was walking home from another fruitless day of looking for work. Turned out the lab cleaning job was a no-go. She'd lost the position to a much more attractive woman who'd interviewed before her. It figured. Abby couldn't even get a job cleaning animal droppings. Maybe it was karma, punishing her for hurting Hunter.

She was so busy kicking herself, she didn't see him until it was too late.

Warren's bulky figure blocked her path. "I was hoping I'd run into you." His voice had that false conciliatory tone he liked to use.

"Hoping or waiting for me to show up?"

"You're always so dramatic." He sneered down at her. "I just want to talk."

Yeah, well, she remembered the last "talk" he

wanted to have. It had ended with her almost being dragged into his car by her hair. "There's still a restraining order out. I had the temporary one renewed."

"There you go again. Why do you always have to turn everything into an issue?"

"I turn...?" Abby shook her head. Engaging him was only going to make matters worse. "It's been months since we broke up, Warren. I'm not making an issue out of anything. In fact, the only thing I'm doing is leaving."

She started back down the sidewalk. Fortunately, they were on a busy street. There were enough passersby that she could hopefully walk away without incident. When she got to the house, she'd call the police. They might not be able to do much, but they would at least pay Warren a visit and remind him to lay off.

"Where you going?" He grabbed her upper arm. Damn.

"Let go of me, Warren."

"I treated you good, and you know it." Like that, the mask slipped. He squeezed her arm a little tighter. "The problem is you never appreciated all the things I did for you. You were always ungrateful."

Just the opposite. She'd been too grateful, Abby realized. Convinced she didn't deserve better, and that was why she'd stayed as long as she had. But now she had experienced better. No way was she going back.

She looked long and hard at the man she'd once pinned her hopes and dreams on. Her "Prince Charming." The second biggest regret of her life.

Huh. All this time, all this power she'd assigned him, and he'd dropped to *second*. A distant second at that. Losing Hunter, a man so above Warren in every conceivable way, was far, far worse. The realization made her laugh aloud.

"What's so funny?"

"You," she said. "I just realized how truly unimportant you are in my life. God, I wasted so much time."

Warren stepped closer, his eyes narrowing into an angry glare. "What's that supposed to mean?"

"It means…" Giving a hard yank, she broke free of his grasp. "It means I don't have to put up with you anymore. I put up with your abuse for way too long, but no more. Not ever. We're through. We've been through for a long, long time. I don't ever want to see you again."

He reached for her a second time, but expecting the movement, she stepped backward.

"Do. Not. Touch. Me. Again." She said the words with deliberate precision. Inside, her heart was racing a mile a minute; this standoff could end up backfiring. "We are over. If you come near me again, I will have the police on your behind so fast you won't be able to sit down for a month. Got it?"

"You're not serious."

"Try me." When he didn't move, she turned and walked up to the nearest pedestrian. "Excuse me, sir," she said in a voice loud enough for everyone on the sidewalk to hear. "Could you do me a favor? That man by the maroon sports car is my ex-boyfriend and he's violating the restraining order I took out on him. Would you mind being my witness while I call the police and have him reported? I'm afraid to stay alone for my personal safety."

The stranger, who happened to be a very large, very intimidating-looking man himself, glanced at Warren, then back to her. "Sure," he said, folding his arms across his expansive chest. "Be glad to." Abby gave a silent thank-you that her luck had finally started to turn.

"No need to call the cops," Warren said. "I'm leaving."

As Abby had known he would. Two things she could count on when it came to Warren: his mean streak and his sense of self-preservation.

"But when that fancy new boyfriend of yours dumps you, don't come crawling back. I don't do sloppy seconds."

Add a third thing. His need for the last word. "Too late," she said as she watched his car drive away. "Hunter's already gone, and I'm still not coming back."

After making sure Warren had driven around the corner and out of her life for good, she finally let out the breath she'd been holding and thanked her Good Samaritan.

"Not a problem. I got a sister around the same age as you who had a boyfriend like that. Till she decided she deserved better."

"We all deserve better," Abby told him. For the first time in she didn't know how long, she truly believed those words. She *did* deserve better.

This, she realized, must be what empowerment felt like. She suddenly felt as if she could do anything, be anyone she wanted to be. Her mind flashed to the picture Hunter had taken at Belvedere Castle, and she smiled. She knew now who she wanted to be. And who she wanted to be with. First, though, she had some planning to do. Serious planning. She still didn't deserve Hunter. Not as the woman she was today. But maybe, with some hard work, she could become a woman who did.

Hopefully, when the transformation was complete,

she could convince Hunter to let her have another chance. After all, when it came to second chances, third time had to be the charm.

Hunter hated waffles, but he ordered them anyway. Truth was he hated all the breakfast foods he'd eaten in the past three months. But he didn't want eggs. He'd lost his appetite for them.

He was sitting in Guy's Diner. As he'd told Abby, the scrawny little man wanted money more than he wanted to banish Hunter from his restaurant. New table, though. He didn't like sitting in the back anymore. And he didn't like the new waitress. She was too short and too brunette. He missed the color of butterscotch hair.

*Abby.* He breathed her name over the rim of his coffee. Beautiful, screwed-up Abby. But he'd finally learned his lesson. Photos were meant to be taken, not participated in. Next time he found himself drawn by his subject matter, he'd follow her example and run the other way.

It was getting increasingly hard to rebuild the walls around his heart, however. Three months and he was still struggling to feel numb again.

At least he'd had the cast taken off his arm. He'd already accepted an assignment.

A plate suddenly slid in front of him. He rolled his eyes. Just his luck, the new waitress not only got his order wrong, but had delivered eggs. Over easy, with a side of bacon and whole wheat.

Slowly he raised his eyes.

"So the thing with fairy tales… No one ever tells the princess that in order to get the castle and Prince

Charming, she has to believe she deserves to live happily ever after."

Abby stood before him.

"Mind if I sit down?" she asked.

Before he could respond, she pulled out a chair. "You got your cast off," she said. "Good to see."

He couldn't do this. Whatever numbness he had managed to achieve threatened to crumble. To mask his pain he turned harsh. "What do you want, Abby? Or have you torn a page from your ex's book and taken up harassment?"

"No harassment, I promise. If you want me to leave, I will. Guy would have a fit if I caused another scene. Do you want me to go?"

Yes. It hurt too much for her to stay. "Up to you."

"I missed that shrug," she said. The waitress came by and Abby turned her cup over, signaling she wanted a coffee. Whatever the reason for her reappearance, she wasn't planning for it to be quick.

Hunter wasn't sure if her lingering was a good idea or not. Part of him wanted to hold her in the seat and keep her there forever. The other part wanted to tell her to go to hell.

Why was she here, anyway? His pulse picked up with hope. Damn, but he hated that he had hope.

She looked different. Hunter wasn't quite sure how. Her hair was still stubbornly independent. Today's topknot had already slid to the right and was half undone. Beneath her winter coat, she wore some kind of uniform, pink and institutional. It'd be boring except for... Was that...? Beneath the table, he squeezed his knee to remind himself this wasn't a dream. She was wearing the scarf he'd bought her in Libya.

She must have noticed what he was looking at, because she offered a shy smile. "I got a new job. At the Landmark. I'm a housekeeper. Who knew cleaning your place for a couple weeks would pay off?"

Even without his reference. "Good. I hoped you'd find work." It was true. He regretted what had happened between them, but he never wished that she'd do anything but land on her feet. "That's not what I was looking at, though."

"I know." Her cheeks turned pink to match the uniform. "I wear it every day."

"That's nice." He didn't dare think it meant anything more than a fashion accessory.

"You know why?"

"Because it matches your uniform."

She looked down, and smiled. "So it does. Honestly, I never paid attention. See, I don't wear it to be fashionable."

"Then why do you?"

While speaking, she'd picked up a sugar packet. Now she fidgeted with the little white square, flattening one end against the table, then the other. "As a reminder," she replied softly.

A reminder of what? Another set of mistakes to avoid?

Abby's palms were sweating. This was harder than she'd thought it would be. Then again, three months was a long time. What if he'd decided during that time that he'd been wrong? That he didn't care about her? What if she'd been wrong and his feelings weren't as deep as she thought? It was quite possible everything in her heart was one-sided.

She wished she'd thought to lay her new cell phone on the table so she could look at the lock screen. The photo of her at the castle was on it. As she did with the scarf around her neck, she used the picture to remind her of the woman she wanted to be. And the man she hoped to become worthy of.

As if seeing Hunter wasn't reminder enough of that goal. Time off hadn't been good to him. The ruddiness was gone from his skin; he was pale from spending too much time indoors.

He'd shed the field jacket, too, in favor of a battered leather bomber that had seen better days.

"Are you planning to answer?" he asked. "Or stare into space?"

Same old Hunter. "I didn't expect to see you here," she said, ignoring his question. "I came in for coffee and saw you sitting here."

"You happened to come into Guy's?"

"I was on my way to your apartment."

"Oh." He was doing his best to sound disinterested, but the crack in his voice betrayed him.

"I have to admit, I was afraid you might have left on assignment already."

"I leave in a couple of days."

At the news, her heart started to sink, but she gave herself a mental kick. *What did you think he'd do? Stop working?* She would consider herself lucky she'd caught him when she did. "Where to?" she asked.

"Seychelles. Photographing the cinnamon harvest."

"Still laying off the protests?"

"Decided to start slow. What do you want, Abby? I thought we said everything we had to say three months ago."

Her answer was interrupted by the waitress, who set an order of waffles on the table. Abby looked at the plate.

"I'm taking a break from my usual," Hunter replied, shoving the plate Abby brought to the side.

"That why you aren't sitting in the corner?"

"I thought I'd try something different."

Both answers, for no logical reason, fueled her resolve. If he was avoiding his routine, perhaps it was because he was looking to forget?

"I made a few changes myself," she said, taking advantage of the opening. "I moved out of McKenzie House. Carmella and I got an apartment."

"Glad to hear you're back on your feet."

"Well, that is the point of a temporary shelter. Though I didn't completely leave. I'm volunteering there."

"You are."

"Three days a week. Leading a discussion group for women who were in the same place I was."

"You are?"

He was trying to hide the surprise in his voice. "It's okay. If I were in your shoes, I'd be skeptical, too. Like I told you, I've made a lot of changes."

Following her encounter with Warren, she'd done a lot of thinking about the paths she'd taken in life. Most of her decisions were because she'd been looking for someone to come save her, she realized. That's why she'd lost herself to Warren, why she'd been afraid she'd lose herself to Hunter — because she believed those men were her only hope at grasping the fairy tale. Once she'd figured out that responsibility, and success, lay with her, she'd started looking at her decisions in a new way.

"These women help me as much as I help them. We're learning we need to earn our happy ever after."

Hunter leaned forward. "You always said there needed to be a new version of the fairy tale."

She had his attention. "I did, didn't I? By the way, when I say earn, I don't mean doing everything perfect. That's where I went wrong. Prince Charming doesn't expect you to make him the center of your universe, like Warren did.

"I know," she added, holding up a hand. "Most of the men in the world aren't Warren. I get that now. He's gone, by the way. Haven't heard a peep from him in three months."

"You must be relieved."

"I'm glad not to have to look over my shoulder." Otherwise, Warren was nothing but a bad-tasting memory. There was only one man that mattered, as far as she was concerned, and he was sitting at this table. While they were talking, the coolness in his eyes had changed. They'd grown bluer, more receptive.

Abby waited while he sipped his coffee and absorbed all she'd told him. She'd done a lot of work in the past three months. While it only the tip of the iceberg as far as the changes she wanted to make, she hoped she'd made enough headway that he might let her past the walls again.

Finally he set down his cup. "Congratulations. You're finally getting a second chance."

"Again. By all counts, this is my third second chance this year."

"Well, you know what they say, third time's the charm." He offered a smile. A small one, but more gorgeous than any Abby had seen in months.

Seizing the smile in her heart, she decided it was time to take the biggest leap of faith she'd ever attempted.

"There's something else I wanted to tell you." Sliding the breakfast plates aside, she laid her hand on the table, a breath away from touching him. It felt as if her heart was trying to beat its way out of her chest, her pulse was going so fast.

No one said laying yourself bare would be easy. "I love you."

*Silence.* Abby fought against the sinking sensation by reminding herself that saying those three words wouldn't fix everything. Hunter had been hurt, truly hurt. He needed time to accept that she meant what she said.

"You were right," she told him. "I was afraid of my feelings. Running from relationships was no different than running away from my parents' house with Warren. Only without the bruises. Bruises might have been easier. They didn't hurt nearly as badly as being apart from you did. Does."

Hunter stared at the Formica beneath their hands. When had he laid his hand on the table? Abby wondered. They were side-by-side, close enough that she could feel the heat.

"I don't know what to say. It's been three months."

So little time, but such a long time, too. "How about that you still have feelings for me?"

"I leave for the South Pacific in three days."

She'd waited too long. He wasn't able to let her past the walls anymore. Now she knew how Hunter had felt that night on the Greenway. Her chest seemed to have been stomped into a million pieces.

"Good thing I tracked you down when I did." No sense staying and making the awkwardness worse. She pushed away from the table and turned her head away.

"I just wanted to make sure you know that when faced with a choice between security and you, I chose you."

"They tell me Seychelles is gorgeous this time of year."

Slowly she looked back at him. The vulnerability on Hunter's face took her breath away. Gone were the walls he'd hidden behind for so long. There was nothing but pure, open emotion.

"I've never been there before," he was saying. "Nothing I'd like better than to discover it with the woman I love."

*He still loved her.* Moreover, he was showing her by putting himself and his heart out there for the taking. To Abby, it was the bravest gesture she'd ever witnessed.

"There's nothing I'd like better than to go with you. But that's what I've been working on all these months. I don't want to make you the center of my world. I want to be the kind of woman who walks with you, by your side."

He cupped her cheek. Abby wondered if the shine she saw in his eyes was from tears. Hard to tell, since her own eyes were filled to the brim. "You always were that woman," he whispered. "You just needed to meet her for yourself."

"I have."

"I'm glad." He pulled her to his lap so fast she squealed. "This mean I should order a second plane ticket?"

Exploring a tropical island with the man she loved. Abby couldn't think of a more perfect ending to a fairy tale.

Which was why it killed her to give him her answer. "I'm sorry, Hunter, but no."

# CHAPTER TWELVE

SEEING HUNTER'S FACE FALL, Abby rushed to explain. He'd taken such a chance himself; the words she said now would affect them both forever.

"It's not that I don't want to," she said. "I want nothing more than to run away with you." Doing so, however, would ruin all the work she'd done these past few months.

Plus there was another reason. "Please understand, I can't go. Not yet."

"Why not?"

"I have class. I started school," she added, seeing his confusion. "Remember when you asked me what I wanted to do with my life? I want to help women like me. Help other women get the power they need to rewrite their own life stories."

To her relief, she felt Hunter relax. "You found your passion."

"Oh, I found my passion, all right. Unfortunately, he's heading to the Seychelles to photograph cinnamon farms. Helping other women…that's what I want to do with my life, though.

"So," she said, lowering her forehead to his, "as much as I want to go with you—and believe me, I *so* want to go with you—I need to stay here. Do you understand?"

She held her breath. Changes and choices were all well and good, but the freefall moment where you learned the consequences were hell. Finally Hunter nodded. "After the way I lectured you, it'd be a little hypocritical if I didn't."

"No," Abby said with a watery smile, "it wouldn't. And I never said I wouldn't come for a visit. That is…"

Suddenly she felt shy and exposed. "That is, if you'd like," she finished, biting her lip.

"Oh, I'd like," Hunter replied. "I'd like very much."

His face was close to hers, warm and welcome. So welcome, Abby could barely breathe from the longing. And when his hand tangled in her curls, it felt as though she'd finally become whole.

"Very, very much," he whispered above her lips.

She kissed him with all the love in her heart, telling him with her body what she'd already said with words. That she loved him. That she chose to be loved by him.

The abandon with which Hunter returned the kiss told her the same.

They broke apart, breathless and clinging, foreheads pressed together, neither ready to break the connection. "What happens when I get back?" Hunter asked.

The love she saw in his gaze almost made her want to change her mind about her plans and go to the Seychelles with him.

Almost.

"I'll have my apartment, you'll get a new assistant—preferably male, by the way—and we'll work on sharing each other's lives."

"I'd like that."

Abby's heart gave a happy jump. They'd both come a

long way since that day he'd interrupted Warren. Somewhere along the way, Hunter had set down his camera
and opened his arms to her, to include her in his world.
And she...well, she'd found herself.

Happiness threatened to overwhelm her. Before the
tears could come, she buried herself against Hunter's
chest. Those strong arms that had once held her at her
worst moment were here for the best.

His fingers combed her hair, making a bigger mess.
She didn't care. She could stay like this forever.

"I've got one condition," she heard Hunter say.

Condition? Suddenly, her good feelings paused.
"What condition?"

"That someday in the future I can ask for a merger.
Your life, my life, one life."

"Oh, is that all?" She let out a breath. "I thought you
were going to ask for something impossible."

"Does that mean you're amenable to my proposal?"

His proposal to propose? Absolutely. What's more,
she knew that when that day came, and Hunter made
that proposal a reality, she'd be ready, and she'd have
the courage to say yes.

"Very amenable," she said, wrapping her arms
around his neck. "Now, unless I misunderstood, we
still have three days before you leave, and I have the
afternoon off from work. Do you really want to spend
our free time in Guy's Diner?"

"Sweetheart, Guy's Diner is the last place I want to
be." After setting her on her feet, Hunter threw a wad
of bills on the table and held out his hand. "How about I
take you across the street so I can show you how much
I missed you?"

"Now it's my turn to name a condition." She slipped
her hand in his. "You have to let me show you back."

He grinned. "It's a deal."

Side by side, they walked out the door to whatever future life had in store. Abby didn't know where they were going or what they'd see, but so long as she had Hunter walking along next to her, she knew their ending would be a happy one.

\* \* \* \* \*

# THE MATCHMAKER'S
# HAPPY ENDING

BY
SHIRLEY JUMP

*New York Times* bestselling author **Shirley Jump** didn't have the will-power to diet, nor the talent to master under-eye concealer, so she bowed out of a career in television and opted instead for a career where she could be paid to eat at her desk—writing. At first, seeking revenge on her children for their grocery store tantrums, she sold embarrassing essays about them to anthologies. However, it wasn't enough to feed her growing addiction to writing funny. So she turned to the world of romance novels, where messes are (usually) cleaned up before The End. In the worlds Shirley gets to create and control, the children listen to their parents, the husbands always remember holidays and the housework is magically done by elves. Though she's thrilled to see her books in stores around the world, Shirley mostly writes because it gives her an excuse to avoid cleaning the toilets and helps feed her shoe habit.

To learn more, visit her website at www.shirleyjump.com.

To Mom. I miss you every day.

# CHAPTER ONE

MARNIE FRANKLIN LEFT her thirtieth wedding of the year, with aching feet, flower petals in her hair and a satisfied smile on her face. She'd done it. Again.

From behind the wide glass and brass doors of Boston's Park Plaza hotel, the newly married Mr. and Mrs. Andrew Corliss waved and shouted their thanks. "We owe it all to you, Marnie!" Andrew called. A geeky but lovable guy who tended toward neon colored ties that were knotted too tight around his skinny neck, Andrew had been one of her best success stories. Internet millionaire, now married to an energetic, friendly woman who loved him for his mind—and their mutual affection for difficult Sudoku puzzles.

"You're welcome! May you have a long and happy life together." Marnie gave them a smile, then turned to the street and waited while a valet waved up one of the half dozen waiting cabs outside the hotel. Exhaustion weighed on Marnie's shoulders, despite the two cups of coffee she'd downed at the reception. A light rain had started, adding a chill to the late spring air. The always busy Boston traffic passed the hotel in a *swoosh-swoosh* of tires on damp pavement, a melody highlighted by the honking of horns, the constant music of a city. She loved this city, she really did, but there were days—like

today—when she wished she lived somewhere quiet.
Like the other side of the moon.

Her phone rang as she opened the taxi's door and
told the driver her address. She pressed mute, sending
the call straight to voice mail. That was the trouble with
being on the top of her field—there was no room for a
holiday or vacation. She'd become one of Boston's most
successful matchmakers, and that meant everyone who
wanted a happy ending called her, looking for true love.

Something she didn't believe in herself.

An irony she couldn't tell her clients. Couldn't admit
she'd never fallen in love, and had given up on the
emotion after one too many failed relationships. She
couldn't tell people that the matchmaker had no faith in
a match for herself. So she poured herself into her job
and kept a bright smile on her face whenever she told
her clients that they could have that happy ending, too.

She'd seen the fairy tale ending happen for other
people, but a part of Marnie wondered if she'd missed
her one big chance to have a happily-ever-after. She
was almost thirty, and had yet to meet Mr. Right. Only
a few heartbreaker Mr. Wrongs. At least with her job,
she had some control over the outcome, which was the
way Marnie preferred the things in her life. Controlled,
predictable. The phone rang again, like a punctuation
mark to the end of her thoughts.

In front of her, the cabbie pulled away from the curb,
at the same time fiddling with the GPS on the dash.
Must be a new driver, Marnie decided, and grabbed her
phone to answer the call. "This is Marnie. How can I
help you make a match?"

"You need to stop working, dear, and find your own
Mr. Right."

Her mother. Who meant well, but who thought Marnie's personal life should take precedence over everything else in the universe. "Hi, Ma. What are you doing up so late on a Friday night?"

"Worrying about my single daughter. And why she's working on a Friday night. Again."

The GPS announced a left turn, a little late for the distracted cab driver, who jerked the wheel to the left and jerked Marnie to one side, too. She gave him a glare in the rearview mirror, but he ignored it. The noxious fumes of Boston exhaust filled the interior, or maybe that was the bad ventilation system in the cab. The car had seen better days, heck, better decades, if the duct tape on the scarred vinyl seats was any indication.

"You should be out on a date of your own," Marnie countered to her mother.

"Oh, I'm too old for that foolishness," Helen said. "Besides, your father hasn't been gone that long."

"Three years, Ma." Marnie lowered her voice to a sympathetic tone. Dad's heart attack had taken them all by surprise. One day he'd been there, grinning and heading out the door, the next he'd been a shell of himself, and then...gone. "It's okay to move on."

"So, what are you doing on Sunday?" her mother said, instead of responding to Marnie's advice, a surefire Helen tactic. Change the topic from anything difficult. Marnie's parents had been the type who avoided the hard stuff, swept it under the rug. To them, the world had been a perpetually sunny place, even when evidence to the contrary dropped a big gray shadow in their way.

A part of Marnie wanted to keep things that way for her mother, to protect Helen, who had been through so much.

"I wanted to have you and your sisters over for

brunch after church," Ma said. "I could serve that coffee cake you love and…"

As her mother talked about the menu, Marnie murmured agreement, and reviewed her To Do list in her
head. She had three appointments with new clients early
in the morning tomorrow, one afternoon bachelor meet
and greet to host, then her company's Saturday night
speed date event—

"Did you hear what I said?" her mother cut in.

"Sorry, Ma. The connection faded." Or her brain,
but she didn't say that.

The cab driver fiddled again with the GPS, pushing buttons to zoom in or out, Marnie wasn't sure.
He seemed flustered and confused. She leaned forward. "Just take a left up here," she said to him. "Onto
Boylston. Then a right on Harvard."

The cabbie nodded.

And went straight.

"Hey, you missed the turn." Damn it. Was the man
that green? Marnie gave up the argument and sat back
against the seat. After the long day she'd had, the delay
was more welcome than annoying. Especially to her
feet, which were already complaining about the upcom-
ing three-flight walk upstairs to her condo. She loved
the brick building she lived in, with its tree-lined street
located within walking distance of the quirky neighborhood of Coolidge Corner. But there were days when
living on the third floor—despite the nice view of the
park across the street—was exhausting after a long day.
Right this second, she'd do about anything for an elevator and a massage chair.

"I said you should wear a dress to brunch on Sunday," her mother said, "because I'm inviting Stella Har-
grove's grandson. He's single and—"

"Wouldn't it be nicer just to visit with you and my sisters, Ma? That way, we can all catch up, which we never seem to get enough time to do. A guy would end up being a fifth wheel." Marnie pressed a finger to her temple, but it did little to ward off the impending headache. A headache her sister Erica would say she brought on herself because she never confronted her mother and instead placated and deferred. Instead of saying *Ma, don't fix me up,* she'd fallen back on making nice instead. Marnie was the middle sister, the peacemaker, even if sometimes that peace came with the price of a lot of aspirin. "Besides, if I want a date, I have a whole file of handsome men to go through."

"Yet you haven't done that at all. You keep working and working and...oh, I just worry about you, honey."

Ever since their father had died, Helen had made her three children her top—and only—priority. No matter how many times Marnie and her sisters had encouraged their mother to take a class, pick up a hobby, go on a trip, she demurred, and refocused the conversation on her girls. What her mother needed was an outside life. Something else to focus on. Something like a...

*Man.*

Marnie smacked herself in the head. For goodness sake, she was a professional matchmaker. Why had she never thought to fix up her mother? Marnie had made great matches for both of her sisters. Oldest sister Kat got married to her match two years ago, and Erica was in a steady relationship with a man Marnie had introduced her to last month. Despite that, Marnie had never thought about doing the same for her widowed mother. First thing tomorrow morning, she would cull her files and find a selection of distinguished, older men. Who appreciated women with a penchant for meddling.

"I'll be there for brunch on Sunday, Ma, I promise," Marnie said, noting the cabbie again messing with the GPS. "Maybe next time we can invite Stella's grandson. Okay?"

Her mother sighed. "Okay. But if you want me to give him your number or give you his…"

"I know who to call." Marnie started to say something else when the cabbie swore, stomped on his brakes—

And rear-ended the car in front of him. Marnie jerked forward, the seatbelt cutting across her sternum but saving her from plowing into the plexiglass partition. She let out an oomph, winced at the sharp pain that erupted in her chest, while the cabbie let out a stream of curses.

"What was that sound?" Helen asked. "It sounded like a boom. Did something fall? Did you hit something?"

"It's, uh, nothing. I gotta go, Ma," Marnie said, and after a breath, then another, the pain in her chest eased. "See you tomorrow." She hung up the phone, then unbuckled, and climbed out of the yellow cab. The hood had crumpled, and steam poured from the engine in angry gusts. The cabbie clambered out of the taxi. He let out another long stream of curses, a few in a language other than English, then started pacing back and forth between the driver's side door and the impact site, holding his head and muttering.

The accordioned trunk of a silver sports car was latched onto the taxi's hood. A tall, dark, handsome, and angry man stood beside the idling luxury car. He shouted at the cab driver, who threw up his hands and feigned non-understanding, as if he'd suddenly lost all knowledge of the English language.

Marnie grabbed her purse from the car, and walked

over to the man. One of those attractive, business types, she thought, noting his dark pinstriped suit, loosened tie, white button-down with the top button undone. A five o'clock shadow dusted his strong jaw, and gave his dark hair and blue eyes a sexy air. The matchmaker in her recognized the kind of good-looking man always in demand with her clients. But the woman in her—

Well, she noticed him on an entirely different level, one that sent a shimmer of heat down her veins and sped up her pulse. Something she hadn't felt in so long, she'd begun to wonder if she'd ever meet another man who interested her.

Either way, Mr. Suit and Tie looked like a lawyer or something. The last thing she needed was a rich, uptight man with control issues. She'd met enough of them that she could pick his type out of the thousands of people in the stands at Fenway on opening day.

"Is everyone okay?" she asked.

The cab driver nodded. Mr. Suit and Tie shot him a scowl, then turned to Marnie. His features softened. "Yeah. I'm fine," he said. "You?"

"I'm okay. Just a little shaken up."

"Good." He held her gaze for a moment longer, then turned on the cabbie. "Didn't you see that red light? Where'd you get your license? A vending machine?"

The cabbie just shook his head, as if he didn't understand a word.

Mr. Suit and Tie let out a curse and shook his head, then pivoted back to Marnie. "What were you thinking, riding around this city with a maniacal cab driver?"

"It's not like I get a resume and insurance record handed to me before I get in a taxi," she said. "Now, I understand you're frustrated, but—"

"I'm *beyond* frustrated. This has been a hell of a day.

With one hell of a bad ending." He shot the cab driver another glare, but the man had already skulked back to his car and climbed behind the wheel. "Wait! What are you doing?"

"I'm not doing any—" Then she heard the sound of metal groaning, and tires squealing, and realized Mr. Suit and Tie wasn't talking to her—but to the cab driver who had just hit and run. The yellow car disappeared around the corner in a noisy, clanking cloud of smoke.

In the distance, she heard the rising sound of sirens, which meant one of the people living in the apartments lining the street must have already called 9-1-1. Not soon enough.

Mr. Suit and Tie cursed under his breath. "Great. That's all I needed today."

"I'm sorry about that." Marnie stepped to the corner and put up her hand for a passing cab. "Well, good luck. Hope you get it straightened out and your night gets better."

"Hey! You can't leave. You're my witness."

"Listen, I'm exhausted and I just want to get home." She raised her arm higher, waving her hand, hoping to see at least one available cab. Nothing. Her feet screamed in protest. Soon as she got home, she was burning these shoes. "I'll give you my number. Call me for my statement." She fished in her purse for a business card, and held it out.

He ignored the card. "I need you to stay."

"And I need to get home." She waved harder, but the lone cab that passed her didn't stop. "This is Boston. Why aren't there any cabs?"

"Celtics game is just getting over," the man said. "They're probably all over at the Garden."

"Great." She lowered her arm, then thought of the

ten-block hike home. Not fun in high heels. Even less fun after an eighteen-hour day, the last four spent dancing and socializing. She should have drunk an entire pot of coffee.

"I'll make you a deal," the man said. "I'll give you a lift if you can wait until I've finished making the accident report. Then you can give your statement and kill two birds with one stone."

She hesitated. "I don't know. I'm really tired."

"Stay for just a bit more. After tonight, you'll never have to see me again." He grinned.

He had a nice smile. An echoing smile curved across her face. She glanced down the street in the direction of her condo and thought of the soft bed waiting for her there. She weighed that against walking home. Option two made her feet hurt ten times more. *Stupid shoes.*

She glanced back at the misshapen silver car. "You're sure you can drive me home? In that?"

"It runs. It's just got a little junk in the trunk." He grinned. "Sorry. Bad joke."

A laugh escaped her and eased some of the tension in her shoulders, the pain in her feet. "Even a bad joke sounds good right now." No cabs appeared, and that settled the decision for her. "Okay, I'll wait."

Not that it was going to be a hardship to wait with a view like that. This guy could have been a cover model. Whew. Hot, hot, hot. She should get his contact information. She had at least a dozen clients who would be

*You're always working.*

Marnie could hear her mother's voice in her head. *Take some time off. Have some fun. Date a guy for yourself. Don't be so serious and buttoned up all the time.*

What no one seemed to understand was this buttoned-up approach had fueled Marnie's success.

She'd seen how a laissez-faire approach to business could destroy a company and refused to repeat those mistakes herself. A distraction like Mr. Suit and Tie would only derail her, something she couldn't afford.

The man opened the passenger's side door. "Have a seat. You look like you've had a trying day. And I know how that feels."

She sank into the leather seat, kicked off her shoes and let the platform heels tumble to the sidewalk. The man came to stand beside her, leaning against the rear passenger door. He had the look of a man comfortable in his own skin, at ease with the world. Confident, sexy, but not overly so. A hot combination, especially with the suit and tie. Her stance toward him softened.

"You're right. I have had a long, trying day myself." She put out her hand. "Let's try this again. I'm Marnie Franklin."

"Jack Knight."

The name rang a bell, but the connection flitted away before she could grasp it because when he took her hand in his, a delicious spark ran through her, down her arm. If she hadn't been seated, she might have jumped back in surprise. In her business, she shook hands with dozens of men in the course of a week. None had ever sent that little…zing through her. Maybe exhaustion had lowered her defenses. Or maybe the accident had shaken her up more than she thought. She released his hand, and brushed the hair out of her eyes, if only to keep from touching him again.

The police arrived, two officers who looked like they'd rather be going for a root canal than taking another accident report in the dent and ding city of Boston. For the next ten minutes Marnie and Jack answered questions. After the police were gone, Jack turned to her. "Thanks for staying. You made a stressful day much better."

"Glad to help."

Jack bent down and picked up the black heels she'd kicked onto the sidewalk when she'd sat in his car. He handed them to Marnie, the twin heels dangling from his index finger by their strappy backs. In his strong, capable hands, the fancy shoes looked even more delicate. "Your shoes, Cinderella." He gave her a wink, and that zing rushed through her a second time.

"I'm far from Cinderella." She bent and slipped on the damnable slingbacks. Pretty, but painful. "More like the not-so-evil stepmother, trying to fix up all the stepsisters with princes."

His smile had a dash of sexy, a glimmer of a tease. "Every woman deserves to be Cinderella at least once in her life."

"Maybe so, *if* she believes in fairy tales and magic mice."

She worked in the business of helping people fall in love, and had given up on the fairy tale herself a long time ago. Over the years, she'd become, if anything, more cautious, less willing to dip a toe in the romance pool. When she'd started matchmaking she'd been starry eyed, hopeful. But now...

Now she had a lot of years of reality beneath her and the stars had faded from her vision. She knew her business had suffered as a consequence. Somehow she needed to restore her belief in the very thing she touted to her clients—the existence of true love.

Jack shut her door and came around to the driver's side. The car started with a soft purr. "Where to?"

She gave him her address, and he put the car in gear. She settled into the luxury seat. The dark leather hugged her body, warm and easy. Damn. She needed to step outside the basic car model box because sitting in this sedan made it pretty easy to fall for the whole Cinderella fantasy. It wasn't a white horse, but it was a giant step closer to a royal ride. Having a good looking prince beside her helped feed that fantasy, too.

"I'm sorry for being grumpy earlier. That accident was the icing on a tough day. Thanks again for staying and talking to the cops for me," he said. "I can't believe you remembered all those details about the driver."

She shrugged. "My father used to make me do that. Whenever we went someplace, he made sure I noticed the waiter's name or the cab driver's ID. He'd have me recite the address or license plate or some other detail. He said you never knew when doing that would come in handy, and he was right." She could almost hear her father's voice in her ear. *Watch the details, Daisy-doo, because you never know when they'll matter.* He'd rarely called her Marnie, almost always Daisy-doo, because of her love for the flowers. Kat had been Kitty, Erica had been Chatterbug. Marnie missed hearing her father's wisdom, the way he lovingly teased his daughters. "Besides, the cab driver had his hands on the GPS more than the steering wheel, and that made me doubly nervous. If I could have, I would have jumped in the driver's seat and taken the wheel myself."

He chuckled. "Nice to meet a fellow control freak."

"Me? I'm not a control freak." She wrinkled her nose. "Okay, maybe I am. A little. But in my house, things were a little…crazy when I was a kid and someone had to take the reins."

"Let me guess. You're the oldest? An only?"

"The middle kid, but only younger than the oldest by nine months."

"Oh, so not just the driver, but the peacemaker, too?" He tossed her a grin.

He'd nailed her, in a few words. "Do you read personality trait books in your spare time or something?"

"Nah. I'm just in a business where it's essential to be able to read people, quickly, and well."

"Me, too. Though sometimes you don't like what you read."

"True." Jack glanced over at her, his blue eyes holding her features for a long moment before he returned his attention to the road. "So, Cinderella, what has made you so jaded?"

The conversational detour jolted her. She shifted in her seat. "Not jaded...realistic."

"Well, that makes two of us. I find, in my line of work, that realism is a must."

The amber glow of the street lights and the soft white light coming from the dash outlined his lean, defined profile with a soft edge. Despite the easy tone of his words, something in them hinted at a past that hadn't been easy. Maybe a bad breakup, or a bitter divorce? Either way, despite the zing, she wasn't interested in cleaning up someone else's baggage. *Stick to impersonal topics, Marnie.*

His cell phone started to ring, and the touchscreen in the center of his dash lit up with the word Dad. "Do you mind if I answer this?" Jack asked. "If I don't, he'll just keep calling."

She chuckled and waved toward the screen. "Go right ahead. I totally understand."

Jack leaned forward, pressed a button on the screen, then sat back again. "Hey, Dad, what's up? And before you say a word, you're on speaker, so don't blurt out any family secrets or embarrassing stories."

"You got someone in the car with you?" said a deep, amused voice on the other end. "Someone pretty, I hope."

Jack glanced at Marnie. A slow smile stole across his face and a quiver ran through her. "Yes, someone very pretty. So be on your best behavior."

His father chuckled. "That's no fun. The only thing that gets me out of bed in the morning is the potential for bad behavior."

Beside her, Jack rolled his eyes and grinned. *Parents,* he mouthed.

Seemed she wasn't the only one with a troublesome parent. Jack handled his father with a nice degree of love and humor. That tender touch raised her esteem for him, and had her looking past the suit and tie. Intriguing man. Almost…intoxicating.

She didn't have time, or room, in her life for being intrigued by a man, though, especially since her business took nearly every spare moment. Even one as handsome as him.

She could almost hear her mother screaming in disagreement, but Marnie knew her business and herself. If she got involved with someone right now, it would be a distraction. Maybe down the road, when her business and life were more settled…

*Someday when?*

She'd been saying "someday" for years. And had to find the right moment—or the right man—to make her open her heart to love.

"I called because I was wondering when you'd be home," Jack's father was saying. "You work more hours than the President, for God's sake."

Marnie bit back a laugh. It could have been her con-

versation with her mother a little while ago. She half
expected his father to schedule a blind date brunch, too.

"I'm on my way." Jack flicked a glance at the dash-
board clock. "Give me twenty minutes. Did you eat?"

"Yeah. Sandwiches. *Again.* Lord knows you don't
have anything in that refrigerator of yours besides beer
and moldy takeout."

"Because I'm never there to eat."

"Exactly." Jack's father cleared his throat. "I have an
idea. Maybe...you should bring your pretty companion
home for a—"

"Hey, no embarrassing statements, remember?"

His father chuckled. "Okay, okay. Drive safe."

Jack told his father he'd be home soon, then said
goodbye and disconnected the call. "Sorry about that,"
Jack said to Marnie. "My dad is...needy sometimes.
Even though it's been a few years since he got divorced,
it's like he's been lost."

"My mother is the same way. She calls me every five
minutes to make sure I'm eating my vegetables, wearing sunscreen and not working too much."

He chuckled. "Sounds like we have the same parent. Ever since my dad sold his house, he's been living
with me, while he tries to figure out if he wants to stay
in Boston or high-tail it for sunny Florida. He thinks
that means he should comment on everything I do and
every piece of furniture in my apartment."

"And what is or isn't in your fridge." Marnie's mom
stopped by Marnie's condo almost every Sunday after
church, but less to visit than to do a responsible child
check. *You need more vegetables,* her mother would
say. Or *you should cook for yourself more often.* And
the best, *if you had a man in your life, you wouldn't
have to do that.* Marnie loved her mother, but had re-

alized a long time ago that a mother's love could be... invasive. "I get the whole you should make more time for homecooked meals and a personal life lecture on a weekly basis. I think my mother forgets how many hours I work. The last thing I want to do when I get home is whip up a platter of lasagna."

"I think they go to school for that," Jack said. "How to Bug Your Adult Kids 101."

She laughed. It did sound like they had the same parent. "Maybe you should get your dad involved in something else, something that keeps him too busy to focus on you. There are all kinds of singles events for people his age. Some of them are dates in disguise, get-togethers centered around hobbies, like cooking or pets," Marnie said, unable to stop work talk from invading every second of her day. My lord, she was a compulsive matchmaker. And one who needed to take her own advice. First thing tomorrow, she was going to look into dates for Ma and someday soon, she'd nicely tell her mother to butt out.

Yeah, right. Marnie had yet to do that to anyone, especially her mother. But she could tell others what to do. *That* she excelled at, according to her sisters.

Jack nodded. "I tried that before, years ago, but it didn't go so well. But you're right—maybe if I try again, now that some time has passed since all that upheaval, my dad will be more open to doing some activities, especially ones that get him dating again."

"And if he meets someone else—"

"He won't have time to worry about my fridge or my hours." Jack laughed. "Ah, such a devious plan we've concocted."

"As long as it works." She grinned.

Jack turned onto Marnie's street. A flicker of disappointment ran through her as the ride came to an end. "It's the fourth one on the right," she said. "With the flowers out front."

Invite him in? Or call it a night?

He slowed the car, then stopped at her building's entrance. "Nice looking place. I love these brick buildings from the early 1900s. It's always nice to see the architecture get preserved when the building gets repurposed Not every owner appreciates history like that."

"Me, too. Coming home is like stepping into history." She smiled, then put out her hand. Impersonal, business-like. "Well, thank you for the ride."

That zing ran through her again when his large hand enfolded hers. For a second, she had the crazy thought of yanking on his hand, pulling him across the car, and kissing him. His broad chest against hers, his lips dancing around her mouth, his hands—

Wow. She needed to sleep more or get extra potassium or something.

"It was the least I could do after you stayed," Jack was saying. He released her hand. Darn. "Especially after you had a long day yourself."

*Focus on the words he's speaking, not the fantasy.* She jerked her gaze away from his mouth. "It was no trouble."

He grinned. "You said that already."

"Oh, well, I'm just really...tired."

"Yeah, me, too. I had a long day, made longer by someone who dropped the ball on some important paperwork. I got everything back on track, but...what a day." He ran a hand through his hair, displacing the dark locks. "Anyway, I'm sorry again about losing my temper back there."

"I would have done the same thing if my trunk looked like an origami project," she said.

He glanced in the rearview mirror and shrugged off the damaged rear. "It gives my insurance agent something to do."

She laughed. "True. Anyway, thanks again. Have a good night."

"You, too." He reached for her before she got out of the car, a light, quick touch on her arm. But still enough to send heat searing along her skin. "Would you like to go get a cup of coffee or a drink? We could sit around and complain about our jobs, our meddling parents, bad cab drivers and whatever else we can think of?"

A part of her wanted to say yes, but the realistic part piped up, reminding her of the time and her To Do list, and her no-men-for-the-foreseeable-future resolve. Besides, there was something about that zing, something that told her if she caved, she'd be lost, swept in a tsunami. The mere thought terrified her. "I can't. It's late. And I have an early day tomorrow."

"On Saturday?"

She raised one shoulder, let it drop. "My job is a 24/7 kind of thing."

He chuckled. "Mine, too. And even though every year I vow to work less and play more…"

"You don't."

He nodded.

"Me, too." Because work was easier than confronting the reasons why she worked too much. Because work was easier than taking a chance on love. Work she could control, depend upon. Love, not so much. But she didn't say any of that. She released the door handle, and shifted to face him.

Despite the fear, she didn't want to leave. Right

now, with Jack looking at her like that, his eyes lit by the street light above and his strong jaw cast in a dark shadow, her resistance was at an all-time low. Desire pulsed in her veins. She wished she *had* dragged him across the car and kissed him silly when she'd had the chance. So she delayed leaving a bit longer.

"What do you do for work that keeps you busy late into the day and also on weekends?" She put a finger to her lip and gave him a flirty smile. "Let me guess. Lawyer?"

"Hell, no." He glanced down. "Oh, I get it. Pinstripe suit, power tie. Screams waiting to sue to you?"

"Well, if the Brooks Brothers fits…"

His smile widened, ending with a dimple. *Oh, God.* Dimples. She'd always been a sucker for them.

"I'm…an investor," Jack said. "Of sorts."

"Of sorts?"

"I buy and sell businesses. I find ones that need a cash infusion, and if I think they're viable, I invest. If I think they're not, I buy them and either sell them again or break up the pieces and sell it off."

A shiver ran down her back. The leather seemed to chafe now, not comfort. "You're…a corporate raider?"

"I'm a little nicer than that. And I tend to work with small to medium-sized businesses, not giant Goliaths."

The connection fused in her mind. His job. His name. Jack Knight. Owner of Knight Enterprises. A "business investor"—a euphemism for his true identity. Jack Knight was a vulture. Feeding off the carcasses of desperate business owners.

It had to have been the exhaustion of the day that had kept her from putting the pieces together until now. How could she have misread all the clues?

And to think she'd wanted to kiss him five minutes

ago. She bristled. "The size doesn't matter to the company that gets sold off, or taken over, or destroyed in the process of that kind of 'help.'"

"I must have given you the wrong impression. There's more to it—"

"No, there really isn't. You destroy people's companies, and their lives." The words sprang to life in her throat, fueled by exhaustion, shock, and surprised even Marnie with their vehemence. She never did this, never showed outrage, never yelled. Jack Knight had brought out this other side of her, with a roar. "Do you even think about what happens to those people after you swoop in and tear their company to shreds? They spent their lives building those companies, and in an instant, you take it all away. And for what? A bottom line? A few more dollars in your pocket? Another sports car for the collection?" She let out a gust, then grabbed the door handle. It stuck, then yielded, and fresh night air washed over her. She'd gotten distracted, by a dimple and a zing. *Idiot.* "Goodnight."

"Wait. What did—"

She shut the door, cutting off his words. She'd confronted him, told him off, and told herself it felt good to finally say what she should say, exactly when she was supposed to say it. Jack idled in the space for a moment, then finally, he drove away, swallowed by the night.

Disappointment hit her first. If only she'd kissed him. If only she'd let herself get talked into that cup of coffee.

If only he'd been someone other than Jack Knight.

Then righteous indignation rose in her chest. He was the one at fault, not her. He was the one who had ruined her father's company, not her. If she'd told him what she really wanted to say to him, if she'd really let the confrontation loose, she'd have resorted to some very

unlady-like behavior, and she refused to give him that
satisfaction. Jack Knight didn't deserve it, not after what
he had done to her father.

So she had said goodnight, got out of Cinderella's
carriage, and went back to the real world, where princes
didn't come along very often, and there were no mice
to do the work for her.

# CHAPTER TWO

"ARE YOU GOING to admit I was right?" Marnie whispered to her mother. They were standing to the side of the private dining room of an upscale Boston restaurant on a sunny Saturday afternoon. Soft jazz music filled the air, accented by the rise and fall of a dozen human voices.

A blush filled Helen's cheeks, making her look ten years younger. She had her chestnut hair up tonight, which elongated her neck and offset her deep green eyes. The dark blue dress she'd worn skimmed her calves, and defined the hourglass shape she'd maintained all her life, even after giving birth to three children. Coupled with the light in her eyes and the smile on her face, Helen looked prettier than ever, and far younger than her fifty-eight years.

"Yes, you were right, daughter dear," Helen whispered back. "How'd I get such a smart child?"

"You gave me great genes." Marnie glanced over the room. Cozy and intimate, the private dining space offered a prime location, great parking and an outstanding menu, making it perfect for Matchmaking by Marnie meet and greets. In her experience, full and happy stomachs equaled happy people who then struck up conversations.

Today, she'd invited ten bachelors to meet her mother, and set up a buffet of finger foods on the far right side of the room. While they noshed on chicken satay and mini eggrolls, Helen circulated. Three days ago, when Marnie and Erica had proposed the idea of a mixer to Helen, she'd refused, insisting she didn't need to be fixed up, and didn't want to be, but after a while, she'd relented and agreed to "put in an appearance."

That appearance had lasted more than an hour now. Once the first man talked to Helen, and two more joined the conversation, Marnie had watched her mother transform into a giggling schoolgirl, flattered by all the sudden attention. Marnie made sure each bachelor got equal time, then stepped back and allowed the pieces to fall where they may. She'd paved the way, then let Mother Nature finish giving directions.

"So," Marnie said, leaning in closer so they wouldn't be overheard, "is there one man in particular who you like the most?"

Pink bloomed in Helen's cheeks. "Do you see the one standing by the bar?"

"The tall man with the gray hair?" Marnie and Erica had interviewed so many eligible gentlemen in the fifty- to sixty-plus age range that some of them had become a bit of a blur. She didn't remember the details of this man, only that he had impressed her during the group interviews.

"His name's Dan. He's retired from his landscaping business, hates to golf, but loves to watch old movies." Her mother grinned, and in that smile, Marnie could see the energy of a new relationship already blossoming. "And, you'll never guess what his favorite movie is."

Marnie put a finger to her lip. "Hmm…*Casablanca?*"

Helen nodded. "Just like me. We like the same kind

of wine, the same kind of music, and both of us love to travel."

"Sounds like a match made in heaven." Marnie grinned. "Or a match made by a daughter who knows her mother very well."

Helen chuckled. "Well, I wouldn't say it's a perfect match...yet, but it's got potential. Big potential. Now, if only we could find someone for you." Helen brushed a lock of hair off Marnie's forehead. "You deserve to be happy, sweetheart."

"I am happy." And she was, Marnie told herself. She had a business she loved, a purpose to her life, and a family that might annoy her sometimes, but had always been her personal rock. She gave her mother a quick hug, then headed for the front of the room, waiting until everyone's attention swiveled toward her before speaking. She noticed Dan's gaze remained on her mother, while Helen snuck quick glances back in his direction, like two teenagers at a football game.

"I wanted to thank you all for coming today, and if you weren't lucky enough to be chosen by our amazing and beautiful bachelorette," Marnie gestured toward her mother, who waved off the compliment, "don't worry. My goal at Matchmaking by Marnie is to give everyone a happy ending. So work with me, and I promise, I'll help you find your perfect match."

The bachelors thanked her, and began to file out of the room. Dan lingered, chatting with Marnie's mother. She laughed and flirted, seeming like an entirely different person, the person she used to be years and years ago. Marnie sent up a silent prayer of gratitude. Her mother had been lonely for a long time, and it was nice to see her happy again.

The waitstaff began taking away the dishes and

cleaning the tables. Marnie gathered her purse and
jacket, then touched her mother on the arm. "I'm going
to get going, Ma. Call me later, okay?"

Her mother promised, then returned her attention to
Dan. The two of them were still chatting when Marnie headed out of the restaurant. She stood by the valet
counter, waiting for the valet to return with her car,
when a black sports car pulled up to the station. The
passenger's side window slid down. "You're like a bad
penny, turning up everywhere I go."

The voice took a second to register in her mind. It
had been a couple weeks since she'd last heard that deep
baritone, and in the busy-ness of working twenty-hour
days, she'd nearly forgotten the encounter.

Almost.

Late at night, when she was alone and the day had
gone quiet, her mind would wander and she'd wonder
what might have happened if he'd been someone other
than Jack Knight and she'd agreed to that cup of coffee.
Then she would jerk herself back to reality.

Jack Knight was the worst kind of corporate vermin—
and the last kind of man she should be thinking about
late at night, or any time. Of all the people in the city
of Boston, how did she end up running into him twice?

She bent down and peered inside the car. Jack
grinned back at her. He had a hell of a smile, she'd give
him that. The kind of smile that charmed and tempted,
all at once. Yeah, like a snake. "Speaking of bad pennies," she said, "what are you doing here?"

"Picking up my father." His head disappeared from
view, and a moment later, he had stepped out of the car
and crossed to her. He had on khakis and a pale blue
button-down shirt, the wrinkled bottom slightly un-
tucked, the top two buttons undone, as if he was just

knocking off after putting in a full day of work, even on a Saturday. He looked sexy, approachable. If she ignored his name and his job, that was.

She didn't want to like him, didn't want to find his smile alluring or his eyes intriguing. He was a Knight, and she needed to remember that. She was about to say goodbye and end the conversation before it really had a chance to start, when the restaurant door opened and her mother and Dan stepped onto the sidewalk.

"Marnie, you're still here?" Helen said.

"Jack, you're here early," Dan said.

The pieces clicked together in Marnie's mind. The timing of Jack's arrival. *Picking up my father,* he'd said.

She glanced from one man to the other, and prayed she was wrong. "Dan's your father?" she said to Jack, then spun back to Dan. "But...but your last name is Simpson."

Dan grinned. "Guilty as charged. I'm this trouble-maker's stepfather." He draped a loving arm around Jack and gave him a quick hug.

"You know Dan's son?" Helen asked Marnie. "You never told me that."

"I didn't know until just now. And, Ma, I think you should know that Jack..." Marnie started to tell her mother the rest, the truth about who Jack was, but she watched the light in her mother's eyes dim a bit, and she couldn't do it. The urge to keep the peace, to keep everyone happy, overpowered the words and she let them die in her throat.

Dan Simpson. Father of Jack Knight, the man whose company had ruined her family's life.

Dan Simpson. The man her mother was falling for.

Dan Simpson. Another Mr. Wrong in a family teeming with them.

"You should know that, uh, Jack and I met the other night," Marnie said finally. "We sort of…ran into each other."

"Oh, my. What a small world," Helen said, beaming again.

"Getting smaller every day." Jack grinned at Marnie, but the smile didn't sway her. "How do you know my father?"

She gave a helpless shrug. "It seems I just fixed him up with my mother."

"You've got one talented matchmaker standing here," Dan said, giving Helen's hand a squeeze. "You should see if she can fix you up, too, Jack."

Fix him up? She'd rather die first.

"You're a *matchmaker?*" Jack raised a brow in amusement.

"Guilty as charged," she said, echoing Dan's words.

Her brain swam with the incongruity of the situation. How could she have created such a disaster? Usually her instincts were right on, but this time, they had failed her. And she'd created a mess of epic proportion. One that was slipping out of her control more every second.

Beside her, Dan and Helen were chatting, making plans for dinner or lunch or something. They were off to the side, caught in their own world of just the two of them. All of Marnie's senses were attuned to Jack — the enemy of her family and son of the man who had finally put a smile on her mother's face. How was she supposed to tell Ma the truth, and in the process, break a heart that had just begun to mend?

Jack leaned in then, close, his breath a heated whisper against her ear. "I'm surprised you didn't try to fix me up the night we met."

"I wouldn't do that to one of my clients," she whispered back.

Confusion filled his blue eyes, a confusion she had no intent of erasing, not here, not now.

"I'm not sure what I did to make you despise me," he said, "but I assure you, I'm not nearly as bad as you think."

"No, you're not," she said just as the valet arrived with her car. She opened the door, and held Jack's gaze over the roof. "You're worse."

Then she got in her car and pulled away.

A matchmaker.

Of all the jobs Jack would have thought the fiery redhead Marnie Franklin held, matchmaker sat at the very bottom of the list. Yet, the title seemed to suit her, to match her strong personality, her crimson hair, her quick tongue.

His stepfather had raved about Marnie's skills the entire ride from the restaurant to the repair shop to pick up the car the taxi driver had rear-ended, return the rental, then head home. The event had agreed with Dan, giving his hearty features a new energy, and his voice renewed enthusiasm, as if he'd reverse-aged in one afternoon. At six-foot two, with a full head of gray hair, Dan cut an imposing figure offset by a ready smile and pale green eyes. Eyes that now lit with joy every time he talked about Helen.

"I never would have expected to fall for the matchmaker's mother," Dan said. "But I tell ya, Jack, I really like Helen."

"I'm glad," Jack said. And he was. His stepfather had been alone for a long, long time, and deserved happiness. Just with someone other than Marnie Franklin's maternal relatives. The woman had something against him, that was clear.

"Her daughter's quite pretty, too, you know," Dan said.

"Really? I hadn't noticed."

Dan laughed. "You lie about as well as I cook. I saw you checking her out."

"That was a reflex."

"Sure it was." Dan shifted in his seat to study his son. "You know, you should use some of the arguments you used on me."

Jack concentrated on the road. Boston traffic in the middle of the day required all his attention. Yeah, that was why he didn't look Dan in the eye. Because of the cars on the road. "What are you talking about?"

"The list of reasons why I should go to that event— and I'm glad I did, by the way—is the same list I should give you about why you should ask Marnie out."

"I did. She turned me down."

"And?"

"And what? End of story." He didn't want to get into the reasons why he had no intentions of dating anyone right now. He, of all people, should steer far and wide from anything resembling a relationship.

He could bring a business back to life, turn around a lackluster bottom line, but when it came to personal relationships, he was—

Well, Tanya had called him unavailable. Uninvolved. Cold, even. More addicted to his smartphone than her.

A year after the end of their relationship, he'd had to admit she had a point. When he woke up in the morning, his first thought was the latest business venture, not the woman in his life.

Then why had he asked Marnie to coffee?

Because for the first time in a long time, he was intrigued. She'd been on his mind ever since the night they'd met. Confounding, intriguing Marnie Franklin had been a constant thought in the back of his head. After seeing her today, those thoughts had moved front and center. But he didn't tell Dan any of this, because he knew it would give his stepfather more ammunition for his "get back to dating" argument.

Right now, Jack was concentrating on work, and on making amends. Jack Knight, Sr. had ruined a lot of lives, and Jack had spent the last two years trying to undo the damage his father had done, while still keeping the business going and keeping the people who worked for him employed. As soon as he'd moved into his father's office, he'd vowed he would do things differently, approach the company in a new way. He'd gone through all the old files, and had tried to apply that philosophy, one deal at a time.

Tanya might not have thought he had heart when it came to personal relationships, but Jack was determined to prove the opposite in his business relationships. That uninvolved, cold man he'd been was slowly being erased as he gave back more than Knight had taken.

More than he himself had taken.

To try his best to be everything except his father's son.

That, Jack knew, was why he kept putting in all those hours. He'd been part of his father's selfish, greedy machinations, and it was all Jack could do now to restore what had been destroyed, partly by his own hand.

Doing so felt good, damned good, but he knew the time he invested in that goal was costing him a life, a family, kids. Maybe if he could do enough to make amends to all those his father had wronged, when he went to sleep at night, then maybe the past would stop haunting him.

And then he could look to the future again.

Maybe.

It hadn't thus far, and there were days when he wondered if he was doing the right thing. Or just trying to fill an endless well of guilt.

"What do you want to do for dinner?" Jack said, changing the subject.

"You're on your own tonight, kid. I have plans with Helen." Dan grinned, and for a second, Jack envied his stepfather that beaming smile, that anticipation for the night ahead. "I'm taking her to Top of the Hub."

Jack arched a brow at the mention of the famous moving restaurant at the top of the Prudential building. "Impressive. On a first date?"

"Gotta wow her right off," Dan said.

"I must have missed the memo."

Dan chuckled. "You're just a little jaded right now."

"Not jaded. More...realistic about my strengths. I'm good at business, not good at relationships. End of story."

"Hey, you're preaching to the choir here," Dan said. "I'm the king of bad at relationships, or at least I used to be. You live and you learn, and hopefully stop making the mistakes that screwed up your last relationship."

Which was the one skill Jack had yet to master. When it came to businesses and bottom lines, he could shift gears and learn from the past. But with other people... not so much. Maybe it was because he had gone too many years trying to prove himself to a father who didn't love him or appreciate him. Jack had kept striving for a connection that never existed. That made him either a glutton for punishment or a fool. "Or just avoid relationships all together."

Dan chuckled. "What are you going to do? Become a monk?"

"I don't know. Think they're taking applications?" Jack grinned. Nah, he wouldn't become a monk, but he wasn't at a point in his life where he wanted or needed a committed relationship.

He was trying to buckle down and do the right thing where Knight Enterprises was concerned. Juggling yet another commitment seemed like an impossible task. Deep down inside, he worried more about getting too close to a woman. He'd screwed things up with Tanya, and had plenty of relationship detritus in his past to prove his lack of commitment skills. He had been his father's son in business—and a part of Jack wondered if he'd be his son in a marriage, too. The easiest course— keep his head down and his focus on work. Rather than try to fix the one part of his life that had been impossible to repair.

"When do I have time to date?" Jack said. "I barely have enough spare time to order a pizza."

Except he had found plenty of time to think and wonder about Marnie. His wandering mind had set him a good day behind on his To Do list. He really needed to focus, not daydream. By definition, the sassy matchmaker believed in destiny and true love and all of that. Jack, well, Jack hadn't been good at either of those.

"Aw, you meet Miss Right and you'll change your tune," Dan said. "Like me. Helen has me rethinking this whole love in the later years concept."

"All that from one meeting?"

"I told you, she's a special lady. When you know, you know."

Jack would argue with that point. He'd never had that all-encompassing, couldn't-talk-about-anything-else feeling for a woman before.

Well, that was, until he met Marnie. She'd stuck in his mind like bubble gum, sweet, delicious, addictive. Maybe Dan had a point. But in the end, Jack still sucked at relationships and pursuing Marnie Franklin could only end with a broken heart. But that didn't stop him from wanting her or wondering about her. And why her attitude toward him had done a sudden 180.

Had his reputation preceded him? Had he hurt her somehow, too, in the years he'd worked with his father? Jack decided to do a little research in the morning and see if there was a connection. A memory nagged in the back of his head, but didn't take hold.

Jack pulled in front of the renovated brownstone where he lived, a building much like himself—filled with unique character, a speckled history, but still a little rough around the edges.

While his stepfather headed off —whistling—to the shower, Jack grabbed a bag of chips, taking them out to the balcony. He scrolled through his phone, past the endless stream of emails and voice mails. Work called to him, a non-stop siren of demands. On any other day, he'd welcome the distraction and challenges. But not today. Today, he just wanted to sit back, enjoy the sunshine and think about the choices he'd made.

Maybe his stepfather had a point. Maybe it was time to date again, to make a serious commitment to something other than a cell phone plan and a profit and loss statement. He'd been working for two years to make up for the past, and still it hadn't fulfilled him like he thought it would. Nor had it eased the guilt that haunted his nights. It was as if he was missing something, some key that would bring it all together. Or maybe Dan was right and Jack needed to open his heart, too. A monumental task, and one he had never tackled successfully before.

He took a chip, the fragile snack crumbling in his hand, and thought maybe he was a fool for believing in things that could crumble at any moment.

# CHAPTER THREE

AS SOON AS her mother left on her date with Dan that night, the condo echoed. Empty, quiet. Helen had been at Marnie's house for the better part of the afternoon, indulging in a lot of mother-daughter chatting and taking a whirl through Marnie's closet to borrow a fun, flirty dress. Helen's contagious verve had Marnie in stitches, laughing until her sides hurt. But once Ma was gone, the mood deflated and reality intruded.

Marnie tried working, gave up, and gathered her planner and laptop into a big tote and headed out the door. Five minutes later, she was sweating on a treadmill at the gym near her house. It had been weeks since she'd had time for a good workout and as the beats drummed in her head, and the cardio revved up her heart, the stresses of the day began to melt away.

Someone got on the treadmill beside her, but Marnie didn't notice for a few seconds. As she passed the three-mile mark, she pressed the speed button, slowing her pace to a fast walk. Her breath heaved in and out of her chest, but in a good way, giving her that satisfaction of a hard job done well.

"You're making me feel like a couch potato."

She swiveled her head to the right, and saw Jack Knight, doing an easy jog on the other treadmill. Her hand reached up, unconsciously brushing away the sweat on her brow and giving her bangs a quick swipe. Damn. She should have put on some makeup or lip gloss or something. Then she cursed herself for caring how she looked. She wasn't interested in Jack Knight or what he thought about her, all sweaty and messy. Not one bit.

Then why did her gaze linger on his long, defined legs, his broad chest? Why did she notice the way the simple gray T and dark navy shorts he wore gave him a casual, sexy edge? Why did her heart skip a beat when he smiled at her? And why did her hormones keep ignoring the direct orders from her brain?

"I'm impressed." He glanced at the digital display on her treadmill. "Great pace, nice distance."

"Thanks." She took her pace down another notch, and pressed the cool down button. "Are you a member at this gym? I've never seen you here before."

"That's because most of the time, I'm here in the middle of the night, after I finally leave the office for the day. At that time, I have the whole place pretty much to myself."

She gave him a quizzical look. "I thought the gym closes at ten."

"It does. I have…special privileges." He broke into a light jog, arms moving, legs flexing. His effortless run caused a modest uptick in his breathing, leaving Marnie the one now impressed. She'd have been huffing and puffing by now.

"Let me guess," she said. "A cute girl at the front desk gave you a key?"

"Nope. My key comes from one of the owners."

"You?"

"I don't own it," he said. "I have a…vested interest in this gym. One of my high school friends bought it, and when he was struggling, he needed an investor, so I stepped in."

"You did?" She tried to keep the surprise from her voice, but didn't quite make it. "That's really...nice."

Not the kind of thing she expected from Jack Knight, evil corporate raider. He'd saved the gym owned by his friend, but not her father's business. Did he only help friends? And let a stranger's businesses fall to pieces? Or was there a nice guy buried deep inside him?

Or were there a few things she hadn't accepted about her father's company and his role in its demise?

A part of Marnie had always avoided looking too close at the details, because keeping them at bay let her keep her focus on Knight as the evil conglomerate at fault. But deep down inside Marnie knew her affable, distracted, creative father wasn't the best businessman in the world. Helen refused to talk about it, refused to open those "dark doors" as she called them, to the past. And right now, right here, Marnie didn't want to open them either.

Jack leaned over, the scent of soap and man filling the space between them and sending that zing through Marnie all over again. "See? I told you, I'm not as bad as you think I am."

Her face heated. She reached for the hand towel on the treadmill and swiped at her cheeks, then took a deep gulp of water from her water bottle. "I never said you were a horrible person."

Out loud.

"You didn't have to. It was in the way you drove away from the restaurant earlier and in your stinging rejection of my invitation to coffee." He bumped up the speed on his treadmill and increased his jog pace, his arms moving in concert with his legs. "And it was just coffee, Marnie, not a lifetime commitment."

He was right. A cup of coffee with a handsome man wasn't a crime.

Except this handsome man was Jack Knight, who had destroyed her father's company in one of his "investments." She doubted he even realized what he had done to her family, and how that loss had hurt all of them in more than just Tom Franklin's bank account.

She opened her mouth to tell him what she really thought of him, then stopped herself. That urge to keep the peace resurged, coupled with a burst of protectiveness. If Marnie lashed out at Jack, the conversation would get back to Dan and her mother. She had yet to tell her mother who Dan really was, unable to bring herself to wipe that smile off Helen's face, to hurt her mother or disappoint her. Somehow, she had to tell her the truth, though, and do it soon.

Wouldn't it be smart to go into that conversation armed with information? And the best way to gather information without the other party suspecting? Dine with the enemy.

Maybe her father hadn't been businessman of the year, but she knew as well as she knew her own name that Knight Enterprises had been part of the company's downfall, too. If she could figure out how and why, then she could go to her mother and warn her away from Dan. Maybe then both Franklin women would have closure...and peace.

"You know, you're right. It's not a lifetime commitment," she said before she could think twice. "I'll take you up on your coffee offer."

He arched a brow in surprise, and turned toward her, but didn't slow his pace. "Where and when?"

"As soon as you finish your run. If that works for you."

Jack glanced at the time remaining on the treadmill's display and nodded. "Sounds good. How about if I meet you up front in twenty minutes?"

Enough time for her to hit the locker room and get cleaned up. Not that she cared what she looked like with Jack Knight, of course. It was merely because she was going out in public.

As she stepped into the shower and washed up, she second guessed her decision. Getting close to Jack Knight could be dangerous on a dozen different levels. A matchmaker knew better than to put Romeo and Juliet together—and especially not enemies like her and Jack. She had no business seeing him, dating him, or even thinking about either.

She still remembered her father's heartbreak, how he had become a shell of the man he used to be, sitting at home, purposeless, waiting for a miracle that never came. His life's work, gone in an instant. And all because of Jack Knight.

The last of the lather went down the shower drain. She'd have coffee with Jack, and in the process, maybe find a way to exact a little revenge for how he had let her father fail, rather than help the struggling businessman succeed.

What was that they said about revenge? That it was a dish best served cold? Well, this one was going to be rich, dark and steaming hot.

Seventeen minutes later, Jack stood in the lobby of the health club, showered, changed, and his heart beating a mile a minute. He told himself it was from the hard, short run on the treadmill, but he knew better. There was something about Marnie Franklin that intrigued him in ways he hadn't been intrigued in a hell of a long time.

Her smile, for one. It lit her green eyes, danced in her features, seemed to brighten the room.

Her sass, for another. Marnie was a woman who could clearly give as good as she got, and that was something he didn't often find.

Her love/hate for him, for a third. He knew attraction, and could swear she'd been attracted to him when they first met. Then somewhere along the way, she'd started to dislike him. Yet at the same time, she seemed to war with those two emotions.

He had done some preliminary research before he hit the gym, but his files were filled with Franklins, a common enough last name. Then it hit him.

Tom Franklin.

A printer, with a small shop in Boston. Nice guy, but such a muddled, messy businessman that Jack had at first balked when his father asked him to take on Top Notch Printing as a client. He hadn't realized at the time what his father's real plan was—

Well, maybe he had, and hadn't wanted to accept the truth. Buy up the company for pennies on the dollar, to pave the way for a big-dollar competitor moving into town, another branch of the Knight investment tree. Within weeks, Tom Franklin had been out of business.

Oh, damn. If Marnie was that Franklin, Jack had a hell of a lot to make up for. And no idea how to do it. Jack's memory told him that none of Tom's daughters had been named Marnie, though, so he couldn't be sure. Maybe it was all some kind of weird coincidence.

Just then Marnie came down the hall, wearing a navy and white striped skirt that swooshed around her knees, and a bright yellow blouse that offset the deep red of her hair. She had on flats, which was a change from the heels he'd seen her in before, but on Marnie, they looked sweet, cute. Her skin still had that dewy just showered look, and like the other two times he'd seen her, she'd put her hair back in a clip that left a few stray tendrils curling along her neck. The whole effect was... devastating. His fingers itched to see what it would take to get her to let her hair down, literally and figuratively. To see Marnie Franklin unfettered, wild, sexy.

"Where are we going?" she asked. "There's that chain coffee shop—"

He shook his head. "I'm not exactly a decaf venti kind of guy. When I want coffee, I want just that. So, the question is—" at this he took a step closer to her, telling himself it was just to catch a whiff of that intoxicating perfume she wore, a combination of flowers and dark nights "—do you trust me?"

Her eyes widened and she inhaled a quick breath. Then a grin quirked up on one side of her face, and she raised her chin a notch. Sassy. "No, I don't. But I'll take my chances anyway."

"Pretty risky."

"I'm not worried. I carry pepper spray."

A laugh burst out of him, then he turned and opened the health club door for her. As she ducked past him, he leaned in again and caught another whiff of that amazing perfume. Damn sexy, and addictive. "You surprise me, Marnie Franklin. Not too many people do that."

"I'll keep that in mind." She tossed the last over her shoulder, before walking into the waning sunshine.

He fell into step beside her, the two of them shifting into small talk about the weather and the treadmills at the gym as they walked down the busy main street for a couple of blocks before turning right on a small side street. Dusk had settled on the city. Coupled with the dark overlay of leafy trees it made for a cozy, peaceful stroll. For Jack, the walk was as familiar as the back of his hand.

He knew he should find a way to bring the conversation around to whether her father was the Tom Franklin he'd known, but Jack couldn't do it. He liked Marnie, liked her a lot. If she had a chance to get to know this Jack, the one who had walked away from his father's legacy and now tried to do things differently, then maybe he could explain what had happened before.

"Where are we going?" Marnie asked.

"It's a surprise. You'll see."

"Okay, but I don't have a ton of time—"

He put a hand on her arm, a quick, light touch, but it seemed to sear his skin, and he saw her do another quick inhale and a part of him—the part that had been closed off for so long—came to life. He wanted to let her in, if only for today, to have a taste of that sweet lightness, even though he feared a woman like her wasn't meant for a man like him.

"It's beautiful out. We both work hard. I think we can afford a few extra minutes to enjoy the end of the day."

She gave him a wary glance. "Okay. But just a few."

The side street led straight into a neighborhood, as if stepping into another world after leaving the hecticness of the city. Quiet descended over the area, while the constant hum of rush hour traffic behind them got farther away with each step. Elegant brick homes nearly as old as Boston itself decorated either side of the street, fronted by planters filled with bright, happy flowers. Concrete sidewalks lined either side of the street, accented with grassy strips and the minutiae of life in a neighborhood—kids' bikes, lawn tools, newspapers. Neighbors greeted Jack as he walked by, and passing cars slowed to give him a wave.

In the distance, the gold-tipped spire of a church peeked above the leafy green trees, like a crown on top of a perfect cake. His heart swelled the farther he walked. No matter how many times he came back here, he always felt the same—at home.

"How come everyone knows you here?" Marnie said.

"I grew up in this neighborhood, staying in the same house all my life, even after my mom married Dan," he said. "Even though my dad passed away and my mom moved to Florida a couple years ago, this place is still home."

"It's a pretty neighborhood. Lots of great architecture." She raised a hand to touch the black curved iron and aluminum pole of the street light. It was a replica, and a pretty darn close historical copy of the original lights that had been lit by torches a century ago. "I love these lights, too. The old-fashioned ones are my favorite."

"Much nicer than the sodium vapor and high mast ones they use on the main roads. And in keeping with the tradition that's so important to this neighborhood."

"Oh, and look, daisies." She pointed to a house fronted by the bright white flowers. "I loved those when I was a kid, so much that my dad called me Daisy-doo. Silly, but you know, when it's your dad, it's kinda special."

"I bet." His father had never been the kind for anything as superfluous as a nickname. Dan had been the one to tease, make jokes, envelop Jack with warmth and hugs. But the man whose DNA Jack shared, hadn't done so much as offer a hug.

He shrugged off the memories and pointed to the spire. "Back when this neighborhood was built, it was centered around the church. It's still pretty central to the houses here."

They rounded another corner, and as they did, the road opened up, showcasing a simple white building. The small, unpretentious church sat in the middle of the neighborhood, with the rest of the streets jutting off like spokes. Street lights blinked to life, and danced golden light over the sidewalk. "This is my favorite time of day to be here," Jack said. "It looks so beautiful and peaceful. So pristine and perfect, like a new beginning could be had for the asking."

He hadn't realized he'd said that out loud until Marnie turned to him and smiled. "That sounds so... awesome."

"Thanks. But I can't take all the credit." He gestured toward the building.

Marnie stopped walking and stared up at the church. "Wow. It *is* beautiful. Understated. Maybe because it's so...ordinary. There are so many buildings in this city that try to compete for architectural design of the year, and this one is more...wholesome, if that makes sense."

"It does. I guess that's why I like coming here."

"You go to this church?"

He nodded. "I've gone almost every Sunday since the day I was born."

She arched a brow. "Really? You?"

He leaned in again, close enough to see the flecks of gold in her eyes, the soft chestnut wave brushing against her cheek. And close enough to once again, be mesmerized by her perfume. "I told you, I'm not as bad as you think."

She raised her gaze to his, and that smile returned. "You don't know what I think about you, Mr. Knight."

He reached up and trailed a finger down her cheek, whisking away that errant hair before lowering his hand. She inhaled, exhaled, watching him. No, he didn't know what she thought about him. But damn, he wanted to know.

Was it just because she was trying so hard not to like him? Or because he was tired of being seen as the evil corporate raider, painted with the same brush as his father?

Jack just wanted time before he probed deeper, to find out where Marnie's animosity lay. Give her a chance to get to know this Jack Knight, the one who no longer did his father's bidding. Then, when the time was right, he'd broach the subject of the past. Because right now he wanted her. Damn, did he want her.

"Considering how much we have in common, Marnie," he said, "I think you should call me by my first name. Don't you?"

"And what do we have in common?"

"Besides an appreciation for good architecture, and a competitive streak on the treadmill, there's the fact that our parents are dating."

She laughed. "In my world, that's not something in common. Heck, that wouldn't even be enough to invite you to a mixer, *Mr. Knight*."

Damn. Every time he thought they were growing closer, that she was giving him a chance, she retreated, threw up a wall. They started walking again, circling past the church, then turning down another tree-lined street. They walked at an easy pace, no hurry to their step. How long had it been since he'd done that? Taken a walk, with no real hurry to his journey? Even though he had a thousand things to do, at least a dozen phone calls to return and countless emails waiting for his attention, he kept walking. Something about today, or about Marnie, made him want to linger rather than rush back to the office. Right now, he couldn't tell if that was a good or bad thing.

"So how does it work?" he asked.

They passed under a leafy maple tree, the branches hanging so low, they whispered across their heads. "What? Matchmaking?" she said.

He nodded. "Do you use some kind of algorithm or something? A computer program?"

"No." She laughed. "Most of it's instinct. We do log pertinent client and potential match information into the computer, just so it's easier to develop a list of bachelors or bachelorettes for a mixer, but when it comes to picking the best possible matches, it's all in here." She pressed a hand to her chest.

He jerked his gaze up and away from the enticing swell of her breast. He was having a conversation here, not indulging in a fantasy. Except every time he looked at her, his thoughts derailed. Especially when she smiled like she did, or laughed that lyrical laugh of hers. "Sounds sort of like buying a business. Instinctually, I know which ones will be the best choice, and which aren't going to make it, no matter how much of a cash infusion I give it."

Her expression hardened. "Yeah, I bet it's exactly like that. All guts. No logic." She cast her glance to the right and left, away from him. The warm and bubbly moments between them evaporated, and a wall of ice dropped into her voice. "So, where's this coffee shop?"

Her reaction sealed his suspicions. She'd been

burned, either by Knight or someone like him. But most likely his company. Guilt churned in his stomach.

"One more block," he said, trying to redirect the conversation. "Close enough to walk there after church, which is part of what makes the location so ideal."

The wall remained, however. Silence descended on them, an uncomfortable, tense hole in the conversation. They reached the corner where the coffee shop sat, a bright burst amidst the brick and white of the neighborhood.

The door to the Java Depot was propped open, and the rich scent of brewed coffee wafted outside, luring customers in with its siren call of caffeine. Several couples sat at umbrella-covered wrought iron tables, while a trio of kids played on the small playground set up beside the shop's deck. The non-lucrative use of a good chunk of the cafe's land had been a risky move, but one that had paid off, given the number of kids and families that visited this space on a regular basis. The sound system played contemporary jazz and alternative music, lots of it by local artists who often performed on the outdoor patio.

"Cute place," Marnie said. "I never even knew it existed."

"One of those great hidden secrets in Boston." He grinned. "Though the new owner is determined to get the word out via advertising and social media."

Marnie looked around, her intelligent gaze assessing the location and décor. "I like how it's so community oriented, with the local art displays, and the playground for kids. It's almost like being at home."

The words warmed him. He so rarely saw the reaction to his work, the money he invested, the counsel he gave. Too often, he'd seen the effects of the businessman he used to be—the shuttered shops, the For Sale signs, the people filing unemployment. But the Java Depot was a success story, one of many, he hoped. Appreciation and seeing others' success was a far greater reward than any increase in his own bottom line.

"That was the idea. A neighborhood coffee shop should feel like an ingrained part of the neighborhood and reflect the owner's personality. This one does both." He waved her ahead of him, then stepped inside and paused while his eyes adjusted to the dim interior.

"Jack!" Dorothy, a platinum blond buxom woman in her fifties who had been behind the counter of the Java Depot for nearly two years, sent him a wave. She gave him a broad, friendly smile, as if she was greeting a long lost family member. Considering how long he'd known Dot, she practically was family. "I brewed some of your favorite blend today. Let me get you a cup."

"Thanks, Dot. And I'll need a…" He glanced at Marnie.

"Whatever you're having. But with the girly touch of some cream and sugar."

"A second one. Regular, please."

"You got it," Dot said. A few seconds later, she passed two steaming mugs of coffee across the counter. "Got fresh baked peanut butter cookies, too." Before he could respond, she laid two cookies on a plate and slid those over, too, giving Jack a wink.

"You are bad for my diet, Dot." He grinned.

"You work it off in smiles, you charmer, you." She chuckled, then turned to Marnie. "Half my waitstaff trips over themselves to serve him. There's going to be a lot of envious eyes on you, my girl, because you've snagged Mr. Eligible here."

"Oh, I'm not his girlfriend," Marnie said. Fast. So fast, a man could take it personally.

"Well, you're missing out on a hell of a catch," Dot said, then gave Jack a wink. "Why this man is the whole reason I'm in business. Without Jack, there wouldn't be a Java Depot here. He helped me out, encouraged me, gave me great advice, and a big old nudge when I needed one most. Always has, and I suspect even if I tell him not to, he always will." Dot's light blue eyes softened when she looked over at Jack. "It's good to have you in my corner, Jack."

He shifted his weight, uncomfortable under Dot's grateful words. It was what he worked for, but there were days when praise for doing the right thing felt like wearing the wrong shoes. Maybe someday he'd get used to it.

"I needed a place to get my coffee," he said. "And my mom is addicted to your cookies, so if you went out of business and stopped shipping them down to her in Florida, she'd go into serious withdrawal, and I'd have hell to pay."

"Yeah, that's why you helped me out," Dot said with a little snort of disbelief. "Purely selfish reasons."

Jack grinned and put up his hands. "That's me."

Dot shook her head, then gestured toward Marnie. "He's a keeper, I'm telling you. Though you might have to beat off half the women in Boston to get him. And you—" she wagged a finger at Jack "—you need to use some of that legendary Knight charm, and win her over." Dot chuckled, then headed to the other end of the counter to help another customer.

"Legendary charm?" Marnie asked. She reached past him to pick up her mug of coffee, and give him a teasing grin. "Legendary like the Loch Ness Monster and Bigfoot?"

"Exactly." He chuckled, then picked up the second mug and the cookies and followed her to an outdoor table where Christmas lights lit the undersides of the umbrellas over the tables. A soft breeze rippled the bright blue umbrella, and toyed with the ends of Marnie's hair. His fingers ached to do the same.

He'd thought he didn't want to date anyone. That he didn't have room in his life for a relationship. A week ago, he would have sworn up and down that he had no interest in dating anyone on a long-term basis. That he, of all people, shouldn't try to create ties.

Then he met Marnie.

Maybe it was the way she ran hot, then cold. Maybe it was the way she kept him at a distance, like a book he couldn't read in the library. Or maybe it was that none of his "legendary charm" worked on her. Was it about the challenge of wanting what he couldn't have? Or something more?

Either way, he reminded himself, he was his father's son. The offspring of a womanizer who destroyed companies, ruined lives, and broke hearts. Jack had been like that, too, for too long. He'd managed to change his approach to business, but when it came down to making a commitment, would he run like his father had or stick around? Would he shut out the people he cared for, turn his back on them?

Marnie picked up one of the cookies, and took a bite. A smattering of crumbs lingered on her lips, and it took everything in his power not to kiss her. Then the family beside them got up and left, leaving him and Marnie alone on the patio. She reached for her coffee, and before he could think twice, he leaned forward, closing the distance between them to mere inches. Desire thundered in his veins, pounded in his brain. All he wanted right now was her, that sweet goodness, her tempting smile. To hell with later; Jack wanted now. "You have a crumb right—"

And he kissed her. To hell with staying away, to hell with making smart decisions, to hell with everything but this moment.

A gentle kiss, more of a whisper against her lips. She froze for a second, then shifted closer to him, one hand reaching to cup his cheek, her fingers dancing against his skin. She deepened the kiss, her delicate tongue slipping in to tango with his. Holy cow. A hot, insistent need ignited in his veins, and it took near every ounce of his strength to pull back instead of taking her on the table in front of the whole damned neighborhood.

"Uh, I think I got it," he said. Truth was, right now he couldn't think or see straight enough to tell if she was covered in crumbs.

Her fingers went to her mouth, lingered a moment, then she lowered her hand. Her cheeks flushed a deep pink and she let out a soft curse. "That…that wasn't a good idea. At all. I have to go." She got to her feet, leaving the half-eaten cookie on the plate. "Thanks for the coffee."

"Wait, Marnie—"

"Jack, stay out of my life. You've done enough damage already."

Then she turned and left. Jack leaned back in his chair and watched her go, bemused and befuddled. A woman who kissed him back yet claimed not to be interested in him. She was a puzzle, that was for sure. What had she meant by "you've done enough damage already"?

A sinking feeling told him she'd meant more than that kiss. His past had reared its ugly head again. Somewhere, Marnie was connected to the mistakes he'd made years before. He vowed to dig deeper into the files in his office, and find the connection.

Would it always be this way? Would he find his regrets confronting him every time he tried to do the right thing?

Jack watched Marnie hail a cab, get inside the yellow taxi and disappear into the congested streets. Somehow, he needed to find a way to do what he had done before. Mitigate the damage. And find a solution that left everyone happy.

# CHAPTER FOUR

JACK LOGGED A hard six miles on the treadmill, but it wasn't enough. He could have run a marathon and it wouldn't have been enough to quiet the demons in his head. He'd tried, Lord knew he'd tried, over the years.

By the time he climbed off the machine, he was drenched in sweat, but his mind still raced with thoughts of Marnie Franklin. Hell, half the reason he'd come to the gym today was because he'd hoped to bump into her.

After their walk to the coffee shop, he'd gone to the office and pulled out Top Notch Printing's file, from the piles stacked on the credenza behind his desk. So many people's lives ruined, so many businesses shuttered, their contents sold like trinkets at a garage sale.

He'd dug through Tom's file, looking for the notes he'd made all those years ago.

*Owner: Tom Franklin, married to wife Helen. Three daughters. Calls them Daisy, Kitty and Chatterbug.*

Nicknames. That's why Jack hadn't made the connection when he'd met Marnie. He'd never known Tom's daughters' real names, never spent enough time with the man to get that personal.

Jack dropped onto a bench outside the gym and put his head in his hands. He could still see Tom's face. Bright, hopeful, trusting. Believing every word Jack and his father said.

Jack had tried to undo the damage, but by then it had been too late. Too damned late.

He sighed and got to his feet. Instead of taking the left toward the office, he took a right and went back home.

"I thought you just left. What are you doing home so soon?" his stepfather asked when Jack stepped into the apartment.

"I'm off to a slow start today." Because his mind was far from work. Had been ever since Marnie's cab had dented his sports car. That alone was a sign he was in too deep. Then why kiss her? Why go to the gym on the off chance she'd be there, too? Why couldn't he just forget her? Was it all about trying to make up for the past? Or more?

"Maybe I need some protein or something. You want to go grab some breakfast before I head into the office? Unless you already ate."

"Even if I did, I'll eat again." Dan chuckled, and grabbed a light jacket off the back of the kitchen chair. "That's the beauty of retirement. No schedule. Lunch can come five minutes after breakfast."

They headed out into the bright sunshine and around the corner to Hector's cozy little deli. Its glass windows looked out onto two streets, while inside, business bustled along, in keeping with the city's busy pace. Hector greeted them as they walked in with a boisterous hello and a hearty wave. A gregarious guy given to playing mariachi music just because, Hector was a colorful and exuberant addition to the area. His incredible sandwiches drew people far and wide for their unique taste combinations and home-baked breads.

Dan and Jack ordered, then snagged a couple of bar stools at the window counter, and unwrapped their sandwiches. "So, what do you think of Helen?" Dan asked.

Dan and Helen had been on several dates over the last week. Dan had even invited her to dinner at Jack's apartment—and wisely ordered takeout instead of trying to cook. They'd gone to a Red Sox game, played Bingo at a local church and taken several long walks through the neighborhood. After every date, Dan's smile grew broader, his step lighter, like a man falling in love.

"She seems really nice," Jack said. "And she definitely likes you."

A big, goofy grin spread over Dan's face. "I sure like her, too. More and more every day." Dan toyed with the paper wrapper before him. "You're okay with me dating? I mean, it's got to be kind of weird."

"You and my mom divorced years ago, Dad." Even though Dan was his stepfather, he'd been in Jack's life for so long, calling him Dad seemed natural. Jack's real father had left him the business, and not much else, letting his work keep him from seeing his son, and leaving the raising of Jack up to Dan and Helen. Probably for the best, because Dan had been a hell of a stepfather. Jack, Senior had been about as warm and fuzzy as a porcupine.

Still, there'd always been that part of Jack that had craved a relationship with his biological father. Maybe because then he could have the answers he wanted about why Jack, Sr. had walked away from his family. Why he had chosen work over his son. In the end, Jack had realized his father lacked the capacity to love others first.

And that he had been damned lucky to have Dan, who had shown him the way a good father acted.

"I want you to be happy, too," Jack said to Dan, and meant the words.

"Me, too. And hopefully, I do it right this time."

"About doing things right…" Jack sighed. "There's something you should know. Helen is the widow of one of the business owners that Knight put out of business."

"She mentioned something about her husband's company going under after some investors stepped in. I wondered about the connection."

Jack toyed with the napkin. "I was the one that talked Tom into signing with Knight. At the time I was working for my dad and—"

Dan put a hand on his shoulder. "You don't need to explain. We all make mistakes, Jack. We all screw up. The point is you learned and you changed. You're not that man anymore."

Jack nodded, as if he agreed. But he wondered how much distance he had placed between himself and the father he'd idolized. He'd tried so hard to be like him, to get past the wall between them. Had it been at the expense of his heart?

"Why did you and my mom get divorced?" It was a question Jack had never asked. Maybe because he'd been too busy working when the announcement came. Maybe because it was easier to bury himself in work than to call his mom or Dan and ask what had happened. Yet another item to add to his "not good at" list. Family relationships.

Tanya was right. He was cold and uninvolved. He'd cut off the relationships part of his life for far too long. He needed to find more ways to connect, to care. Be-

cause if he didn't, he could see the writing on the wall—
Jack, Jr., was going to morph into Jack, Sr.

He'd come so close to doing exactly that. Then one
day he'd looked in the mirror before the biggest deal
of Knight's history, and realized he had become his
father, from the mannerisms to the crimson power tie.
Jack had walked out of the bathroom, quit his job and
walked away.

Dan sighed. "As easy as it would be for me to blame
Sarah, truth is, I was a terrible husband."

"You were a great stepdad, though." There'd been
after-school softball games in the yard, impromptu
weekend camping trips and annual father-son vacations. Dan had gone to every track meet, every Boy
Scout canoe trip, every award ceremony.

"Thanks, Jack. You weren't so bad as a stepson yourself." Dan grinned. "But your mother and I, we just
didn't have what it took. When we got married, it was
a fast decision. Too fast, some would say. We married
a week after we met. Crazy, but gosh, I just didn't think
it through. I just said I do. By the time I realized we
were like oil and water together, it was too late. I'd already started considering you my son, and I couldn't
bear leaving. We tried to stick it out after you grew up,
but by that time, we'd become two different people,
living separate lives. If I had plugged in more, or tried
harder, maybe we wouldn't have ended up that way."
He sighed. "It was like our marriage died a long, slow
death. We were always friends—and we still are—but
that wasn't enough to make it work."

Jack had noticed years ago that his mother and Dan
rarely hugged or kissed or went out alone. There'd been
no drama, no fights, just a quiet existence. Jack couldn't
think of anything more agonizing and painful than that.

If he ever settled down, he wanted a woman who challenged him, who made his life an adventure.

*A woman like Marnie?*

Want if he ended up repeating his father's mistakes? Leaving his wife for one woman after another, ignoring his child, in favor of his company? There was no guarantee Jack would end up doing that, or end up a good man like Dan, but Jack's cautious and logical side threw up a red caution flag all the same.

"I'm glad your mother is happy now with that new guy she's dating," Dan said, bringing Jack back to their conversation. "What's his name? Ray? Seems like he's perfect for her."

Jack had only met Ray once, but he'd have to agree. His mother's new boyfriend was an outgoing, friendly guy who enjoyed the same things as she did—traveling, bike riding, and charitable work. "She needed someone busier than her," Jack said with a chuckle.

Jack's exuberant, spontaneous stepfather had driven his mom crazy sometimes. She was a stick-to-the-schedule, organized woman who never got used to Dan's unconventional approaches. Jack liked to think he'd taken on the best of both their traits. Some of the impulsivity of his stepfather, and some of the dependable keel of his mother. Ray's personality was much closer to Sarah's, which had made them a good fit.

"This time, I'm going to work damned hard to make sure me and the woman I marry are on the same path," Dan said. "And that I let her know all the time how much I appreciate her. Life's too damned short to spend it alone, you know?"

Jack nodded. He'd been feeling the same way himself lately. Was it just because he'd met Marnie? Because he was tired of being alone? Or because he'd glimpsed his future and didn't like the picture it presented? Work-aholic, glued to his desk. A repeat of his namesake's choices. Not the future Jack wanted. "You deserve happiness, Dad. You really do."

"Thanks, Jack. That means a lot." Dan took a bite of his sandwich, swallowed, then looked at Jack and a teasing smile lit his face. "How are things going with the daughter?"

"You mean Marnie?" Jack said the word like he didn't know who Dan meant. Like he hadn't been thinking about Marnie almost non-stop for days.

"She's smart and beautiful, and a hell of a catch, according to her mother. And yes, we have been talking about you two and conspiring behind your backs. We both think you'd be a fool to let her get away."

Get away? He couldn't seem to get her to stay. "She's made it very clear that she's not interested in me."

Well, not exactly crystal clear. There was the matter of that kiss. Mixed messages, times ten.

"I think Marnie's figured out my connection to her father's business. It's no wonder she hates me. Seriously, I hate myself for some of the decisions I made back then."

Dan waved that off. "So? You make better decisions now. That's what counts. We're all allowed a little stupidity."

Jack grinned. "Either way, I won't blame Marnie if she wants to tie me to a stake and light a fire at my feet."

"Since when have you let a little roadblock like that hold you back?" Dan chuckled. "Listen, I saw the truth all over her face outside the restaurant the other day. She *likes* you."

Jack snorted.

Dan leaned an arm over his chair. "You know, there is a way to make her prove it."

"What? A little Sodium Pentothal?"

Dan chuckled then leaned in and lowered his voice. "Have her take you on as a client. When she tries to fix you up, she'll see that the best possible match is..."

"Her." Jack let that thought turn around in his head for a while. "It could work. But, I don't know, Dad. I haven't exactly done a good job of balancing work and a life thus far. There's only twenty-four hours in a day and it seems like twenty-three of them are dedicated to the business."

Well, maybe less than that, if he counted the hours spent walking around Boston with Marnie, then at the gym trying to stop thinking about Marnie, and this morning, avoiding the office because all he could do was think about Marnie.

Distracted had become his middle name. Not a good thing right now. He had three pending deals this month, a few other recently acquired companies that still needed his guiding hand, and a To Do list a mile long. And yet, here he was, sitting with Dan and talking about Marnie. He made no move to leave.

Nor did he answer the nagging doubts in his head. The ones that said all he was doing was making excuses. Because that was easier than getting involved— and being the kind of human iceberg that had ruined relationships before.

"Chicken," Dan teased.

"I'm not chicken. I'm busy. There's a difference."

*"Bawk, bawk,"* Dan said, flapping his arms in emphasis. "You are, too. It's time you had a life, Jack, instead of just watching from the sidelines."

He bristled. He'd had the same thoughts, but wouldn't admit it. "I do have a life. I go out, I go to the gym—"

"You *exist*. That's different." Dan clapped a hand on his shoulder, and his light blue eyes met Jack's square-on. "You deserve to be happy. Your father...well, I don't like to speak ill of the dead, but your father wasn't exactly citizen of the year. But that doesn't mean you'll turn out like him. Don't let one bad apple spoil the rest of the batch."

Jack chuckled. "How many trite phrases do you have in you?"

"As many as it takes to get you over to Marnie's office, and back out into the dating world. Who knows, maybe she'll find your perfect match for you."

"I thought the goal was for her to realize she was the right one for me."

"I'm thinking it might need to work both ways," Dan said. "Now get out of here and go over there before you *chicken* out."

"Very funny," Jack said. He got to his feet and tossed his trash in the bin, then said goodbye to his stepfather and left the deli. He stood on the corner for a long moment. To the north lay the office and a thousand responsibilities. To the east, Marnie and a thousand risks.

"What has you all distracted today?" Erica, Marnie's little sister, said. She was sitting at the desk across from Marnie, while the two of them worked on a menu for the annual client thank-you party. Erica had inherited their father's dark brown locks, but the same green eyes as the other Franklin girls. Two years younger than Marnie, she was the bubbly one in the family, filled with more energy than anyone Marnie had ever met.

"Me? I'm not distracted."

Erica laughed. "Uh-huh. Then why did you write the same thing three times on this list? Do we really need that many napkins?" She pointed to a paper sitting between them. "And you've been staring off into space for the last ten minutes. Heck, most of the day I've had to repeat myself every time I've talked to you. This is totally not like you, oh, organized one."

"Sorry. It's just been a busy day." A lie. She had been distracted by thoughts of Jack Knight. What was it about that man? He was the enemy. A man she had done a good job of despising for years.

When she went for coffee with him yesterday, it had been to gather information and come up with a plan for a little revenge. Instead, he'd turned the tables with that kiss.

And what a kiss it had been. As far as kisses went, that one ranked high on Marnie's Top Ten list. She'd gone home after the coffee, and spent half the day doing what she was doing now—daydreaming and wondering how she could be so attracted to a man yet despise him at the same time. Maybe it was some kind of reverse psychology at work.

Or maybe it was that Jack Knight could kiss like no man she'd ever met, and just the mere thought of him sent a delicious rush through her.

God, she was a mess. She needed to get back on track, not keep letting Jack derail her. If there was one thing Marnie excelled at, it was holding on to the reins. She had her business and her apartment organized to the nth degree, her planner filled with neat little squares. She made quarterly goal lists, daily agendas, and didn't go off on crazy heat-filled dates with Mr. Wrong.

Most of the time, anyway.

Then why had she kissed Jack back? Why had she

let him get close? All the more reason to get a grip and get back to work.

The door opened and a burst of yellow rushed into the room. "Oh. My. God. You guys are the *best!*" a female voice screeched.

"Oh, no," Erica whispered and rolled her eyes. Marnie sucked in a fortifying breath.

Every time she arrived, Roberta Stewart's giant personality exploded. A tall, gangly woman, Roberta's decibel-stretching voice entered a room long before she did. Marnie had known her since the first day she opened her doors, one of her first clients—and one of her least successful. Roberta was likeable, smart, and funny, but few people dated her long enough to realize that, because her first impression was so loud and busy. No matter how many times Marnie tried to counsel Roberta to tone it down just a bit, she didn't listen. And the men ran—until they were out of earshot.

Today, Roberta had on a sunny yellow dress that swirled like a bell around her hips, and a wide-brimmed matching hat trimmed with silk orchids. She let out a dramatic sigh, then plopped onto the sofa in the waiting area, her dress spreading across the brown leather like melting butter. "I just came from my *third* engagement party of the year! You guys did it *again!*" Roberta shook her head. "Amy and Bob looked *so happy!*"

"I'm glad," Marnie said, thinking of the cycling enthusiast couple she had put together a few months ago. "They're a great match."

"And now it's my turn!" Roberta jumped to her feet and clasped her hands together. "So, who do you have for me this week? Tell me, who's my new Mr. Right?"

"Things didn't work out with Alan?" Marnie had

really hoped the bookish accountant would be a great counterbalance to Roberta's exuberance.

"Alan, shmalan." Roberta waved a hand in dismissal. "I need a man with verve! Life! Energy! Strength! Somebody's got to keep up with all this!" She swiveled her hips. "And poor Alan was ready to pass out before we even reached the second nightclub. Give me a man who takes his *vitamins!*"

"Maybe you should try a quiet dinner for your first date," Erica said. "Rather than all-night salsa dancing."

"But these shoes and this body were made for *dancing,*" Roberta said. "I need a man who can keep up with me. Call me as soon as you have another one. Oh, and please make sure he's had a stress test before the date. I was a little worried poor Alan's heart was going to go *kaput!*" She gave them a wave, then headed back out the door.

"Ah, Roberta. Always a memorable visit," Erica said once the door shut. "Who are you going to match her with now?"

"I have no idea. I like Roberta, but she needs a very special man." One that had yet to come along, though not for a lack of trying on Marnie's part. Maybe such a bachelor didn't exist in Boston. Or the greater New England area. Or maybe even on planet Earth.

No, there was someone perfect for Roberta. Marnie just hadn't found him yet. He needed to be a unique man, strong yet confident enough to be with a woman like her.

"Speaking of men," Erica said, "I have a date. Mind if I knock off early?"

"Nope. There are no appointments the rest of the day. I'm just going to finish up this menu, and then head home myself."

"Be sure you do," Erica said softly, laying a hand on her sister's shoulder. "Take a little time to let go and just be, sis. Okay?"

"I do."

Erica laughed. "No, you don't. But maybe if I tell you to do it often enough, you finally will."

CHAPTER FIVE

AFTER ERICA LEFT, Marnie sat in her office, the music cranked up on the mini sound system beside her desk, and hammered out the rest of the details for the next few Matchmaking by Marnie events. She spun around in her chair, facing the window that looked out over Brookline, tapping her feet against the sill in time to a catchy pop tune. She'd kicked off her shoes, and let her hair out of the clip that held it in its usual bun. She grabbed a half-eaten bag of chips and started snacking while she watched the traffic go by, singing along between bites, and enjoying her moment of solitude.

"So this is how a matchmaker works her magic."

Marnie gasped, dropped her feet to the floor and spun around, a chip halfway to her mouth, while several more tumbled onto her lap. She wanted to crawl under her desk and hide, or at least shrivel into a bowl. She told herself she didn't care that her hair was a mess, she was covered in potato chip crumbs, and she'd been caught signing off-key to a teenybopper hit.

"Jack...uh, I mean, Mr. Knight," she said, then covered her mouth and paused to swallow. Did she really think calling him by his last name would erase that kiss, the way he made her feel with a simple smile? That it

would put up a wall he couldn't pass? She forced author-
ity into her tone. "What are you doing here?"

Even in a dark gray suit, with his pale blue tie loosened at the neck, he looked sexy, approachable. Hard to
resist. "I'm looking for a matchmaker," he said. "And
you come highly recommended by a close family member. Apparently my stepfather has fallen head over heels
for your mother."

"I've heard all about it, too." There was no denying
the happiness in Helen's voice. Marnie had talked to her
mother earlier today and heard nothing but joy. Hearing
that Helen's feelings were reciprocated—

Well, that was what Marnie worked for. The cherry
on top of all the work she put in, building that matchmaker sundae. Except her mother was falling for a man
with ties to someone who could hurt their family all
over again.

"I don't think you need my help," she said. "What
was it Dot said? You've got legendary charm? I'm sure
you could find plenty of women on your own."

"Whether I do or not, that hasn't brought me Miss
Right yet. I think I need a professional." He came closer,
then around her desk, to sit on the edge. He leaned forward, and captured a chip just as it began to tumble off
her chest. Her face heated. "Someone who knows what
they're doing."

She pushed the chair back, and turned to dump the
rest of the chips into the trash. That was the last time
she was going to eat a messy snack at her desk. "Well,
I'm sorry, but I'm not taking new clients right now." A
lie. She rarely turned down new clients. In her business,
people came and went as their lives changed, which kept
her busy year-round and left room for more. "You'll

have to find another matchmaker, or maybe try one of those online dating services. Sorry I couldn't help you."

There. That had been definitive, strong. Leaving no room for negotiation—or anything else. But Jack didn't leave. Instead, he leaned in closer, his gaze assessing and probing.

"Okay, tell me." The sun shone through the window and danced gold lights on his hair, his face. "What did I do to you that makes you hate me? Yet, kiss me five minutes later?"

"For your information, that kiss was an accident. I was reacting on instinct."

Why didn't she just tell him the truth? Why did she keep hesitating, letting this flirtatious game continue?

Because a part of her wondered about the man who had helped the local coffee shop and the neighborhood gym and still knew his old neighbors. A part of her wanted to know who the real Jack Knight was.

And if there was a possibility that for all these years, she might have been wrong about him.

"An instinct?" he said, his voice low, dark. "No more?"

"Yes. No more." The lie escaped her in a rush.

"So if I leaned in now—" and he did just that, coming within a whisper of her lips, then brushing his against hers slow, easy, a feather-light kiss that made her want more, before he drew back "—you wouldn't react the same way?"

"Of course not." She stood her ground, but the temptation to curve into him pounded in her veins. To finish what they'd started back in the parking lot, to let that heady, heated rush run through her again, obliterating thought, reason.

Damn it. She didn't do this. She didn't lose control

of her emotions, get swept away by a nice smile and a shimmer of sexual energy. Stupid decisions were made that way, and Marnie refused to do that.

She clenched her fists, released them, and forced her breathing to stay normal, not to betray an ounce of the riot inside her. To not let him know how much she wanted a real, soul-sucking, hot-as-heck kiss right now. Her gaze locked on his, then dropped to his mouth. *Oh, my.*

"Well, I'm glad to know you can resist that 'legendary charm,'" Jack said, then rose and went around her desk to sit in one of the visitor's chairs.

Disappointment whooshed through her. She let out a little laugh to cover the emotion, then sat back in her chair, because her legs had gone to jelly and her heart wouldn't slow. She had two choices right now. Keep denying she was attracted to him, or fix him up and get him out of her life for good. What did she care if he dated half the female population of Boston?

For a woman who craved calm and order more than chips, erasing Jack Knight from her life was the easiest and best option. No one got hurt. A win-win.

"I might be able to help you find someone," she said, clasping her hands on the desk, tight. Treat him like any other client. Act like he's simply another bachelor. "Let's start with why you think this is the right time in your life to find the perfect match?"

He leaned back, propping one leg atop the other. "I think it's time I settled down and pursued the American dream."

"Really? Right now. That's actually what you think." It wasn't a question. Jack coming to her, now, after she'd refused to get close to him, couldn't be a coincidence. It had to be some kind of game. What did he really want?

"It's true. I woke up, realized all my friends are married, have kids, houses in the suburbs. I'm the lone holdout. I guess I haven't met the right woman yet." He grinned.

She let out a gust. "Why are you really here? Because if it's to get me to go out with you, that's not going to work."

"Oh, I know. I got that message. Loud and clear."

She thought she detected a measure of hurt in his voice. Impossible. Jack Knight was a shark, and sharks didn't get hurt feelings. "Well, good."

"My stepfather was very pleased with how compatible he is with Helen, and I thought you could do the same for me."

If Marnie had anything to say about it, her mother would find someone else and stay far, far away from any relative of Jack Knight's. She had yet to find a way to make him pay for the hurt he'd brought to her family.

Confronting him and demanding answers would only backfire when Helen found out. In Marnie's perfect world, Jack Knight was destroyed and her mother never got hurt.

Marnie hadn't been able to keep her mother from being hurt after the death of Tom, but maybe she could make sure this debacle with Jack didn't impact Helen. All she had to do was find a way to keep Jack far from Helen—and that meant making sure Jack got the message that Marnie wanted him gone. She glanced over at the pile on her desk and realized there might be a way to hurt Jack and get rid of him for good—a much better and smarter way than having coffee with him and taking long walks through Boston neighborhoods. Clearly, that kind of thing distracted her too much. Brought her too close to the shark's teeth. But this way...

"Sure, I'll help you," she said, pulling out a sheet of paper from the file drawer on her desk. "Let's start with the basics. Name, address, occupation."

He rattled off his address. "I believe you know the rest. Especially my name."

Her cheeks heated again when she thought of how she had whispered his first name back at the coffee shop, of the way that same syllable had echoed in her dreams, her thoughts. Oh, yeah, she knew his name. Too well. "Uh, date of birth?"

He gave her that, too, then grinned. "I'm a Taurus, or at least I think I am. And I like long walks on the beach and moonlit dances."

She snorted. "Whatever."

"Would you rather I said monster truck rallies and mud wrestling championships?"

She laughed. "Now *that* I would believe."

"Ah, then you don't know me very well." He leaned forward, propping his elbows on his knees. "I love the beach. I couldn't move away from the ocean if I tried. There's nothing like waking up on a warm Sunday morning, and having the ocean breeze coming in through your window."

"I like that, too," she said, then drew herself up. What was this, connect with Jack time? *Focus, Marnie, focus.* "Favorite music? Movies?"

"I like jazz. The kind of music that makes you think of smoky bars and good whiskey. Where you want to sit in a corner booth with a beautiful woman and listen to the band."

A beautiful woman like her? Marnie glanced down at the sheet, saw she had written the question, then scribbled it out. That made her twice as determined to get

Jack out of her life. Marnie Franklin didn't do scatter-brained or dreamy or infatuated. Damn. "Uh, movies?"

"I don't get to see many movies, and as much as I'd like to say something smart like *Requiem for a Dream*, I have to cave to a cliché. If you check my DVR, there's a lot of action movies on there." He shrugged. "What can I say? In a pinch, I opt for *The Terminator*."

"I'll be baaack, huh?" she said, doing a pretty bad imitation of Arnold.

He chuckled. "Exactly. What about you? What's your favorite movie?"

"I cave to the cliché, too. Any kind of romantic comedy. Especially *You've Got Mail*."

"Isn't that the one where the woman fell in love with her enemy?" Jack's blue eyes met hers, a tease winking in their ocean depths.

Did he know? Did he suspect her hidden agenda? Then he smiled and she relaxed. No. He didn't know who she really was or what she was planning for his "match." He'd been joking, not probing to see if this particular Romeo and Juliet had a shot.

She didn't care if they both liked the ocean, jazz music, and fun movies. If they'd both suffered a loss of a parent, and were still searching for something that would never be. He had ruined her life, her family. More than that, he was the kind of man who encouraged her to let loose, to become some giggly schoolgirl. She'd seen enough women make the mistake of leaping into a relationship without thinking, and refused to do the same. This wasn't a Nora Ephron movie—it was reality.

She glanced down at the paperwork. *Treat him like any other client,* she repeated. Again. "Uh, what about things to do? In your free time?"

"Running at the gym. Seeing outdoor concerts. Walking the streets of Boston."

She sighed, then put down the pen. "This isn't going to work if you keep flirting with me."

"I'm not flirting with you, Marnie. If I was flirting with you, you'd know it."

"That—" she waved a finger between them "—was definitely flirting."

"No. *This* is flirting." He got up again and approached her desk, placed his hands on the oak surface and leaned over until their faces were inches apart. She caught the dark undertow of his cologne, the steady heat from his body. His blue eyes teemed with secrets. A lock of dark hair swooped across his brow. The crazy urge to brush it back rose in her chest.

"You are a beautiful, intoxicating, infuriating woman," he whispered, his voice a low, sensual growl, "and I can't stop thinking about you. And I love the way you look today. All...unfettered. Untamed."

Heat washed over her body, unfurled a deep, dark flame in her womb. She opened her mouth to speak, and for a moment, could only breathe and stare into those storm-tossed eyes of his. "Okay." Her words shook and she drew in a breath to steady herself. "Yes, that...that was flirting."

He smiled, held her gaze a moment longer, then retreated to the chair. "Glad we got that settled."

Settled? If anything, things between them had become more unsettled. A place Marnie never liked to be. Her concentration had flown south for the winter, and every thought in her head revolved around finding the nearest bedroom and taking her sweet time to "flirt" with Jack Knight.

Jack Knight. The enemy. In more ways than one.

She cleared her throat and retrieved her pen. In a normal client meeting, she'd let the questions flow in a natural rhythm. Her initial meetings were usually more like a chat with a new neighbor than a formal interview, but with Jack, she couldn't seem to form a coherent thought. "I, well, I think that's all I need for now. I'll be in touch in a couple days with some potential matches."

"That was easy. You sure you don't need anything else?"

*You, a bedroom, more of those kisses.* "Nope, I'm good," she said, too fast.

"Okay." He started to rise, and she put out a hand but didn't touch him.

She refused to let a silly thing like attraction get in the way of her goals. She needed information, and she needed Jack out of her life. Today. She could accomplish both right now.

Here was her opportunity to finally do what she'd been trying to do for weeks—find out about his business and how he operated. Maybe then she'd have the answers she needed, the ones that would close the hole in her heart and answer the what-ifs. She'd finally be able to accept the loss of her father, and move forward.

"Jack, wait a second. You know, lots of the women you'll be paired with work in complimentary fields. It might be good to get to know more about your job."

He sat back down. "Makes sense. I've told you a little about what I do. What else do you need to know?"

She had to word this carefully, or he'd realize she was looking for more than just matchmaking info. "Well, let's start with something general. Pretend we're chatting for the first time."

"Over coffee?" He grinned.

She hardened her features. The last thing she needed

to do was think about that walk to the coffee shop. Or the cookie crumb driven kiss. *Keep this professional.* "Or over a desk in an office."

He nodded agreement. "Okay, shoot."

"Tell me more about how you decide which companies to invest in and which ones you walk away from."

He cleared his throat and when he spoke again, the flirt had left his voice and he was all business. "A lot of that is a matter of numbers. I look at their market share, profit and loss, balance sheets, and weigh that against future potential and opportunities. If the dollars aren't there, it doesn't make financial sense for me to invest. But, sometimes I do anyway." He shrugged. "Because of the Caterpillar Factor."

"The Caterpillar Factor?" She stopped writing. "I've never heard of that before."

"It's something I made up. When you buy a business, there's a lot of data to wade through. But in the end, I let my instincts make the final decision. That's the Caterpillar Factor." He leaned forward in the chair, his eyes bright with enthusiasm. "You know how you can look at a caterpillar and get grossed out by it? I mean, most of them are fat and have a bunch of legs, and aren't exactly something you want crawling on you."

"That's true." She gave an involuntary shudder.

"But those same caterpillars have the *potential* to be something really incredible. When you look at them, you don't know what it will be—you're judging it entirely on its current form. But underneath, buried deep inside that caterpillar, is something that, given enough time and nurturing, will be amazing and beautiful."

"A butterfly," she said, her voice quiet.

"Exactly." He grinned. "Not every business is a butterfly waiting to be unveiled, but some are. And I know that by investing in and coaching them, I can help them become something amazing." He gave a little nod, and a flush crept into his cheeks. "I know, it sounds kind of corny."

She never would have thought she'd see Jack Knight embarrassed or shy or vulnerable. But here he was, admitting that he believed in potential, that he sometimes went with his gut, even against conventional wisdom. Wasn't that how she approached her matchmaking? No computer algorithms, no formulas, just instinct?

Why did this one man—the wrong man—discombobulate her so? She'd never met anyone who could do that with nothing more than a smile, a whisper of her name.

Damn it all. She related to him, understood him, and that added another complicated layer to what she'd thought would be a simple matter of revenge. The closer they got to each other, the more she allowed him to burrow his way into her heart, the harder it became to implement her plan.

She glanced down at the paper before her. The words swam in her vision. Why hadn't Jack seen a butterfly in Top Notch Printing, her father's business? Why hadn't he helped her father more? Wasn't Tom Franklin's life and livelihood worth some time and nurturing, too?

"And what about the ones that won't be butterflies? What do you do with those businesses?"

He sighed. "Sometimes, the business is too far gone, or the owner just isn't equipped with the right skill set to help it reach the next level. We could throw millions at the company and it wouldn't be enough. In those cases, we sell off the parts, recoup our investment, and hopefully send the owner off with cash in his pocket."

*"Hopefully?"* The word squeaked past the tension in her jaw.

"You're a businesswoman, Marnie. I'm sure you understand that there are a million factors that can affect the decision to keep or sell a company. Some owners are great at running a business, some…aren't."

She thought of her affable, fun-loving father. He'd never been much for keeping track of paperwork or receipts. Never one to demand a late payment or argue with a customer. But that meant Tom had needed more help, not less. Why hadn't Jack seen that?

"Sometimes, despite all the due diligence in the world," Jack said, "we make mistakes, and sometimes life throws us a curveball that we didn't expect. A supplier goes under or a major customer takes their sales elsewhere. Sometimes, the companies recoup, sometimes…"

"They die," she finished. She had to swallow hard and remind herself to keep breathing.

He nodded. "Yeah, they do."

"You seem awful cavalier about this." As if there weren't people hurt in the process. As if the only thing that died was a bottom line. She clenched her hands together under her desk, feigning a calm she didn't feel.

"It's a reality. Fifty percent of businesses fail, for a million reasons. You can pump all the cash you want into them, and some just aren't destined to survive. If I got emotional about each one, I'd get distracted and lose sight of the big picture. So I don't make my decisions based on emotion. I think it helps that I don't exactly love my job, but I…respect it. Maybe someday down the road, I'll get a chance to do something else."

"And what is the big picture? Profits?"

"Well, everyone likes to make money. But for me,

it's the businesses I see succeed. Like Dot's coffee shop or my friend Toby's gym. I see the placed filled with happy customers, and that tells me I did the right thing. It's not about profits, it's about quality of life. For the owners, and their clients."

"And the businesses that don't make it?" she said. "What are they to you?"

"The cost of doing business. It sounds harsh, but in the end, when there's nothing more that can be done, a failure is reduced to dollars and cents."

Under the desk, her hands curled into fists. She worked a smile to her face, even though it hurt. The smile, and the truth. "Well, I guess that's all I need."

*Please leave, please get out of here before my heart breaks right in front of you.*

The chips from earlier churned in her gut. She wished her day was over, because right now, all she wanted to do was go home, draw the shades, and stay in bed.

Not only had Jack just confirmed that her father's business had been a negative number in the general ledger, but his asking her to find him a match confirmed she was a negative in his personal ledger, too. This was what she'd wanted—the truth and to be rid of Jack. But still, the success had a bitter taste.

"Thanks again for taking the time to see me today, Marnie." Jack got to his feet. "I look forward to hearing from you, and seeing who you match me up with." He looked like he wanted to say something more, but all he said was goodbye before heading for the door. One hand on the knob, he turned back. "You know, you should let your hair down more often. And I mean that, literally and figuratively. It suits you. Very nicely."

The door shut behind him with a soft click. Marnie

sat in her chair, watching the space for a long time. She shook off the maudlin thoughts and turned to her contacts database. Jack Knight had asked her for a match, and she intended to give him one—

A match that would challenge him and keep him far from Marnie.

Then maybe he'd stop flirting with her, and tipping her carefully constructed life upside-down. Because there was one thing she knew for sure. Jack Knight was bad for business—the business of Marnie's heart.

# CHAPTER SIX

JACK KNIGHT WAS rarely wrong. He had learned over the years to read people's body language, the subtle clues they sent out that created a roadmap to their thoughts and actions. He'd used that skill a thousand times in negotiations, and in strategic meetings. But when it came to Marnie Franklin, his instincts had failed him, big time. He'd completely underestimated how angry she was—

And how far he was from proving himself as a different man than his father.

He strode into her office a week after their last meeting, waving off the assistant's offer to help him, heading straight for Marnie's desk. "What kind of match was that?"

"What are you talking about?"

"That date you set me up on. What were you thinking?"

She leaned an elbow on her chair, relaxed, unconcerned. Her eyes widened as he approached, then a flicker of a smile appeared on her face and disappeared just as fast. A smile like she knew what she had done. "I'm sorry you're unhappy with the Matchmaking by Marnie match, but we truly thought—"

"*Unhappy?* I wouldn't say that. The woman was nice

and very energetic, but not my type, at all." His gaze narrowed. "Did you do that on purpose?"

"I have no idea what you're talking about," Marnie said. With a straight face.

"Marnie, I have to go to that meeting with the caterer," her assistant said. "But if you want, I'll stay awhile longer."

"I'll be fine. Go ahead to the appointment, Erica." Marnie waved her off.

Erica, Marnie's sister. His gaze skipped to her, and he saw the same leery look in her eyes as in Marnie's. Oh, yeah, they knew who he was here—or who they thought he was. Damn. How was he going to prove the opposite?

Once the door shut behind Erica, Jack winnowed the space between himself and Marnie's desk. She looked beautiful today, her hair up in its perpetual clip, her button down white shirt pressed and neat, accented by a simple gold chain and form fitting black skirt.

"I'm sure Miss Stewart will be a great match for someone, but that someone isn't me."

"You just have to give her a chance," Marnie said. "Roberta...takes some time to get to know."

"Oh, I think she's a great person. We went out dancing, and even though I run four days a week, she outdanced me ten to one. And she's funny and enthusiastic, but not my type. What did you think we'd have in common?"

Marnie shrugged. Played innocent. "Sometimes opposites attract."

"And sometimes matchmakers don't play fair. I came to you as a legitimate client—"

"No, you didn't." She got to her feet, and her features shifted from detachment to fire. He could see it in the way her eyes flashed, her lips narrowed. "You might have said you wanted a match, but it didn't take a rocket scientist to figure out your true motive. You came here, hoping I'd think you were my perfect match."

"You have made it abundantly clear that you are not interested in me. That's why I think you should put your money where your mouth is."

"What is that supposed to mean?"

"You go out with me on a real date."

"Why would I do that?"

"Because despite your strong efforts in the opposite direction—" and thinking of the mismatch she'd sent him, he wondered if it wasn't just revenge but that deep down inside, Marnie didn't want to see him connect with another woman "—I think we'd be a great match."

She scoffed. "That's my job, not yours."

"And yet you have not found the perfect man for you." He leaned on her desk and met her green eyes. "Why is that?"

"I…I work a lot. I haven't had time to date."

"Is that all? Time? Because it's the end of the day. We could make time right now."

"Go out with you? Now?"

He grinned. "Why wait?"

"I am not interested in dating you. Ever."

"What was that walk to coffee? To me, it was a trial date."

She snorted. "There's no such thing."

He leaned in closer, until her eyes widened and that intoxicating perfume she wore teased at his senses. "We don't have to follow the rules, Marnie. We can make them up as we go along."

Her mouth opened, closed. She inhaled, and for a second, he thought she'd agree. A smile started to curve up his face, when he noticed the fire return to her green eyes. "I only have one rule. To stay far away from you." She got out of her seat, standing tall in her heels and matching him in height. "Don't think another Franklin will fall for your line of bull again, Jack. You don't get to ruin any more lives in this family. We're done believing in your lies and your charming little pep talks. So stay far away from this family."

And there it was. The past he couldn't run from, sweep under a rug, or ignore. Guilt rocketed through him. If Marnie knew how much of a hand Jack had had in her father's business closing, she'd never forgive him. He wanted her to see him as the man he was today, not the man he used to be, but getting from A to B meant confronting A and dealing with it, once and for all. "Yes, we did work with your father and his shop. And I swear, I had no idea you were his daughter until you told me your nickname. He always called you Daisy when he talked about you."

Hurt flickered in her eyes. "That business would still be operating today under Tom Franklin," Marnie said, the words biting, cold. "If someone didn't destroy it."

"Marnie, there's more to it than that. I—"

"I have no interest in anything you have to say to me, or any claims you intend to make about your 'business practices,'" Marnie said. "My sisters and I watched our father fall apart after you stepped in and 'helped' him. You. Ruined. Him. And helped him..." she bit her lip, and tears welled in her eyes "...die too soon."

"Marnie, I didn't do that." But he had, hadn't he? He'd talked Tom into signing on the dotted line, knowing full well what the true intent of Knight would be. And when Tom needed a friend, Jack was gone. *You're a cold, uninvolved man, Jack.* "I mean, yes, I did invest in your father's business, and yes, I did counsel him, but—"

"Get out of my office," Marnie said, waving toward the door, her face tight with rage. "And don't ever come back. I don't want to hear any more of your lies and I sure as hell don't want to date you."

He opened his mouth, but she pointed at the door again. "For someone who's perfected the art of matching people, you of all people should understand that some matches go well and some don't. It takes two to make it work. And sometimes only one to destroy it."

"Yeah, you."

He took her anger, and let it wash over him. He understood now why she had bristled every time he talked about his job. Why she had been so warm at first, then so cold. And why she had set him up on a date that was bound not to work out. "Sometimes," he said quietly, "our best intentions can go down paths we never saw. I'm sorry, Marnie, about your father and his business. If I could change any of it, I would."

Then he left, and for the first time since he'd taken over Knight Enterprises, he wished for a do-over. Another chance to go back and do a better job.

Her mother had canceled Tuesday night dinner at her house, Thursday night's card game, and Saturday's brunch. And now, the morning after the confrontation with Jack in Marnie's office, Helen was trying to get out of her regular Wednesday lunch with Marnie. "Ma, I haven't seen you in two weeks," Marnie said.

"I'm sorry, honey. We've just been so busy, going to the ball games and Bingo and…"

While her mother talked, Marnie debated the best way to tell her mother the truth. She'd spent a sleepless night debating the pros and cons of telling Helen the truth about Jack, but in the end, there was only one option.

Put it out there, and let the consequences fall as they may.

Her family had never been one to tackle the hard topics. They'd put a sunny face on everything, and done a good job avoiding. This, though, they couldn't avoid any longer—because Helen was falling hard for Dan.

Marnie hated being in this position. Standing in the middle of two evils, both of which would hurt the ones she loved. She'd thought that standing up to Jack and telling him how she felt would make her feel better. But instead of relieving the anger and betrayal in her gut, the confrontation had left her restless, replaying every word a hundred times in her head.

No. She'd done the right thing. Now she needed to do the right thing again—

And break her mother's heart.

"Dan and I have just been having so much fun," Helen said. "Oh, did I tell you, he's taking me to Maine for the weekend on Friday? He found this lovely little cottage in Kennebunkport. If we get lucky, maybe we'll even see the former president on the beach."

That meant they were getting serious. Damn. Marnie had hoped the relationship between Dan and her mother would fizzle, saving Marnie from having to tell her mother the truth about who Dan was.

She'd avoided the truth forever, but where had that gotten her? Nowhere good. And it had given her mother and Dan time to get closer, which only added more complications. Marnie took a deep breath. "Are you free for lunch today, Ma? I'll stop on the way to get us some Thai food, if you want."

"That sounds wonderful."

Marnie said goodbye, then powered through the rest of her morning appointments, keeping her head on her job instead of what was to come. Lord, how she dreaded this. Her mother had sounded so happy, with that little laugh in her voice that they had all missed over the last few years. And now Marnie was about to erase it all.

But as she got closer to Ma's house, and the scent of the Thai food overpowered the interior of the car, Marnie wanted to turn around. To delay again. It wasn't just about breaking her mother's heart anymore, but about facing the truth herself. All along, she kept hoping to be wrong about Jack. To find out that the guy with the amazing smile and earth-shattering kisses wasn't the evil vulture she'd painted him to be.

But he was, and the sooner she got that cemented in her mind, the better.

Even if the man had asked her out. Why would he do that? Was he truly interested? Or was she just another conquest?

Helen greeted her daughter with a big hug, and a thousand-miles-an-hour of chatter about Dan. "He's just the sweetest guy, Marnie. I can't believe no one has scooped him up. He holds the door for me, brings me flowers, even sings to me." She smiled, one of those soft, quiet smiles. "I really like him."

Guilt washed over Marnie. "Ma, we need to talk. Come on, let's go in the kitchen."

A few minutes later, both women had steaming plates of pad thai in front of them, but no one was eating. "Okay, shoot. What did you want to tell me?" Helen asked.

"Dan isn't...who you think he is," Marnie said, the words hurting her throat. "I should have caught this when I interviewed him, but to be honest, I never ask about kids or stepkids and—"

"What do you mean? I've met Dan's stepson. Remember? After the mixer. He seemed very nice—"

"He's Jack Knight."

Helen froze. "Jack Knight? That's impossible. Dan's last name is Simpson."

"He's his stepfather. Jack is the owner of Knight Enterprises. The same Knight Enterprises that destroyed Dad's business. If you keep dating Dan, you'll be seeing Jack, and the reminder of everything that happened to Dad. I'm so sorry to have to tell you this."

Silence filled the kitchen, and the food grew cold on their plates. Helen got to her feet, waving off her daughter. Ma crossed to the sink, placed her hands on either side of the porcelain basin and stood there a long time, her gaze going to the garden outside the window. The rain pelted soft knocks on the glass, then slid down in little shimmering rivers.

"Ma?" Marnie said. She walked over to her mother, and placed a hand on Helen's shoulder. "Ma, I'm so sorry. If I had known, I never would have fixed him up with you."

"Dan is the best thing to come along in my life in a really long time," Helen said, her voice thick with emotion that made Marnie's guilt factor rocket upward. "Besides you girls, of course." She closed her hand around Marnie's, and gave her daughter a smile. "I'm glad I met him."

"He is a great guy, I agree, and if he wasn't related to Jack—"

"It doesn't matter. Dan and I are happy. I don't care who his stepson is." Helen turned around and placed her back against the sink. Her features had shifted from heartbreak to determination. "We might work out, we might not, but we're going to give it a shot. Life's too short, honey, and I don't want to spend any more of my time alone."

This was a new Helen, Marnie realized. A woman who hadn't been defeated by the loss of her husband, and the prospect of starting her life over again, but rather energized by it. She also showed an amazing strength that had probably always been there, waiting for the right moment to appear. Dating Dan had only emphasized those qualities, not detracted.

Her mother was happy. Taking chances. Making changes. Jumping into the unknown. All things that Marnie had held back from doing, sticking to her organized planner and her rigid schedule.

Still, the urge to protect her mother, to head off any further hurt, rose in Marnie. If Dan and Helen stayed together, it would be nothing but a constant reminder, a cut against an old scab, again and again.

"I just don't want you to be hurt again," Marnie said.

"If there's one thing I've finally learned and accepted, it's that life comes with hurt. But if you're willing to risk that, you can find such amazing happiness, too."

On the wall, one of those kitschy cat shaped wall clocks clicked its tail back and forth with the passing seconds. Helen gestured toward the black plastic body, a stark contrast to the pin-neat, granite and white kitchen. "Do you remember when your father got me that?"

Marnie smiled. "It was a joke Christmas gift. We never thought you'd hang it up."

"It made me laugh. It makes me laugh every time I see it on the wall. That's why I hung it up, and why I kept it there, to remember to have fun sometimes."

"But isn't that the problem?" Marnie said, the words tumbling out of her mouth before she could stop them. "We're always having fun, never talking about the hard stuff. You can't just keep ignoring the facts, Ma."

Helen's soft hands cupped her daughter's face. "Oh, Marnie, Marnie. My serious one. Always trying so hard to keep the rest of us in line."

"I just like things to…stay ordered."

"And our lives when you were younger were far from ordered, weren't they? But we had fun, oh, how we had fun. Your father never had a serious day in his life, bless his heart." Helen released Marnie and the two women retook their seats at the table. "Let's talk about Knight and your father. And what really happened."

All these years, they'd avoided the subject. Whenever it came up, her mother would say she couldn't bear to hear it, and they'd switch to something inane or trivial. But this new Helen, the one who had been tempered by life on her own, had a determination in her eyes and voice that surprised Marnie.

"What do you know about what happened to Dad's company?" Ma said.

"Knight Enterprises invested in the company at first, made big promises about helping him get it profitable again, then deserted him and let him fail. When the business went south, Dad sold the rest of it to them for a fraction of what it was worth." Marnie bit back a curse. "And after that, Dad just…gave up."

"Part of that's true." Helen laid her hands on top of each other on the table. She smiled. "You and I are so much alike, Marnie. We both try to keep the peace, keep everyone happy. Sometimes, you need to rock the boat and tell the truth."

Marnie knew what was coming before her mother

spoke. She'd probably always known, but like her mother, found it easier to pin her anger on Jack, rather than accept the facts.

"That business was on its last legs before your father went to Knight for help. Tom had lost his passion for it years earlier, and in the last couple of years before he sold, he'd spent too many days going fishing on the boat instead of working. A business is like a garden. You have to keep tending it, or it'll die on the vine. And your father stopped tending it." She shrugged. "I knew, but I figured we were okay. And I couldn't blame him. He'd worked so many hours when he first started out and he hated being the boss. The one to hire, fire, and demand. Plus, he missed you girls' soccer games and softball matches, and weekend family trips. I think he just wanted a break, to live his life before he got too old to do so and…"

Her voice trailed off and she bit her lip. "He just wanted time. With his family. With the people most important to him. There was a lot involved in that decision, Marnie. A lot you didn't know. Your father kept things to himself, hated to worry us. All he kept saying was that we'd be fine."

"Keeping the sunshine on his face," Marnie said, repeating her father's oft-used phrase.

"That was his philosophy, right or wrong. And so I couldn't blame him for wanting time to enjoy his days. He said he had put money aside for retirement, and that we would be all right once he got some investors on board. The company would turn around, freeing him up. We'd have time together, we'd travel, we'd treat you girls to all those extras we hadn't been able to afford before. I trusted him. I'd been married to the man nearly all my life, why wouldn't I?"

Marnie's jaw dropped as she put the pieces together. The financial struggle her mother had had over the last few years, her decision to go back to work. "There was no retirement?"

Helen shook her head, sad and slow. "Your father had spent it all, investing it in some fishing charter thing his cousin Rick talked him into, and kept telling him it would pay off. Just be patient, wait, and your dad did. Too long."

Her father, a trusting, optimistic man, who had trusted a family member when he should have had his guard up. In the end, it didn't surprise Marnie as much as reveal a different side of her father.

"Rick's business went belly up before it started, and the money was gone," Ma said. "Our entire future, gone in an instant. All our equity. All we had left was the house and the company, which by then wasn't worth much at all."

"So he sold a majority interest in the business to get the money back," Marnie finished.

Helen nodded. "Your father partnered with Knight on the agreement that they would be there to provide counsel to help him get the printing company back on track. They talked about bringing in an expert to help the operation get leaner, more efficient, hire some sales people to generate more income. Tom thought maybe he could bring about a financial miracle before I realized what happened to the retirement money. But then Knight didn't help. As soon as the paperwork was signed, the help and advice stopped. And the company, like you said, faltered. When Knight came back and offered to buy the remaining assets, your father jumped at the offer, even though it meant taking a loss. By then, he knew there was no way to rebound, and I don't think he had the heart or desire to put in the hours that might take. He wanted to be here, not behind that desk. Still, your father felt so guilty, and I think that's what broke his heart in the end. I had no idea. If I had…" She shook her head, regrets clouding her eyes. "He didn't tell me any of this until shortly before he died. I wish he'd told me sooner. Oh, how I wish he had. Communication was never the strong suit in this family, and we had…so many other worries at the time. If he'd said something—"

"We would have stepped in and helped," Marnie said. "I would have gone to work for him or loaned him some money or…" She paused as the realization dawned in her mind. Her father, sacrificing for his family right to the end. "That's why he didn't tell us. He didn't want us to do any of that."

Helen's soft palm cupped her daughter's cheek. "He was so proud of you. You and your sisters. You found jobs that you love, that speak to your heart, and he would never have asked you to give that up."

"But, Ma, we could have helped him. Done something."

"And it would have made him miserable. He wanted you girls to be happy in your own lives, not make up for his mistakes. Not to worry about him all the time."

"He wasn't perfect," Marnie said, "but he sure was a great dad."

"Before he died, he made me promise not to let hurt or anger fill my heart. That's why he got me that clock the last Christmas before he died. So I'd remember to be happy, to tick along. To not let what happened ruin our future." Her mother got to her feet, took the clock off the wall and pressed it into Marnie's hands. "Take this, hang it on your wall, and remember to be happy, Marnie. To be silly. And most of all, to forgive."

The two of them hugged, two women who had lost a man they loved, and who shared common regrets. Outside, the rain washed over the house, washed it clean, and inside the kitchen, the first steps of healing truly began.

# CHAPTER SEVEN

"TELL ME AGAIN why I'm here, besides serving as a fifth wheel," Jack said. They were standing in the lobby of a seafood restaurant located on the wharf. In the distance, he could hear the clanging of the buoys. The scent of the ocean, salty, tangy, carried on the air, a perfect complement to the restaurant's menu.

Dan chuckled. "I thought it'd be nice for you to get to know Helen a little better. And it'll do you good to eat a meal that doesn't come out of a takeout box."

Jack grinned. "You have a point there."

"Parents are always right. Just remember that." Dan arched a brow, a smirk on his face. The door to the restaurant opened, and Helen strode in, shaking off the rain on her coat and her umbrella. Her gaze met Dan's and a smile sparked on her face.

A wave of jealousy washed over Jack. Not that he begrudged Dan a moment of happiness, but seeing Helen's happiness, and the echoing emotion in his stepfather, was a stark reminder to Jack of his solitary life.

"Did you tell him?" Helen asked.

"Nope." Dan grinned again.

That didn't sound good. Jack sent Dan an inquisitive look. "Tell me what?"

Then the door to the restaurant opened again and

Marnie walked in. At first, she was too busy brushing off the rain to notice Jack. She shrugged out of her raincoat, handing it the coat check. Then she turned, and his groin tightened, his pulse skipped a beat and everything within him sprang to attention. Wow.

Marnie had on a clingy dark green dress that accented the blond in her hair, made her eyes seem bigger, more luminous. The dress skimmed her body, showed off her arms, her incredible legs, and dropped in an enticing V in the front.

She smiled when she saw Dan and her mother. Then her gaze swiveled to Jack and the smile disappeared. "Why are you here?"

"I was invited," he said.

"So was I." She tipped her head toward her mother. "Ma?"

Helen took Dan's arm and beamed at both Jack and Marnie. "Our table's ready. Let's go have dinner."

"Ma—"

"Come on, Marnie, Jack." Then Helen turned on her heel and headed into the dining room with Dan, leaving Jack and Marnie two choices—follow or walk out the door. Marnie looked ready to do the latter.

Jack tossed Marnie a grin. "It is their treat, and we do need to eat. Should we call a truce, for the sake of our parents?"

She hesitated, biting her lower lip, then nodded. "If they stay together we'll inevitably see each other once in a while. So we should at least get along tonight. For their sake."

"*If* they stay together? I thought you were the best matchmaker around," he teased. "Hmmm...maybe you were wrong about who you matched me with, too."

"You were a special case."

He laughed. "Now that I agree with."

She rolled her eyes, but a slight smile played on her lips. It was enough. It gave Jack hope that maybe, just maybe, all was not lost between them. She strode into the dining room, with him bringing up the rear.

They sat across from Dan and Helen, who had taken seats together on one side of the table. Another element of Dan and Helen's strategic plan, one Jack had to admit he admired. The waiter took their drink orders, left them with menus, then headed off to the bar.

"I'm glad you both decided to join us for dinner," Helen said.

Dan draped an arm over the back of Helen's chair and she shifted a bit closer to him. "We figured it would take a miracle for you two to see you're as matched as two peas in a pod—"

"Dad—"

Dan put up a hand. "Hear me out, Jack. Marnie's mother and I are pretty damned happy. And we want to see both of you just as happy as we are. Now, maybe you two won't work out. But you'll never know unless you give it a chance."

"You had to get your matchmaking abilities somewhere," Helen said to Marnie. "Dare I suggest your mother's side of the family?"

"They're pretty obvious," Marnie said to Jack.

He nodded, a smirk on his face. "Maybe they've got something here."

Dan and Helen watched the exchange with amusement. "Like I said, you should always listen to your parents," Dan said. "We've got age and experience on our side."

"Definitely the latter," Helen said with a flirtatious tone in her voice. She flushed, then laughed, and gave

Dan a quick kiss on his cheek. He cupped her face, and kissed her again.

A craving for that—that happiness, that ease with another person, that loving attention—rose in Marnie fast and fierce. Her mother had taken this leap, taken the biggest risk of all and fallen for someone else. Could Marnie do the same?

If she didn't, she knew she'd never have what her mother had right now. And oh, how Marnie wanted it. More than she ever had before.

She slid a glance in Jack's direction. Every woman with a pulse had noticed him tonight. He had on a dark blue pinstripe suit, a pale blue shirt the color of the sky on a cold morning, and a green and silver striped tie that coordinated with her dress, as if they'd planned it that way. His dark hair seemed to beg for her to run her fingers through it, while the sharp lines of his jaw urged her to kiss him.

If he was any other man, and she was any other woman, she would want him. She would probably date him. Fall for him. But even the thought of that caused the familiar panic to rise inside her chest.

Falling for Jack would be like jumping off a cliff. It was the kind of heady rush that Marnie avoided at all costs. Not to mention, his mere presence was a constant reminder of what had happened to her father's business. She couldn't do that to herself, but most especially, to her mother or sisters.

"It's very sweet of you both to think we should date," Marnie said, "but this matchmaker doesn't see the logic in that. Jack and I are too...different."

Helen propped her chin on her hands. "Really? Different? How?"

Marnie shifted in her seat. "He's a businessman—"

"As are you."

"Well, I'm in a creative industry. He's…corporate."

"That just means you'll compliment each other's skills," Helen said.

Dan nodded. "Yup. Like ranch dressing and celery sticks."

Jack turned in his chair and put one arm on the back. "There are the things we have in common, too. Like music. Hobbies."

"Not movies," she pointed out, then felt silly for even mentioning it. Really? Her strongest argument was that Jack liked *The Terminator* and she liked tissue-ready chick flicks?

Jack nodded and feigned deep thought. "There is that. Well, that settles it, then."

She breathed a sigh of relief. Good. He wasn't going along with this charade any more than she was. "Great."

"We just won't watch movies," he said, then leaned toward her. His dark, woodsy cologne teased at her senses, urged her to come closer, to nuzzle his neck, taste his lips. "We'll find other ways to entertain ourselves."

Desire roared through Marnie's veins, an instant, insane tsunami of want, as if Jack had reached over, and flicked a switch to On. Across from them, Dan laughed, and Helen gave them a knowing smile.

"I, uh, forgot. I have a meeting with a client." Marnie grabbed her purse and jerked to her feet. The only thing she could do to avoid this disaster was to leave. "I'm so sorry. Maybe we could do this another time."

Helen apologized to the men, then headed out after her daughter.

After the women had left, Dan turned to his stepson

and sighed. "Sorry, son. We thought that would work out better than it did."

"It's okay. She can't forgive me for what Knight did to her father's company. I understand that." Heck, he heard it every day, as he worked to make amends, to try to undo the damage that had been done both by his father and himself.

But there were days when the task felt like pushing back a wall of water. He'd think he was making progress, then unearth another stack of files or get another phone call from a lawyer and realize how far he had yet to go. In between, he was still running Knight Enterprises, and still working on investment deals and helping the businesses he funded. A Herculean task, even with a staff working along with him.

"She'll come around," Dan said. "Look at the people you have helped. You've gotten, what, twenty companies back up and running? Invested in another dozen business owners whose companies had been dissolved? You've got a gift there, son, and you're using it to do good. I'm proud of you."

The tender words warmed Jack. For so long, he had wanted to hear them from his biological father, but never had, even when he'd modeled Jack, Senior's ruthless behavior. Now, in doing the opposite of his biological dad, he had earned respect and pride from the man who had truly been his father, with or without a DNA connection. And that, in the end, meant far more to Jack. His biological father might never have appreciated or understood or supported him, but this man did all three, and that was the mark of a true parent. "Thanks, Dad. That means a lot."

Jack's gaze went to the restaurant exit. A part of him

hoped like hell that Marnie had changed her mind, but no, Helen was making her way back to the table. Alone.

"And don't you worry about Marnie," Dan said as if he'd read his stepson's mind. "You'll figure out the best way to win her heart because that's your specialty. Solving the big problems and creating a happy ending for everyone."

. Jack thought of the piles of folders on his credenza. The companies he had yet to find a way to restore or repair. He had a way to go, a hell of a long way to go, in creating those happy endings. And judging by the way Marnie had looked at him tonight, he had a way to go in the romantic happy ending department, too. It was time to admit defeat and quit chasing something that didn't want to be caught.

"If there's one thing I've learned in business, it's when to walk away from the deal," Jack said, getting to his feet, and nodding a goodbye to his stepfather and Helen. "And when it's time to move on to another candidate."

Every time Marnie managed to put him from her mind, Jack Knight popped back into her world, a few days after the dinner with her mother and Dan. Marnie had just locked the door on the office and turned toward home, exhausted and beyond ready for a vacation, or at the very least a weekend away from the calls and emails and meetings, when a familiar silver car pulled into the lot and Jack hopped out of the driver's seat. The trunk had been restored to new condition, all evidence of the wreck erased by some talented body shop.

As for Jack, despite everything, a little thrill ran through her at the sight of him, tall and lean, in a pair of well-worn jeans, a cotton button-down and a dark brown sports jacket. He looked...comfortable. Sexy. Like a man she could lean into and the world would drop away.

"Leaving so soon?" Jack asked.

"It's nearly noon," she said. "On a Sunday. Most people left the office two days ago."

"Just us workaholics still in the city, huh?" He reached into his jacket and withdrew a bright pink flyer. "And people planning on going to the Esplanade this afternoon to soak up some sun and hear the MAJE Jazz Showcase."

"What's that?"

"Top scoring high school bands from around the area get to perform at the Hatch Shell every year. And this year, my cousin is playing in one of the bands that won gold at the state competition, which automatically puts the band into the showcase." He took a couple steps closer to her. "How about it? Would you like to go and support the local arts?"

"Me? Why?"

"Because I think you would enjoy it. We both like jazz, and it's a gorgeous day, one we should take advantage of and spend a few hours enjoying. And—" he took a couple steps closer to her "—because I am officially asking you on a real date."

"Jack—"

"You know, after that dinner at the restaurant, I told myself to walk away. To quit pursuing someone who didn't want to be pursued. And I did. But you know what the problem with my theory is?"

She shook her head.

"I couldn't get you out of my mind. Maybe this is crazy. Maybe this is a really bad idea." He took another step closer, and his cologne teased her nostrils, and her pulse began to race. "But I want to see you again, Marnie."

That sent a zing through her heart, and a smile to her lips. "You are a stubborn man, Jack Knight." No one had ever pursued her this hard before, and if she was honest with herself, it was nice. Very nice.

A part of her wanted to run, to retreat to her familiar comfort of organization and schedules. But the other part of her, the part that had seen hundreds of happy couples walk down the aisle, wanted to take a chance. To trust in the very process she had built her business upon.

Still, she hesitated. This was Jack Knight, she reminded herself. Going out with him would only complicate an already complicated situation. Could hurt those she loved. "I should get home. It's my only day off—"

"And yet you were working."

"Well, my only *half* day off. I have laundry and other things to do."

"Wouldn't you rather grab a picnic lunch, spread a blanket on the grass at the Esplanade, and listen to some really amazing jazz?" he said, his voice like a siren calling to the part of her that craved a break, and the need for more in her life than her work. "Enjoy the beautiful spring day, maybe have a glass of wine, and just...be?"

God, yes, she wanted that. She relaxed far too little, worked far too much. Work kept her from thinking, though, and also prevented her from dwelling on her regrets. Oh, how tempting—and wrong—Jack's offer sounded.

Yet at the same time, he was a man who personified the very thing she avoided—taking risks. Trusting in others. Letting down your guard.

"That walk we took the other day did me some good,

too, and I'm not just talking about in a cardiovascular way," he said. "Sometimes, I need to be forced out the door or I work too many hours. This weekend, the geeks are doing some maintenance on the server. That means I can't work, not while the computers are down. And my cousin is really counting on me to be there. I couldn't bear to let him down." Jack grinned.

Why did he have to keep being so nice? So…normal?

She kept waiting to see the side of him that had swooped down and shredded her father's company, and she hadn't. Now here he was, admitting he was a workaholic like her, striking yet another sympathetic chord in her heart. One who, like her, also spent far too little time in the sun and with close family. She liked him, damn it, and really didn't want to.

She shook her head even as her resistance eroded a little more. "You don't need my company to do that."

"Ah, but a day like today is so much better when it's enjoyed with someone else, don't you agree?" He reached back and opened the rear passenger door of his car. "I already have a picnic and a blanket ready to go."

"So sure I was going to say yes?"

"Quite the opposite. I wanted to sweeten the pot because I knew you'd say no."

He could have read her mind. Five minutes ago, she'd written "take some time off" on a Post-It note and tacked it onto her desk, a reminder to stop working seven days, to have some time to regroup, recharge. Except for her thrice-weekly runs at the gym, there'd been far too much work and far too little relaxation in her days. In her business, a tired matchmaker wasn't as inspired when it came to putting matches together, hence the reminder for time off.

But a picnic with Jack? How could that be a good

choice? He was the kind of man who tempted her to take the very risks she'd avoided all her life. The kind of man who came with heartbreak written all over his face.

The kind of man she tried so very hard to resist. And failed.

She peered past him, and into the car. A bright green reusable shopping bag sat on top of a folded red plaid blanket. The shopping bag bulged, and the amber neck of a bottle of white wine stuck out of the top, alongside a spray of daisies.

Daisies.

Not roses. Not carnations. Not orchids. Daisies, their bright white faces so friendly and inviting.

Jack caught where her gaze had gone, and he reached inside, tugged out the flowers, and presented them to her. "I thought an unconventional woman deserved an unconventional flower."

She took them, and despite everything, her defensive walls against Jack melted a little more. "Did my mother tell you these were my favorites?"

"Nope. You did. When you told me about your nickname."

He'd remembered that tidbit. It touched her more than she wanted to admit. She fingered one of the blooms, and a smile curved across her face. "Every time I see daisies, they bring back great memories."

"Tell me," Jack said, his voice quiet and soft.

She inhaled the light scent of the delicate flowers. "When I was a little girl, there was a field near my house where daisies grew wild. Every spring, I couldn't wait for them to bloom. Once they did, I'd go and gather as many as I could carry and bring them to my mother. She'd arrange them in this big green vase of my grandmother's, set it in the center of the dining room table, and every night over dinner, we'd give one of the daisies a name. She said they have so much personality, they deserve to have their own names."

Jack leaned forward, and ran a finger along the delicate petals of one of the flowers. "And what's this one's name?"

She shook her head. "Jack, I'm too old for that."

"We both are. But it's fun to be young once in a while, don't you think? Believe me, I wish I'd taken more time to be a kid when I had the chance."

She heard something in his voice, something sad, regretful. She wondered again about the Jack Knight she thought she knew—who had ruined her father's company— and the Jack Knight she had met—a man with a definite soft spot. Which was the real Jack? Curiosity nudged her closer to him. "Why didn't you have more kid time?"

"Long, involved, unhappy story. I'll tell it to you if I'm ever on Oprah." He shook off the moment of somberness, then plucked one of the daisies from their paper wrapper. "I'm calling this one Fred."

She shook her head, stepping away. "Jack—"

He plucked a second flower from the arrangement and held it out to her. "Let go of all those rules and regulations you live by, Marnie."

"How do you know I do that?"

"Because we're two peas in a pod, as my stepfather would say. I have kept such a tight leash on everything in my life, trying to make up for the past, trying not to be the man my father was. And where has it gotten me? Working too many hours, eating most of my meals on the run, and living the same lonely work-centered life he lived."

"I'm not..." She shook her head, unable to complete the sentence.

Jack touched her cheek, his blue eyes soft, understanding. "I see a woman who works too much and plays too little. As if she's afraid to go after the very thing she helps her clients find."

It was as if he'd pulled open a curtain in Marnie's brain. How many times had she thought the same thing? Heard those same words from her sisters, her mom? She glanced at the daisies and saw her younger self in those happy white circles. When had she gotten away from that carefree person? When had she become this woman too scared to take a chance on love?

She reached out and took the flower, caught in the game, in Jack's infectious smile, in the echoing need to forget her adult problems for just a little while. "That makes this one Ethel."

"Sounds perfect, Marnie." He closed his hand over hers, capturing the flowers and making her heart stutter at the same time. "Let's put the rest in water, and take Fred and Ethel to the concert. They'll be our table decoration, even if our table is a blanket on the ground."

It was a beautiful day, warm, sunny, the kind of day that begged to be enjoyed. She thought of the things she had planned to do at home—laundry, vacuuming, dusting. Catching up with her life, essentially, after a long week of work. Not an ounce of that appealed to her right now, but the thought of spending time outside, with Fred and Ethel and Jack, did.

*He's the enemy. The one who destroyed your father. Every time you see him, it will remind you of that history.*

But was that really what had her hesitating? Or was

it what Jack had said, that she was afraid to go after the very things she helped her clients find?

"Come on, Marnie. Enjoy the day. Consider this your civic duty, supporting local high schools," he said, "albeit, civic duty accompanied by a glass of chardonnay."

"Oh, that sounds really good," she said, because it did, and because her resistance had been depleted when he'd named the daisy. She bit her lip, then shoved the doubts to the back of her mind. She wanted this afternoon, this moment. She pressed the Ethel daisy into his hand. "Hold these and I'll be back in two minutes. I have a vase in my office."

She ran back into the building, and up the stairs. In a few minutes, she had the daisies in some water, and had placed the vase by her desk, so she'd see them first thing every day. She was about to leave, then put a hand to her hair, and ducked into the restroom instead. She washed up, then placed her hands on either side of the sink and stared up at her reflection. Excitement and anticipation showed in her eyes, pinked in her cheeks.

Excitement and anticipation because she was going out with Jack Knight.

"What the hell are you doing?" she said to her image. "You can't get involved with him. He's all wrong for you, remember?"

Her image didn't reply. Nor did her brain rush forward with any reasons why Jack was wrong, exactly. For some reason, she couldn't come up with a single objection.

Even as she told herself she didn't care what Jack Knight thought about her appearance, she gave her hair a quick brush, then refastened the barrette holding the chestnut waves off her face. A quick swipe of blush, a little lipstick, then a quick exchange of heels for a pair of flats she kept under her desk. She grabbed a cardigan from the hook by the door, then, at the last second, she unclipped the barrette and dropped it on the counter. Her hair tumbled to her shoulders.

*Unfettered, untamed.*

His words came back to her, tempting, sexy, urging her to take a chance, to give him a chance. To just…be.

She stopped when she saw him standing by the silver car, holding Fred and Ethel. The last of her reservations melted away.

One day, one concert, wouldn't change anything. She'd have a good time, and be home before dark. Right?

# CHAPTER EIGHT

WRONG.

The thick plaid blanket had seemed big when Marnie and Jack spread it on the grassy field that lay in front of the famous Hatch Shell. Hundreds of other families were camped out around them, armed with video cameras to capture their child's performance. The first band sat on the stage under the giant white dome, tuning their instruments while the A/V staff ran back and forth, doing last minute prep.

Marnie took a seat beside Jack and arranged her skirt over her knees and legs. She'd kicked off her shoes, left her cell phone in the car. Sitting in the sun, barefoot, with nowhere to go but right here, right now, had a decadent quality. For a while, the nagging thought that she should be doing something tensed in her shoulders. But as the sun washed its gentle warmth over her, Marnie began to relax, one degree at a time.

Well, relax as much as she could sitting next to Jack. He was so close that she caught the spicy dark notes of his cologne with every inhale. Her hand splayed on the blanket, inches from his. He had strong hands, the kind that looked like they could take care of her in one instant, and send her soaring to new heights in the bedroom in the next.

"Hungry?" Jack asked.

"Oh, yeah," she said, then colored when she realized that her hunger was for him, not food. Damn. What was with this man? Why did he draw her in so easily? She had already made that mistake with someone else. She straightened, putting a few centimeters of distance between them. "Uh, did you say you brought sandwiches?"

"Yep. Ham and cheese good with you?"

"Yes, thank you." She took one of the paper wrapped sandwiches from him and opened it. A thick pile of honey ham, topped with a generous portion of provolone cheese, as well as deep green Boston lettuce and juicy red tomato slices peeked out from between two rustic slices of sourdough bread. She took a bite, and goodness invaded her palate. "Oh, my. This is amazing. What's on this?"

"Hector's own jalapeno/cilantro mayonnaise. He owns the deli, and there are some meals that I think could get him nominated for sainthood."

Marnie took another bite. "Oh, this, definitely."

Jack chuckled, then uncorked the wine and poured it into two plastic cups, handing her one of them. "Plastic isn't exactly high brow, but I'm not exactly a fancy glass kind of guy."

"Really? You strike me as, well, as the opposite. Or at least, you have the other times I've run into you."

"It's those damned suits. They make me look all boring and dull."

She laughed. "Those are *not* the adjectives I'd use to describe you."

"Oh, really?" He arched a brow. "And how would you describe me?"

She thought a minute. "Mysterious. Guarded. An

enigma." That much was true. Every time she thought she had Jack figured out, he threw her a curveball.

"Ah, the elusive guy in the shadows who never opens his heart, is that it?" He raised his cup toward hers. "To guarded hearts."

"You talking about me?"

He laughed. "You, Marnie, have the most guarded heart I've ever seen."

"Touché." She gave him a nod of concession, then a smile. "To guarded hearts. And mysterious enigmas." They touched cups, then drank. Two kindred souls, in relationships at least.

"I don't think I ever thanked you for introducing my stepfather to your mom."

"I should be thanking you for encouraging him to go to the mixer. He really seems perfect for her." Marnie didn't think she'd ever seen her mother this happy, yet at the same time, the caution flags stayed in her head. Dan came with Jack—and could her mother handle that? "He's a nice guy."

Jack nodded. "He was a heck of a stepdad, too. He married my mom when I was eight, and was one of those hands-on dads. The kind that plays catch in the yard and teaches you how to build a fire with a flint and some kindling. But the years before Dan came along were...rough."

"I'm sorry." And she was. No child should have a difficult childhood. Hers hadn't been perfect, but it hadn't been rough, either.

Jack shrugged like it was no big deal, but she got the sense it did bother him. "My father was never there. Not then, not later."

"Did he work a lot?"

Jack snorted. "My father made work a world-class

sport. Heck, I saw the Tooth Fairy more than my own dad. And when he was home, his attention span lasted about five minutes before he was off on another call or writing another memo. Eventually, my mother had enough of being, essentially, a single mom, and divorced him."

"Yet you followed your father into the family business, from the day you graduated Suffolk." When he arched a brow in question, she gave Jack a little smile. "I Googled you."

"So you *are* interested in me?"

"Cautious. You never know who you're riding home with."

Jack laughed and tipped his cup of wine toward her. "True."

She picked off another tiny bite of ham. "So if you and your father had such a bad relationship, why did you go to work for him?"

Jack leaned an arm over his knee. His gaze went to somewhere in the distance, far from the performance at the Hatch Shell, far from her. "Even though I loved Dan, I never got past that need for a father's love and attention. Pretty pathetic, huh?"

"No, not at all." Another thread of connection knitted between them. Her father had worked countless hours as he built his business. She could relate to that craving for a relationship, a connection. She too had missed out on the camping trips and ball games with her father.

Her sympathy for Jack doubled. In his eyes, she could still see that hurting, hopeful boy, and it broke her heart.

Across from them, a mother and father took turns playing peek-a-boo with a baby in a stroller. The baby's laugh carried on the air, infectious, bubbly. That was what a family looked like, she thought, the kind of family Jack should have had his entire childhood, and it added a sad punctuation to their conversation.

Jack sighed. "Anyway, I guess I hoped that if I worked for him, we'd finally have that relationship I had missed out on."

She had wondered the same thing. If she had worked for her father, would she have had a closer relationship with him? Been able to help his business? Help him? "And did you get that relationship?"

"Oh, I saw him at work. When I was getting called into his office for another 'stupid' mistake. We didn't have long, father-son talks or take lunch together or even work on projects together. Everything I learned came from the other guys who worked for my father. Many of those men still work for me today, and they're almost like a second family."

"Why didn't you leave the company?" she asked.

"I did. Took a job at another business brokerage firm, and barely had time to put my pens in the drawer of my desk before I got a call telling me my father had had a heart attack. Two days later, I was in charge. After he died, I stepped into his shoes. Well, his office." A wry, sad grin crossed his face. "I made my own shoes."

She picked at an errant thread on the blanket, hating that they had this in common, too. Of all the people in Boston, why did she have to relate so closely to Jack, and his loss?

Jack's blue eyes met hers and his features softened. "I'm sorry, Marnie. I know your father died too, a few years ago. He was a heck of a nice guy, and I'm sure that loss was hard on you."

She heard true sympathy in Jack's voice and it made tears spring to her eyes. He covered her hand with his.

An easy, comfortable touch. One that eased the loss in her heart, yet at the same time it drove that pain home.

Damn him. Damn Jack for making her care. Damn Jack for caring about her. And damn Jack for being the reason behind all of this.

But he said he had quit, walked away. Then returned to do things his own way. Did that mean he had changed? That other businesses weren't being hurt like her father's? That her biggest argument against him was fizzling?

"I guess we never outgrow the need for a parent, huh?" he said.

She heard the echoes of her own loss in his voice, and it muddled the issues. She wanted to hate him—

And instead commiserated with Jack, this complex, layered man who had gone through so many of the same hurts as she had.

"Jack! Jack!" A blonde waved at them from a few feet away. A dark-haired man stood beside her, loaded down with a diaper bag, two lawn chairs and a small cooler.

Jack grinned, then got to his feet and put a hand out to Marnie. "Come on, let me introduce you to my cousin Ashley. She's the mom of the talented musician we're here to see."

"Oh, I don't think I should…" she said.

"I promise, they won't bite," he said, then took her hand and hauled her to her feet. So fast, she collided with his chest. He grinned and held her gaze for one long, hot moment. "Though I can't promise I won't."

A delicious thrill raced through her veins. Marnie released Jack's hand and bent down to straighten her skirt, and break that hypnotic connection. "Uh, maybe we should hurry because the concert's about to start." Anything to get some distance, some breathing room.

But then Jack took her hand again to help her as they picked their way among the lawn chairs and blankets and people on the lawn. He shifted his touch to the small of Marnie's back when they reached his cousin. "Hey, Ashley," he said. "This Marnie. Marnie, this is my cousin Ashley and her husband Joe."

"Nice to meet you," Ashley said, shaking hands with Marnie. Her husband echoed the sentiment, then nodded toward a little girl running across the back lawn.

"I'll be back. Have to go catch a runaway toddler." Joe lowered the things in his arms to the ground, then headed off at a light jog. Ashley unfolded the lawn chairs and placed them on either side of the cooler and diaper bag.

"I hear you have a talented son," Marnie said.

"Jack likes to brag about him, but yeah." Ashley's face lit with a mother's pride. "We think he's pretty amazing. And thank you, Jack, for making the time to be here."

"You know I'd never miss something like this."

"He'll be thrilled you came." Ashley gave Jack's hand a squeeze. "You're a great godfather." Then she turned to Marnie and grinned. "If the way he treats his godchildren is any indication, this one's going to be a great dad. Just in case you were wondering."

Marnie's face heated. "Oh, he and I, we're not... together."

"Pity," Ashley said. "Because I'd love to spoil Jack's kids rotten. Maybe even buy them a drum set for Christmas, like he did for our kids."

Jack chuckled. "Hey, that drum set led to him being on that stage."

"True. But next time, I'm letting my kids sleep over

at your house when they need to practice." Ashley laughed.

The warmth and love between the cousins mirrored the camaraderie Marnie had with her own family, and again showed another dimension to Jack Knight. A man who loved and was loved, not the man she'd vilified for years. Her resistance lowered even more.

The three of them talked for a little while longer, then Jack took Marnie's hand. "They're about to start," he said. "We better get back to our spot."

Joe returned with a tow-headed toddler in his arms. "She says she wants Uncle Jack."

The girl scrambled out of her father's arms and up into Jack's. "Uncle Jack, are you comin' to our house later? Mamma made cake."

"Cake, huh?" Jack beeped the girl's nose. "Is it as sweet as you?"

She nodded. "Uh-huh. It's chocolate. With bubber dream."

"Buttercream," Ashley corrected, moving to take her daughter and hand her a juice box. "Bad for the hips and the heart, but oh, so good."

Jack chuckled. "Sure. I'll stop by tonight. And I might just have a surprise if you're good."

The little girl straightened and nodded, as solemn as a judge. "Imma good girl."

"Of course you are," he said quietly. Then he ruffled her hair. "Okay, good girl, watch your brother. I'll see you later."

Marnie and Jack walked back over to their blanket, and took their seats again. "Your family was really nice," she said. And they were. She had liked them, a lot.

"Thanks. I never had any brothers or sisters, so my

cousins are like my siblings. Most of them still live in the area, and I see them pretty often. If I ever have a kid, I'm calling Ashley and Joe for advice." He sent a fond look in their direction.

"She's adorable."

"She's four. Smart as a whip, and a bottle full of sass, according to her mother, but yes, adorable."

Jack's face showed the soft spot in his heart for his cousin's children. For his family. It drew her in, even as she tried to keep distance between them. Marnie kept her hands away from his under the guise of eating, but really, it was because it had become far too easy and natural to connect with Jack. To let down that wall, to let herself...be.

To fall for him.

"How's your sandwich?" Jack asked.

She jerked her attention back to him. "Oh, uh, perfect." And it was. Low-key, easy, simple. Marnie found herself giving in to the relaxing day, the bucolic setting, the contentment of good food. Just the two of them—okay and three hundred other adults and kids—enjoying a lunch outdoors. The first band began to play, and both Jack and Marnie sat back and listened, while they ate their sandwiches and sipped the wine. As the first song edged into the second, then the third, she started to truly enjoy herself. Maybe it was the sunshine. The food in her belly. The wine. But by the time the second band came on the stage, Marnie was leaning on her elbows, with Jack so close, she could feel his shoulder brush hers every once in a while. She didn't move away. She wasn't sure she could if she wanted to.

"This is my cousin's school coming on stage now," he said, turning to speak to her.

She pivoted at the same time, which brought their

mouths within kissing distance. Heat ignited in the space between them, and her gaze dropped to his mouth. Anticipation pooled in her gut.

The band launched into an up-tempo jazz selection. Marnie jerked back, clasped her hands in her lap and concentrated on the music. Not on almost kissing Jack.

The quartet played plucky notes accented by a soft touch on the drums, and occasional taps of the high hat. It was a simple group, with drums, a bass, a sax, and a piano. The players would look up from time to time, grin at one another, and then play through a complex section of the music. The last few notes tapered off and applause began to swell.

"They were terrific," Marnie said over the sound of their clapping hands. "Which one is your cousin?"

"The pianist." Pride beamed in Jack's features. "He's a great kid. Really talented. He's applied at Berklee, and he has a great chance of getting in."

"I can see why." She sat back as the band exited the stage, and made room for the next one. "I wish I had even an ounce of their musical ability. I couldn't carry a tune if you taped one to my mouth."

He chuckled. "Oh, I don't know about that. You have such a pretty voice, I bet you can sing."

She put up her hands to ward off the possibility, but the compliment warmed her. "My sister Kat, who became a graphic designer, got all the creative genes in the family."

"I think matchmaking is pretty creative, don't you?"

"True." She leaned her head on her shoulder and studied him. "What about you? Any creativity in those genes?"

He grinned. "Depends on what kind of creativity you're looking for."

Her face heated—God, what was it with this man, turning her face red all the time—as she realized the double entendre. "I meant the ones in your DNA, not the bedroom kind."

"I know." He leaned over and ran a finger over her cheek. Her pulse skittered. "I just like to see you blush."

Oh, my. This man hit all the right buttons, and as much as part of her cursed him for doing it, another part liked it. Very much. She'd dated men, but none had knocked her so off-kilter, leaving her breathless, distracted, *wanting*.

When he looked at her, she felt beautiful. When he smiled like that, she felt sexy. And when his voice lowered like that, it set off a chain reaction of desire deep, deep inside her body.

She jerked around to a sitting position, drawing her knees up to her chest. "Oh, look, the next band is on stage."

Was she that desperate for a man in her life that she'd fall for the one man who had helped ruin her father?

Or that scared of falling for someone who turned her world so inside-out? Being with Jack was like racing down a track on the back of a runaway car. And that was the one thing that made Marnie want to bolt.

A few minutes later, the concert was over, and the attendees began gathering up blankets and lawn chairs, and start trekking back across the grassy lawn to their cars. The skies had begun to darken, and in the distance, Marnie heard the low rumble of thunder. "We better hurry," she said, "before we get caught in the storm."

But even as she bundled up the blanket and helped gather the remnants of their lunch, Marnie had a feeling she'd already gotten caught by a storm. One made by Jack Knight.

* * *

They didn't move fast enough.

A second later, the thick gray clouds broke open with an angry burst of wind and water, dropping rain in fast sheets over the Esplanade and the hundreds of people scrambling for their cars. Jack grabbed Marnie's hand. "Come on, let's go!"

They charged across the grass, weaving through the other people, as the rain fell. Finally, they reached the car, and collapsed against it in a tangle of arms, legs and picnic supplies. "Wait!" she said. "I dropped the blanket."

"Don't worry about it. I'll get another." He fumbled in his pocket for the keys, then unlocked Marnie's door. A second later, they were both safe inside the dry car. He took the picnic supplies from her and tossed everything onto the back seat. The leather seats would probably end up ruined, but right now, Jack didn't care.

Even with the rain, the day had been one of the best he could remember having. All his life, he'd sucked at personal relationships, putting the people in his life on the sidelines while he concentrated on work. He'd worried that he'd be his father's son with women, too, that he would leave a trail of broken hearts to match the trail of broken companies.

No more.

For the first time in forever, Jack wanted to try harder, to be better, for himself and with others. He didn't want to just give back to companies, or connect with business owners, or repay those his father had hurt, he wanted to do the same turnaround with himself. He used to think that if he could just make amends for his father's choices, he would be complete. But now he wanted more.

He wanted everything his father had never appreciated. The white picket fence, the two kids, the dog in the yard. The woman who greeted him with a smile at the end of the day.

Marnie had brought that out in him. She was a challenge, a puzzle, one he wanted to solve. He had a feeling this complex, beautiful woman would keep him on his toes for a really, really long time. And oh, how he craved that.

Craved *her*.

Marnie shook her head, then swiped off the worst of the rain. Even soaking wet, she looked amazing. Water had darkened her lashes, plastered her hair to her head, and soaked the pale yellow shirt she wore, until it outlined every delicious inch of her torso. She leaned down and plucked at her skirt. "God, I'm soaked. Maybe we should hit a Laundromat and throw ourselves into a dryer." She glanced up, and caught him looking at her. "What?"

Desire pulsed in his veins, pounded in his heart. Coupled with the darkened interior of the car, the intimacy of the black leather seats, and the rain drumming a steady beat on the roof, it seemed as if they were the only two people in the world.

"You're soaking wet," he said.

She laughed. "I know. I said that."

"And still one of the most beautiful women I have ever seen in my life." That caused another blush to fill her cheeks. Damn, he liked that about her. A touch of vulnerable, mixed in with the strong. He reached out, brushed a lock of hair off her cheek. It left a little glistening trail of water, and before he could think better of it, he leaned across the console and kissed that line, kissed all the way down her cheek, until he moved a few millimeters to the left and caught her lips with his.

"We...shouldn't do this," Marnie whispered against his mouth.

"Okay," he said, then kissed her again. She tasted of wine and vanilla and all he wanted right now was more, more, and even more of her. He slid one hand up, along the smooth side of her blouse, then around the curve of her breast. The thin, wet fabric offered almost no barrier against the lace edges of her bra, the stiff peak of her nipple.

When his fingers danced over it, Marnie gasped and arched forward. *"Jack."*

He'd heard his name a million times in his life. Never had that single syllable sounded so sweet. He opened his mouth against hers, and with a groan, deepened the kiss, shifting to capture more of her breast, more of her, more of everything.

Her hands came up around his back, clutching at him, nearly dragging him over the console. Her kiss turned wild, ferocious, and that sent him into a dizzying tailspin of want, need. The rain pounded harder, thunder booming above them, lightning crackling in the sky, as the storm between them became a wild ride of hands and tongues.

His fingers went to the buttons on her blouse, then stilled when he heard a horn honk, the rev of an engine. Damn. They were still in the parking lot, surrounded by other people. "We should take this somewhere more private," he said. His breath heaved in and out of his chest.

She drew back, her lips red and swollen, her breath also coming in little fast gasps. Her green eyes met his, held, then her breathing slowed. She shook her head. "How do you do that?"

"Do what?"

"Get me to forget all the very good reasons I have for not letting you get close. We can't do this, Jack. Not now, not ever. It's...wrong."

"It sure felt right. And explosive. And crazy, and a hundred other things."

She sighed. "That's the problem."

The rain began to slow, one of those fast-moving storms that passed almost as fast as it started. The parking lot cleared out, families going home to dinners in the oven, homework at the kitchen table. He put his hand on the ignition but didn't turn the key. "Then why did you kiss me?"

She bit her lip. "Because, for a little while, I forgot. And just...was."

"Forgot what?"

But Marnie just shook her head and asked him to drive her home. He started the car, pulled out of the lot, and headed southwest. But as he watched the Hatch Shell get smaller and smaller in his rearview mirror, Jack had a feeling he'd lost more than just a blanket today.

# CHAPTER NINE

JACK HAD RUINED HER.

Ever since the walk to the neighborhood coffee shop and the jazz concert on the lawn, she'd found her office too confining. She'd spent more time outside in the last few days than she had all year, and as the morning wore on and the sun made its journey across the sky, Marnie got more and more antsy. She paced. She hummed. She fiddled. In short, she didn't do a damned thing productive.

Erica got to her feet, and grabbed Marnie's car keys. "Okay, that's it. I'm tired of you bouncing in place. Let's get out of here and go grab something to eat. Preferably something chocolate and really, really bad for us."

"But I've got all this work—"

"To do tomorrow. It can wait, especially considering you haven't done much of it so far today." Erica arched a brow, then grinned.

"Why are you smiling about that?" Marnie ran a hand through her hair and let out a sigh. "All it does is put me further behind. I have this long list of clients waiting for me to find them a match. All these events to organize and—"

"Step out of your comfort zone, Marn, and blow off work today. There are days when you are wound tighter than a ball of yarn, which is pretty much par for the course with you, oh, control freak sister. But these last couple weeks…" Erica shrugged.

"What?"

"These last couple weeks, you've been smiling and laughing, and…" Erica put a hand on her sister's and met Marnie's gaze. "Well, it's been nice."

Marnie refused to give Jack Knight any credit for the change in her attitude. If anything, he'd made things worse, not better. Except…

The walk through the quaint neighborhood and the jazz concert at the Hatch Shell had been fun. Even running in the rain had left her breathless, laughing. It had all been a huge step out of her comfort zone and oddly, she'd enjoyed it. What had he said to her the other day?

*You should let your hair down more often.*

Right or wrong, Jack Knight had gotten her to do exactly that in the last couple weeks. She'd slept better at night, worked better during the day, and the tension had eased in her shoulders. Maybe Jack had a point. She hated that he did, but he did.

"So…who is he?" Erica asked.

"Who's who?"

"The man who has you all atwitter. You're like a girl in junior high." Erica pointed at her sister. "There, that. You're blushing. You *never* blush."

Marnie sighed. "He's Jack Knight. The owner of Knight Enterprises."

A light dawned in Erica's eyes and she let out a little gasp. "Jack *Knight?* Of Knight Enterprises infamy? The same one that invested in Dad's business years ago?"

Marnie nodded, then explained how she'd met Jack, and what had transpired in the weeks since, leaving off the bit about kissing him.

"Okay, but that still doesn't explain why you blush every time you talk about him," Erica said.

Marnie sighed. "He kissed me."

"He...*what?* He *kissed* you? Really? Oh, my God," she said, her voice reaching Roberta-worthy decibels. "Did you kiss him back?"

"Yes, but only because he took me by surprise. And it won't happen again, I can tell you that. I reacted out of...instinct."

Yeah, right. She'd kissed him because of a reflex, not desire. *Liar.*

Erica typed something into the laptop computer beside her, waited a second, then turned the screen toward Marnie. "Oh, I'm sure it was instinct to kiss *that* hunk of yummy. Any woman with a pulse's instinct."

Marnie looked at Jack's image, one of those professional photos done for the corporate website. He had a serious, no-nonsense look on his face, along with a navy power suit and a dark crimson tie. The Jack Knight in the photo was powerful, commanding. None of the teasing looks or charming grins he'd given her. And yet, her body reacted the same, with that instant zing of desire. Curse the man for being so damned good looking. "Okay, so he's cute."

"So, what are you going to do about him? Now that you're done kissing him?"

"I don't know. I want to hate him, and I do, I really do, but..."

"A part of you is starting to like him?"

Marnie shook her head. "No, not at all."

Erica just laughed. "You do realize that when you shook your head, you then gave a slight nod? If this were an interrogation, it would totally negate your strong protests to the contrary."

"The trouble is, he seems nice. Not at all the evil corporate raider I pictured." Marnie thought of the gym he'd invested in, the coffee shop owner who loved him and raved about him, the family he adored. Twice, Jack had told her he wasn't as bad as she thought he was, yet he represented everything that had hurt her mother, her family. She shook her head. "Either way, he's all wrong for me."

"Then you better stop kissing him," Erica said with a grin. "Or next you'll end up in bed with the enemy."

Later that morning, Marnie and Erica closed up the office and headed across town to the Second Chance shelter and work counseling center. The two of them had been volunteering there for years, a good cause that helped struggling people find work.

Even though her workload had quadrupled because of the distracting thoughts about Jack, Marnie welcomed the break from the office. She'd get away from her sister's prying eyes, the ringing of the telephone, and the daisies that still sat on her desk. All reminders of Jack, and how close she kept coming to falling for Mr. Wrong.

She wanted a steady, dependable man. One who wanted a quiet, predictable life. None of this heady, crazy, spontaneity that came with Jack. He was a risk, a giant one. Hadn't she already seen how bad a risk like that could ruin someone? She had no desire to do the same.

A silver sports car glided to a stop in the lane beside her, and she flicked a quick glance at the driver. Darn it. Every silver car she saw reminded her of Jack Knight. Heck, even though she knew better, he'd been on her mind the better part of the day and nearly all night. Her hormones hadn't gotten the memo from her brain that he was No Good for Her. Maybe she just needed more time.

And less silver sports cars on the Boston roads. Because despite her better judgment, she couldn't stop from looking in the driver's side window, a part of her hoping to see a dark-haired, blue-eyed man.

Erica had dropped the subject of Jack, thank goodness, and talked on the drive about her plans for the weekend. They drove across town, then parked outside a converted two-family home that had been turned into a combination shelter and education center for people down on their luck. Second Chance had been started a few years ago by a group of local businesspeople who wanted to give back to the community, and had been successful with a large percentage of the people it served. Marnie had supported the organization from day one with monetary donations, a couple of career workshops, and clothing donations. She'd used her network to help several of the residents find jobs, and sent numerous leads to the director. It was a good cause, and one she wished every business in Boston would get behind.

She and Erica grabbed two big bags of clothes Marnie had to donate, and headed inside. Linda, the director, came out of her office to help. Linda was a tall, thin, energetic woman who always had a ready smile for everyone she met. Her ash blond hair was pulled back in a ponytail, which gave her blue floral dress and practical white sneakers a fun touch. "Oh, bless you, Marnie. The ladies here will be so glad to see all this."

"No problem. It's the least I can do. Where do you want everything?"

Linda directed her to a room down the hall that had

been converted into a giant closet. "Marnie, if you could just set the items up on the hangers, then they'll be ready for after our event. Oh, and Erica, since you're here, too, can I borrow you to help with lunch service for a little bit? We're short-handed today. We had more people than I expected show up to hear our speaker today."

"Sure. I'd be glad to." Erica headed into the kitchen, while Marnie hung up the clothes and set up the shoes she'd brought. It was good, easy, mindless work that kept her from dwelling on impossible situations.

Ten minutes later, Marnie had finished. The antsy feeling had yet to go away, so she started straightening and pacing again. From down the hall, she heard a strong round of applause and the murmur of voices.

The speaker Linda had mentioned. Whoever it was, he or she was enjoying an enthusiastic response from the attendees. Linda often brought in motivational speakers, who left their listeners with a renewed enthusiasm. Might be worth popping in for a minute and listening, Marnie decided. It was better than rehanging shirts and straightening skirts, or wearing a path from the hall to the window.

She crossed into a large room that used to be a dining room, but had been opened up and turned into a mini auditorium, now utilized for speakers, AA meetings, and other events. Rows and rows of folding chairs filled the space, and not a one was vacant. At the podium stood a tall, thin man Marnie recognized as Harvey, a frequent visitor to Second Chance. He had started out homeless, addicted to drugs, and had turned his life around in recent years, becoming a volunteer and counselor at the very place that helped him. She liked

Harvey, especially his positive attitude and his belief in perseverance.

"I can't thank this man enough for what he did," Harvey was saying. "He gave me a job when no one else would, he told me he believed in me when no one else did, and he became a friend when no one else was around. I'm proud as heck to introduce my mentor and good friend, Jack Knight, to all of you."

Marnie bit back a gasp. Jack? Here? Being touted as the best thing to come along since sliced bread? By Harvey of all people?

She ducked to the right to hide behind a thick green potted plant, just as Jack strode into the room, wearing jeans and a pale green button-down shirt that made his eyes seem even bluer. Her body reacted with a rush of heat, and her mind replayed that kiss in the car. God, she wanted him, even now, even when she shouldn't.

He stepped up to the podium, thanking Harvey for his warm introduction. The crowd greeted Jack with renewed enthusiasm, and several shouted his name and a welcome back. After the applause died down, Jack began to speak.

She expected one of those speeches about corporate responsibility. Or putting your best foot forward in a job interview. But instead, Jack delivered a commentary that had the audience riveted, and Marnie rooted to the spot.

"You will always have people who will tell you that your dreams aren't worth having," Jack said. "People who think their way is the only way, and that anyone who takes another path is wrong. They'll try to cut you down, or talk you out of your plans. Work to convince you that they have the right answers, or maybe even tell you to pull the plug and give up. Move on. Do something else. It can take a great deal of courage to forge forward, to keep believing in yourself. But I'm here to tell you that it's worth it in the end."

Applause, a few whoops of support.

Jack nodded, then went on. He didn't read from cue cards, or anything prepared, but rather, seemed to speak from his heart. His gaze connected with every person in the audience, and they connected right back with him. "You've heard the old adage that you have to fight for what you believe in, and that is true. But they don't tell you that the first fight you have to have is for yourself. Start by fighting for you, and fighting those doubts that keep you stuck in the wrong place, because *you* matter." At this, he pointed at the crowd, then at Harvey, then at himself. "And once you know that, the rest of the battle gets easier."

More applause, more whoops. Marnie felt a hand on her shoulder and turned to find Erica beside her.

"Oh, my God, is that Jack Knight?" Erica asked.

Marnie nodded. "I had no idea he was going to be here today."

"Wow, he's even cuter in person than he is in his picture," Erica whispered. "And without the suit and tie, he's downright sexy."

"He is," Marnie admitted. "And the people here love him. His speech is great."

"Seems to me that's a good enough reason to take a chance on him." Erica shrugged. "We could have him all wrong."

"Or he could be the greatest BS artist to come along in years."

"True. But he did bring you daisies. Doesn't that mean he deserves a second look? Or at least a chance to explain why he did what he did with Dad's business?" Erica cast another glance at Jack. "Until you do, I don't think you can truly know whether to hate him or love him."

"Love him?" Marnie scoffed. "I can barely stand him."

Erica laughed. "Oh, yeah, I can see that in the way you stare at him."

"I fixed him up with other women, Erica. I'm not interested in Jack Knight."

Except she had gone out on two, no, three dates with him, if she counted the dinner with their parents. And she'd been thinking about him non-stop for days. Kissed him twice. Desired him more than she'd desired anyone else.

"Pity. He seems like a really nice guy." Erica glanced over her shoulder, saw Linda heading for the kitchen and gave her sister a light touch on the shoulder. "I have to get back to lunch service. Just remember what Dad used to say. You can't judge the house until you see the inside. You don't know the whole story of Dad's house, and you don't know the whole story of Jack's. You don't know if Jack tried to help Dad and he refused to listen. Our father was a great visionary but not the best businessman in the world."

"All the more reason why he needed an investor who would help him, not just throw some money at him then step back and watch him drown. Regardless, Jack is a constant reminder to all of us of what happened with Dad. We don't need that in our lives."

"Maybe. But you won't know unless *you ask him about it*." Erica leaned in to whisper in Marnie's ear, with emphasis on the last few words. "Stop being afraid to look inside and find out the truth. You keep this tight little leash on everything, Marnie. Sometimes taking a risk is good for you, and your heart."

Erica left the room. Marnie debated following, but Jack's voice drew her in again. "That's the business I'm really in," he was saying, "one where I support dreams. I am honored to have been rewarded for my work, too."

*Financially,* the cynic in Marnie thought.

"I'm not talking about money," Jack said as if he'd read her mind. "It's the people. When you put passion and belief into what you do, it translates into the people around you, and you pay it forward with every business decision you make. For me, it's the bookstore owner who has the funds to start a literacy program for adult learners. The daycare owner who can now afford to offer a drop-in service for parents who are looking for jobs. The handyman firm that has expanded into two more cities, and hired great people like Harvey here. These are people who took a risk and it paid off. Their thank-yous are worth more than any number on the bottom line, and at the end of the day, bring you a satisfaction you won't find anywhere else." He stepped out from behind the podium and into the audience, as far as the mike's cord allowed. "So take a chance, go after your dreams, and you'll enjoy a return on that investment that is ten-fold."

The audience erupted into applause. People got to their feet, cheering Jack and his words, reaching for him to tell him how impressed they were, thanking him for his message.

*Heck of a speech,* Marnie thought. Almost had her convinced he was a nice guy.

The crowd began to disperse, some people heading for the platters of cookies and coffee at the back of the room, while others opted for lunch in the kitchen. Many of the people raved about Jack's speech, clear fans of him now. Maybe her father had been sold on some "support the dream" speech, too, and been too blind to see the reality of the situation.

Except that didn't match the father she'd known. Yes, he'd been terrible at business—more of a creative than an accountant—but he'd been an incredible judge of character. Tom could pick a con artist out of a room of a hundred people, and many of the people he'd had handshake deals with over the years had turned out to be his best friends. He'd known in a minute if someone had a good heart or bad intentions.

If that was so, then why had he signed an agreement with Knight Enterprises? How could he have missed the writing on the wall? Or had Jack tried, and failed, to help Tom's business?

*He brought you daisies,* Erica had said. *Doesn't that mean he deserves a second look?*

Marnie lingered in the room, watching Jack interact with several of the people at Second Chance. She stayed behind her veil of greenery, her feet rooted to the spot. A woman Marnie knew well, a single mom named Luanne, stepped over to Jack. Within seconds, Luanne was crying, and Marnie's heart went out to her. She knew life had been tough for Luanne lately—not only had she lost her job, but also her home after a bitter divorce. She'd been staying at Second Chance for a few weeks now and had been the one with the idea of a donated career dress day to help the women looking for work.

"You told us to follow our dreams," Luanne said to Jack, "but I lost all mine. I don't know what to do now."

Jack's face was kind, his eyes soft. "What did you do before for work?"

"Data entry at a newspaper, working in the subscription department."

"And did you love that?"

The room had emptied out, with most of the people heading for lunch in the kitchen, a few lingering in the hall. Spring sunshine streamed in through the windows, bright, cheery, hopeful, like it was trying to coax Luanne into believing brighter days were on the horizon.

Luanne shook her head. "I hated that job. I only took it because I wanted to be a writer. Then one year turned into two, turned into ten..." She shrugged.

Jack reached into his breast pocket and pulled out a pen, one of those expensive ones, with a heavy silver barrel. He pressed the ballpoint into the woman's hand. "Take this," he said, "and write with it."

"Write what?"

"About your journey. About your life lessons. About anything you want. Back when I was young and had lots to say, I wrote novels and short stories. I even started out in college pursuing a degree in writing, before I switched to a major in business. A part of me still loves writing, the whole process of collecting my thoughts and forming them into stories." Jack shrugged. "No one will ever read what I write, but that's okay because it's just a hobby for me. You, though, you have a dream and a passion. I could see it in your eyes when I gave you the pen and said 'write.' It was as if that lit a fire deep inside you. So go, and write. The world needs more writers, especially ones with life experiences to share."

Luanne scoffed. "Who wants to hear my sob story?"

Jack held her gaze, and that smile Marnie had memorized curved across his face. "I do. And I bet the publisher at the community magazine wants to hear it, too. Send it my way when you're done, and I'll get it to him."

Tears glimmered in Luanne's eyes. She clutched the pen so tight, her knuckles whitened. "Thank you. Thank you so much."

"Don't thank me. Just take this dream, and spread it to another. Someday, you'll give someone else a pen or a kind word or some advice, and that will start them on their journey." Jack gave Luanne a gentle hug, then said goodbye and crossed to the coffeepot.

Marnie told her feet to move. Told herself to leave the room. But she remained cemented where she was, behind the plant, watching Jack approach.

Jack Knight, the demon who had destroyed her father, helping a woman down on her luck. Jack Knight, the man who kept getting her to step out of her comfort zone and let her hair down. Jack Knight, the man who had ignited something raw, urgent, and terrifying, deep inside her. Telling people to go after their dreams. Was it all a front?

A riot of emotions ran through her in the few seconds it took Jack to go from one end of the room to the other. She kept trying so hard to hate him but the feeling refused to stick.

In the end, indecision won out. Jack's blue eyes lit and his smile broadened when he spied her behind the plant. A sweet, delicious warmth spread through Marnie, and despite her better judgment, she found herself stepping out from behind the plant and giving him a smile of her own.

"Marnie."

When he said her name in that soft, surprised way, she was back in the car, the rain pounding on the roof, kissing Jack and thinking of nothing more than how much she wanted him, how he seemed to know every inch of her body so well. "I, uh, heard you talking and came in to listen. You gave a great speech."

"Thanks. I hope it touched a few people."

"It touched Luanne," she said, nodding in the direction the other woman had gone. Luanne had left the room with a lightness in her steps, a hopeful smile on her face, a changed woman. "That was really nice, what you did for her."

Jack shrugged. "It was a small thing."

"Not to Luanne. She's been through a lot, with her ex, and losing her job. I can tell that really touched her, to have someone believe in her." Marnie had to admit, that for all the bad Jack had done in the past, this moment would make a difference. She could already see a renewed enthusiasm and optimism in Luanne's features as she talked to other people in the room, showing off the pen, and spreading the words of encouragement.

"And yet, you run away every time I get close. You give me a laundry list of reasons why we shouldn't date." He took a step closer. "Why?"

She shook her head. "Jack, there's too much between us to make this work. Please stop trying to pretend there isn't."

He took another step closer, and the fronds of the plant brushed against his shoulder. "I'm not trying to pretend there isn't. But I'm willing to take the risk that we have something amazing here, something that is stronger than the past. The question is why you don't think so, too. Why you won't take a risk."

"I'm not interested in you. Or a relationship." But even as she said the words, Marnie knew, deep down inside, that they were a lie. She wanted all of that, and she wanted him—

But her wants couldn't overpower the tight hold she had on her life. If she let him in, if she took a chance—

No. She didn't do that. She didn't go off on haphazard paths, with no clear sense of direction. And that's what being with Jack was like. Insane and delicious, all at the same time. The whole thing made her want to hyperventilate.

"You make me want to take the day off, head for the Common with a bottle of wine and a picnic lunch," Jack said, his blue eyes capturing hers. "Or get in the car and drive up the coastline until we get to the tip of Maine, the edge of the country. Or just sit in a car while the rain falls and watch the way your eyes light up when I move closer and—"

She jerked away. How did he keep doing that? Every time she turned around, Jack wrapped her in his spell. Was that what he had done with her father, too? Spoken pretty words that masked Jack's true intentions? One Franklin had already fallen for Jack's words, had believed him when he'd offered a risky proposition. She refused to be the second one. "I have to go. I'm supposed to be helping my sister in the kitchen."

Then she spun on her heel and got out of the room, before temptation got the better of her. Although a part of Marnie suspected it already had.

# CHAPTER TEN

JACK SAT AT his father's desk, in the office his father had spent most of his life in, and wished he could have a second chance, the very thing he'd promoted in his speech the other day. He'd told others they were possible, and had yet to find one in his own life, no matter how many hours he spent here. There were still things from the past catching up with him, nipping at his heels, and reminding him every day that he was his father's son—

And not at all proud of that fact.

The guilt of what he had done, the companies he had destroyed, the people whose hearts he had broken, gnawed at him still. The work he'd done over the last two years hadn't filled that aching hole in his heart the way he'd thought it would. It was as if he was sitting in the wrong chair, making the wrong choices. Impossible. He knew this was the right thing to do. But as he reached the end of the pile of folders, he had to wonder if that was true.

He'd told the people in that room to take a risk, to go after what they wanted. Had he taken his own advice?

He'd pursued Marnie, yes, but he'd also let her go. If he truly wanted her, what the hell was he doing here?

His assistant dropped off a stack of checks for Jack to sign. He thanked her, then began to scrawl his name across the bottom line. Each one he signed represented a new start for someone, a new chance. And another chance for Jack to make amends.

He paused on the last one. Doug Hendrickson's seed money. Jack held the check for a long time, then reached in his drawer, pulled out one of the dozens of keys stored in a box, and headed out of the office. As he left, he paused by his assistant's desk. "Cancel the rest of my appointments for today. And can you make sure this—" he grabbed a piece of paper and an envelope, then jotted a quick note on the white linen stock "—gets delivered immediately?"

"Sure," she said, then looked up at him. "If you don't mind my saying so, you look a little worried today. Everything okay?"

Jack glanced down at the note, then at the key in his hand. "Not yet. But I hope it will be."

Marnie returned from lunch, expecting the office to be empty. Erica had a doctor's appointment, and Marnie's schedule was clear for the rest of the day. But as she got out of her car, she saw a familiar car parked in Erica's spot, and her mother standing on the stoop. "Ma, what a nice surprise!"

Her mother held up a bag of cookies from a local bakery. "And I brought dessert."

"My favorite. And such a decadent treat after I just had a salad." Marnie unlocked the office door and waved her mother inside. "Let me put on some coffee."

Marnie started the pot brewing, then got them two cups and a plate for the cookies, and set it all up in the reception area. "Thanks for bringing these. This is definitely a chocolate kind of day."

Her mother laughed. "I think that goes for every day."

"True, very true." Marnie grinned, then took a bite of a chocolate peanut butter cup cookie. Heaven melted against her palate. "These are…amazing."

Marnie and her mother ate, drank and chatted for a few minutes, catching up on family gossip. The cookies eased the tension lingering in Marnie's shoulders, a tension brought about by too many late-night thoughts about Jack, and their conversation at Second Chance yesterday.

*I'm willing to take the risk that we have something amazing here, something that is stronger than the past. The question is why you don't think so, too. Why you won't take a risk.*

Trust and fall. Just the thought caused Marnie's chest to tighten. She reached for another cookie and pushed the thoughts of Jack to the back of her mind. Stubborn, they refused to stay there, and lingered at the edge of her every word.

"Aren't you leaving tonight?" Marnie asked her mother. "For your big weekend in Maine?"

"About that…" Helen toyed with her coffee mug. "I'm not sure I should go."

"What? Why?"

"Because you're not okay with us being together, and the last thing I want to do is make you unhappy. You and your sisters are my world, Marnie." Ma's hand covered hers. Her pale green eyes met Marnie's. "I don't want to see you hurting."

"Ma, you were happy with Dan. He was happy with you. You deserve that."

A small, sad smile crossed Ma's face. "Not at the expense of your happiness."

In that instant, Marnie saw what her actions had cost. Not just herself, but those she loved. Her mother had given up the man she cared about—her second chance at love—to avoid hurting her daughter. Because Marnie had yet to be able to get over the past. She kept wanting to make Jack, and anyone associated with Jack, pay for something that had happened three years ago. Her mother had gotten past it, had moved on and started her life over. Marnie needed to do the same. "Here you are, protecting me, when I was trying to protect you." Marnie shook her head.

"Protect me? From what?"

"From being hurt. I thought if I didn't date Jack and you avoided Dan, that you wouldn't see Jack and think about what happened to Dad. But it's clear Dan makes you happy and that this isn't about the past anymore. It's about your future."

"Oh, honey—"

Marnie gave her mother's hand a squeeze. "You took a risk, and fell in love again—"

"Well, it's probably too soon to say fell in love." But the blush in Ma's cheeks belied that statement.

"And I think that's pretty incredible. Because…" Marnie drew back her hand and dropped her gaze to the cookies. Cookies that hadn't erased the issues, just muted them for a few bites. "Because I've been too terrified to do that myself."

There was the truth. Marnie didn't date because she was terrified of falling in love. It was the one emotion that meant giving up control, letting go. Trusting the other person would catch you.

Ma's face softened. "Marnie, don't let fear keep you from love. Or from Jack."

"I'm not talking about Jack." Or thinking about him.

Or dwelling on him. Except she was, all the time. And wondering if she took a risk on love with him, if she'd find the same happiness her mother had.

*I'm willing to take the risk that we have something amazing here, something that is stronger than the past.*

She realized she'd become the same thing she saw in her clients all the time, a gun-shy single who wanted love, but did everything she could to avoid a relationship. The matchmaker was terrified of matching herself.

How ironic.

"Jack's a good man, Marnie," Ma said as if reading her daughter's mind, "despite what he did in the past. He's changed, Dan said. Doing business in an entirely new way." Her mother's cell phone lit with an incoming call from Dan. A smile stole across Helen's face. The kind of smile of a woman in love, a woman who had found a man who loved her, too. A gift, Marnie realized, that not everyone found.

"Dan's a good man, too," Marnie said. She picked up the phone and placed it in her mother's palm, closing Ma's fingers over the slim silver body. "Tell him you'll go to Maine with him."

Ma hesitated. "Really?"

Marnie nodded. "He makes you smile, Ma, and that's all that's ever mattered to me."

The smile widened on Ma's face, and her eyes lit with joy. She pressed the button on her phone, and answered the call. Within seconds, Ma was giggling like a schoolgirl, and making plans with Dan. "Okay, sounds good," she said. "I'm looking forward to it, too. See you soon, Dan." Then she said goodbye and tucked the phone back into her purse.

Ma got to her feet and leaned over to give her daughter a warm hug. "You're a good daughter," she whispered, then she drew back and met her daughter's gaze with older, wiser, loving eyes. "Now take your own advice and take a chance on the man who makes you smile, too. A man like Jack, perhaps?"

"I don't know." Marnie hesitated. Jack distracted her, set her off her keel. That couldn't be a good thing, could it?

"If I were you," Ma said, "I'd make a list, just like you make your clients do. Figure out what's most important to you in the man you meet. And then use that instinct of yours to point you in the direction of Mr. Right."

Marnie shook her head. "I don't think it works on me. Too close to the work and all that."

"That's because you haven't tried." Ma wagged a finger at her. "And you never know what awaits around the next bend unless you travel down the road."

# CHAPTER ELEVEN

AFTER THE COOKIE and coffee and chat with her mother, Marnie got back to work, instead of acting on her promised resolve to let Jack into her life. Erica returned from her appointment, and paused to hang up her coat, then stow her purse in the closet. When she got to her desk, she glanced across the room at her older sister. "Hey! Are those cookies on your desk?"

Marnie chuckled, and slid the plate in Erica's direction. "Ma stopped by with gifts."

"I thought she'd be halfway to Maine by now."

"She is now. She and I talked about Dan, and I'm cool with them dating. Ma is so happy, and it's nice to see. She deserves it."

Erica nodded. "It sure is. And if her being happy means we get cookies for lunch, then by all means, keep Dan around. Oh, I almost forgot!" Erica jumped up and dashed over to her desk, returning a second later with an envelope. "This came for you today when I was coming in the door. Delivered by messenger, so it must be important." She glanced at her watch. "Okay, I really gotta scoot. I'm supposed to meet with the caterer for our next event. Then I've got a date. You gonna be okay here without my astounding help?"

"Of course." Marnie tapped the envelope on her desk.

Plain, nondescript, nothing more than Marnie's name and address on the front. Probably a thank you from a satisfied client. "Thanks, Erica. Have fun on your date."

Erica's smile winged across her face. "You know me, I always do. And don't forget to have some fun yourself."

Marnie just nodded, then got back to work when Erica left. After a while, she stretched, and noticed the envelope again on the corner of her desk. She undid the flap, then pulled out the card inside.

*I found something of your dad's at his shop that I think you're going to want to have. Your key should still work.*
*Jack*

Marnie held on to the card for a long, long time. She turned it over, weighing her options. In the end, curiosity won, driven by the urge to see Jack again. Ever since the conversation with her mother, her thoughts had drifted toward the what-ifs. What if she fell for Jack? What if she kissed him again? What if they took things to the next level? Would she be going around with that same goofy, blissful smile on her face?

The card had been the impetus she needed, like a sign from above that she needed to stop dithering and start acting. Wasn't it about time she found out, instead of sitting on the sidelines, giving everyone else the happy ending she wanted, too? She grabbed her keys and headed across town, her heart in her throat.

In her mind, she kept seeing the four letters of *Jack.* Not *Love, Jack,* or *Thinking of you, Jack* or even *Best Wishes, Jack.* Just *Jack.* She should have been glad he'd left the closing impersonal, business-like. But she wasn't. She wanted more. She wanted him to come right out and say what he was feeling, and then let them take it from there. Even that thought made her heart beat a little faster with anxiety.

God, she really was a mess. But as she got closer to the building, and to seeing Jack, a smile spread across her face and anticipation warmed her veins. She thought of that kiss in the car, the one at the coffee shop, and decided...

Yes, she wanted him. Yes, she'd take this risk. Yes, she would put the past behind her and open her heart.

She wove her way through the city streets until the congestion eased and the roads opened up to an area filled with small office buildings and light industrial complexes. Her father's old building came into view, a squat one-story concrete building with a nondescript storefront and a long, rectangular shape. She sat there for a long moment, staring at the building, memorizing the sign. The Top Notch Printing sign had faded, and the white exterior paint that had once been so pristine had faded to a dingy gray. Weeds had sprung up between the cracks in the parking lot. The tidy building now looked sad, defeated.

It hit her then, hard and fast. She would never again drive up here and see Top Notch Printing on the front façade. Never again see the mailbox her father had painted himself one weekend. Never again walk through the door and hear her father call her name.

In the years since her father passed, no one had rented or bought the building, and it seemed to echo now with emptiness, disuse. Marnie parked, got out of the car, and flipped through the keys on her ring until she got to a brass one. The key had been on her father's ring for decades, and had a worn spot where his thumb had sat, morning after morning, when he opened the building for the day.

She slipped the key into the lock. The lock stuck a bit, then gave way, and the door opened with a creak. Once inside, her hand found the light switch, and the overhead fluorescents sputtered to life, providing a sur-real white glow in the foyer. She stepped past the glass partition that divided the receptionist's desk from the main office. A smile curved across her face. Her father had never had a receptionist, but when the girls came in after school or on the weekends, they'd fought over sitting at that desk and answering the phones, as if it was the best job in the world.

Marnie ran a hand over the old corded desk phone, then let her gaze skip over the desk. Nothing there, or on the counter where her father would leave things for customers to pick up. She took a right, and headed down the hall, toward the big oak door that hadn't been opened in three years.

Her steps stuttered and she looked up at the engraved plaque attached to the oak.

TOM FRANKLIN

That was all, no title, nothing fancy. The guys in the shop had made the sign for him one day, and he'd mounted it with the caveat that they all called him Tom, just like always. He'd been a good boss, almost one of the guys, which had made his employees love him, but had often given them license to slack on produc-tion. Still, every person who had ever worked for her father came to his funeral, a testament to his memory, his lasting relationships with people. Tom had been a good guy, a good boss, and an even better father. Oh, how she missed him.

Marnie reached up, her fingers dancing over the engraved lettering. Then she tugged off the plaque and tucked it in her purse. Doing so left a scar on the door, which Marnie liked. It said Tom had been here, and shouldn't be forgotten.

A long, low creak announced the opening of the front door. Marnie wheeled around, raising her fist with the keys in it. Not much of a defense, but better than nothing. She lowered her fist when she saw a familiar figure enter the building. "Jack. You scared the heck out of me."

"Sorry." He stepped into the foyer, and his features shifted from shadows to light. In the white fluorescents, his eyes seemed even bluer, his hair darker, his jaw line sharper. Her heart started beating double-time. "I wanted to get here before you did, but I was running behind."

She took a step closer to him, letting the smile inside her bubble to the surface. "That's okay. You didn't have to be here. I could have picked this up myself."

He took a step closer, reached up a hand, and cupped her jaw, his gaze soft, tender. "Oh, Marnie, you are so determined to fly solo."

"It's safer that way," she whispered.

"But is it better?"

She shook her head, and tears rushed to her eyes. "No, it's not."

"Then stop doing it," he said. He smiled, then closed the distance between them and kissed her. This kiss was tender, gentle. His hands held her jaw, fingers tangling in her hair. She sighed into the kiss and leaned into Jack.

And it all felt so, so right. So perfect. Falling wasn't so bad, she realized. Not so bad at all.

Finally, Jack drew back, but didn't let her go, not right away. The connection between them tightened, as the threads they had been building began to knit into something real and lasting.

It was as if in that kiss, that moment of surrender, something fundamental had shifted between them. Marnie could feel it charging the air, the space between them. The grin playing on Jack's lips said he felt it, too. From here on out, nothing would be the same. And for the first time in her life, Marnie was ready to get on that roller coaster, but still, fear kept her from saying a word.

"Before we get too distracted, let me show you what I found. I put it on your father's desk." Jack reached past her, which whispered his cologne past her senses, and opened the door to Tom's office, allowing Marnie to enter first.

She took a deep breath, squared her shoulders, then went into the office. The second her feet touched the carpet, she jetted back in time. She hadn't been inside her father's office for years. At least four, maybe more. Once she'd gone off to college, then come home to open her own business, free time had become a rare commodity and her days of playing receptionist with her sisters had ended.

Nothing had changed with the passage of time. The worn black leather chair her father had rescued from a salvage sale still sat behind the simple dark green metal desk he'd painted himself. The bookshelf held a haphazard collection of business books—gifts, mostly—that he'd kept meaning to read and never had. A stack of print samples lay against one wall, and a dish of Tootsie Rolls sat on the corner of the desk, beside a hideous green pottery pen holder that Kat had made for Dad in the third grade. Marnie's throat swelled. "It's been three years and it still seems like I could walk in here and find him at his desk."

Jack put a hand on her shoulder. She leaned into his touch, allowed his stronger, broader shoulders to hold her up. "I'm sorry you lost him," he said. "He was a really nice guy."

"Yeah, he was." She stepped away from Jack's touch, and crossed to a box on the credenza behind the desk. Her name had been written across the top, in the same precise script as the note. Jack's handwriting. She danced a finger across the six letters of her name.

"I came across that when I was cleaning out the office," Jack said. "I thought you'd want to have it. For you and your sisters."

She pried open the cardboard. Instant recognition hit her, along with a teary wave of memories. She reached inside and pulled out the wooden photo frame, still filled with a picture of Dad and his girls, the three of them crowding the space in front of him. Ma had taken the picture, out in front of the building, years and years ago. Kat was about ten, Marnie almost nine and Erica just seven, the three of them wearing goofy smiles and matching pigtails. It wasn't the picture that caught her heart, though, it was the frame.

When her mother had brought home the print from the photo developer, Dad had showed it to Marnie and told her a special picture like this needed a special frame. He'd asked her to help him make one, and she'd leapt at the chance. Her father, who worked too many hours and came home to three girls all anxious for him to hear about school or help with homework or go outside to ride bikes, rarely had time to spend with just one daughter.

"My father and I made this together," she said, the memory slipping from her lips in a soft whisper. "He told the other girls that this was going to be a Dad and Daisy-doo project. Kat and Erica pouted, but Dad stuck to his guns. We went out to the garage, and he and I did everything, from cutting the wood to nailing the pieces together. He taught me how to miter the corners and sand the wood filler until it was smooth. When it was done—" she flipped over the frame and ran her fingers over the letters etched there "—he showed me how to use the woodburner to put our names on it."

And there, as deep and clear as the day she'd done it, were the words *Dad and His Daisy-Doo's Great Project.*

A great project, indeed. The best one, and one of the few things that had been just between her and her dad. Her throat clogged. Her vision blurred. *Oh, Dad.*

"I didn't even know he saved it." But of course he would have. Tom had been a sentimental man, who had held on to nearly every school paper his daughters brought home, framed the weekly drawings, and made a big deal out of every life event. Tears welled in her eyes, clung to her lashes. She clutched the frame to her chest. Solid, warm, it held so many memories. "Thank you."

"You're welcome." He let out a breath, then shifted his weight. His stance changed from commiseration to serious, and she knew this was something she might not want to hear. "I've got some things to tell you, Marnie, about the way I handled your father's business."

"It's okay. It's in the past. He's gone now."

"I know, but…this needs to be said. For both of us." Jack heaved a sigh. His gaze skipped around the room, coming to rest on the visitor's chair, as if he was sitting in it, across from her father again. "When I first met with your father, I came to him under false pretences. I promised him we'd help him. It was the same line we gave all the businesses we worked with. Sometimes, yes, we did help them, but sometimes we just invested and walked away, knowing they'd fail."

"How was that a smart strategy?"

Jack took a seat on the corner of the desk. "There's a lot that goes into a buying decision, you know? Pluses and minuses, current earnings versus future. Your father might not have been great at managing a business, but he was amazing at building customer relationships, and that meant his business had incredible future earning potential. Everybody loved the guy, loved working with him, and he had a great rapport with them. But…"

"But what?"

He heard the caution in Marnie's voice, and knew she was bracing herself for something she didn't want to hear. How he wanted to stop here, to not tell her anything. But the guilt had weighed on him heavy for years, and he couldn't keep seeing Marnie or ask anything more of her if she didn't know who he used to be.

"But there was a bigger company in town who wanted those same customers. They were a current client of my father's, and they had tried to buy your dad's business a few times, but he always refused."

"I vaguely remember something about that. My dad didn't talk about work very often."

"The competitor came to my father and I, asking us to go in, get Tom's business from him and then they could have the customers. There'd be a big bonus for Knight, of course, and a very happy client. At the time I thought it was the right thing to do. I justified it a hundred different ways. Your father was older, ready for re-tirement. He wasn't much of a businessman. He'd been talking about getting out of the company, having more time for himself. So I kept telling myself I was doing the right thing, that in the end, it was the best choice for Tom. But…"

Across from him, Marnie had gone cold and still. "But what?"

"But I liked your father. He was a great guy, like I said. The kind of guy you'd have a few beers with or split a pizza with. He was honest and forthright and nice."

"And trusting."

Jack nodded, hating himself for abusing that trust years ago. "And trusting."

"So you…" She clutched the frame between her hands, her knuckles whitening. "You threw him under the bus, for a bottom line?"

Jack sighed, and ran a hand through his hair. "Yes, I did all those things. I'm the one that talked to your father about Knight investing in his company. I'm the one that promised him we'd be there through thick and thin. And I'm the one who, in the end, deserted him. But, Marnie, there's more to it than what you know."

But she had already turned on her heel and headed out of the office. Before he could follow, she had rushed out. The door slammed in her wake.

Marnie ran. Her mind tried to process what Jack had told her, but it wouldn't compute. Jack had fed her father a line of lies. Then let him fail on purpose.

She jerked her keys out of her purse and thumbed the lock. A bright green pickup truck pulled into the lot.

The color triggered a memory in Marnie, and when the man in the truck got out, she remembered.

Doug Hendrickson, the twenty-something son of Floyd Hendrickson, who owned a rival printing company in Boston. Back in the early days of his business, Marnie's father and Floyd had worked together, helping each other build from the ground up, trading jobs, connections, equipment. Marnie could remember going into her father's shop on the weekends, and sometimes seeing Doug when he came in with his father.

Then Floyd and Tom had a falling out, over what Marnie had no idea, and the two had stopped speaking. They'd become fierce competitors then, each trying to grab their corner of the Boston printing market. She hadn't seen Floyd or his son in years, but she knew Doug's wide, friendly face in a second.

Doug cupped a hand over his brow to block the sun. "Is Jack around? I'm supposed to meet him here, but I'm early."

"You're meeting Jack? Jack Knight?" she said, instead of telling him Jack was right inside.

"Yup. You seen him?" Doug's gaze narrowed and he took a step closer. "Hey, aren't you Tom's daughter? Uh, Kat? Or..."

Marnie worked a smile to her face. "I'm the middle one. Marnie."

"I knew you looked familiar!" He grinned. "What a wicked small world. God, I haven't seen you in years. You're not thinking of reopening your dad's place, are you?"

She shook her head. "No."

The door opened behind her and Jack stepped into the sunshine. Damn. She should have left.

"Hey, Jack!" Doug greeted him with a smile. "Glad to see you. You got my check?"

Marnie jerked her gaze from one man to the other. "Check? What check?"

"Gee, Marnie, I would have thought someone would tell you." Doug put his hands in his back pockets and rocked on his heels. "I'm opening up my own shop. With some funding from my dad and Knight, of course. I met Jack here a few years ago and he set me up with this place and a nudge to go out on my own. This place was perfect because, well, it has all the equipment still. A little dusty, but it works." Then Doug seemed to realize what he'd said and his face sobered. "Sorry, Marnie. I know your dad passed and all, and this is probably hard."

She bit her lip. "Harder than you know. I'm glad you're the one giving this place a second life. I'm sorry if I seem short with you, Doug. It's just been a really tough day."

An ache started deep inside her chest and spread through Marnie, fast, painful, until she wanted to collapse, or run, or both. She had trusted Jack, opened her heart to him, begun to fall for him, and what did it get her? Hurt. Why had she taken that risk?

She spun toward Jack. "You did this?"

"It's complicated, Marnie. Your father—"

The anger and hurt inside her ignited. So many emotions, weeks' worth, really, bubbled to the surface. She'd kept it all tamped down, and now she wanted to explode, regardless of who was there or why. "You don't get to tell me anything more about my father. Or me. Or us. Or anything. Just leave me alone, Jack."

Before he could respond, she climbed into her car, started the engine and spun out of the parking lot. Tears blurred her vision, but she swiped them away and drove hard and fast, away from a huge mistake she'd almost made.

Just when she'd begun to think that Jack Knight was a good man, just when she was about to give him a chance, to trust that the man she'd seen at the gym and the coffee shop and the charity was the real Jack, he did something like this.

Sold the remains of her father's company to his competitor. Just like the vulture she knew he was all along.

# CHAPTER TWELVE

HE SHOULD HAVE let her go. She was hurting, and like a wounded animal, Marnie wanted to escape from the person she saw as responsible for her pain. She had left the office, and run for the car, dodging the rain that had started to fall again. Her tires squealed against the pavement, spitting gravel in her wake, and then she was gone.

Jack hesitated for a half a second, shouted a *meet you later* at Doug, then he hopped in his car and wove through the traffic, darting left, right, until he saw her gray sedan ahead. He pulled in behind her, following as she navigated the city, driving against the tide of outbound traffic.

She passed her office, took a left instead of the right that would have brought her to her mother's house, and passed by the exit for her condo. She turned down Charles Street, then entered the Boston Common Parking Garage. Jack found a space a half level above her, then hopped out in time to see Marnie heading up the stairs and out one of the parking kiosks located on the Common. She crossed Charles, then entered the Public Garden. He lingered behind, warring with letting her go and running after her. Hadn't he hurt her enough? Done enough damage?

She headed down the wide sidewalk that led to the pond and the swan boat rides. For a moment, he thought maybe that was her destination—a quiet ride on the tranquil pond while swans and ducks bobbed nearby, begging for crumbs. But her steps slowed, then stopped. She took a seat on a bench. When he saw the hunch in her shoulders, the decision was made for him. He couldn't let her hurt for one more second. Because—

Because he was falling in love with Marnie Franklin. Hell, he'd been falling for her ever since they'd met. It had been those shoes, those impractical, uncomfortable shoes that she'd kicked onto the pavement. A barefoot Cinderella who had enticed him with her fiery hair and her feisty attitude.

She might never forgive him, and might hate him for the rest of her life, but that didn't mean he wasn't going to try to rectify the mess he had made years ago. And maybe, just maybe, he'd find some peace finally. He might not be able to fix this enough to allow him and Marnie to be together, but maybe he could make it better for her.

He sat down on the space beside her on the bench. Her eyes widened with surprise. "Let me guess," he said, gesturing to the statue across from them, "favorite book as a child?"

Instead of answering, she wheeled on him. "Why are you here, Jack?"

"Because I'm trying to explain to you what happened."

"You can't. It's too late." Her eyes misted and she turned away, facing the bronze statues across the walkway. A mother duck, followed by several baby ducks, waddled from the nest to the pond. The statues were a Boston Public Garden landmark, based on the famous

Robert McCloskey book about a family of ducks who had battled city traffic and rushing bicycles to settle in this very park.

"That's the statues based on *Make Way for Ducklings,* right?" he said, because he didn't know what else to say. Far easier to focus on some metal ducks than on climbing the wall between himself and Marnie. "That book's a classic."

"My father gave me the book for Christmas when I was a little girl." She turned to him, the anger still in her green eyes, the hurt rising in the bloom of her cheeks. "Do you want to know why?"

"Yes, I do." He wanted to know everything about Marnie, to memorize every detail of this intriguing woman who named flowers and blushed at the drop of a hat.

She bit her lip, then exhaled, but the tears still shone in her eyes. "Because he said no matter how far any of us girls got from him, he'd always be there to make sure we got home okay. He said he'd be there." She stopped, drawing in a breath, then letting it out again with a powerful sigh. "And he's not there. Not now, not ever again. Because of you and your investment. You ruined our lives, Jack, and because of that, he just gave up and...died."

Jack let out a long breath and rested his arms on his knees. "I know I did. And I'm sorry."

She sat beside him, still as the statues. "I don't understand, Jack. You helped Dot and your friend with the gym, and Luanne and Harvey. Why not my father? Why wasn't he worth you doing the same as you did for them?"

Jack's gaze rested on the bronze ducklings, forever frozen in their quest to tag along after their parents.

"When I went to work for my father, all I wanted was a relationship with him. I thought if I became more like him, then he'd, I don't know, start to respect me. Give me an attaboy at least. So I learned his techniques, and I mastered them, and I went in there with his slash and burn and fire sale approach, and did the old man proud." He let out a curse. "I destroyed companies, sold them off like stolen car parts, and waited for my father to say I'd done a good job. He never did. He found fault where there was none, complained about my soft heart when I didn't pull the funding plug fast enough..." Jack threw up his hands. "There was no winning with that man. He was committed to the bottom line and nothing else."

"And my father's business was part of that bottom line? Because it meant more to your father gone than working?"

"Yes." Saying it to Marnie's face hurt Jack far more than speaking to any of the other business owners in that pile of folders on his desk. He wished he could undo the past, flip a switch, and change everything. "Every time I did what my father asked me to do, I died a little inside. I was so caught up in the thrill of it all, the hunt, the chase, the capture, that I couldn't see the impact on the people, or on me."

Marnie just listened.

"When I met your father, and convinced him to sign with us," Jack said, "I liked him. A lot. And for the first time, I felt like the lowest level of scum there was because I knew I was lying and I knew what was going to happen to his business. I realized what I'd been doing and how it had turned me into someone I didn't even like, someone who lied to get what he wanted, who toed the company line no matter what it cost other people. After that, I quit working for my father. I walked away.

It took me a couple weeks to find another job, and in that time, my dad went to your father and told him there was no hope. Nothing to salvage. He convinced your father to sign over the rest of the company to Knight."

"For pennies on the dollar."

Jack nodded. "By the time my father died and I was in that president's chair, it was too late. Your father had left, and didn't want to come back to the business." He still remembered that morning meeting with Tom Franklin. Regrets had haunted Jack for years. He'd been too late, then and now. Too damned late.

"Wait. You offered my father his company back?"

"His was one of the first I tried to fix. It was the one I wanted most to save, but your dad was done, and I think, glad to be out of the chief's role. He said he loved the industry, but hated the stress of being an owner. He seemed...relieved when I talked to him. I kept trying. I called him every week. But he kept saying no. Said he wanted to be retired and enjoy what time he had left. So I stopped."

"What do you mean, what time he had left?"

"He didn't tell you?"

"Tell me what?"

Oh, hell. Jack hesitated. He looked into Marnie's wide green eyes, and wondered if deep inside her, she already knew what he was going to say. "Your father had a heart condition. He'd known about it for years and I think that's what really drove him to get investors, to try to take some of the stress off his shoulders. After I lost my dad from the same thing, I tried to encourage Tom to get to the doctor, listen to the medical advice, but he was..." Jack's voice trailed off.

"A proud and stubborn man." She let out a gust and jerked to her feet. For a moment, she fumed, then she nodded. "My mother had hinted at this. That my father wanted time, and that she wanted him to have it, too. They knew. But they kept it from us."

"He didn't want you to worry, I'm sure. That's why he kept this all secret."

"Secrets are how people get hurt!" The words exploded out of her and she turned away. "If that's love, I don't want it." She waved a hand, as if brushing away a wasp. "Leave it for everyone else."

He stepped to the side, until she looked up at him again. In her face, he saw the scared woman buried deep inside her. So afraid to trust. That had been him, too, for much too long. No more. If he kept letting fear rule his heart, he was going to miss out on someone incredible. Marnie.

"Marnie, your father *did* love you girls and your mother," Jack said. "He talked about you all like his family was the best in the world. He was trying to protect you all, right or wrong."

After a long moment, realization and acceptance dawned in Marnie's eyes. "Because then we'd want to help. We'd want to talk about it. And if there's one thing my family excelled at, it was not talking about anything." She cursed and shook her head, then wrapped her arms around herself, even though the day was warm. "My whole life was like that. Things happening beyond my control. My father would keep his business worries to himself, play the jokester, the happy guy, my mother would act like everything was perfect, and I'd feel like I was missing something. Something necessary and important."

Jack rose and took her hand in his. "Oh, Marnie, I'm sure they didn't do it to hurt you."

"But it did all the same. And so I grew up, and I decided I'd control everything I could. And do the same for them. Protect my mother from…you. From love, from happiness."

"From me?"

"I was afraid that if she saw you, she'd remember what had happened to my father and be hurt all over again. But really, I was just looking for a reason to stay away from this…risk between us." She bit her lip, and finally admitted the truth to herself. Her father had lost his business and her world had been thrust into chaos. Then he died, and the chaos got worse. Both things happened outside her realm of control, and had only made her dig her heels in further. "I have my lists and my organizational things and it all gives me comfort. I went into a business where I can control people's happy endings. And you know what?" She lifted her gaze to his, and felt tears fill her eyes. "Control hasn't made me any happier. It's made me scared and reluctant. And left me alone. The only match I can't make is the one for myself, because falling in love means letting go. Taking a chance. Trusting another person. And maybe getting hurt in the process."

Jack danced his fingers along her cheek. "And would that be so bad?"

She nodded, scared even now. A part of her wanted to hold on to the comfort of that fear, but she had done that for far too long and ended up running from Jack, running from the truth, and most of all, running from the very thing she wanted.

Love.

Her gaze went to the statues again and she realized her father may not have told her everything, but in his own way, he'd always been trying to prepare his daughters for the end. "Whenever he read *Make Way for Ducklings* to me, my father used to add an epilogue. He would tell me that there would be a day when Mr. and Mrs. Mallard could no longer lead the way for the ducklings to go to the little island, and that the ducklings shouldn't worry. When that day came, that was when the ducklings knew it was time for them to spread their wings and find their own ponds. He said the Mallards knew their ducklings would be fine because they were smart and strong and would always have the love of their parents at their backs." The tears slid down her cheeks now, dropping onto her hands and glistening in the fading light. What she wouldn't give to hear him tell that story one more time. "He wanted me and my sisters to find our own ponds and not to worry about him."

"Because you are smart and strong and would always have his love."

She nodded, mute, and the tears fell, and Jack pulled her into his chest, holding her tight and strong. She cried for a long time, while pigeons cooed at their feet and the sun began to set over Boston. She cried and his heart broke for her, and he wished that of all the things he had fixed, that he could fix this one most of all. She cried and Jack envied her father, and hoped Tom Franklin knew how lucky he had been to have people love him like this.

Finally, Marnie drew back and swiped at her eyes. "I'm sorry."

He whisked away one more tear with his thumb, then cupped her jaw. "Don't be. I'm sorry I didn't stand up to my father sooner. I'm sorry I wasn't here when your father needed me most. I'm sorry I didn't tell you all of this sooner. I'm sorry for a thousand things, and a thousand more. I've been trying to make it up to the people my father's company destroyed ever since that day, because that's the only thing that's going to let me sleep at night. I can't change the past, but hopefully I can make the future better."

"And the Hendricksons? Are they part of that?"

Jack shook his head. "That was all your father's idea. He said he wanted to see the next generation carry the company forward. He told me to contact Doug and tell him that after he got out of college, he could buy the building and its contents for a fair price."

"You held on to that property all this time? Because my father asked you to?"

Jack nodded. "It was the least I could do." He brushed back the lock of hair that had fallen across her brow. "I'm sorry, Marnie."

It was as if he couldn't say the words enough. She was the face of his and his father's selfish decisions, the mirror Jack looked into every day. But telling her and getting the truth on the table, as painful as it had been, had eased the guilt in his chest. For the first time since he'd taken a seat behind his father's desk, he felt as if he'd made a difference. Like he could stop beating himself up for the past.

"I'm glad you're helping Doug. I truly am. I couldn't think of a single soul that would take better care of my father's dream." She gave him a grateful smile. "My mother told me once that my father said he thought you were a good man when he met you."

"Really?" Jack thought of who he had been, and couldn't imagine why Tom would say such a thing.

"One of my father's skills, and I think it's something I inherited and use in my matchmaking, is seeing the best in people. He knew who you were inside, and that's what he saw. That's all he saw. That's why he trusted you."

Jack shook his head. "He must have had a crystal ball into the future because I sure wasn't a good man back then."

"But now, you are."

"Now I'm just trying to make up for the past. Going into the same office, day after day, and trying to undo the damage." He shrugged. "I'm not sure that makes me good or bad, more…doing my job."

She thought about that for a second as a trio of bicyclers sped past them, and a family paused to admire the bronze ducklings. The end of the day brought more people to the park, their voices rising and falling like music.

"You know, you and I are a lot alike," Marnie said. "We both keep taking comfort in the things we know, the things we can rein in, rather than risk it all for the unknown. It's like what you said in your speech about taking chances. It's so much easier, isn't it, not to confront, not to upset? It's just another way to control the situation. When really—" at this, she let out a little laugh "—the one you're really not confronting is yourself. Your own fears and insecurities and worries."

How right she was. He'd gone along with his father's plans for years, because he didn't want to look in the mirror at what he'd been doing. And now, he'd avoided relationships under the guise of not wanting to repeat his family history, rather than looking at the inner demons that kept him from making a commitment. He took her hand, letting his thumb rub across the back of her fingers. Her hand felt good in his, right. "All we can do, as my stepfather says, is to live and learn, and do things different going forward."

She nodded. "That's good advice, Jack. You should take it."

"I'm trying." He grinned.

"I mean it. You should go after the things you're afraid of."

"I'm trying to go after you." He moved closer, reaching for her, but she stepped out of his grasp. "But you keep running away from me."

He reached up and cupped her jaw. He could look at her face every day for the rest of his life. Hear her say his name every morning and night, forever. After his engagement ended, he'd been afraid to risk his heart, and it almost cost him this woman. His stepfather had been right. He had been scared, terrified really, of opening his heart to Marnie because it meant taking a risk that he could turn out like his father. He was done with that. Done with worrying. The best thing to do—

Take the leap anyway.

Jack let his thumb trail along her bottom lip. "All that fire and sass, in one woman. No wonder I can't stop thinking about you."

She shook her head. "Don't, Jack. Don't do this."

She was going to bolt, and he didn't know how to stop that. Despite her words, the woman who brought people together for a living still lived in fear of her own happy ending, held that fear like a security blanket. He and Marnie were so alike, he thought, burned by their pasts and using their jobs to cover for their emotions.

"Don't what, fall in love with you? Too late, Marnie."

She swallowed hard and her eyes widened. "But we've only known each other a few weeks and we barely dated or anything."

"When you know, you know. Doesn't that happen to your clients all the time?"

"Yes, but this is different."

"How?"

"It just is."

He wanted to shake her, to tell her to take down that stubborn wall, and open her heart. But he knew she would do that only when she was ready. Pushing her would only push her away, the last thing he wanted.

His gaze dropped to her lips, trembling with the fear still in her heart, then raised his gaze to her eyes, wide, cautious. "Why are you so terrified of the very thing you tell everyone else in the world to go after?"

"I…I'm not." The lie flushed her cheeks.

"Do you know why my engagement ended?" Jack said. "Tanya left me because she said I was cold. Uninvolved. More interested in work than in our relationship. I lost her, and it was all my fault. I've kept my heart closed off ever since, and worked myself half to death, because I thought that was easier. After all, I learned that art from the master." He let out a gust and a low curse. "The irony of the whole thing is that the one man I never wanted to emulate—my father—was the man I had started to become. I won't make that mistake again, nor am I going to spend one more day alone just because I'm afraid of his legacy. I'm done running from relationships. The question is—" he took her hand again "—are you?"

"You think I'm running? Look in the mirror, Jack. You're afraid, too."

"I'm not afraid of anything, Marnie."

"Really? You told Luanne that you originally went to college to be a writer, then changed your major to business. Why? Because you wanted to make your father happy, not you. You told me yourself that you don't love your job, and you had thought about doing something else, but put it off. My question for you is why are you still working in your father's business if your first love was in writing?"

He scoffed. "Any business person will tell you that a job like that, where the sales and return on investment are almost completely out of your hands, is crazy. I've read the statistics. I know how many writers are making poverty level wages, and how many—"

"Are talking themselves out of it because they're afraid. Stop investing in other people, Jack, and invest in yourself. Then maybe…" Her green eyes met his, soft, vulnerable. "Maybe we can be."

Now she did leave, and this time, he didn't follow her. He sat back down on the bench and watched the bronze ducks marching on a perpetual journey to lands unknown. And wondered how a smart man could be so very, very stupid.

Marnie stood at her thirty-first wedding of the year and tried like heck to look happy. Instead, she suspected she had a face fit for a funeral. She shifted on her heels, slipped a glance at her watch, and bit back a groan. She'd only been here for five minutes. She couldn't make a decent exit until at least thirty minutes had passed.

This was what she worked so hard for, this was the icing on the matchmaking cake, and all the other times, she loved the moment when she saw a couple she had brought together pledge to be together forever. But not this time.

Not since Jack.

She hadn't taken any of his calls. Had refused the flowers he'd sent over. He'd even sent over a first edition of *Make Way for Ducklings,* with a little note inside that said:

*The only way to get to the right pond is to take the risk and cross the street. Love, Jack.*

That one word had scared her spitless, and she'd tucked the book on a shelf. Erica had just shook her head and not said anything. Marnie buried herself with work, staying late and getting to the office early, making matches until her head hurt.

Late at night, Marnie faced the truth. She was doing it again. Running from her own fears. Rather than confronting them. Was she always going to be like this? Afraid to take the very risks she encouraged her clients to take?

Her sisters and her mother had taken a leap of faith when it came to love. All three were happy as could be, and yet Marnie held back. Why?

She stood to the side of the room, watching couples kiss and dance, while the bride and groom waltzed to their favorite song. Marnie stood alone, flying solo, like she did at most of these events. And feeling miserable.

She had thought, when she walked out of the park, that she was doing the right thing. But really, she had been retreating again. All the emotions of the last few days had overwhelmed her, and brought her deepest fears roaring to the surface. So much for that resolve to go ahead and fall for Jack.

Okay, she had done that. She had fallen for him when he named the daisy Fred. But acting on those feelings—

That terrified her.

Jack had told her that people live and learn and then try to do things different going forward. Thus far, all she'd done was stick to her comfort zone. Which sure as heck wasn't keeping her warm at night.

Wedding guests tapped their forks against their wine glasses, the musical sound signaling to the bride and groom to kiss. Marnie watched Janet and Mark Shalvis giggle, then join hands and kiss each other, happiness exuding from them like perfume.

She thought of the cookie crumbs. The daisies. The picnic. The rain storm. Then she glanced in the mirror on the wall, and saw a woman who made her living creating happy endings, and had to make one of her own.

What was she waiting for? Was she going to be at her thirty-second wedding, still alone, still wishing she'd gone after what she wanted?

*The only way to get to the right pond is to take the risk and cross the street.*

Even if she didn't know what waited for her on the other side of the street. Or if he still wanted her. But if she didn't do it now, she'd always regret not acting, and Marnie Franklin was tired, dog tired, of living with regrets. If there was one thing her father's death should have taught her, it was that life was short. Her mother had moved on and found happiness in her golden years. What was Marnie waiting for?

Marnie drew in a deep breath, then strode across the room, over to the newly married couple. "Congratulations, you guys. I hate to leave, but I really have to go."

Janet pouted. "Can't you stay a little while longer? I really wanted to introduce you to my mom. And I have three single cousins who could use your help. They're like an advertisement for a lonely hearts club."

How tempting it would be to retreat to that default position of work, instead of risk. For a second Marnie considered it. After all, what difference would a day make?

No. She'd wasted enough days already. She shook her head, and gave Janet a smile. "Have them call me tomorrow. Right now, I have to go. I have a very im-

portant match to go make. This one needs…my personal touch."

Janet took her arm and gave it a gentle squeeze.
"Good. Because no one knows what's right for another's heart like you do, Marnie."

Even her own, she thought, as she waved goodbye
and hurried out the door of the ballroom. The need to
be out of here, to be across town, filled her, and she
couldn't move fast enough. Her heels slowed her steps,
and she kicked them off, gathering them up by the straps
and running barefoot across the tiled lobby. Once outside the hotel, she raised her arm to call a cab, when
that familiar silver sports car glided into the spot beside
her. Dare she hope?

The window on the passenger's side rolled down. "I
really need to take you shoe shopping."

The deep voice thrilled her, lifted her heart. He was
here. Had he read her mind? Or did he have business
inside the hotel? She bent down and saw Jack's familiar grin in the driver's side. "What are you doing here?"

"Rescuing Cinderella before the clock strikes midnight." He leaned over and opened the door. "Do you
need a ride to the ball?"

"Actually, I'm leaving the ball," she said, then got
inside the car and shut the door. "I was going to go look
for the prince. But it appears he already found me. How
on earth did you do that in a city this size?"

"Bloodhounds." He grinned. "No, I'm kidding. You
wouldn't talk to me. I got desperate. So I bribed your
sister to tell me where you were."

"You bribed Erica?"

"It's amazing what kind of information a chocolate
cupcake can buy." Jack chuckled, then put the car in
gear and pulled away from the curb. A light rain started

up, casting the city in shades of gray, and reminding Marnie of that afternoon at the jazz festival. "If you hadn't come out of that wedding, I would have ended up making quite a scene."

"Oh, really? And what would you have done?"

Jack turned into an empty parking lot, stopped the car and turned to Marnie. The rain fell faster now, pattering against the glass, the roof. "I had it all planned out. I was going to march in there, daisies blazing—" he reached into the back seat and pulled out a huge spray of white daisies "—and tell the entire world that I loved you."

Joy bubbled in her heart. Once, those words would have filled her with fear, but no more. She'd almost lost him, and that realization had woken her up to the fact that she took this chance now, or lost it forever. She thumbed in the direction they'd just come. "You know, we can always go back."

"Maybe later," he said, then put the daisies on the dash and pulled her to him. "After I'm done kissing you."

She put up a hand to stop him. "Wait. I need to tell you something first."

He drew back, hurt shimmering in his eyes. "Okay. Shoot."

"I told you that you weren't facing your fears, when really, I should have said that to myself. It's just that finding out all that stuff about my father, just kicked me in the gut, and so I retreated to my default position." She let out a gust. "I buried my head in the sand, which is exactly what I blamed my parents for doing for years. Ironic, isn't it? That I did the very thing I hated?"

"Sometimes we repeat what we know, even if we don't realize it at the time."

"I put off confronting you and told myself it was because I didn't want to hurt my mother. But really, I was afraid of looking at *me*. At how I was starting to feel for you, and how much that scared me. I let what happened with my father be the reason to avoid a relationship with you because I was damned afraid of letting go."

"And now?"

"Now, I…" She paused, and the smile inside her heart made its way to her face. "Now I just ditched my clients because I wanted to run across town and tell you how I felt."

When he returned the smile, that zing ran through her, faster and more powerful than ever before. If she'd been a matchmaker with a client, she would have told the client to listen to that zing. To follow its lead. Because it always led to the heart's true desire. She raised her lips to Jack's. "I'm falling for you, Jack. You came into my life with a bang, and scared the hell out of me because you kept trying to get me to let my hair down, to be spontaneous and fun and *unfettered*." She laughed again at the word he'd used to describe her.

He brushed her bangs away from her eyes with two gentle fingers. "You are damned sexy that way, you know."

"Oh, really?" She grinned, then released her curls from the clip that held them in place. Her crimson hair cascaded onto her shoulders.

Jack let out a groan and pulled her closer. "We have got to get out of this car and behind a closed door, because I am not making the same mistake I did in the parking lot." His blue eyes darkened with desire and he leaned toward her.

"Wait. There's one other thing." She bit her lip and

feigned a serious look. "Before you and I go any further, I wanted to set you up on one more match."

He groaned. "Marnie, I don't want to—"

"She's a redhead. Who loves daisies and has this silly habit of naming the flowers she receives. She loves jazz music and peanut butter cookies, and doesn't mind running through the rain, even if she often wears completely impractical shoes." Jack grinned and leaned in closer, but Marnie put up a finger and pressed it to his lips. "I have to warn you. She's complicated and scared as hell of having her heart broken. But that hasn't stopped this reluctant Cinderella from falling in love with a prince in a silver sports car."

"She sounds like the perfect match for me." The words danced across her fingers, followed by a quick, light kiss. His blue eyes lit with a teasing light. "Though she may want to think twice about getting tangled up with that prince. He's a business owner who's writing a book in his spare time. A guy who has made a few bad choices, but is doing his damnedest to make up for them. And before you get too sold on him, you should know he hates romantic comedies but loves action movies."

She shook her head. "Oh, that could be a deal breaker."

He chuckled, then drew Marnie into his arms. "Maybe we'll just watch the news instead."

"Or," she said, and a delicious smile curved up her face, "we could stay in bed and not watch anything."

"Now *that* sounds like a plan." Jack kissed her then, a deep, sweet, tender kiss that soared in Marnie's veins and filled her heart to the brim. She'd taken the risk, and found exactly what she was looking for on the other side—

Her own happy ending. And as she kissed Jack, the

rain fell and the city rushed by in its busy way. But inside the car, the world had slowed to just the two of them, and the match made in heaven.

Three months later, Marnie and Jack stood at the thirty-second wedding of the year, and by far, the biggest success story for Matchmaking by Marnie. From the minute she walked down the aisle, between Dan and Helen, Jack hadn't been able to take his eyes off Marnie. She had to be the most beautiful bride he'd ever seen. She had her hair down, that riot of red curls a stark, sexy contrast to the simple satin sheath dress she wore.

"I love you, Mrs. Knight," he whispered in her ear. They were sitting at the banquet table, with her sisters on either side, while several dozen of their friends enjoyed the food and music. It had been a simple wedding, held outside on the grassy lawn of a country club, with white table and chair sets and a small portable dance floor. Beside them was a small pond, with a pair of ducks making lazy circles through the water. Nothing too fancy, nothing too elaborate. But a day he knew he'd never forget. The summer sun shone over them, like it was smiling down on their happiness. The weatherman had predicted a storm, but so far, everything had been perfect.

"I love you, too, Mr. Knight." She grinned up at him, and Jack thought there was no sight more beautiful in the world than his wife's smile. *His wife.*

He didn't know if he'd ever get used to how amazing that sounded. He hoped not. He owed that cab driver a thank-you for being a distracted driver that night.

"I hope you're ready to dance tonight," Marnie said.

"Always, if it's with you. Though it depends on what you're wearing for shoes, Cinderella."

She chuckled, then lifted the hem of her dress to reveal very sensible and very comfortable decorated tennis shoes. They'd been studded with rhinestones and featured lacy bows. He laughed. Leave it to Marnie to surprise him, even today.

"I didn't want anything to spoil our wedding," she said.

"Nothing would spoil today, not even a freak winter storm," he said, then kissed her. She curved into his arms, a perfect fit. She had been, from the first moment he met her.

"Oh! My! God! You guys are the cutest couple ever! I can't believe you invited me to your wedding!" The high, loud voice of Roberta carried across the lawn, rising several decibels above the music and the murmurs of the guests. Jack and Marnie laughed, then turned toward her. She sent them a wave, then got back to shimmying her bright pink clad self with Hector on the dance floor. The couple had been together for several months now, and had even talked about marriage. A miracle, in Marnie's eyes.

"I think she's finally found her match," Marnie whispered to Jack. "I owe you big time for introducing them. I was worried I'd never find a match for Roberta."

"Oh, and I intend to collect on that debt. For the rest of our lives." He leaned in and kissed his wife, while guests clinked their glasses and cheered them on.

The DJ shifted the music from a fast song to a slow, romantic song. Couples began to head for the dance floor, including her sisters and their dates. Jack put out his hand for Marnie.

There was a rumble, and an instant later, the skies opened up, dropping a fast, furious, soaking summer storm. Guests began to run toward the building, shrieking in the rain, and hurrying to keep from getting wet. The dance floor emptied out, the DJ pulled the plug and dashed inside, yelling that his equipment would be ruined. Even Roberta and Hector made a fast break for the cover of the country club. But Marnie stayed where she was with Jack.

"Don't you want to get inside?" he said.

She shook her head, even as little rivers of water ran down her cheeks and arms. Her dress was already plastered to her body, but she didn't seem to care. "They say that a little rain is lucky on your wedding day. And I want to make sure we have all the luck we need."

"Oh, Marnie, we already do," Jack said softly and drew her to him. "We have each other."

They kissed again, while the ducks quacked and the rain fell and the world around them dropped away. They kissed until the storm abated and the sun came out again, as if giving their marriage its own blessing. They kissed, and for the first time in their lives, Jack and Marnie put their faith in happily ever after.

\* \* \* \* \*

# MILLS & BOON®
## By Request

**RELIVE THE ROMANCE WITH THE BEST OF THE BEST**

0816/05

# MILLS & BOON®

## The Regency Collection – Part 1

Let these roguish rakes sweep you off to the Regency period in part 1 of our collection!

Order yours at **www.millsandboon.co.uk/regency1**

# MILLS & BOON®

## The Regency Collection – Part 2

Join the London ton for a Regency
season in part 2 of our collection!

Order yours at **www.millsandboon.co.uk/regency2**